Hubert Pöppel / Miguel Gomes

Las vanguardias literarias en Bolivia, Colombia, Ecuador, Perú y Venezuela

Bibliografía y Antología Crítica de las Vanguardias Literarias en el Mundo Ibérico

Editores generales:
Merlin H. Forster, Brigham Young University, EE.UU.
K. David Jackson, Yale University, EE.UU.
Harald Wentzlaff-Eggebert, Friedrich-Schiller-Universität Jena, Alemania

Tomos publicados:

Jackson, K. David: *A Vanguarda Literária no Brasil. Bibliografia e Antologia Crítica.* 1998

Pöppel, Hubert: *Las vanguardias literarias en Bolivia, Colombia, Ecuador, Perú. Bibliografía y antología crítica.* 1999 (1ª. edición), agotado

Wentzlaff-Eggebert, Harald: *Las vanguardias literarias en España. Bibliografía y antología crítica.* 1999

Forster, Merlin H.: *Las vanguardias literarias en México y la América Central. Bibliografía y antología crítica.* 2001

Jackson, K. David: *As Primeiras Vanguardas em Portugal. Bibliografia e Antologia Crítica.* 2003

García, Carlos / Reichardt, Dieter: *Las vanguardias literarias en Argentina, Uruguay y Paraguay. Bibliografía y antología crítica.* 2004

Molas, Joaquim: *Les avantguardes literàries a Catalunya. Bibliografia i antologia crítica.* 2005

Pöppel, Hubert / Gomes, Miguel: *Las vanguardias literarias en Bolivia, Colombia, Ecuador, Perú y Venezuela. Bibliografía y antología crítica.* 2008 (2ª. edición ampliada)

Tomos en preparación:

Luis, William: *Las vanguardias literarias en Cuba, Puerto Rico y República Dominicana. Bibliografía y antología crítica*

Lizama, Patricio / Zaldívar, María Inés: *Las vanguardias literarias en Chile. Bibliografía y antología crítica*

La serie constará de los siguientes tomos:

Cataluña
España
Portugal
Argentina, Uruguay, Paraguay
Chile
Brasil
Bolivia, Colombia, Ecuador, Perú, Venezuela
México y la América Central
Cuba, Puerto Rico, República Dominicana

Hubert Pöppel / Miguel Gomes

Las vanguardias literarias en Bolivia, Colombia, Ecuador, Perú y Venezuela

Bibliografía y antología crítica

Con la colaboración de Amalia Salazar-Pöppel

Iberoamericana • Vervuert

2008

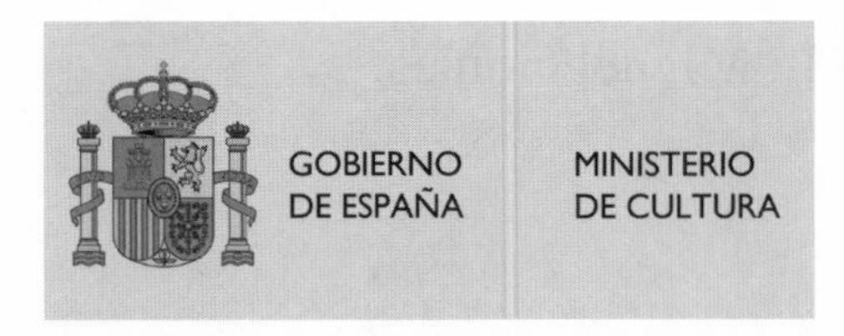

Esta obra ha sido publicada con una subvención de la Dirección General del Libro, Archivos y Bibliotecas del Ministerio de Cultura, para su préstamo público en Bibliotecas Públicas, de acuerdo con lo previsto en el artículo 37.2 de la Ley de Propiedad Intelectual

La planificación y coordinación de esta serie no hubiera sido posible sin la generosa ayuda del ACLS (American Council of Learned Societies), del DAAD (Deutscher Akademischer Austauschdienst) y de las siguientes universidades con sus bibliotecas y colecciones: University of Texas at Austin, Brigham Young University, Yale University, Otto-Friedrich-Universität Bamberg, Friedrich-Schiller-Universität Jena, Ibero-Amerikanisches Institut Berlin.

Bibliographic information published by Die Deutsche Nationalbibliothek. Die Deutsche Nationalbibliothek lists this publication in the Deutsche Nationalbibliografie; detailed bibliographic data are available on the Internet at http://dnb.ddb.de

Segunda edición corregida y ampliada. Primera edición: Vervuert - Iberoamericana, 1999

Amor de Dios, 1 – E-28014 Madrid
Tel.: +34 91 429 35 22 - Fax: +34 91 429 53 97
info@iberoamericanalibros.com
www.ibero-americana.net

Elisabethenstr. 3-9 – D-60594 Frankfurt am Main
Tel.: +49 69 597 46 17 - Fax: +49 69 597 87 43
info@iberoamericanalibros.com
www.ibero-americana.net

ISBN 978-84-8489-341-7 (Iberoamericana)
ISBN 978-3-86527-361-1 (Vervuert)

Depósito Legal: S. 627-2008
Diseño de portada: Jorge Colombo

Este libro está impreso íntegramente en papel ecológico sin cloro.

Índice

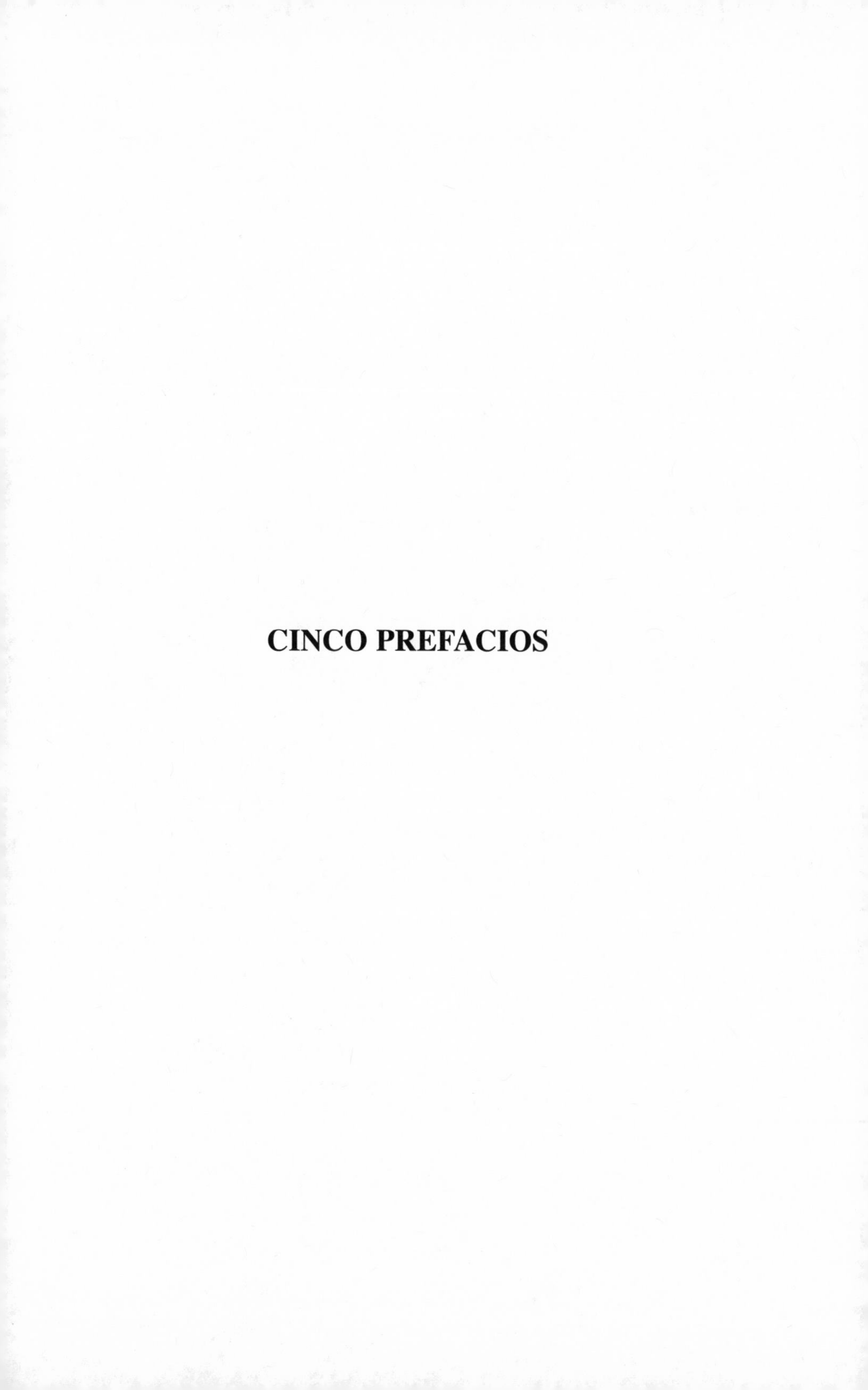

CINCO PREFACIOS

Introducción vanguardista tripartita

La vanguardia en telegrama

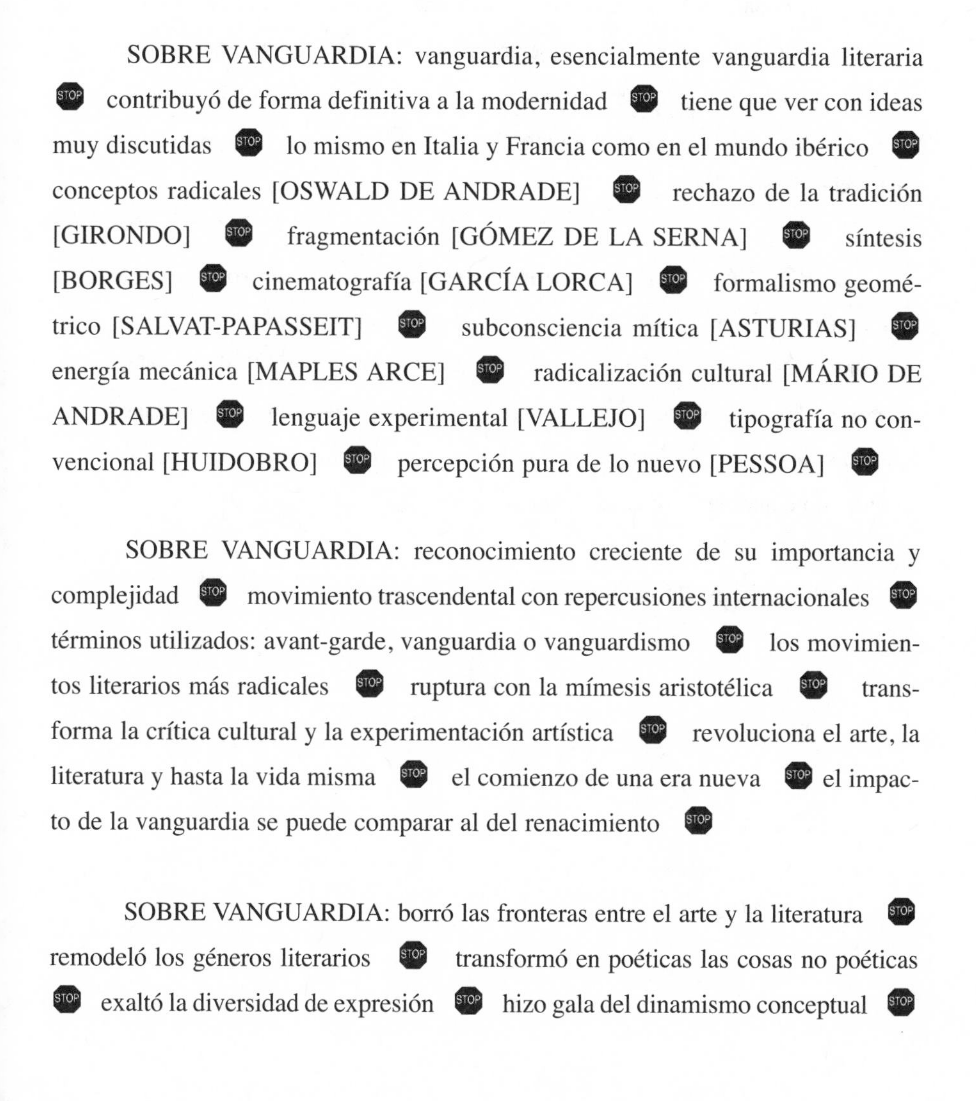

SOBRE VANGUARDIA: vanguardia, esencialmente vanguardia literaria STOP contribuyó de forma definitiva a la modernidad STOP tiene que ver con ideas muy discutidas STOP lo mismo en Italia y Francia como en el mundo ibérico STOP conceptos radicales [OSWALD DE ANDRADE] STOP rechazo de la tradición [GIRONDO] STOP fragmentación [GÓMEZ DE LA SERNA] STOP síntesis [BORGES] STOP cinematografía [GARCÍA LORCA] STOP formalismo geométrico [SALVAT-PAPASSEIT] STOP subconsciencia mítica [ASTURIAS] STOP energía mecánica [MAPLES ARCE] STOP radicalización cultural [MÁRIO DE ANDRADE] STOP lenguaje experimental [VALLEJO] STOP tipografía no convencional [HUIDOBRO] STOP percepción pura de lo nuevo [PESSOA] STOP

SOBRE VANGUARDIA: reconocimiento creciente de su importancia y complejidad STOP movimiento trascendental con repercusiones internacionales STOP términos utilizados: avant-garde, vanguardia o vanguardismo STOP los movimientos literarios más radicales STOP ruptura con la mímesis aristotélica STOP transforma la crítica cultural y la experimentación artística STOP revoluciona el arte, la literatura y hasta la vida misma STOP el comienzo de una era nueva STOP el impacto de la vanguardia se puede comparar al del renacimiento STOP

SOBRE VANGUARDIA: borró las fronteras entre el arte y la literatura STOP remodeló los géneros literarios STOP transformó en poéticas las cosas no poéticas STOP exaltó la diversidad de expresión STOP hizo gala del dinamismo conceptual STOP

SOBRE VANGUARDIA: el término vanguardia utilizado ahora libremente se refiere a cualquier producción atrevida o impactante el uso universal del término relaciona lo contemporáneo con lo histórico

SOBRE VANGUARDIA: las vanguardias históricas eran el futurismo, el cubismo, el dadaísmo, el surrealismo, etc. cambiaron las percepciones del mundo, la humanidad y a sus propios protagonistas estas tempranas rebeliones importantes a través de sus artistas y escritores apoyaron actividades creativas que han continuado durante todo el siglo sus técnicas preludian las del postmodernismo

SOBRE VANGUARDIA: se ha convertido en un discurso y un paradigma para escribir literatura ha guiado la crítica contemporánea hacia la era postmoderna vanguardismo reconocido ahora como un movimiento internacional con poder y amplitud incluye figuras de primer rango en muchas literaturas nacionales esta serie se abre al estudio de las vanguardias literarias admitiendo cualquier lenguaje o nacionalidad

SOBRE VANGUARDIA: la vanguardia nunca se detiene

¿Preguntas sin respuestas?

¿Debemos contestar todas las preguntas que puedan surgir sobre el vanguardismo en la Península Ibérica y en la América Latina? ¿No es mejor documentar sencillamente las agresivas y radicales interrogaciones que formaban parte de lo que llamamos vanguardismo, junto con las varias preguntas críticas que se han formulado sobre él? ¿No ha llegado todavía el momento para las contestaciones? ¿Será que las contestaciones —en este momento por lo menos— ofuscan sin aclarar la naturaleza particular del vanguardismo luso-hispánico? ¿No es mejor registrar simplemente las preguntas que se han planteado en la crítica, en lugar de proponer respuestas apresuradas y tal vez incompletas? ¿No servirá tal registro como invitación a la investigación propia de parte de nuestros lectores? ¿No funcionará así de guía para considerar las preguntas más importantes o para hacer otras nuevas o mejores? ¿No es la mejor forma de poner de relieve la diversidad de aspectos en el complejo fenómeno vanguardista en los países luso-hispánicos, un fenómeno que se ha manifestado en tres lenguas por lo menos (el español, el portugués y el catalán) y en países tan distintos como España, Cuba, México, Perú y Brasil?

¿No es la primera pregunta, entonces, hasta qué punto fue el vanguardismo luso-hispánico —en algunas áreas— una importación de los movimientos franceses, alemanes o italianos? ¿No había precursores importantes, como por ejemplo Armando Vasseur en el Uruguay o Gabriel Alomar en Cataluña, cuyas ideas eran semejantes a las de Marinetti pero que se expresaron años antes? Y ¿no empezaron Huidobro en Chile y Tablada en Venezuela y México a experimentar con la poesía visual al mismo tiempo que Apollinaire y otros en Francia? Además, ¿no hay fuertes indicios de que los contextos específicamente latinoamericanos cambiaron las direcciones del vanguardismo europeo importado, para crear expresiones vanguardistas auténticamente americanas? ¿No es probable que el vanguardismo en España y la América Hispana fuera afectado hasta cierto punto por el modernismo rubendariano anterior, y que la evolución de la poesía vanguardista pueda considerarse como la fase última y más extravagante del modernismo? ¿Debemos desconfiar de los vanguardistas mismos que adoptaron fuertes posiciones como enemigos de la poesía modernista? ¿No es verdad que los vanguardistas se apartaron del discurso retórico/patriótico/patético heredado del romanticismo y muy vivo todavía en las celebraciones de la Independencia en el año 1910? ¿Puede considerarse el vanguardismo como la victoria del texto amimético sobre el modelo aristotélico que había reinado durante más de dos mil años?

¿No es obvio en estos días que escritores peninsulares como el catalán Joan Salvat-Papasseit, el español Ramón del Valle-Inclán y el portugués Fernando Pessoa son reconocidos cada vez más como figuras revolucionarias en la expresión literaria de su tiempo? ¿Puede existir todavía alguna duda de que los poetas más innovadores del siglo veinte en la América Latina —Vicente Huidobro, Jorge Luis Borges, César Vallejo, Murilo Mendes, Pablo Neruda, Oliverio Girondo, José Lezama Lima, Octavio Paz— tuvieron comunicación significativa con los movimientos vanguardistas europeos? ¿Pero no demuestran al mismo tiempo las originales obras de esos poetas la liberación definitiva del Nuevo Mundo de la hegemonía cultural del Viejo Mundo europeo? Y finalmente, ¿habría sido posible la experimentación verbal y textual de las novelas de Julio Cortázar, Gabriel García Márquez, João Guimarães Rosa o Clarice Lispector sin la previa destrucción vanguardista de hábitos, normas y géneros literarios?

¿Más preguntas?

Diez puntos-manifiesto

9. Nos proponemos documentar de la forma más completa posible el fenómeno de las vanguardias históricas. Comenzamos con una serie de tomos sobre las vanguardias luso-hispánicas, pero en el futuro podrán ser consideradas otras áreas del mundo donde hubo actividad vanguardista significativa durante la primera mitad del siglo veinte.

8. Siguiendo la tradición del manifiesto, tomamos posesión de la primera mitad del siglo veinte como nuestro marco cronológico. Insistimos, obviamente, en que la gran mayoría de la actividad vanguardista se dio en las décadas de los 20 y 30, pero reconocemos que también hay que tomar en cuenta tanto precursores en años más tempranos como figuras tardías en años posteriores.

7. Rechazamos como insuficiente y anticuada la idea de que las vanguardias literarias luso-hispánicas de la primera mitad del siglo veinte fueron experimentaciones estériles y derivadas que no tuvieron ningún impacto sobre el desarrollo posterior. Al contrario, aseveramos que esas vanguardias deben ser apreciadas como expresiones artísticas valiosas, expresiones que al mismo tiempo funcionaban como preparación para la notable producción literaria de la segunda mitad del siglo.

6. Mucho se ha hecho en años recientes para facilitar el acceso organizado a los materiales necesarios para el estudio cuidadoso y crítico de los movimientos de vanguardia. Una dimensión central de ese trabajo ha sido la recolección y reimpresión de manifiestos y otros textos importantes de la época vanguardista. En cuanto a materiales peninsulares reconocemos, entre otras, las recopilaciones de Ilie (1969), Buckley y Crispin (1973), Brihuega (1979) y Fuentes (1992). Para la América Latina las obras más importantes son de Collazos (1977), Verani (1986), Osorio (1988), Videla (1990/1994) y Schwartz (1991/1995). Se pueden consultar también las guías bibliográficas hechas por Forster y Jackson para la América Latina (1990) y por Wentzlaff-Eggebert para España e Hispanoamérica (1991).

5. En la actualidad el discurso crítico sobre las vanguardias luso-hispánicas es mucho más amplio que en décadas pasadas, y se ha desarrollado desde distintos puntos de vista. La finalidad central de nuestra serie de publicaciones es precisamente hacer notar la expansión y la diversidad de esta área de investigación cultural y literaria. Ofrecemos nuestros tomos como una base sólida y equilibrada para facilitar el trabajo de otros estudiosos.

4. Proponemos en nuestros tomos destacar y ejemplificar este discurso ampliado en dos dimensiones principales. Primero documentamos la riqueza de este proceso crítico por medio de una detallada presentación bibliográfica. Nos esforzamos para que esta presentación sea lo más completa posible y permita acceso cómodo a datos y comentarios sobre manifiestos, revistas y obras. Segundo, y a diferencia de las excelentes publicaciones anteriores, no reproducimos manifiestos y pronunciamientos de la época sino una selección de trabajos críticos pertinentes.

3. A pesar de haber meditado bastante sobre el asunto, después de todo usamos en forma claramente arbitraria las áreas nacionales o regionales para estructurar nuestra pesquisas sobre las vanguardias luso-hispánicas. Nos damos cuenta de que el panorama histórico-literario es bastante complejo, extendiéndose desde la presencia de un solo autor o libro en algunas áreas a la relación de varios escritores, grupos y publicaciones en otras. Otra complicación es que algunos vanguardistas fueron asociados con más de un área nacional: Tablada con México y Venezuela, Alberto Hidalgo con Perú y Argentina, o César Moro con Perú y México. Sin embargo, insistimos en que nuestro esquema nacional/regional ofrece el mejor modo para representar el fenómeno multifacético vanguardista.

2. Al mismo tiempo, mantenemos la visión de un ámbito cultural luso-hispánico firmemente unificado, a través del cual las varias vanguardias históricas latinoamericanas pueden estar hondamente relacionadas con las agrupaciones peninsulares. Varias figuras y actividades de los dos lados del Atlántico fueron identificadas con las dos dimensiones; por ejemplo: Huidobro con el creacionismo en España y la América Hispánica; Borges con el ultraísmo en España y Argentina; Gómez de la Serna con España e Hispanoamérica; García Lorca con España, Cuba, Argentina y Uruguay; la revista *Alfar* con España y Uruguay.

11111. Más allá de estas dobles relaciones iberoamericanas, debemos tomar en cuenta también una expansión hacia marcos no ibéricos. Varios escritores vanguardistas tuvieron conexiones familiares o residencias significativas fuera de la América Latina o la Península Ibérica. Podemos pensar, por ejemplo, en la residencia y educación temprana que tuvo Pessoa en Sudáfrica, en la dimensión británica en la familia de Borges y su residencia temprana en Suiza, o en la herencia francesa de Carpentier y sus estudios musicales en París. Huidobro, Oswald de Andrade, Vallejo, Asturias y Moro también pasaron temporadas claves en Francia, mayormente en París. Neruda tuvo una residencia larga en el oriente, como la tuvo también García Lorca en Nueva York. A veces estas conexiones o residencias dieron como resultado una producción literaria en lenguas no ibéricas (por ejemplo, Pessoa y Borges en inglés, Huidobro y Moro en francés).

00000. Finalmente, terminamos donde comenzamos, con una insistente llamada en apoyo de una documentación adecuada y de más y mejor actividad crítica dedicada al estudio de las vanguardias históricas luso-hispánicas. Queda mucho por hacer todavía, pero no es el momento de aflojar. Hay que continuar en la lucha, y por eso invitamos a todos los interesados a que trabajemos juntos en el estudio de este significativo fenómeno cultural y literario.

K. D. J. / H. W.-E./ M. H. F.

Señas de identidad de este tomo

Retrato no convencional de las vanguardias en Bolivia, Colombia, Ecuador, Perú y Venezuela

Nombre	Literaturas de vanguardia alias poesía nueva alias nueva sensibilidad alias futurismo alias cubismo alias superrealismo alias ismos
Direcciones	Arequipa, Barranquilla, Bogotá, Caracas, Cuzco, Guayaquil, La Paz, Lima, Loja, Maracaibo, Medellín, Potosí, Puno, Quito, Trujillo
Padres	El modernismo, el postmodernismo, el tradicionalismo, la vanguardia europea, la vanguardia latinoamericana, la modernidad, la tradición, los gobiernos conservadores, liberales o dictatoriales, la Sierra, la Costa, el lago Titikaka, el lago de Maracaibo, los Andes, el Pacífico, el Caribe y algunos otros padres y madres todavía por detectar
Hermanos	Algunos locos no identificados
Edad	Incierta; probablemente nacieron entre 1915 y 1922; se desconoce si ya pasaron la adolescencia
Carrera universitaria	Improbable; declaran que cursaron la vida y el arte. Algunos aprendieron y enseñaron en las cárceles. El exilio tuvo también sus enseñanzas
Antecedentes	Admonición por irrespeto de mayores. Reclusión domiciliaria por insistencia en el irrespeto. Admonición por relaciones peligrosas con el extranjero. Cárcel por propaganda política a favor de la izquierda. Exilio en París, Madrid, Buenos Aires, Montevideo, La Paz y otros lugares por insubordinación. Silenciamiento por falta de compromiso con la izquierda
Acusación	Intento de homicidio
Víctimas	La Academia Boliviana, la Academia Colombiana, la Academia Ecuatoriana, la Academia Peruana, la Academia Venezolana. La Real Academia Española tampoco salió ilesa
Fiscal	Rubén Darío
Defensores	El *boom*, el *posboom*, los que no participan en el *boom*, la nueva narrativa, la nueva poesía, los nuevos postmodernistas
Juez	La historia
Fallo	[El caso espera desde hace 70 años en algún legajo de la Corte Suprema]

Retrato convencional de este libro

Primera parte

Nos falta una década, año más, año menos, para poder celebrar el primer centenario del inicio de la vanguardia literaria en América Latina —comentario aparte: ¡qué contradicción!—. Sin embargo, las vanguardias se muestran más activas y dinámicas que nunca. Hace menos de una década se publicó la primera edición de esta bibliografía y antología crítica, y los cambios que hay en la nueva edición son sorprendentes. Incluso para nosotros, que al principio habíamos pensado en anexar simplemente una actualización de unas cien entradas bibliográficas, y listo. Pero nos equivocamos.

En primer lugar, porque por fin Venezuela encuentra cabida en uno de los nueve tomos de la serie concebida por Merlin H. Forster, K. David Jackson y Harald Wentzlaff-Eggebert. Ya en la introducción a la primera edición habíamos hablado de la imposibilidad para justificar con argumentos que provienen directamente de las vanguardias el hecho de juntar movimientos o fenómenos vanguardistas tan dispares y heterogéneos como los que se dieron en Colombia, Ecuador, Perú y Bolivia. Ahora, con Venezuela, menos argumentos hay, salvo el de poder ofrecer suficiente material para por fin realizar un estudio comparativo. La presentación de las vanguardias venezolanas de Miguel Gomes que hace parte del retrato convencional de este libro sirva como invitación para tal tarea.

Si hablamos de heterogeneidad de los movimientos o fenómenos vanguardistas en los cinco países, podemos repetir lo que dijimos hace casi diez años. El número de entradas para cada país en la bibliografía da una imagen de lo incomparable que fue el fenómeno Vanguardias históricas en cada uno de ellos: aproximadamente 50 para Bolivia, un poco más de 100 para Colombia, 200 para el Ecuador, unas 650 para el Perú y casi 200 para Venezuela. No deja de llamar la atención el fenómeno. Pero, ante este hecho, uno de los criterios para la selección de los artículos de la parte antológica del tomo era también acercarnos a la pregunta: ¿por qué hubo un movimiento fuerte de vanguardia en el Perú y, con ciertas reservas, en el Ecuador y en Venezuela?; y ¿por qué no hubo el mismo interés por las vanguardias en Bolivia y Colombia? Los demás criterios para la selección eran, a falta de espacio para una documentación histórica amplia de la investigación de las vanguardias en cada país: que los trabajos les dieran a los lectores una visión amplia del desarrollo histórico de las vanguardias y de la historia de su investigación, que presentaran de forma ejemplar algunos de los protagonistas de los distintos movimientos, que reflejaran distintos métodos de la investigación sobre las vanguardias históricas y que dejaran vislumbrar el desarrollo intensivo de la investigación sobre el tema en los últimos años.

En este punto se nos avecinó un conflicto para la segunda edición. ¿Dar preferencia a la historia de la investigación o a las investigaciones más recientes? Ambas cosas: dejar lo que había y anexar lo nuevo, no era posible por falta de espacio. ¿Qué hacer, entonces? Humberto E. Robles, por ejemplo, nos pidió que optáramos por la versión actualizada y más exhaustiva de su contribución. En este caso, como en casi todos los demás, no solamente decidió la mera mención de "un poco más largo", sino el peso histórico que han adquirido los artículos. Solamente en dos casos hubo cambios: Mirko Lauer nos ofreció un artículo sobre la poesía peruana de vanguardia con una visión más general que el que habíamos publicado —y prácticamente con la misma extensión—, entonces aceptamos con mucho gusto. El caso de la narrativa de vanguardia, por su parte, es la tendencia de la investigación que más ha aportado en los últimos diez años. Por lo tanto no hubo otra alternativa sino la de incluir, con la contribución de Katharina Niemeyer, un ejemplo sobresaliente de estas publicaciones recientes. Ninguna justificación requiere la parte antológica dedicada a Venezuela.

El desequilibrio fundamental en la recepción y producción de obras vanguardistas en Bolivia, Colombia, Ecuador, Perú y Venezuela tenía y sigue teniendo consecuencias directas para la selección de las entradas bibliográficas. Como es bien sabido, no hay nada más subjetivo —quizá con la excepción de una selección antológica— que una bibliografía temática. Si se quisiera, por ejemplo, enumerar cada libro o artículo que trabaja sobre César Vallejo y que lo nombra de paso como vanguardista, habría que publicar un volumen dedicado exclusivamente a este autor. En su caso tuvimos que limitarnos a estudios sobre *Trilce* y otras obras aceptadas ampliamente como vanguardistas, y a estudios que discuten su posición como crítico de las vanguardias históricas. Del mismo modo tampoco tenía mucho sentido enumerar cada historia de la literatura latinoamericana o cada diccionario de la literatura peruana que mencionasen en una o dos páginas el vanguardismo peruano. En el otro extremo tenemos el caso de Bolivia. Son tan contadas las menciones de una vanguardia histórica que casi todas vale la pena tomarlas en consideración. Sin embargo, incluso en el caso boliviano, y obviamente con mayor razón en los demás países, no vacilamos y borramos entradas bibliográficas e incluso autores que hoy ya no nos parecen tan importantes o representativos para discutir las distintas nociones de la vanguardia.

Después de que la actualización de la primera edición de esta bibliografía y antología crítica resultó ser un poco más complicada de lo que habíamos pensado antes, quizá sea éste el lugar para arriesgar algo —los colegas investigadores me perdonen—: un comentario de una o dos líneas sobre la investigación de los últimos diez años en cada país. Empecemos con la sección "La Vanguardia en América Latina". El comentario es fácil: sorprendente el auge de la investigación sobre la narrativa. Bolivia:

pocas cosas nuevas, con la excepción del (re)descubrimiento de Hilda Mundy. Colombia: la investigación se centra cada vez más en Los Nuevos, Luis Vidales y León de Greiff, salvo algunas menciones de la novela *4 años a bordo de mí mismo*. Ecuador: impresionantes los esfuerzos editoriales y la cantidad y calidad de las publicaciones —también las publicaciones *online*—; pero todo ello es superado por el Congreso sobre Pablo Palacio y Jorge Icaza en Quito en 2006. Perú: cede la absoluta soberanía de los estudios vallejianos y mariateguianos, y así cobran mayor peso figuras como Adán, Churata, Moro, Oquendo de Amat, Westphalen y muchos otros. Polémicamente hablando: constatamos en el caso peruano un proceso de democratización de la investigación, sin que haya ocurrido un magnicidio. Venezuela: *cfr*. abajo.

La primera parte de la bibliografía, "La Vanguardia en América Latina", consta de obras que permiten obtener una visión más general de las vanguardias en América Latina, incluyendo, sin embargo, por lo menos uno de los cinco países estudiados. Tuvimos que limitarnos —con pocas excepciones— a antologías y estudios críticos posteriores a 1990. No vemos la necesidad de repetir informaciones que fácilmente se consiguen en las dos bibliografías que sirven de fundamento a la serie, la de Merlin H. Forster y K. David Jackson (1990), y la de Harald Wentzlaff-Eggebert (1991), o en las antologías y recopilaciones de materiales tan destacadas de Verani (1986), Osorio (1988), Videla (1990) y Schwartz (1991), con sus reediciones. Quizá todavía más importante que en la primera edición resulta ser el índice onomástico, pues por lo general no repetimos las entradas bibliográficas de la primera sección y de las "Visiones de conjunto", correspondientes a cada país, en la bibliografía crítica sobre los autores. O, dicho al revés, al número completo de estudios sobre un autor y sobre una revista solamente se llega a través del índice.

La bibliografía busca, en general, el camino medio entre una definición restrictiva del concepto de vanguardia y su uso arbitrario. Aceptamos de forma ejemplar algunos estudios que trabajan con una definición del concepto (o que lo usan sin definirlo) no compartida (¿todavía?) por la mayoría de los críticos. En estos casos intentamos subrayar la nueva noción a través de los comentarios. Otra apertura tenemos en el caso del Perú, donde incluimos una sección final llamada "Exposiciones", como ejemplo de la variedad de expresiones artísticas inherente a las vanguardias históricas. Intentamos dar, siempre de forma ejemplar, una visión de la discusión acerca de la relación entre indigenismo y vanguardismo, especialmente en el Perú; y de la discusión acerca del cambio del concepto de vanguardia a finales de los años veinte cuyo protagonista era, en el caso del Ecuador, el Grupo de Guayaquil, especialmente José de la Cuadra.

Además intentamos dejar abierto el concepto de vanguardia, siempre de forma ejemplar, en el marco temporal. Incluimos algunos 'precursores' en la lista de los autores, cuya pertenencia a las vanguardias en el sentido estricto de la palabra está por lo menos discutida, como en el caso de José María Eguren. Enumeramos, por otro lado, obras de, por ejemplo, León de Greiff o de César Moro, escritas y publicadas después de los años cuarenta, como muestra de la longevidad del fenómeno. De forma muy crítica comentamos, sin embargo, los intentos de declarar vanguardistas —en el sentido de 'vanguardias históricas'— a autores como el colombiano José Félix Fuenmayor con su obra de los años cuarenta. Algunos de estos casos desaparecen en la segunda edición de la lista de "Autores" —como autores vanguardistas, pues ¿quién le va a quitar a Fuenmayor su puesto entre los autores eminentes de Colombia?—. No pudimos aceptar, finalmente, la inclusión de movimientos como el nadaísmo en Colombia o la segunda *Gesta Bárbara* en Bolivia, para evitar el peligro de que el concepto se vuelva totalmente arbitrario.

Para no complicar demasiado las divisiones y subdivisiones de la bibliografía, incurrimos en algunos ilogicismos. Un ejemplo obvio de ello es que autores como Luis Tejada, Ramón Vinyes, César E. Arroyo e, incluso, José Carlos Mariátegui no son autores de obras vanguardistas y, sin embargo, se encuentran —ellos sí— en la categoría "Autores". Por su importancia para los movimientos en sus países o más allá de ellos decidimos ponerlos al lado de los autores a los que impulsaron. Esperemos que los lectores nos perdonen tales ilogicismos, tan gratos a las vanguardias, y, además, las incorrecciones que tampoco en la segunda edición logramos eliminar. Gracias a todos los que nos ayudaron. La lista se alargó de tal manera que nos vemos obligados a ni tan siquiera empezar con la enumeración.

H. P.

Segunda parte: el caso venezolano

Las paradójicas circunstancias políticas y económicas de los primeros treinta años del siglo XX venezolano explican que el desarrollo de los movimientos de vanguardia sea particularmente accidentado. La dictadura de Juan Vicente Gómez (1908-1935), a la vez que prolonga una atmósfera cultural decimonónica y agraria cuya manifestación más visible la constituye el clímax de la tradición caudillista, será también el momento de incorporación definitiva del país en un proceso de modernización neocolonial gracias al auge de la industria petrolera. El choque de tendencias renovadoras y la persistencia enfática del pasado se homologa con la capacidad que tuvieron los vanguardistas venezolanos para coordinar iniciativas estéticas y políticas de manera más concreta que en muchas otras regiones de Hispanoamérica, pero sólo tardíamente y con un fin abrupto debido a la censura y a la represión dictatoriales. El vanguardismo hispánico aspiró a establecer una simultaneidad entre arte y política; ese ideal en Venezuela se puso plenamente en práctica, con la consecuencia, sin embargo, de que varios escritores notables fueron silenciados o murieron en prisión y de que en más de una ocasión la afiliación a lo vanguardista resultó un ambiguo pretexto inicial para la rebelión civil.

En este trabajo hemos preferido concentrarnos en los materiales en torno a los años veinte y dar a los dedicados a los diez años siguientes una entrada sólo parcial y crítica, precisamente por los cuestionamientos que ellos mismos difunden: no son esporádicas sus dudas acerca de la pervivencia de la vanguardia o la propiedad del término cuando se aplica a lo que sucede en Venezuela después de la experiencia de la revista *válvula*. El grupo de la revista *Viernes* es el límite que nos hemos impuesto, teniendo en cuenta que ya su asociación a lo vanguardista es vaga según los testimonios de sus miembros (véase la entrada de Venegas Filardo en esta bibliografía) y que ha sido cuestionada por la crítica (Medina 1993, pp. 93-132) o negada sin rodeos (Gutiérrez Ludovic). Recientemente, un libro apreciable ha esbozado la necesidad de matizar esa tendencia (Rafael Arráiz Lucca, *El coro de las voces solitarias*, Caracas: Eclepsidra, 2003, p. 143) y quizá genere una reorientación radical de la crítica. En ese caso, futuras investigaciones bibliográficas deberán abrirse al campo vasto que ofrece el período postgomecista.

En la estética de *Viernes* suele identificarse una veta surrealista; no obstante, esta última gran vanguardia parece haber dado muestras de aceptación cabal y madurez en Venezuela en un período posterior, sobre todo por el influjo de la obra de Juan Sánchez Peláez (consúltese, al respecto, lo señalado por Paul Borgeson, Jr. en "Juan Calzadilla y el surrealismo en la poesía venezolana del '58", *Revista Iberoamericana*, Pittsburgh, núm. 166-167, 1994, pp. 513-522). Ángel Rama ha meditado también en ese tardío "vanguardismo" con argumentos históricamente precisos sobre la convergencia de violencia política y artística en los decenios de 1950 y 1960 (*Antología de El Techo de la Ballena*, Caracas: Fundarte, 1987, pp. 16-18). En vista de que el surrealismo venezolano se presta a todos esos reparos, que lo situarían en los terrenos de la "postvanguardia" propiamente dicha, tal como la han definido Roberto Fernández Retamar (*Obras uno: Todo Calibán*, La Habana: Letras Cubanas, 2000, pp. 139) y Octavio Paz (*Los hijos del limo*, Barcelona: Seix Barral, 1989, pp. 207-210), hemos optado por no incluir en el presente repertorio los estudios que lo mencionan ni los numerosos trabajos que se han hecho acerca de varios de los colaboradores de *Viernes*, principalmente Vicente Gerbasi. Por no poder confinar al renglón exclusivo de vanguardistas a los escritores nacionales más importantes que empezaron a formarse entre 1910 y 1930, en la sección de "Autores" tampoco hemos pretendido ser exhaustivos, sino simplemente destacar obras de creación y textos críticos que puedan ser de utilidad a quien estudie la presencia de las vanguardias en Venezuela. En algunos casos, hemos recalcado la polémica acerca de la inclusión en las filas de los innovadores (José Antonio Ramos Sucre y Julio Garmendia); en otros, nos hemos contentado con incluir estudios sobre las primeras publicaciones de quienes pronto habrán de desarrollar una actividad literaria que dista en muchos sentidos de la estética dominante en el decenio de 1920 (Arturo Uslar Pietri y Miguel Otero Silva son dos ejemplos mayores).

Aunque las aportaciones críticas sobre este tema no hayan sido abundantes en los últimos cuarenta años, la escasez general se compensa con la calidad de los trabajos. Destacan, en particular, los nombres de Raúl Agudo Freites, Nelson Osorio y Javier Lasarte Valcárcel, centrales en todo examen de los estudios dedicados a la vanguardia venezolana.

M. G.

BIBLIOGRAFÍA

América Latina*

Antologías

A.1 *Antología del vanguardismo latinoamericano*. Bogotá: Oveja Negra, 1995. [Entre los siete poetas seleccionados para la antología se encuentran León de Greiff, Jorge Carrera Andrade y Martín Adán].

A.2 Fernández, Jesse (ed.). *El poema en prosa en Hispanoamérica. Del modernismo a la vanguardia*. Madrid: Hiperión, 1994. [Antología que incluye a César Vallejo como vanguardista].

A.3 González, María Inés y Marcela Grosso (ed. e introd.). *Breve antología. Poesía latinoamericana de vanguardia (1920-1930). Poemas y manifiestos*. Buenos Aires: Sudamericana 1996. [Una sección sobre la vanguardia en el Perú, especialmente sobre *Amauta*, José Carlos Mariátegui y César Vallejo].

A.4 González Suárez, Julián (ed.). *Antología poética de la vanguardia hispanoamericana*. Managua: Distribuidora Cultural, 1994. [Incluye en su presentación de los nueve poetas más representativos a César Vallejo y León de Greiff].

A.5 Grünfeld, Mihai G. (ed.). *Antología de la poesía latinoamericana de vanguardia (1916-1935)*. Madrid: Hiperión, 1995. [Antología comentada con sólida, pero no del todo actualizada bibliografía de y sobre los poetas; al lado de diez autores peruanos, dos ecuatorianos (Jorge Carrera Andrade y Hugo Mayo), dos colombianos (León de Greiff y Luis Vidales) y un venezolano (José Antonio Ramos Sucre), no se encuentra ningún boliviano].

A.6 Gutiérrez Vega, Hugo y León Guillermo Gutiérrez (eds.). *Prisma. Antología poética de la vanguardia hispanoamericana*. México, D. F.: Alfaguara, 2003. [Incluye a León de Greiff, Hugo Mayo, César Moro, Martín Adán, César Vallejo y Emilio Adolfo Westphalen; ningún boliviano, ningún venezolano].

* Aquí se enumeran en primer lugar publicaciones recientes sobre la vanguardia en América Latina que incluyen informaciones sobre los cinco países estudiados. Para las publicaciones de antes de 1990 sobre la vanguardia en América Latina en general remitimos a las mencionadas bibliografías de Harald Wentzlaff-Eggebert (1991) y Merlin H. Forster y K. David Jackson (1990), así como a las antologías de Verani (1986), Osorio (1988) y Schwartz (1991), o al estudio bien documentado de Videla de Rivero (1990).

A.7 Martins, Floriano (ed.). *Un nuevo continente: antología del surrealismo en la poesía de nuestra América*. San José de Costa Rica: Andrómeda, 2004. [Incluye a César Moro y Emilio Adolfo Westphalen, además de "surrealistas" tardíos como el ecuatoriano César Dávila Andrade, los venezolanos Juan Sánchez Peláez, José Lira Sosa, Juan Calzadilla o el colombiano Raúl Henao; trabaja, por ende, con una noción muy, para no decir demasiado amplia, del surrealismo].

A.8 Müller-Bergh, Klaus y Gilberto Mendoça Teles. *Vanguardia latinoamericana. Historia, crítica y documentos*. Tomo III: *Sudamérica, Área Andina Centro: Venezuela, Colombia*. Tomo IV: *Sudamérica, Área Andina Centro: Ecuador, Perú, Bolivia*. Madrid/Frankfurt am Main: Iberoamericana/ Vervuert, 2004 y 2005. [Los dos tomos de la serie de Müller-Bergh y Teles constituyen un complemento casi perfecto para nuestra bibliografía y antología crítica, a pesar de que, o quizá porque ellos trabajan con una noción mucho más amplia de "vanguardia"; reproducen, después de una breve introducción, para cada país textos claves de la época, tanto textos literarios y manifiestos, como primeras críticas y polémicas].

A.9 Osorio T., Nelson (ed.). *Manifiestos, proclamas y polémicas de la vanguardia literaria hispanoamericana*. Caracas: Biblioteca Ayacucho, 1988. [Recopilación antológica de suprema importancia. Al lado del Perú resulta particularmente relevante el lugar que ocupa Venezuela en las consideraciones del antólogo (*cfr*. sección Venezuela), con aproximadamente una docena de textos de cada país; pero también los otros tres países tienen sus representantes: Colombia con Ramón Vinyes y *Los Nuevos*, Ecuador con José Antonio Falconí Villagómez y Miguel Ángel León (quien escribe sobre poetas peruanos), y Bolivia con Carlos Gómez-Cornejo].

A.10 Schwartz, Jorge (ed.). *Las vanguardias latinoamericanas. Textos programáticos y críticos*. México, D. F.: FCE, 2ª. ed. española 2002 (1ª. ed. 1991; ed. brasileña aumentada, São Paulo: Iluminuras, Universidade de São Paulo, 1995). [La introducción, ligeramente ampliada, sigue siendo importante como visión de conjunto. De los textos seleccionados tenemos un manifiesto peruano y uno venezolano; la presentación de *Amauta* y de tres revistas ecuatorianas; el prólogo al *Índice de la nueva poesía americana* de Hidalgo; y notas o artículos de Mariátegui, Vallejo, César Moro, Jorge Carrera Andrade, Magda Portal y Serafín Delmar; antología fundamental].

A.11 Verani, Hugo J. (ed.). *Las vanguardias literarias en Hispanoamérica (Manifiestos, proclamas y otros escritos)*. México, D. F.: FCE, 4ª. ed. 2003 (1ª. ed. 1986). [Edición ligeramente ampliada de esta antología fundamental, con bibliografía actualizada; trae nueve textos del Perú, especialmente de José Carlos Mariátegui y de César Vallejo, tres de Venezuela y dos del Ecuador].

A.12 Verani, Hugo J. y Hugo Achugar (eds.). *Narrativa vanguardista hispanoamericana*. México, D. F.: UNAM, 1996. [Antología que incluye textos del venezolano Julio Garmendia, del ecuatoriano Pablo Palacio y de los peruanos César Vallejo y Martín Adán; muy recomendables los prólogos de Verani y de Achugar].

Visiones de conjunto

Bibliografías

A.13 Forster, Merlin H. y K. David Jackson. *Vanguardism in Latin American Literature: An Annotated Bibliographical Guide*. Westport, CT.: Greenwood, 1990. [Bibliografía fundamental, junto con la de Wentzlaff-Eggebert, 1991].

A.14 Verani, Hugo J. "Bibliografía selecta", en H. J. V. *Las vanguardias literarias en Hispanoamérica (Manifiestos, proclamas y otros escritos)*. México, D. F.: FCE, 4ª. ed. 2003, pp. 55-94. [Ofrece secciones para la vanguardia en general, la vanguardia hispanoamericana, y para los distintos países; lo más importante, sin lugar a dudas, son las diez páginas sobre la vanguardia hispanoamericana, desgraciadamente sin comentarios].

A.15 Wentzlaff-Eggebert, Harald. *Las literaturas hispánicas de vanguardia. Orientación bibliográfica*. Frankfurt am Main: Vervuert, 1991. [Bibliografía fundamental, junto con la de Forster y Jackson, 1990].

Crítica

A.16 Aguilar, Gonzalo Moisés (ed.). *Informes para una academia. La crítica de la ruptura en la literatura latinoamericana*. Buenos Aires: Universidad de Buenos Aires, 1996. [Con una lectura postestructuralista-feminista de *Trilce*, de Andrea Ostrov; un estudio comparativo de Roberto Ferro sobre la "corrosión de la voz" en *Los heraldos* y en *Trilce*; y una contribución sobre la estética de Pablo Palacio, de Celina Manzoni].

A.17 Alvarado Tenorio, Harald. *Literaturas de América Latina. Tomo II: Las vanguardias. La nueva novela*. Cali: Universidad del Valle, 1995. [Con breves capítulos sobre César Vallejo y León de Greiff].

A.18 Barrera, Trinidad. *Las vanguardias hispanoamericanas*. Madrid: Síntesis, 2006. [Una de las introducciones al tema más efectivas, tanto por lo abarcador como por las reflexiones que textos y autores específicos suscitan. A la sección monográfica se añaden una antología de manifiestos o poemas programáticos (pp. 169-207), un índice nominal, un glosario, una cronología y una bibliografía desglosada en regiones (pp. 209-239)].

A.19 Barrera, Trinidad (ed.). *Revisión de las vanguardias*. Roma/Sevilla: Consiglio Nazionale delle Ricerque/Universidad de Sevilla, 1999. [Con una revisión de Gema Areta Marigó de las notas y contribuciones de Emilio Adolfo Westphalen a la revista *Las Moradas* de Lima, en los años cuarenta, y una que otra información de Teodosio Fernández en sus "Notas para la historia del surrealismo en Hispanoamérica"].

A.20 Belluzo, Ana Maria de Moraes (ed.). *Modernidade: vanguardas artísticas na América Latina*. São Paulo: Memorial/Unesp, 1990. [Interesan los artículos de Mirko Lauer sobre el Perú en general, y el de Ina Rodríguez Prampolini sobre la *Exposición surrealista* de 1940 (*cfr*. Perú)].

A.21 Bonet, Juan Manuel *et al*. *El ultraísmo y las artes plásticas*. Catálogo de la exposición Valencia, Santiago de Chile, Buenos Aires, 1996-1997. Valencia: Instituto Valenciano de Arte Moderno, 1996. [Entre los hispanoamericanos vinculados con —o luchando en contra de— el ultraísmo, nombran al ecuatoriano Hugo Mayo y a los peruanos Alberto Hidalgo y Carlos Oquendo de Amat].

A.22 Bustos Fernández, María José. *Vanguardia y renovación en la narrativa latinoamericana*. Madrid: Pliegos, 1996. [Encuentra tres vertientes de la narrativa vanguardista, ejemplificadas en Macedonio Fernández, Jaime Torres Bodet y el colombiano José Félix Fuenmayor (con su libro *La muerte en la calle*, de los años cuarenta; otros críticos no lo incluyen en la vanguardia histórica)].

A.23 Contreras, Álvaro. *Experiencia y narración: Vallejo, Arlt, Palacio y Felisberto Hernández*. Mérida: Universidad de los Andes, 1998. [Amplios análisis de *Débora*, por un lado, y de *Escalas*, por otro, sin que el autor utilice el concepto "narrativa de vanguardia" para sus reflexiones acerca de la experiencia moderna en la narrativa].

A.24 Cornejo Polar, Antonio. *Escribir en el aire. Ensayo sobre la heterogeneidad socio-cultural en las literaturas andinas*. Lima: Horizonte, 1994. [En el capítulo III intenta una visión andina de la relación entre vanguardia e indigenismo, partiendo, sin embargo, primordialmente de ejemplos peruanos; versión actualizada del quinto capítulo de su libro *La formación*, 1989 (*cfr*. Perú)].

A.25 Cruz, Jacqueline. "Discursos de la modernidad: la vanguardia latinoamericana", en *Hispamérica*, núms. 76-77, 1997, pp. 19-34. [Propone un modelo —que, por cierto, vale la pena tomarlo en consideración— que podría explicar, p. ej., por qué en Bolivia y en Colombia no surgieron movimientos fuertes de vanguardia en los años veinte].

A.26 Fernández, Teodosio, Selena Millares y Eduardo Becerra. *Historia de la literatura hispanoamericana*. Madrid: Universitas, 1995. [En los capítulos sobre la vanguardia hay breves informaciones sobre algunos de los autores de los países aquí estudiados, además del subcapítulo sobre César Vallejo].

A.27 Foster, David William. *Handbook of Latin American Literature*. New York/London: Garland, 2ª. ed. 1992. [Prácticamente todos los artículos sobre las literaturas de los países tienen una parte dedicada a la vanguardia, pero sin profundizar mucho; interesa solamente la lista de vanguardistas que presenta Óscar Rivera-Rodas para Bolivia].

A.28 González Echevarría, Roberto y Enrique Pupo-Walker (eds.). *The Cambridge History of Latin American Literature*. Cambridge: Cambridge University Press, t. 2, 1996. [Interesa sobre todo el artículo de Hugo Verani, mencionando a César Vallejo y *Amauta*; traducción al español: Madrid: Gredos, 2006].

A.29 Hadatty Mora, Yanna. *Autofagia y narración*. Madrid/Frankfurt am Main: Iberoamericana/Vervuert, 2003. [El estudio presenta un acercamiento teórico-poetológico y otro temático; su corpus incluye los textos narrativos de Pablo Palacio, *La casa de cartón* de Martín Adán y *La tienda de muñecos* de Julio Garmendia; no tan exhaustivo como el libro de Niemeyer, 2004, pero altamente recomendable para el reciente interés por la narrativa vanguardista].

A.30 *Jorge Icaza, Pablo Palacio y las vanguardias*. Congreso Internacional Quito, Universidad Andina Simón Bolívar, septiembre de 2006 (organizadores Alicia Ortega, Raúl Vallejo, Raúl Serrano, Alejandro Moreano y Fernando Balseca). [Uno de los acontecimientos académicos más importantes para la investigación de las vanguardias del área andina; el congreso centró su atención, obviamente, en el Ecuador; sin embargo, hubo también conferencias sobre las vanguardias andinas en general, y sobre los movimientos en el Perú (el *Boletín Titikaka*, *Amauta*, Vallejo, Mariátegui y Oquendo de Amat), Chile, México, Argentina, e incluso Venezuela (Javier Lasarte sobre *Cubagua* de Núñez); desgraciadamente, los títulos de las contribuciones no indican un mayor interés por Bolivia y Colombia. *Cfr*. también la sección "Ecuador"].

A.31 Kalimán, Ricardo J. "Unseen Systems. Avant-garde Indigenism in the Central Andes", en David Jordan (ed.). *Regionalism Reconsidered*. New York/London: Garland, 1994, pp. 159-183. [El autor postula el indigenismo de vanguardia como *polysystem* en medio de los sistemas literarios de la vanguardia y del indigenismo, con el peruano Alejandro Peralta y el argentino Manuel J. Castilla como representantes. De ahí revisa la transnacionalidad del "AvInd", para subrayar su importancia todavía no reconocida en la literatura boliviana (Churata, *Gesta Bárbara*, los Viscarra, Cerruto, Estrella)].

A.32 Lasarte Valcárcel, Javier (ed.). *Heterogeneidades del Modernismo a la Vanguardia en América Latina = Estudios*. Revista de Investigaciones Literarias (Universidad Simón Bolívar), año 4, núm. 7, 1996. [En los artículos de Álvaro Contreras y de María Laura de Arriba se encuentran informaciones sobre César Vallejo y otros autores del Perú].

A.33 *Las vanguardias en América Latina*. Sección monográfica de *Revista de Crítica Literaria Latinoamericana*, núm. 48, 1998, pp. 7-127. [Además del artículo de Javier Lasarte sobre la narrativa venezolana, hay menciones de los países y autores de esta bibliografía en las contribuciones de Raúl Bueno, José Quiroga y Hugo Verani (el prólogo abreviado de su *Narrativa vanguardista hispanoamericana*, de 1996)].

A.34 Martínez, Elizabeth Coonrod. *Before the Boom. Latin American Revolutionary Novels of the 1920s*. Lanham: University Press of America, 2001. [Los capítulos 5 y 6 ofrecen lecturas analíticas de las narraciones vanguardistas del Ecuador y del Perú, o sea, de los textos de Pablo Palacio y *La casa de cartón*, respectivamente].

A.35 *Memorias. Jornadas Andinas de Literatura Latinoamericana (JALLA, La Paz 1993)*. La Paz: Universidad Mayor de San Andrés, 1995. [De especial interés son los artículos: Guissela González Fernández y Juan Carlos Ríos Moreno, "Apuntes para una reconstrucción de la categoría 'realismo psíquico' de Gamaliel Churata"; Miguel A. Huamán, "Un pez sin agua. ¿Cómo saborear el *Pez de oro*, de Churata?"; Alberto Julián Pérez, "El modernismo, Vallejo y el lenguaje poético"; Modesta Suárez, "Por entre las fisuras de la historia. La creación femenina peruana"].

A.36 *Memorias. Jornadas Andinas de Literatura Latinoamericana (JALLA, Tucumán, 1995)* (ed. Ricardo Kalimán). Tucumán: Universidad Nacional de Tucumán, 2 tomos, 1997. [No conseguimos ver sino el índice de la obra; además de Riccardo Badini, "La ósmosis de Gamaliel Churata", pueden ser de cierto interés uno que otro de los tres artículos sobre César Vallejo o de los cuatro sobre José Carlos Mariátegui].

A.37 *Memorias. Jornadas Andinas de Literatura Latinoamericana (JALLA, Lima, 2004)* (ed. Carlos García-Bedoya). Lima: UNMSM, Jornadas Andinas de Literatura Latinoamericana, 2005. [Interesan las siguientes contribuciones: "Los inéditos de Gamaliel Churata. Rutas para la construcción de una modernidad indígena", de Riccardo Badini; "Virilidad y vanguardia. Construcciones de identidades masculinas y representaciones de lo femenino en Hidalgo, Abril, Adán, Varallanos y Churata", de Marco Thomas Bosshard; "César Moro y el francés como lengua internacional. Primera aproximación", de Camilo Fernández Cozman; "Palabra de vanguardia. Puntos de vista sobre el cambio narrativo", de Álvaro Contreras; "Naturaleza y cultura en dos poemas de Carlos Oquendo de Amat", de Guissela González Fernández].

A.38 *Memorias. Jornadas Andinas de Literatura Latinoamericana (JALLA, Bogotá, 2006)* (ed. Carolina Alzate, Sarah de Mojica y Jorge Rojas).

Bogotá: Universidad de los Andes/Universidad Nacional/Pontificia Universidad Javeriana/Instituto Pensar, 2006 (versión CD-Rom). [Este gran congreso, como ya ocurrió en otros de JALLA, no tuvo un interés específico en las vanguardias; de las aprox. 500 ponencias solamente media docena profundizaron en nuestro tema, de las cuales faltan, incluso, muchas en el CD-Rom (p. ej. Helena Usandizaga sobre *El pez de oro* de Gamaliel Churata). De manera que, al lado de algunas menciones laterales, no tenemos sino a Fabio Acevedo Beltrán, "*Suenan timbres* (1926). La revolución no revolucionada", que no aporta mucho al estudio de la vanguardia colombiana, y dos conferencias sobre Martín Adán y León de Greiff, que prescinden completamente del debate acerca de la vanguardia].

A.39 Navarro Domínguez, Eloy y Rosa García Gutiérrez (eds.). *Nacionalismo y vanguardias en las literaturas hispánicas*. Huelva: Universidad de Huelva, 2002. [Solamente el Perú está representado, con el artículo "Indigenismo y vanguardia en el Perú", de Juana Martínez Gómez; un breve resumen de las distintas tendencias].

A.40 Niemeyer, Katharina. *Subway de los sueños, alucinamiento, libro abierto. La novela vanguardista hispanoamericana*. Madrid/Frankfurt am Main: Iberoamericana/Vervuert, 2004. [Uno de los libros más importantes de los últimos años sobre la narrativa de vanguardia. Junta la perspectiva diacrónica con constantes reflexiones sobre una poética de la novela vanguardista. Ofrece análisis detenidos de *Escalas melografiadas* (César Vallejo, pp. 85-97); *Débora* y *Vida del ahorcado* (Pablo Palacio, pp. 112-126 y 376-383); *La casa de cartón* (Martín Adán, pp. 181-190); *4 años a bordo de mí mismo* (Eduardo Zalamea Borda, pp. 280-282); *XYZ* (Clemente Palma, pp. 283-284); *El pez de oro* (Gamaliel Churata, pp. 308-320); *Las lanzas coloradas* (Arturo Uslar Pietri, pp. 335-341); *El autómata* (Xavier Abril, pp. 363-366)].

A.41 Olea Galaviz, Héctor Raúl. *Negatividad y poéticas: lo oculto y lo manifiesto del culto manifiestista*. (Diss University of Texas, 1992). Ann Arbor: UMI, 1995. [Para el presente tomo tiene relevancia el estudio de los textos programáticos de César Vallejo después de *Trilce*].

A.42 Ortega, Julio. *Arte de innovar*. México, D. F.: UNAM, 1994. [En los capítulos sobre el surrealismo estudia a los peruanos Emilio Adolfo Westphalen, César Moro y César Vallejo].

A.43 Oviedo, José Miguel. *Historia de la literatura hispanoamericana*. Tomo 3: *Postmodernismo, vanguardia, regionalismo*. Madrid: Alianza, 2001. [Dedica amplios espacios a las vanguardias: "Vallejo entre la agonía y la esperanza", pp. 318-348; "La vanguardia en el Perú: Martín Adán, Oquendo de Amat, Abril, Moro, Westphalen", pp. 411-425; "Dos vanguardistas en el Ecuador: Carrera Andrade y Pablo Palacio", pp. 427-431; siguen breves menciones de León de Greiff, Luis Vidales y Aurelio Arturo (*sic*!), así como un sucinto capítulo sobre Mariátegui].

A.44 Pedraza Jiménez, Felipe B. (ed.). *Manual de literatura hispanoamericana*. Tomo IV: *Las vanguardias*. Pamplona: Cénlit, 2002. [En este tomo se ve muy bien que el éxito de las investigaciones sobre las vanguardias en los últimos años amenaza con vaciar por completo la noción de vanguardia: en este manual el concepto sirve como techo que abarca toda la literatura escrita entre 1915 y 1940. La introducción de Javier de Navascués todavía es muy prometedora; también lo son los dos extensos capítulos sobre la poesía de vanguardia, de Luis Soria, Fernando Rayo y Gala Blasco (con un largo estudio sobre César Vallejo, un poco sobre el resto del Perú, unas cinco páginas para el Ecuador, e igualmente cinco para Colombia y Venezuela juntos); pero aquí, por lo menos indirectamente, se declara como vanguardista la obra completa de autores que temporalmente se inscribieron en el movimiento; por otro lado, aparecen algunos autores que definitivamente no son vanguardistas, y otros desaparecen de la historia de la literatura de la época porque no son vanguardistas. Después, el tema son "Las corrientes narrativas" (de Javier de Navascués), y el rótulo "vanguardia" se pierde de los subtítulos, salvo en el caso de Pablo Palacio. María Caballero encontró para su contribución el título más adecuado: "El ensayo en la época de las vanguardias", con amplio espacio para el Perú. El teatro, finalmente, no trae nada que nos pueda interesar para los cinco países].

A.45 Pérez, Alberto Julián. *Modernismo, vanguardias, posmodernidad*. Buenos Aires: Corregidor, 1995. [Con un capítulo sobre *Trilce* de César Vallejo].

A.46 Pizarro, Ana (ed.). *América Latina: palavra, literatura e cultura*. São Paulo, Campinas: Memorial, UNICAMP, 1995. [Tomo 3: *Vanguarda e Modernidade*; interesan sobre todo los artículos de Jorge Schwartz (menciona al *Boletín Titikaka*) y Noé Jitrik (César Vallejo)].

A.47 Rössner, Michael (ed.). *Lateinamerikanische Literaturgeschichte*. Stuttgart: Metzler, 1995. [Un capítulo de Harald Wentzlaff-Eggebert sobre los movimientos hispanoamericanos de vanguardia].

A.48 Ruiz Barrionuevo, Carmen *et al*. (eds.). *La literatura iberoamericana en el 2000. Balances, perspectivas, prospectivas*. Salamanca: Universidad de Salamanca, 2003. [Con contribuciones de Enrique Foffani sobre "La vanguardia en *Trilce* de César Vallejo: estética y economía política" (un artículo convincente, partiendo de la economía del guano); de Daniel R. Reedy sobre "Los vidrios de amor de Magda Portal" (sin la vanguardia, *cfr*. su libro sobre Portal de 2000); y la revisión de la vanguardia narrativa venezolana de Douglas Bohórquez].

A.49 Sainz de Medrano, Luis (ed.). *Las vanguardias tardías en la poesía hispanoamericana*. Roma: Bulzoni, 1993. [Con un artículo sobre el surrealismo en el Perú].

A.50 Schwartz, Jorge y Roxana Patiño (eds.). *Revistas literarias/ culturales latinoamericanas del siglo* XX = *Revista Iberoamericana*, núms. 208-209, 2004. [Con un resumen de Yazmín López Lenci de su libro *El laboratorio*, de 1999 (*cfr*. Perú); y el artículo "Formas de lo nuevo en el ensayo: *Revista de Avance* y *Amauta*" de Celina Manzoni, el cual constituye más un estudio de la recepción de Mariátegui en la revista cubana que una comparación entre las dos revistas].

A.51 Shimose, Pedro. *Historia de la literatura latinoamericana*. Madrid: Playor, 2ª. ed. 1993 (1ª. ed. 1989). [Breves notas sobre los principales vanguardistas; incluye, a diferencia de otros críticos, a los colombianos Rafael Maya y Fernando González; brevísima mención de algunos autores bolivianos].

A.52 Siebenmann, Gustav. *Die lateinamerikanische Lyrik 1892-1992*. Berlin: Erich Schmidt, 1993. [Dos capítulos sobre las vanguardias; es de cierto interés que nombre como vanguardistas bolivianos a Guillermo Vizcarra (!) Fabre, Raúl Otero Reiche y Óscar Cerruto; existe la versión ampliada en lengua española: *Poesía y poéticas del siglo* XX *en la América Hispana y el Brasil*. Madrid: Gredos, 1997].

A.53 Sosnowski, Saúl (ed.). *Lectura crítica de la literatura americana*. Tomo II: *La formación de las culturas nacionales*, y tomo III: *Vanguardias y tomas de posesión*. Caracas: Biblioteca Ayacucho, 1996 y 1997. [Excelente recopilación de artículos críticos; para los países aquí estudiados interesan especialmente: tomo II, Luis Alberto Sánchez, "*Amauta*: su proyección y su circunstancia", y Antonio Melis, "La lucha en el frente cultural" (Mariátegui); tomo III, Wilfrido H. Corral, "La recepción canónica de Palacio"; Roberto Paoli "En los orígenes de *Trilce*"; Estuardo Núñez, "Martín Adán y su creación poética"].

A.54 *Travesías de la escritura en la literatura latinoamericana*. Actas de las X Jornadas de Investigación. Buenos Aires: Instituto de Literatura Hispanoamericana, 1995. [Además de un artículo de Susana Santos sobre la relación entre Mariátegui y César Vallejo, tenemos a Elena Pérez de Medina, quien postula que *Vida del ahorcado* resulta ser la experiencia más maduramente vanguardista de Pablo Palacio].

A.55 Unruh, Vicky. *Latin American Vanguards: the Art of Contentious Encounters*. Berkeley *et al.*: University of California Press, 1994. [Libro fundamental. Estudia, entre muchos otros, textos de Martín Adán y Gamaliel Churata].

A.56 Unruh, Vicky. *Performing Women and Modern Literary Culture in Latin America: Intervening Acts*. Austin: University of Texas Press, 2006. [A partir de la noción de *performance*, se discute cómo varias escritoras se integraron en el campo cultural, en particular en los círculos vanguardistas, y negociaron su posición como participantes, valiéndose de la manipulación, la crítica y la transformación de los "papeles" sociales a su disposición. Entre las diversas autoras latinoamericanas se dedica un capítulo a las peruanas Magda Portal y María Wiesse (pp. 165-194). En la introducción, la venezolana Teresa de la Parra, calificada de "vanguardista", sirve de paradigma para el análisis al que se someterá a las demás escritoras (pp. 16-22); al respecto *cfr*. el comentario sobre el libro en la sección "Venezuela" de esta bibliografía, y el artículo "*Ifigenia* de Teresa de la Parra. Dictadura, poéticas y parodias", de Miguel Gomes, en *Acta Literaria* (Concepción), núm. 29, 2004, pp. 47-67 (existe versión *online*)].

A.57 Valcárcel, Eva. *La vanguardia en las revistas literarias*. A Coruña: Universidade da Coruña, 2000. [Revisión un poco resumida y superficial de revistas españolas e hispanoamericanas. Salvo una breve mención de César Vallejo no se estudian los cinco países que nos interesan aquí. En su breve contribución sobre la narrativa vanguardista, "'Bodegón au bon marché'. Sobre vanguardia y escritura literaria en Hispanoamérica", en *Arrabal*, núms. 2-3, 2000, pp. 67-73, menciona a Pablo Palacio y Martín Adán].

A.58 Valcárcel, Eva (ed.). *La literatura hispanoamericana con los cinco sentidos. V Congreso Internacional de la AEELH*. A Coruña: Universidade da Coruña, 2005. [Con una contribución biográfica poco novedosa de Carlos Meneses sobre Vallejo; una de Sylvia Miranda Lévano sobre el silencio en Westphalen, sin que mencione el tema de la vanguardia; otra sobre el mismo autor de José Ignacio Uzquiza, en la cual remite expresamente a su libro sobre Westphalen de 2001; y, por último, el artículo de Helena Usandizaga, "'El olor y la mirada': erotismo y pasión en la poesía de César Moro", con sucintos análisis de algunos poemas de *La tortuga ecuestre* (*cfr*. también su breve contribución "Versiones peruanas del surrealismo poético", en *Arrabal*, núm. 1, 1998, pp. 251-258)].

A.59 Valencia Solanilla, César. *La escala invertida. Ensayos sobre literatura y modernidad*. Pereira: Fondo Mixto para la Cultura del Tolima, 1996. [En el capítulo sobre los "Fundadores de la poesía hispanoamericana" incluye, al lado de ensayos sobre Neruda y Huidobro, un breve estudio sobre la modernidad de César Vallejo].

A.60 Videla de Rivero, Gloria. *Direcciones del vanguardismo hispanoamericano*. Pittsburgh: Instituto Internacional de Literatura Iberoamericana, 2ª. ed. 1994 (1ª. ed. 1990). [De los países andinos cita y estudia principalmente autores peruanos: José Carlos Mariátegui (y su revista *Amauta*), César Vallejo, Serafín Delmar, Magda Portal, César A. Miró Quesada *et al.*].

A.61 Wentzlaff-Eggebert, Harald (ed.). *Europäische Avantgarde im lateinamerikanischen Kontext. Akten des internationalen Berliner Kolloquiums 1989/ La vanguardia europea en el contexto latinoamericano. Actas del Coloquio Internacional de Berlín 1989*. Frankfurt/M.: Vervuert, 1991. [Además de las ponencias introductorias, interesan los artículos sobre Juan Parra del Riego, César Vallejo y *Amauta*].

A.62 Wentzlaff-Eggebert, Harald (ed.). *Naciendo el hombre nuevo... Fundir literatura, artes y vida como práctica de las vanguardias en el Mundo Ibérico*. Madrid/Frankfurt am Main: Iberoamericana/Vervuert, 1999. [Con una contribución de Merlin H. Forster sobre Alberto Hidalgo, y una de Vicky Unruh sobre la narrativa vanguardista, sin centrarse en uno de nuestros autores].

Bolivia

Antologías y visiones de conjunto

B.1 Ávila Echazú, Edgar. *Resumen y antología de la literatura boliviana*. La Paz: Gisbert y Cía, 1973. [Encuentra influencias del vanguardismo principalmente en Guillermo Viscarra Fabre].

B.2 Beltrán S., Luis Ramiro. *Panorama de la poesía boliviana. Reseña y antología*. Bogotá: Convenio Andrés Bello, 1982 (= *Cuadernos Culturales Andinos*, v. 3, núm. 4). [Incluye en su estudio introductorio una parte dedicada a la vanguardia, pero la mayoría de los poetas incluidos en este concepto, de hecho no son vanguardistas, como lo demuestra la misma selección antológica; quizá con las excepciones de Antonio Ávila Jiménez, Guillermo Viscarra Fabre, Raúl Otero Reiche, Luis Felipe Vilela y Óscar Cerruto].

B.3 Cáceres Romero, Adolfo. *Nueva historia de la literatura boliviana*. La Paz, a partir de 1988. [Obra en varios tomos; desgraciadamente, todavía no se ha publicado el tomo sobre el siglo XX].

B.4 Delhez, Víctor, Gamaliel Churata *et al. Cuatro críticas literarias*. La Paz: Burill, 1970. [No pudimos ver el libro; no sabemos si aporta algo al tema].

B.5 Díez de Medina, Fernando. *Literatura boliviana: introducción al estudio de las letras nacionales; del tiempo mítico a la producción contemporánea*. La Paz: Alfonso Tejerina, 1953. [Para el tema de la vanguardia no resulta muy fructífero; llama a Óscar Cerruto el primer vanguardista del país].

B.6 Finot, Enrique. *Historia de la literatura boliviana*. La Paz: Gisbert y Cía, 2ª. ed. complementada, 1955 (1ª. ed. 1943). [Pp. 318-333 estudia las nuevas tendencias "futuristas, izquierdistas, ultraístas, vanguardistas" de la poesía boliviana; su opinión se basa principalmente en la antología de Guillermo Viscarra Fabre de 1941; habla, p. ej., de una tendencia ultraísta en Hilda Mundy].

B.7 Guzmán, Augusto. *Poetas y escritores de Bolivia*. La Paz/Cochabamba: Los Amigos del Libro, 1975 (reeditado sin muchos cambios como: *Biografías de la literatura boliviana*. La Paz/Cochabamba: Los Amigos del Libro, 1982). [Usa el término "vanguardista", sin definirlo, para Guillermo Viscarra Fabre y Óscar Cerruto].

B.8 Medinaceli, Carlos. *Páginas de vida*. Potosí: Editorial de Potosí, 1955. [Colección de artículos y notas desde 1922; fiel documento de la ausencia de un verdadero movimiento vanguardista].

B.9 Mitre, Eduardo. *El árbol y la piedra. Poetas contemporáneos de Bolivia*. Caracas: Monte Ávila, 1986. [Habla de vanguardismo en la obra de Antonio Ávila Jiménez, Óscar Cerruto y Guillermo Viscarra Fabre; con antología].

B.10 Mitre, Eduardo. "Cuatro poetas bolivianos contemporáneos", en *Revista Iberoamericana*, núm. 134, 1986, pp. 139-163. [En las páginas introductorias subraya la poca presencia de la vanguardia en Bolivia en la primera mitad del siglo XX].

B.11 Ortega, José. *Letras bolivianas de hoy: Renato Prada y Pedro Shimose*. Buenos Aires: Fernando García Cambeiro, 1973. [En su esbozo introductorio sobre la literatura boliviana del siglo XX no menciona sino a Óscar Cerruto como poeta vanguardista].

B.12 Ortega, José y Adolfo Cáceres Romero. *Diccionario de la literatura boliviana*. La Paz, Cochabamba: Los Amigos del Libro, 1977 (2ª. ed. de Adolfo Cáceres Romero. La Paz, Cochabamba 1997). [Buena fuente de información].

B.13 Pérez, Alberto Julián. "La poesía de Eduardo Mitre en el contexto de la poesía latinoamericana contemporánea", en *Signo* (La Paz), núms. 36-37, 1992, pp. 23-42. [Explica detenidamente la falta de una literatura de vanguardia en Bolivia antes de los años 50; también en A. J. P.: *Modernismo, vanguardismo, posmodernismo*. Buenos Aires: Corregidor, 1995, pp. 137-158].

B.14 Quirós, Juan. *Índice de poesía boliviana contemporánea*. La Paz: Gisbert y Cía, 2ª. ed. 1983. [Nombra como vanguardistas a Óscar Cerruto, Luis Felipe Vilela, Omar Estrella, Eduardo Román Paz, Humberto Viscarra Monje, Guillermo Viscarra Fabre y Lucio Díez de Medina; el prólogo se encuentra reeditado en *Georgia Series on Hispanic Thought*, Vol. 20-21, 1986, pp. 207-220; algunos estudios cortos sobre los poetas en J. Q.: *Fronteras movedizas*. La Paz: Signo, 1992].

B.15 Rivera-Rodas, Óscar. *La modernidad y sus hermenéuticas poéticas. Poesía boliviana del siglo XX*. La Paz: Signo, 1991. [Niega una ruptura absoluta entre modernismo y vanguardismo, por eso puede encontrar influencias vanguardistas también en autores como Man Césped. Importante el cap. 2 sobre Raúl Otero Reiche y el cap. 3 sobre Antonio Ávila Jiménez].

B.16 Salmón, Josefa. *El espejo indígena. El discurso indigenista en Bolivia, 1900-1956*. La Paz: Plural, 1997. [Sirva este estudio sobre el indigenismo boliviano como punto para la comparación con, p. ej., el indigenismo de vanguardia del Perú].

B.17 Soriano Badani, Armando y Julio de la Vega. *Poesía boliviana*. La Paz: Biblioteca Popular Boliviana de Ultima Hora, 1982. [Antología y estudio; nombran como vanguardistas a Guillermo Viscarra Fabre, Carlos Gómez Cornejo (como editor) y Raúl Otero Reiche. Como primer surrealista del país, con veinte años de retraso, mencionan a Gustavo Medinaceli].

B.18 Vega, Julio de la. "Del surrealismo a lo social en la literatura boliviana", en Leonardo García Pabón y Wilma Torrico (eds.). *El paseo de los sentidos*. La Paz: Instituto Boliviano de Cultura, 1983, pp. 3-33. [Data el comienzo del surrealismo en Bolivia exactamente en enero de 1946, con una lectura de poemas de Gustavo Medinaceli].

B.19 Velásquez Guzmán, Mónica (ed.). *Antología de la poesía boliviana: ordenar la danza*. Santiago de Chile: LOM, 2004. [Selección de 49 poetas, con breves notas y comentarios].

B.20 Vilela, Luis Felipe. "Los contemporáneos. Apéndice al capítulo tercero de la *Literatura Boliviana* de Enrique Finot", en Enrique Finot. *Historia de la literatura boliviana*. La Paz: Gisbert y Cía, 2ª. ed. 1955, pp. 521-600. [Nombra a la mayoría de los poetas abajo enunciados como pertenecientes a la 'Generación del Centenario' con una poesía neomodernista, salvo Guillermo Viscarra Fabre: "inspiración expresionista", y Carlos Gómez Cornejo: "línea lorquiana". Vanguardistas, para él, son Óscar Cerruto, Eduardo Román Paz y él mismo].

B.21 Wiethüchter, Blanca, Alba María Paz Soldán, Rodolfo Ortiz y Omar Rocha (eds.). *Hacia una historia crítica de la literatura en Bolivia*. Tomo I: *Hacia una historia crítica de la literatura en Bolivia* (ed. Blanca Wiethüchter); tomo II: *Hacia una geografía del imaginario* (ed. Alba María Paz Soldán). La Paz: PIEB, 2 tomos, 2002. [Decir que las editoras con sus colaboradores dieron la pauta para una nueva lectura del libro *Pirotecnia* de Hilda Mundy en el contexto de la vanguardia, del humor y de la escritura de mujeres (en "El arco de la modernidad" del primer tomo, y en el artículo "Las suicidas" de Virginia Ayllón y Cecilia Olivares, en el segundo) es correcto, pero no suficiente. Lo que ellas hacen es, en última instancia, una revolución en la historiografía literaria de Bolivia, a la par que proponen elaborar el concepto de ruptura o de vanguardia no a partir de la poesía, sino de la mano de la narrativa o, hablando con precaución, a partir de textos en prosa: además de *Pirotecnia* se trata, sobre todo, de *El loco* de Arturo Borda, *Aguafuertes* de Roberto Leitón y de *Rodolfo el descreído* de David Villazón].

Revistas, grupos y antologías de la época

B.22 ***Gesta Bárbara***. Revista y grupo, Potosí. Primera época, núm. 1, 16 de junio de 1918 a núm. 10, noviembre de 1926. Directores: María Gutiérrez de Medinaceli, Alberto Saavedra Nogales, Wálter Dalence, Armando Alba, Gamaliel Churata (Arturo Peralta, Perú), Carlos Medinaceli y José Enrique Viaña. [Quirós, *Índice*, 1983, separa claramente el grupo de la *Gesta*

Bárbara como postmodernista, de la vanguardia. El núm. 10 trae poemas vanguardistas de Alejandro Peralta (Perú)].

B.23 *Antología de la revista Gesta Bárbara 1918-1926* (ed. y pról. Aurora Valda Cortés de Viaña). Potosí: Club del Libro Gesta Bárbara 1918, 1981. [Selección de textos de la revista; textos no vanguardistas, sin bibliografía y sin índice de la revista].

Crítica

B.24 Araujo Subieta, Mario. “Gesta Bárbara y La Palestra”, en M. A. S. *Potosí periodístico y literario, 1825-1984*. Potosí: Casa Nacional de la Moneda, 1990, pp. 100-138. [Presenta a la mayoría de los colaboradores de la revista como descontentos con el modernismo, pero sin conceptos propios definidos; solamente en Gamaliel Churata ve elementos surreales].

B.25 Cardona Torrico, Alcira. “Positivismo generacional de *Gesta Bárbara*”, en *Khana. Revista Municipal de Arte y Letras* (La Paz), núm. 44, 1991, pp. 95-106. [Da una breve revisión de la primera *Gesta Bárbara*; con muestras de poesías publicadas en la revista y nombres de autores que colaboraron; artículo más instructivo que la antología de 1981].

B.26 Churata, Gamaliel (Arturo Peralta). “Periodismo y barbarie”, en G. Ch. *Antología y valoración*. Lima: Instituto Puneño de Cultura, 1971, pp. 299-336. [Anteriormente publicado en *Vida Universitaria* (Potosí), noviembre de 1950; recuerdos del grupo y de la revista].

B.27 **HOMBRES, IDEAS Y LIBROS**. Suplemento dominical de *El Diario*, La Paz. 100 números de 1929-1932. Director: Fernando Díez de Medina; colabora, p. ej.: Gamaliel Churata. [Sin ser una publicación vanguardista, sirvió para divulgar ideas y propuestas de la vanguardia].

B.28 ***POETAS BOLIVIANOS DE IZQUIERDA*** (ed. Carlos Gómez Cornejo). La Paz: Matos Hnos., 1930. [Guillermo Viscarra Fabre, *Poetas nuevos de Bolivia*, 1941, nombra esta antología como la primera de poetas vanguardistas de Bolivia; Osorio, *Manifiestos*, 1988, pp. 369-371, y Müller-Bergh y Teles, *Vanguardia*, 2005, pp. 288-290, publican el prólogo a la antología (“Aldabón”, de Gómez Cornejo), con tintes claramente socialistas. Participaron Eduardo Román Paz, Jael Oropeza, Omar Estrella, Pablo Iturri Jurado, Luis Mendizábal Santa Cruz, Luis Felipe Vilela, Óscar Cerruto, Adán Sardón, Eduardo Calderón Lugones, Guillermo Viscarra, Eduardo Ocampo Moscoso, Humberto Viscarra, Carlos Gómez Cornejo, Lucio Díez de Medina].

B.29 ***POETAS NUEVOS DE BOLIVIA*** (ed. Guillermo Viscarra Fabre). La Paz: Trabajo, 1941. [Selección de 25 poetas; importante antología porque se encuentran poemas que no fueron publicados posteriormente por sus autores, p. ej. de Óscar Cerruto; textos elegidos que se acercan a los postulados de la vanguardia de Lucio Díez de Medina, Carlos Gómez Cornejo, José Enrique Viaña y Guillermo Viscarra Fabre].

Autores

Ávila Jiménez, Antonio

Obras

B.30 *Cronos*. La Paz, 1939. [Con algunos poemas que se acercan a postulados de la vanguardia].

B.31 *Signo*. La Paz, 1942. [Con algunos poemas que se acercan a postulados de la vanguardia].

B.32 *Poemas*. La Paz: Biblioteca Paceña, 1957. [Antología].

B.33 *Obras completas* (próls. Jaime Sáenz y Silvia Mercedes Ávila). La Paz: Urquizo, 1988.

Cerruto, Óscar

Obras

B.34 *Cántico traspasado. Obra poética*. La Paz: Biblioteca del Sesquicentenario de la República, 1976. [En su introducción, Óscar Rivera-Rodas hace hincapié en la influencia vanguardista de los primeros años].

B.35 *Poesía* (pról. Juan Quirós; notas, cronol. y bibl. Pedro Shimose). Madrid: Cultura Hispánica/Instituto de Cooperación Iberoamericana, 1985. [No recoge los poemas anteriores a los que se encuentran en los libros del autor (a partir de 1957); importante aquí por el prólogo que parte de los poemas de antes de 1940, y por la bibliografía].

Crítica

B.36 Castañón Barrientos, Carlos. *Literatura de Bolivia*. La Paz: Signo, 1990. [Habla de un vanguardismo ambiguo en las primeras poesías de Ó. C.].

Estrella, Omar

Obra

B.37 *Brújula*. La Paz: Meridiano, 1928. [Citado según la bibliografía de Forster y Jackson, 1990; no logramos obtener más información].

Luksic, Luis

Obra

B.38 *Cantos de la ciudad y el mundo. Poemas 1932-1947*. La Paz: Amauta, 1948. [Mezcla de técnicas vanguardistas y textos comprometidos-socialistas; contiene el único poema de 1932 que quedó del libro perdido *Novela automática*].

Crítica

B.39 Taboada Terán, Néstor. "El pensamiento de Mariátegui en la Revolución Boliviana", en *Signo* (La Paz), núms. 42-43, 1994, pp. 179-192. [Cita un poema de L. L. y lo llama "poeta boliviano de vanguardia" y "gran mariateguista"].

Mundy, Hilda (seudónimo de Luisa Villanueva)

Obras

B.40 *Pirotecnia*. La Paz, s. p. d. i., 1936 (2ª. ed., pról. Virginia Ayllón, La Paz: La Mariposa Mundial, 2004). [Este libro, que en realidad son dos ("Primera parte" y "Urbe" como "Segunda parte"), consta de unos treinta y, después, unos veinticinco textos en ¿prosa? corta, de aproximadamente una página cada uno. No entiendo cómo para la primera edición de esta bibliografía se me pudo escapar un libro que tiene como subtítulo "Ensayo miedoso de literatura ultraísta"; que empieza con "Ofrezco este atentado a la lógica"; que trae una "Particular advertencia al lector: Moje Ud. el dedo en el esponjero/ y/ cuidadosamente siga adelante"; y que, finalmente, termina: "El/ quijotismo/ de/ escribir/ un/ libro/ está/ consumado// Hilda". Si se me permite esta comparación, los textos de Hilda Mundy son más vanguardistas que los de su esposo Antonio Ávila Jiménez. Esperemos que la *Historia crítica* de Wietüchter y Paz Soldán, 2002, dé un impulso para futuras investigaciones].

B.41 *Cosas de fondo. Impresiones de la Guerra del Chaco y otros escritos*. La Paz: Huayna Potosí, 1990. [Además de breves notas, crónicas y columnas de la guerra, de un cuento y otros textos en prosa, también ofrece una selección de *Pirotecnia*].

Otero Reiche, Raúl

Obras

B.42 *Poemas de sangre y lejanía* (pról. Fabián Vaca Chávez). La Paz, 1935 (2ª. ed., La Paz: Instituto Boliviano de Cultura, 1976).

B.43 *Cantos del hombre de la selva. Antología poética* (pról. Julio de la Selva). Santa Cruz de la Sierra: Año del Libro Cruceño, 1988. [En el prólogo se discute el vanguardismo de R. O. R.; al final algunas opiniones de la crítica y poesías inéditas sin fecha].

B.44 *Obras completas*. Santa Cruz de la Sierra: Fundación Banco Santa Cruz, tomo 1, 1995. [El breve prólogo a *Poemas de sangre y lejanía* habla de una "poesía de forma y contenido tradicional" que "coexiste con la de influencia surrealista"].

Pacheco Iturrizaga, Augusto

Obra

B.45 *La función actual de la poesía* (pról. Abraham Valdez). La Paz: América, 1932. [No pudimos ver el libro; en el núm. 92 de *Hombres, ideas y libros*, 24 de julio de 1932, Eduardo Ocampo Moscote discute y critica los conceptos "vanguardismo" e "izquierdismo" del ensayo de A. P. I.].

Tamayo, Franz

Crítica

B.46 Rivera-Rodas, Óscar. "Dialogismo y deconstrucción: escritura vanguardista de Franz Tamayo", en *Signo* (La Paz), núm. 31, 1990, pp. 3-17. [Rivera-Rodas postula una escritura vanguardista en el libro *Nuevos Rubáyát* (La Paz: Impr. Artística, 1927) que normalmente cuenta, como las demás obras del autor, como poesía modernista. Ninguno de los artículos de los últimos años sobre F. T. que revisamos menciona una tendencia vanguardista en su obra].

Viaña Rodríguez, José Enrique

Obra

B.47 *La sed inextinguible*. Potosí: Universitaria, 1970. [Antología con uno que otro poema experimental; desgraciadamente no todos los poemas traen fecha; sus libros de poemas, enunciados en la bibliografía de Jackson y Forster, no se dejan clasificar fácilmente como vanguardistas].

Crítica

B.48 Araujo Subieta, Mario. "La obra poética de José Enrique Viaña", en M. A. S. *Temas literarios*. La Paz: Popular, 1977, pp. 167-185. [No hablando de la vanguardia, subraya ex negativo la dificultad de usar este concepto para la poesía de J. E. V. R y para la literatura boliviana en general].

Vilela, Luis Felipe

Obra

B.49 *Clamor. Poemas del exilio 1936-1939*. La Paz: Sport, 1939.

Crítica

B.50 Vilela, Hugo. "Luis Felipe Vilela", en H. V. *Alcides Arguedas y otros nombres en la literatura de Bolivia*. Buenos Aires: Kier, 1945, pp. 101-114. [Estudio sobre *Clamor* que constituye "uno de los pocos poemarios vanguardistas de consideración" en Bolivia].

Villanueva, Luisa (*cfr.* Hilda Mundy)

Viscarra Fabre, Guillermo

Obras

B.51 *Clima. Poemas 1925-1930*. La Paz: Boliviana, 1938.
B.52 *Elegía a una criatura que vino del alba*. La Paz: Lajas (1949?).

Colombia

Antologías

C.1 Cote Baraibar, Ramón (ed.). *Antología. La poesía del siglo XX en Colombia*. Madrid: Visor, 2006. [El prólogo empieza con la pregunta por lo moderno y por las vanguardias en la poesía colombiana, y habla de dos voces: León de Greiff y Luis Vidales, los cuales, en consecuencia, encabezan (pp. 21-58) la lista de los 21 autores].

C.2 Charry Lara, Fernando (ed.). *Poésie colombienne du XXe siècle*. Genève: Patiño, 1990. [Presenta con León de Greiff y Luis Vidales a dos poetas vanguardistas].

C.3 Echavarría, Rogelio (ed.). *Antología de la poesía colombiana*. Bogotá: Biblioteca Familiar Presidencia de la República, t. II, 1996. [Incluye a Luis Vidales y León de Greiff como poetas en cuya obra aparecen "asomos de los ismos"].

C.4 Holguín, Andrés (ed.). *Antología crítica de la poesía colombiana (1874-1974)*. Bogotá: Tercer Mundo, t. I, 1979. [Separa a los poetas de *Los Nuevos* (entre ellos León de Greiff) del surrealismo, con Luis Vidales como único representante en Colombia].

C.5 Jiménez Panesso, David (ed.). *Antología de poesía colombiana*. Bogotá: Norma, 2005. [Antología comentada, con estudios; incluye a Luis Vidales y León de Greiff].

Visiones de conjunto

Bibliografías

C.6 Jaramillo Agudelo, Darío. "Antologías", en *Historia de la poesía colombiana* (ed. María Mercedes Carranza). Bogotá: Casa Silva, 1991, pp. 529-591 (2ª. ed. 2002). [Los cuadros permiten una rápida búsqueda de los autores incluidos en las aproximadamente 50 antologías estudiadas; menos práctico y actual, pero más exhaustivo, Héctor H. Orjuela: *Las antologías poéticas de Colombia*. Bogotá: Instituto Caro y Cuervo, 1966].

C.7 Orjuela, Héctor H. *Fuentes generales para el estudio de la literatura colombiana. Guía bibliográfica*. Bogotá: Instituto Caro y Cuervo, 1968.

C.8 *Sistema de Información de la Literatura Colombiana (SILC)*. <http:// comunicaciones.udea.edu.co/silc>. [Amplia bibliografía *online* de la literatura colombiana, por lo general con comentarios; funciona desde 2003].

Crítica

Libros

C.9 Arango Ferrer, Javier. *Horas de literatura colombiana*, Bogotá: Instituto Colombiano de Cultura, 1978 (2ª. ed. Medellín: Autores Antioqueños, 1993). [Además de León de Greiff y Luis Vidales, para él también Germán Pardo García se acerca al vanguardismo, especialmente al surrealismo].

C.10 Cobo Borda, Juan Gustavo. *La tradición de la pobreza*. Bogotá: Carlos Valencia, 1980.

C.11 Cobo Borda, Juan Gustavo. *Poesía colombiana*. Medellín: Universidad de Antioquia, 1987.

C.12 Cobo Borda, Juan Gustavo. *Historia portátil de la poesía colombiana (1880-1995)*. Bogotá: Tercer Mundo Editores, 1995.

C.13 Cobo Borda, Juan Gustavo. *Historia de la poesía colombiana del siglo XX. De José Asunción Silva a Raúl Gómez Jattín*. Bogotá: Villegas Editores, 2003. [Los cuatro libros son solamente ejemplos importantes de sus numerosas publicaciones al respecto. A lo largo del tiempo, Cobo Borda sigue revisando sus artículos sobre poetas colombianos, especialmente sobre *Los Nuevos*. En el fondo, sin embargo, llega siempre a la conclusión de que solamente Luis Vidales representó la vanguardia en Colombia, que León de Greiff se acerca al movimiento vanguardista y que Luis Tejada está situado en una atmósfera de anarquismo y vanguardia].

C.14 Charry Lara, Fernando. *Poesía y poetas colombianos*. Bogotá: Procultura, 1985 ["León de Greiff", reedición, ligeramente actualizada, de: "León de Greiff: La creación de un lenguaje", en *Eco*, núm. 188, 1977, pp. 181-192: no se decide claramente si quiere llamarlo vanguardista en el sentido estricto; "Los Nuevos": como grupo, dentro del movimiento mundial de la vanguardia, fueron, según Charry Lara, conformistas. Sobre sus opiniones sobre poesía vanguardista y algunos poetas vanguardistas *cfr*. también la nueva edición de su *Lector de poesía*. Bogotá: Mondadori, 2005].

C.15 Jiménez Panesso, David. *Poesía y canon. Los poetas como críticos en la formación del canon en la poesía moderna en Colombia*. Bogotá: Norma, 2002. [A pesar de que se centra en los piedracielistas de los años treinta y cuarenta, este estudio es fundamental también para comprender los procesos de canonización (o silenciamiento) de la tímida vanguardia colombiana].

C.16 Loaiza Cano, Gilberto. *Luis Tejada y la lucha por una nueva cultura*. Bogotá: Colcultura, 1995. [El mejor estudio sobre Luis Tejada y la vanguardia colombiana; contiene el artículo abajo mencionado sobre *Los Arquilóquidas*].

C.17 Medina, Álvaro. *El arte colombiano de los años veinte y treinta*. Bogotá: Colcultura/Tercer Mundo, 1995. [De sumo interés para una comparación de la vanguardia literaria con otras expresiones vanguardistas artísticas en Colombia. Subraya la importancia de la revista *Universidad* (Bogotá, 1921-1922 y 1927-1929) para la vanguardia en la pintura y escultura].

C.18 Pöppel, Hubert. *Tradición y modernidad en Colombia. Corrientes poéticas en los años veinte*. Medellín: Editorial Universidad de Antioquia, 2000 (1ª. ed. alemana 1994). [Revisa el desarrollo poético desde la revista *Panida* (1915), pasando por *Voces*, hasta *Los Nuevos*; de especial interés la discusión sobre la vanguardia y las reacciones a *Los Nuevos*; interpretaciones de poemas de León de Greiff y Luis Vidales].

C.19 Romero, Armando. *El nadaísmo colombiano o la búsqueda de una vanguardia perdida*. Bogotá: Tercer Mundo, 1988. [Encuentra en su búsqueda algunos vestigios de vanguardismo en Luis Tejada, León de Greiff y Luis Vidales].

C.20 Suardíaz, Luis. *Conozca a: José Asunción Silva, Luis Carlos López, Porfirio Barba Jacob, León de Greiff, Luis Vidales*. Medellín: Universidad de Antioquia, 1985. ["León de Greiff en Weimar": "obra acaso inclasificable", p. 156; "Luis Vidales, cantor de la vanguardia": sobre todo en la primera parte se ocupa de discutir el vanguardismo de Luis Vidales].

Artículos

C.21 Caballero Wanguemert, María M. "Tradición y renovación: la vanguardia en Colombia", en *Cuadernos Hispanoamericanos*, núms. 529-530, 1994, pp. 71-81. [Niega un verdadero movimiento de vanguardia en los años veinte, a pesar de los intentos por parte de Luis Vidales y León de Greiff; busca la vanguardia colombiana en el nadaísmo de los años cincuenta y sesenta; *cfr*. también su artículo "León de Greiff", 1989].

C.22 Gutiérrez Girardot, Rafael. "La literatura colombiana en el siglo XX", en *Manual de historia de Colombia*. Bogotá: Procultura/Instituto Colombiano de Cultura, t. 2, 2ª. ed. 1982, pp. 445-536. [Incluye: R. G. G. "La literatura colombiana 1925-1950", en *Eco*, núm. 214, 1979, pp. 390-424. Interesa, sobre todo, cap. VII: "Los Nuevos no lograron demoler esa sociedad" —la sociedad ochocentista del comienzo del siglo XX—. "Pero algunos de ellos la pusieron en tela de juicio: León de Greiff, Luis Tejada y Luis Vidales", p. 489; reeditado en su *Hispanoamérica: imágenes y perspectivas*. Bogotá: Temis, 1989, pp. 347-410].

C.23 Loaiza Cano, Gilberto. "Los Arquilóquidas (1922)", en *Universidad de Antioquia* (Medellín), núm. 233, 1993, pp. 72-78. [Estudia los manifiestos y ataques en el periódico *La República* de un grupo de intelectuales jóvenes que constituirá más tarde el grupo de *Los Nuevos*; aporte muy importante].

C.24 Loaiza Cano, Gilberto. "La vanguardia en Colombia durante los primeros decenios del siglo XX", en *Estudios de Literatura Colombiana* (Medellín), núm. 4, 1999, pp. 9-22. [Reanuda su exigencia de entender de vanguardia en Colombia; aborda un espectro más amplio que la revista *Los Nuevos*].

C.25 Medina, Álvaro. "López, de Greiff, Vinyes, Vidales y el vanguardismo de Colombia", en *Punto Rojo* (Bogotá), núm. 4, 1975, pp. 7-23. [Artículo fundamental sobre el desarrollo y el fracaso de ideas vanguardistas en las revistas *Panida* (1915), *Voces* y *Los Nuevos*].

C.26 Pöppel, Hubert. "La vanguardia literaria colombiana y sus detractores", en *Estudios de Literatura Colombiana* (Medellín), núm. 6, 2000, 35-50. [Sobre los extremos del campo literario colombiano alrededor de 1925: desde la serie de artículos de "El nuevecito escritor" hasta los libros de lectura en los colegios].

C.27 Romero, Armando. "Ausencia y presencia de las vanguardias en Colombia", en *Revista Iberoamericana*, núms. 118-119, 1982, pp. 275-287. [Clasifica como vanguardistas a Luis Vidales, León de Greiff y Luis Tejada, excluyendo a Jorge Zalamea, Germán Arciniegas y a los poetas del grupo "Piedra y Cielo"].

C.28 Undurraga, Antonio de. "Poesía colombiana del siglo veinte, ensayo antológico", en *Revista de Estudios Hispánicos*, núm. 2, 1, 1968, pp. 91-130. [Discute la pertenencia de León de Greiff a los movimientos de vanguardia y lo compara, como autor simbolista, con José María Eguren; a Luis Vidales lo llama vanguardista].

Revistas y grupos

C.29 *Los Nuevos*. Revista y grupo, Bogotá. 5 núms. de junio a agosto de 1925. Director: Felipe Lleras Camargo. Secretario: Alberto Lleras. Directiva, p. ej., Rafael Maya, Germán Arciniegas, Jorge Zalamea, León de Greiff, Manuel García Herreros y Luis Vidales. Impulsor: Luis Tejada, fallecido ya en 1924. Colabora, p. ej., Germán Pardo García.

C.30 "Los Nuevos". Serie de artículos de "El nuevecito escritor", en *Patria. Revista de Ideas* (Bogotá), núms. 43-49, julio a septiembre de 1925. [Artículos muy interesantes sobre el objetivo del grupo, su estética, sus ideas políticas y las luchas en el interior de la directiva].

C.31 "El Glosario de *Los Nuevos*". Página especial, concedida al grupo, en *El Espectador. Suplemento Literario Ilustrado* (Bogotá), 5 (?) núms., septiembre a octubre de 1925. [Poesías y cuentos, artículos sobre política y literatura; p. ej. Julio Gómez de Castro sobre "El superrealismo"].

C.32 "*Los Nuevos*: Antología", en *Crítica* (Bogotá), núm. 45, 1950, pp. 3-12. [Contiene, p. ej., el artículo introductorio de Jorge Zalamea. "La aparición del grupo de *Los Nuevos*", y el 'manifiesto' del primer número de la revista; ambos reproducidos en Jorge Zalamea. *Literatura, política y arte*. Bogotá: Instituto Colombiano de Cultura, 1978, pp. 591-597].

Crítica

C.33 Caparroso, Carlos Arturo. "Los Nuevos y la poesía", en *Boletín de la Academia Colombiana*, núm. 35, 1960, pp. 121-139. [Revisando los autores del grupo, para él "Luis Vidales representó entre *Los Nuevos* la tendencia de vanguardia más sostenida"].

C.34 Cobo Borda, Juan Gustavo. "Los Nuevos", en *Gaceta* (Bogotá), núms. 25-26, 1979, pp. 8-10. [Con el índice de los cinco números de la revista].

C.35 Charry Lara, Fernando. "Los poetas de Los Nuevos", en *Revista Iberoamericana*, núms. 128-129, 1984, pp. 633-681. [Uno de los estudios más profundos sobre *Los Nuevos*; para él, a excepción de Luis Vidales y, con ciertas reservas, de León de Greiff y Luis Tejada, no se puede hablar de autores vanguardistas en Colombia].

C.36 Charry Lara, Fernando. "La poesía de Los Nuevos", en *Gran Enciclopedia de Colombia*. Bogotá: Círculo de Lectores, Vol. 4 (Literatura), 1992, pp. 191-212. [Artículo ligeramente actualizado y modificado en comparación con el de 1984].

C.37 Estripeaut-Bourjac, Marie. *Los Nuevos, le langage d'une génération, 1925-1953*. Diss. Université de Bordeaux III, 1996. [Tesis de doctorado desgraciadamente no publicada como libro; de pronto el estudio más detenido del que disponemos actualmente. Pregunta por el lenguaje del grupo —lenguaje entendido como obtención de una representación simbólica, en primer lugar a través del término "progreso"—, incluso más allá de las fronteras del lenguaje literario y de los años veinte].

C.38 Estripeaut-Bourjac, Marie. "*Los Nuevos* como vanguardia: lenguaje generacional, historia e imaginario", en *Thesaurus* (Bogotá), v. 54, núm. 3, 1999, pp. 729-773.

C.39 Estripeaut-Bourjac, Marie. "¿Tan nuevos *Los Nuevos*?", en *Estudios de Literatura Colombiana* (Medellín), núm. 5, 1999, pp. 3-59. [Ejemplos de los artículos enjundiosos de la autora sobre el grupo que se basan en su tesis de doctorado y que recorren las discusiones dentro del grupo y del grupo hacia afuera. El segundo de los enunciados aquí desemboca en la pregunta: "Entonces, *Los Nuevos*, ¿vanguardia o no?", p. 56].

C.40 Fajardo, Diógenes. "Los Nuevos", en *Historia de la poesía colombiana* (ed. María Mercedes Carranza). Bogotá: Casa Silva, 1991, pp. 263-317 (2ª. ed. 2002); versión actualizada en su *Coleccionistas de nubes. Ensayos sobre literatura colombiana*. Bogotá: Instituto Caro y Cuervo, 2002. ["En síntesis, no hay grupo vanguardista en Colombia... Pero sí hay obras que representan la vanguardia silvestremente", p. 275. De los cuatro renovadores que, para él, quedan de *Los Nuevos*, sólo a dos los llama vanguardistas: León de Greiff y Luis Vidales; no incluyendo en esa categoría a Rafael Maya y Jorge Zalamea].

C.41 Maya, Rafael. *Consideraciones críticas sobre la literatura colombiana*. Bogotá: Librería Voluntad, 1944. [En sus reflexiones sobre las literaturas de vanguardia, pp. 107-116, menciona a *Los Nuevos* como un grupo que, después de un primer impulso, muy pronto abandonó los ideales literarios de sus días iniciales; *cfr*. también R. M. *Obra crítica*. Bogotá: Banco de la República, 2 tomos, 1982].

C.42 Mejía Duque, Jaime. "Evolución del lenguaje poético en Colombia (1896-1966)", en *Eco* (Bogotá), núm. 76, 1966, pp. 468-492. ["Los Nuevos", pp. 478-482: con las excepciones de Luis Vidales, León de Greiff y Ciro Mendía, *Los Nuevos* desconfiaron del "futurismo"].

C.43 Mejía Duque, Jaime. *Momentos y opciones de la poesía en Colombia*. Bogotá: La Carreta, 1979. [Para él, el grupo como tal no fue vanguardista, ni mucho menos. Solamente Luis Vidales, León de Greiff y Ciro Mendía se destacaron].

C.44 Romero, Armando. *Las palabras están en su situación*. Bogotá: Procultura, 1985. [En el cap. "Los Nuevos" corrobora la singularidad de Luis Vidales como vanguardista, en menor grado también la de León de Greiff].

C.45 ***Voces***. Revista, Barranquilla. 60 núms., de 1917-1920. Directores: Julio Gómez de Castro (núms. 1-12), Hipólito Pereira (Héctor Parias; núms. 13-60). *Spiritus rector*: Ramón Vinyes. Colaboradores: León de Greiff, Manuel García Herreros, Vicente Huidobro, José Juan Tablada, Guillaume Apollinaire, Luciano Folgore, Max Jacob *et al*.

C.46 *Voces 1917-1920* (selección y pról. Germán Vargas). Bogotá: Instituto Colombiano de Cultura, 1977. [Faltan en esta selección algunos de los textos de la revista acerca de la vanguardia; el prólogo está reproducido en Germán Vargas. *Sobre literatura colombiana*. Bogotá: Fundación Simón y Lola Guberek, 1985, pp. 133-146].

C.47 *Voces 1917-1920. Edición íntegra* (ed. Ramón Illán Bacca). Barranquilla: Universidad del Norte, 3 tomos, 2003. [Edición completa de la revista, de la cual muchos habían pensado que iba a ser imposible reunir todos los números. Incluye un dossier con comentarios y notas sobre la revista de Álvaro Medina, Ernesto Volkening, Gustavo Loaiza, Germán Vargas, Jacques Gilard y Ángela Lotero].

Crítica

C.48 Bacca, Ramón Illán. *Escribir en Barranquilla*. Barranquilla: Uninorte, 1998. [Le dedica unas veinte páginas a la importancia de la revista para la literatura colombiana, no centrándose, sin embargo, directamente en la discusión de la recepción de la vanguardia europea].

C.49 Loaiza Cano, Gilberto. "*Voces* de vanguardia (Barranquilla, 1917-1920)", en *Gaceta* (Bogotá), sep.-dic. 1997, pp. 18-27. [Breve análisis de la importancia de la revista para la vanguardia en Colombia].

C.50 Osorio T., Nelson. *El futurismo y la vanguardia literaria en América Latina*. Caracas: Centro de Estudios Latinoamericanos Rómulo Gallegos, 1982. [P. 24, discutiendo la recepción de Marinetti en América Latina, menciona los números de la revista en los cuales se publican poemas vanguardistas].

Autores

García Herreros, Manuel

Obra

C.51 *Diario del poeta Tulio Ernesto (Capítulo de una novela en preparación de M. García Herrera)*, en *Los Nuevos*, núm. 2, 1925, pp. 64-73. [Una pequeña muestra de prosa que vale la pena tomar en consideración para la discusión sobre la narrativa colombiana de vanguardia].

Greiff, León De

Obras

C.52 *Tergiversaciones de Leo Legris, Matías Aldecoa y Gaspar. Primer Mamotreto. 1915-1922*. Bogotá: Tipografía Augusta, 1925.

C.53 *Libro de signos, precedido de Los pingüinos peripatéticos; seguido de Fantasía de nubes al viento. Tergiversaciones de Leo Le Gris, Matías Aldecoa, Gaspar von der Nacht y Erik Fjordson. Segundo Mamotreto. 1918-1929*. Medellín: Imprenta Editorial, 1930.

C.54 *Variaciones alredor* (*sic*!) *de nada. Tercer Mamotreto*. Manizales: Arturo Zapata, 1936. [Poemas de 1918-1934].

C.55 *Prosas de Gaspar. Primera Suite. 1918-1925, Bogotá. Cuarto Mamotreto*. Bogotá: Imprenta Nacional, 1937.

C.56 *Fárrago. Quinto Mamotreto*. Bogotá: S. L. B., 1954. [Poemas de los años cuarenta].

C.57 *Bárbara Charanga. Bajo el signo de Leo. Primer Lote. Sexto Mamotreto*. Bogotá, 1957. [Poemas en prosa de los años cuarenta y cincuenta].

C.58 *Velero Paradójico. Séptimo Mamotreto*. Bogotá, 1957. [Poemas de los años treinta en adelante].

C.59 *Nova et Vetera. Octavo Mamotreto*. Bogotá, 1973. [Poemas de 1915-1970].

C.60 *Obras completas* (pról. Jorge Zalamea). Medellín: Aguirre, 1960. [Contiene los primeros siete "Mamotretos"; otra edición, Bogotá: Tercer Mundo, 1983].

C.61 *Obra completa* (ed. Hjalmar de Greiff). Bogotá: Procultura, 3 Vols., 1985-1986 (reedición revisada, Bogotá: Universidad Nacional, 2004). [Contiene los ocho "Mamotretos" hasta este momento publicados].

C.62 *Poesía escogida* (ed. Miguel Escobar Calle). Bogotá: Norma, 1991. [Contiene también una antología de textos críticos].

C.63 *Obra poética* (selección y pról. Cecilia Hernández de Mendoza; cronología y bibl. Hjalmar de Greiff y Cecilia Hernández de Mendoza). Caracas: Biblioteca Ayacucho, 1993. [Contiene una selección de los poemas de los primeros ocho "Mamotretos"; con un prólogo instructivo y buena bibliografía].

C.64 *Obra dispersa. Poesía, prosa* (ed. Hjalmar de Greiff). Medellín: Universidad de Antioquia, 4 Vols., 1995-1999. [Vol. 1, 1913-1953: *Poesía. Noveno Mamotreto. Póstumo, 1913-1936*; *Prosa. Décimo Mamotreto. Póstumo. 1939-1945*; *La Columna de Leo. Undécimo Mamotreto. Prosas de Gaspar (Segunda época), Columna de Leo*. Vol. 2, 1937-1956: *Poesía. Duodécimo Mamotreto. Póstumo. 1937-1954; Bajo el Signo de Leo. Décimo tercer Mamotreto. Póstumo*. Programas transmitidos por la Radiodifusora, 1953-1956. Vol. 3, 1956-1972: *Bajo el Signo de Leo. Décimo tercer Mamotreto* (segunda parte; importante este Décimo tercer Mamotreto porque en los programas para la radio habla también de las vidas y obras de sus "heterónimos"); *Poesía. Décimo cuarto Mamotreto. 1956-1972*. Vol. 4: *Correo de Estocolmo. Décimo quinto Mamotreto. 1959-1962*. (programas transmitidos por la Emisora H. J. C. K.); *Poesía. Décimo sexto Mamotreto*; *Poesía* (omitida en el *Noveno Mamotreto*); *Poesía* (omitida en el *Décimo Mamotreto*); *Poesía* (omitida en el *Duodécimo Mamotreto*); Obras traducidas y musicalizadas; Epílogo].

Crítica

Bibliografía

C.65 "Obras de y estudios sobre León de Greiff", en Sol Beatriz Gaitán. *Teoría y práctica de la literariedad y comunicación en la vanguardia. El caso de León de Greiff*. (Diss. New York University). Ann Arbor: UMI, 1989, pp. 255-266.

Libros y homenajes

C.66 Alape, Arturo (ed.). *Valoración múltiple León de Greiff*. Bogotá, La Habana: Universidad Central/Casa de las Américas, 1995. [Colección de artículos críticos, de inestimable valor; en el prólogo discute el uso del término vanguardia para la obra de L. de G.; buena bibliografía; contiene, p. ej., las contribuciones abajo enunciadas de Maya, Mejía Duque, Hernández de Mendoza, Uribe Ferrer y Toruño].

C.67 Connell, Stanley W. *Lexical Aspects of the Works of León de Greiff*. Diss. Georgetown University, 1978. [Lo llama vanguardista con fuertes influencias del modernismo y del romanticismo].

C.68 Gaitán, Sol Beatriz. *Teoría y práctica de la literariedad y comunicación en la vanguardia. El caso de León de Greiff*. (Diss. New York University). Ann Arbor: UMI, 1989. [Estudia la recepción de la poesía de L. de G. como literatura de vanguardia].

C.69 Gil Jaramillo, Lino. *A tientas por el laberinto poético de León de Greiff*. Cali: Universidad del Valle, 1975. [No habla directamente de vanguardia en la poesía de L. de G., mas sí de la influencia de vanguardistas en su obra. *Cfr*. también Otto Morales Benítez. "A tientas por el laberinto poético de León de Greiff", en *Boletín Cultural y Bibliográfico*, núm. 1, 1978, pp. 62-79. Reseña amplia y afirmativa del libro de Gil Jaramillo].

C.70 Hernández de Mendoza, Cecilia. *La poesía de León de Greiff*. Bogotá: Instituto Colombiano de Cultura, 1974. [Lo llama "poeta de vanguardia", p. 11, pero no recurre en la interpretación de sus obras a las estéticas de la vanguardia; *cfr*. también Alape, *Valoración*, 1995].

C.71 *Homenaje a León de Greiff*, en *Cromos* (Bogotá), núm. 4042, 1995, pp. 38-52. [Con un ensayo de Jaime Mejía Duque, bibliografía, cronología y notas críticas].

C.72 Mohler, Stephen. *El estilo poético de León de Greiff*. Bogotá: Tercer Mundo, 1975 (orig. *The Poetic Style of León de Greiff*. Ann Arbor: UMI, 1969). [Estudio detenido de la poesía de L. de G., partiendo de la tesis: "se notan muchas similiaridades (*sic*!) entre la poesía de León de Greiff y la de los poetas vanguardistas", p. 16; buena bibliografía].

C.73 Rodríguez Sardiñas, Orlando. *León de Greiff: una poética de vanguardia*. Madrid: Playor, 1975. [Empieza su estudio con la afirmación de que L. de G. "es uno de los poetas mayores de la vanguardia poética hispanoamericana", p. 9].

C.74 Saldarriaga Restrepo, Juan Fernando. *Dialogismo en la poesía de León de Greiff. Estudio sobre Tergiversaciones, presentado en marco de Edición crítica*. Tesis de Maestría, Universidad de Antioquia, Medellín, 1998. [Debido a los problemas hasta el momento insalvables con la *Obra completa* dentro de la "Colección Archivos", sirva como alternativa esta tesis con su excelente edición crítica de *Tergiversaciones*; para su consulta hay que recurrir a la biblioteca de la Universidad de Antioquia].

Artículos

C.75 Caballero Wanguemert, María M. "León de Greiff en el contexto de la vanguardia colombiana", en *Philologia Hispalensis* (Sevilla), Vol. IV, fasc. I, 1989, pp. 67-83. [Buen resumen de la posición excepcional de L. de G. en el contexto de la poesía conservadora en Colombia; solamente en este contexto lo llama vanguardista].

C.76 Camacho Guizado, Eduardo. "León de Greiff", en E. C. G. *Sobre literatura colombiana e hispanoamericana*. Bogotá: Instituto Colombiano de Cultura, 1978, pp. 76-79. [Niega su pertenencia al movimiento de vanguardia].

C.77 Dross, Tulia de. "La experiencia amorosa de León de Greiff", en *Universidad Nacional* (Bogotá), 2ª. época, núm. 6, 1970, pp. 64-75. [Sin hablar directamente de la vanguardia, compara la imagen de la mujer en la poesía de L. de G. con la de Neruda y García Lorca].

C.78 Espinosa, Germán. "León de Greiff: el lujuriante, el musical, el satírico", en G. E.: *La luna y la liebre*. Bogotá: Tercer Mundo, 1990, pp. 205-221. [Artículo de 1975; subraya la singularidad de L. de G., quien, para él, no es un poeta vanguardista en el sentido usual de la palabra].

C.79 Gomes, Miguel. "El tiempo literario de León de Greiff", en *Hispanic Review*, v. 70, núm. 3, 2002, pp. 421-438. [Análisis comparativo de dos poemas de L. de G. con poemas del modernismo, especialmente de Rubén Darío, con el objetivo de relativizar "la identificación simplista de León de Greiff con el vanguardismo", p. 435; habría que imaginar "un modernismo en los tiempos de la vanguardia", p. 436].

C.80 Loaiza Cano, Gilberto. "León de Greiff. El aporte vanguardista de *Tergiversaciones*", en *Número* (Bogotá), núm. 12, 1996-1997, pp. 59-64. [Compara las nociones de vanguardia de Renato Poggioli y Jorge Schwartz con la praxis poética del primer libro de L. de G.].

C.81 Maya, Rafael. "León de Greiff", en R. M. *Estampas de ayer y retratos de hoy*. Bogotá: Imprenta Nacional, 1954, pp. 349-355. [Lo presenta como el gran revolucionario de la poesía colombiana de los años veinte, sin mencionar directamente la vanguardia; *cfr*. también Alape, *Valoración*, 1995].

C.82 Medina Cano, Federico. "León de Greiff y la vanguardia", en *Revista Universidad Pontificia Bolivariana* (Medellín), núm. 135, 1992, pp. 7-15. [Análisis de sus poemas, buscando las correspondencias con la vanguardia; *cfr*. también, con el mismo título, en *Con-textos* (Medellín), núm. 31, 2003, 79-92: "se expresa a través de las audacias más vanguardistas o de las formas poéticas más remotas"].

C.83 Mejía Duque, Jaime. "La poesía esquiva y desdoblada en espejismo de León de Greiff", en *Letras Nacionales* (Bogotá), núm. 1/3, 1965, pp. 27-44. [La poesía de L. de G. es, para él, tan desconcertante que puede contar entre el movimiento vanguardista. Muchas veces reeditado, últimamente en Alape, *Valoración*, 1995].

C.84 Mohler, Stephen. "León de Greiff. Poeta musical". Bogotá: Instituto Caro y Cuervo, 1974. (Separata de *Thesaurus*, Vol. 29, 1974). [Interpreta el concepto de "Sinfonismo" en la obra de L. de G., según Toruño, 1943, como una rama del vanguardismo].

C.85 Toruño, Luis Felipe. "Sinfonismo en la poesía de León de Greiff", en *Universidad de Antioquia* (Medellín), núm. 58, 1943, pp. 265-272. [Él mismo no ubica su concepto "Sinfonismo" dentro de los movimientos de vanguardia, más tarde lo hará Mohler, 1974; reeditado en Alape, *Valoración*, 1995].

C.86 Uribe Ferrer, René. "León de Greiff. Aventura luminosa", en *Universidad de Antioquia* (Medellín), núm. 141, 1960, pp. 522-533. [Discute la pertenencia de L. de G. a la vanguardia, y llega a la conclusión de que no se le puede llamar vanguardista en el sentido estricto de la palabra; artículo varias veces publicado, últimamente en Alape, *Valoración*, 1995].

C.87 Valencia Giraldo, Asdrúbal. "Lo autóctono y lo extraño en León de Greiff", en *Universidad de Antioquia* (Medellín), núm. 233, 1993, pp. 65-71. [Concuerda con Medina Cano, "León de Greiff", 1992, en que L. de G. es poeta de vanguardia].

Pereyra, Hipólito (Héctor Parias)

Obra

C.88 *Araña de mis deseos*, en *Voces*, núms. 43/44/45, dic. de 1918. [Su "primera composición nunista" es probablemente el primer poema pictórico-vanguardista de Colombia, y también el último de H. P.; edición facsimilar en Medina, "López, de Greiff", 1975; la edición de la revista *Voces* de 2003 desgraciadamente no ofrece una reproducción facsimilar].

Tejada, Luis

Obras

C.89 *Libro de crónicas*. Bogotá: Tipografía Augusta, 1924.

C.90 *Gotas de Tinta* (ed. Hernando Mejía Arias). Bogotá: Instituto Colombiano de Cultura, 1977. [Incluye artículos sobre L. T. de Juan Gustavo Cobo Borda, Jorge Zalamea, Alberto Lleras, Luis Vidales y una entrevista concedida a *Cromos*, 1924].

C.91 *Mesa de redacción* (ed. y pról. Miguel Escobar Calle). Medellín: Universidad de Antioquia/Biblioteca Pública Piloto, 1989. [Con la bibliografía completa hasta ese entonces].

Crítica

C.92 Loaiza Cano, Gilberto. *Luis Tejada y la lucha por una nueva cultura*. Bogotá: Colcultura, 1995. [El mejor estudio sobre L. T. y la vanguardia colombiana].

C.93 Orrego Alzate, John Byron. *Luis Tejada Cano y el inicio de la modernidad literaria en Colombia*. Medellín: Concejo de Medellín, 1993. [Destaca a L. T. como el impulsor de la literatura moderna en Colombia que, con Luis Vidales y León de Greiff, toca a las puertas del vanguardismo, sin que él mismo escribiera crónicas vanguardistas; y como el que conectó la lucha política de izquierda con la literatura].

C.94 Roca, Juan Manuel. "Estancias con Luis Tejada", en *El Espectador. Magazin Dominical* (Bogotá), 24 de enero de 1988, pp. 17-20. [Corroborando la estrecha relación entre vida y escritura, la búsqueda de una nueva literatura y el intento de L. T. de desvirtuar los géneros literarios, afirma, p. 18: "esta premisa de Tejada no se queda como tantas otras en el simple manifiesto estético, como ocurre con buena parte de las vanguardias que intentan que su escritura coincida con un mandamiento escrito a priori"].

C.95 Ruiz Gómez, Darío. "Luis Tejada contra el despotismo ilustrado", en D. R. G. *Proceso de la cultura antioqueña*. Medellín: Autores Antioqueños, 1987 (reedición del artículo de 1977). [No nombra directamente la vanguardia, mas lo muestra como el que supo "detectar el pulso verdadero de esta nueva experiencia cultural", p. 223, en sus crónicas].

C.96 Vidales, Carlos. "Magia y revolución", en *Universidad Nacional* (Bogotá), núm. 15, 1977, pp. 133-146. [Lo llama "este Chaplin de la pluma", p. 135, sin mencionar explícitamente la vanguardia].

Uribe Piedrahita, César

Obra

C.97 *Caribe. Segundo capítulo ilustrado de la novela inconclusa*, en *Revista Pan* (Bogotá), núm. 15, 1937, pp. 75-80. (Reproducciones facsimilares en Augusto Escobar Mesa. *Naturaleza y realidad social en César Uribe Piedrahita*. Medellín: Concejo de Medellín, 1993, pp. 302-307, el libro trae una bibliografía completa; y en C. U. P. *Apuntes para la geografía médica del ferrocarril de Urabá y otros escritos*. Medellín: Universidad de Antioquia, 1996, con los otros dos capítulos, no tan atrevidos como el segundo, publicados en 1936 y 1939). ["Texto" escrito y dibujado a mano por el editor de la revista, porque le fue imposible hacer una versión impresa del experimento].

VIDALES, LUIS

Obras

C.98 *Suenan timbres*. [Bogotá]: Minerva, 1926 (2ª. ed. aumentada, con artículos de L. V., Fernando Arbeláez, Eduardo Carranza, Alberto Lleras, Luis Tejada, Carlos Vidales, Jorge Zalamea, Juan Gustavo Cobo Borda, Bogotá: Instituto Colombiano de Cultura, 1976; 3ª. ed., pról. de Isaías Peña Gutiérrez y L. V., Bogotá: Plaza y Janés, 1986; 4ª. ed., pról. de Alberto Rodríguez Tosca, Bogotá: Universidad Nacional, 2004).

C.99 *Obra inédita = Cuadernos de Filosofía y Letras* (Bogotá), Vol. 5, núm. 3, 1982. [Contiene unos pocos poemas de los años treinta, no incluidos en *La obreríada* (libro escrito en los años treinta, publicado en 1978, con poesía claramente comprometida); importante el artículo de Marie Estripeaut. "El estilo de Luis Vidales", pp. 111-123, que cuenta entre los primeros estudios serios sobre la poesía de L. V.].

Crítica

C.100 Arévalo, Milcíades *et al*. "Alto ahí: Luis Vidales de nuevo" (entrevista con L. V.), en *Casa de las Américas* (La Habana), Vol. 26, núm. 154, 1986, pp. 152-158. [Una de las tantas entrevistas con L. V.; importante por la información sobre su juventud y el ambiente literario de los años veinte].

C.101 Briñez Villa, Gustavo. *El mundo poético de Luis Vidales*. Bogotá: Trilce Editores/Gente Nueva, 1996. [Tiene el valor de ser el primer libro dedicado exclusivamente al poeta].

C.102 Carranza, María Mercedes. "Luis Vidales: siempre he oído decir que soy diferente", en *Nueva Frontera* (Bogotá), núm. 118, 1977, pp. 24-25 y 34. [Entrevista sobre la literatura de los años veinte; L. V. y la entrevistadora concuerdan en que la obra de León de Greiff no es propiamente vanguardista, y que por ende *Suenan timbres* es el único libro de poesía vanguardista en Colombia].

C.103 Estripeaut, Marie. "América en uno de sus poetas: Luis Vidales", en L. V. *Poemas del abominable hombre del barrio Las Nieves*. Bogotá: Aurora, 1985, pp. 79-89. [Artículo desgraciadamente corto sobre la posición de L. V. en las literaturas colombianas y latinoamericanas].

C.104 Estripeaut-Bourjac, Marie, Daniel Jerónimo Tobón Giraldo y Juan Carlos Henao Durán. "Luis Vidales y la vanguardia: un debate", en *Estudios de Literatura Colombiana* (Medellín), núm. 11, 2002, pp. 91-98. [Polémica que surgió con ocasión del artículo de Henao Durán y Tobón Giraldo, 2001;

muy importante porque lleva al centro de la pregunta de si hubo o no vanguardia —y qué tipo de vanguardia— en Colombia en general, y especialmente en Vidales].

C.105 González Bello, Manuel. "Un hombre viene a sonar timbres" (entrevista con Luis Vidales), en *Bohemia* (La Habana), Vol. 73, núm. 31, 31 de julio de 1981, pp. 16-19. [Importante por los datos biográficos, las respuestas sobre su poetología y las informaciones sobre los años veinte].

C.106 Henao Durán, Juan Carlos y Daniel Jerónimo Tobón Giraldo. "Vidales, Vallejo, Vanguardia", en *Estudios de Literatura Colombiana* (Medellín), núm. 9, 2001, pp. 33-52. [Partiendo del análisis de "En el café" y de "*Trilce* VII", llegan a la conclusión de que existe un abismo entre L. V. y César Vallejo, una diferencia tan radical que, incluso, afecta al mismo concepto de "vanguardia"].

C.107 *Homenaje a Luis Vidales (1900-1990)*. Edición especial de: *El Espectador. Magazin Dominical* (Bogotá), núm. 377, 15 de julio de 1990. [Reproduce algunos artículos de y sobre L. V., y algunos poemas inéditos].

C.108 Medina, Álvaro. "De nuevo Luis Vidales" (entrevista con Luis Vidales), en *Punto Rojo* (Bogotá), núm. 2, 1975, pp. 6-12. [Entrevista muy informativa sobre la vida literaria de los años veinte y la recepción de *Suenan timbres*; con una pequeña muestra de poemas, pp. 2-5].

C.109 Medina, Álvaro. "Los timbres de una poesía nueva", en *Documentos Políticos* (Bogotá), núm. 122, 1976, pp. 103-116. [Subraya la singularidad de L. V. como vanguardista en Colombia].

C.110 Moreno Durán, Rafael Humberto. "Luis Vidales: 45 años de poesía futura", en *El Tiempo. Lecturas Dominicales* (Bogotá), 17 de diciembre de 1972, p. 3. [Presentación de una pequeña muestra de poemas de L. V., subrayando que el país había olvidado a su único verdadero vanguardista].

C.111 Peña Gutiérrez, Isaías. "Dos libros del poeta Luis Vidales", en I. P. G. *Estudios de literatura*. Bogotá: El Huaco, 1979, pp. 71-83 (= Introducción a L. V. *La Obreríada*. La Habana: Casa de las Américas, 1978). [Compara el vanguardismo de *Suenan timbres* con el tono comprometido de *La obreríada*].

C.112 Peña Gutiérrez, Isaías. "Canto lo que el mundo me propone" (entrevista con Luis Vidales), en L. V. *Antología poética*. Medellín: Universidad de Antioquia, 1985, pp. 269-282. [L. V. habla del ambiente literario y político en el cual escribió *Suenan timbres* y su segundo libro, *La obreríada*].

C.113 Roca, Juan Manuel. "El aire del tiempo", en L. V. *Antología poética*. Medellín: Universidad de Antioquia, 1985, pp. 9-15. [Compara brevemente la poesía de *Suenan timbres* con el surrealismo; *cfr*. también su *Cartógrafa memoria (Ensayos en torno a la poesía)*. Medellín: Universidad Eafit, 2003, con otro de sus numerosos ensayos sobre Vidales].

C.114 Rincón, Pedro Manuel. "Luis Vidales" en P. M. R. *Cuatro maestros*. Bogotá: Uniediciones, 2005, pp. 171-223. [Presentación más bien ensayístico-periodística, pero bien informada, de L. V., con una amplia discusión sobre su lugar dentro de las distintas ramas del vanguardismo].

Vinyes, Ramón

Obra

C.115 *Selección de textos* (ed. y pról. Jacques Gilard). Bogotá: Instituto Colombiano de Cultura, 2 tomos, 1982. [Desgraciadamente no incluye todos los textos sobre la vanguardia; el catalán publicó en 'su' revista *Voces* por primera vez en Colombia a los vanguardistas franceses e italianos].

Crítica

C.116 Gilard, Jacques. *Entre los Andes y el Caribe. La obra americana de Ramón Vinyes*. Medellín: Universidad de Antioquia, 1990. [Versión ampliada del prólogo a la *Selección*, con una bibliografía exhaustiva; le dedica mucho espacio a sus méritos de haber recibido la vanguardia para Colombia en la revista *Voces*].

C.117 Lladó i Vilaseca, Jordi. *Ramón Vinyes i el teatre (1904-1939)*. Diss. Universitat Autònoma de Barcelona, 2002. <www.tdx.cbuc.es/TESIS_UAB/AVAILABLE/TDX-0123104-162107//jlv1de3.pdf> (acceso 2007). [Especialmente las pp. 149-166 están dedicadas a la labor de Vinyes en la revista *Voces* y en otros medios entre 1920 y 1925, cuando colabora con *Los Nuevos*. Varias menciones de la recepción de las vanguardias, y, obviamente, *passim*, sobre la relación de Vinyes con el teatro moderno].

C.118 Vargas, Germán. "Ramón Vinyes", en G. V. *Sobre literatura colombiana*. Bogotá: Fundación Simón y Lola Guberek, 1985, pp. 147-152. [La última de las notas de G. V. sobre el catalán].

Zalamea, Jorge

Obra

C.119 *Una historia extrañamente sentimental*, en *Los Nuevos*, núm. 1, 1925, pp. 8-16. [El texto se acerca a postulados de una prosa vanguardista; reeditado en J. Z. *Literatura política y arte*. Bogotá: Instituto Colombiano de Cultura, 1978, pp. 598-608].

Zalamea Borda, Eduardo

Obra

C.120 *4 [Cuatro] años a bordo de mí mismo. Diario de los cinco sentidos*. Publicado como crónica en doce entregas en *La Tarde* (Bogotá), 10 de mayo al 5 de junio de 1930; como novela Bogotá: Santa Fe, 1934 (otras ediciones Bogotá: Oveja Negra, 1985; Bogotá: Biblioteca Familiar Presidencia de la República, 1996, con pról. de J. Eduardo Jaramillo Zuluaga; y Bogotá: Seix Barral, 1997, con epíl. de J. Eduardo Jaramillo Zuluaga y una pequeña muestra de la crítica).

Crítica

C.121 Burgos, Fernando. "La vanguardia hispanoamericana y la transformación narrativa", en *Nuevo Texto Crítico* 2, núm. 3, 1989, pp. 157-169. [Nombra a *4 años* como ejemplo de una novela vanguardista, al lado de obras de Vicente Huidobro, Macedonio Fernández, Xavier Villaurrutia *et al.*].

C.122 Jaramillo Zuluaga, J. Eduardo. "La poesía en *4 años a bordo de mí mismo*", en *Revista Casa Silva* (Bogotá), núm. 1, 1988, pp. 29-42. [Las páginas de la novela "tienen rasgos vanguardistas pero la novela no está penetrada a conciencia por el espíritu de la Vanguardia", p. 33; *cfr*. también su *El deseo y el decoro. Puntos de herejía en la novela colombiana*. Bogotá: Tercer Mundo, 1994].

C.123 Pineda Botero, Álvaro. "*4 años a bordo de mí mismo* (1934)", en A. P. B. *Juicios de Residencia. La novela colombiana 1934-1985*. Medellín: Universidad Eafit, 2001, pp. 23-38. [Sin utilizar el concepto "novela vanguardista", encuentra un "abismo" entre *4 años* y *La vorágine*, y subraya la ruptura que significa esta novela con su técnica narrativa y con la mentalidad que representa el protagonista].

C.124 Rodríguez Ruiz, Jaime Alejandro. "Deconstrucción de códigos modernos en *4 años a bordo de mí mismo*, de Eduardo Zalamea Borda", <http://www.javeriana.edu.co/narrativa_colombiana/contenido/bibliograf/jar_otrostxt/zalamea.htm> (acceso 2006); anteriormente publicado en *Universitas Humanística* (Bogotá), núm. 52, 2002. [Desde distintos puntos de vista discute la modernidad específica de la novela, también en el contexto de la pregunta por su estatus vanguardista].

Ecuador

Antologías

E.1 Adoum, Jorge Enrique (ed.). *Poesía viva del Ecuador, siglo* XX. Quito: Grijalbo, 1990. [Nombra como principales vanguardistas a Jorge Carrera Andrade, Gonzalo Escudero y Hugo Mayo, como continuadores a Miguel Ángel León, Jorge Reyes e Ignacio Lasso, además de Alfredo Gangotena; reedición bilingüe de la antología, *Poésie équatorienne du* XX*e siècle d'expression espagnole*. Genève: Patiño, 1992].

E.2 *Antología de la moderna poesía ecuatoriana* (ed. Humberto Salvador). Quito: Casa de la Cultura Ecuatoriana, 1949. [No pudimos ver la antología ni confirmar con absoluta seguridad el editor].

E.3 *Jorge Carrera Andrade, Gonzalo Escudero y Alfredo Gangotena: Tres grandes poetas. Antología poética*. Quito: El Conejo, 3ª. ed. 1988 (1ª. ed. 1985). [La solapa los presenta como grandes maestros de la poesía ecuatoriana, nutridos por la vanguardia estética de la primera posguerra; desgraciadamente sin estudio ni bibliografía].

E.4 *Los decapitados y la vanguardia. Antología*. Bogotá/Quito: Oveja Negra/El Conejo, 1986. [Presenta como poetas de vanguardia a Hugo Mayo, Jorge Carrera Andrade, Gonzalo Escudero y Alfredo Gangotena].

E.5 Pesántez Rodas, Rodrigo (ed.). *Modernismo y posmodernismo en la poesía ecuatoriana*. Azogues: Casa de la Cultura Ecuatoriana, 1995. [Antología comentada, incluye poemas de Hugo Mayo, Jorge Carrera Andrade, Gonzalo Escudero, Alfredo Gangotena y otros].

E.6 Pesántez Rodas, Rodrigo (ed.). *Del vanguardismo hasta el 50*. Guayaquil: Universidad de Guayaquil, 1999. [Antología comentada; incluye unas diez páginas de material de y sobre Hugo Mayo, además de una muestra de sus poemas "dadaístas" de la revista *Iniciación*; una selección de poemas de María Luisa Lecaro (Tata); así como algunas otras poesías o notas sobre autores que no necesariamente tienen que contar como vanguardistas].

E.7 Rodríguez Castelo, Hernán (ed.). *Los otros postmodernistas*. Guayaquil/Quito: Ariel, [1971]. [Antología comentada; vanguardistas son, para él, José Antonio Falconí Villagómez, Hugo Mayo, Manuel Agustín Aguirre].

E.8 Rodríguez Castelo, Hernán (ed.). *Tres cumbres del postmodernismo: Gangotena, Escudero, Carrera Andrade*. Guayaquil/Quito: Ariel, 2 tomos

[1972]. [Antología comentada; pról. e introducciones se valen del concepto postmodernismo y no usan "vanguardia"].

Visiones de conjunto

Libros y congresos

E.9 Alemán, Hugo. *Presencia del pasado*. Quito: Casa de la Cultura Ecuatoriana, 2 tomos, 1952 (nueva edición Quito: Banco Central del Ecuador, 1994). [Más que los estudios sobre, p. ej., César E. Arroyo, *Caricatura*, Gonzalo Escudero o Pablo Palacio, interesa la descripción del ambiente literario en la presentación de los escritores de la época].

E.10 Arias, Augusto. *Panorama de la literatura ecuatoriana*. Quito: Ministerio de Educación, 3ª. ed. 1956 (1ª. ed. 1948; 5ª. ed. 1971). [Historia de la literatura ecuatoriana que en breves enfoques menciona a algunos vanguardistas].

E.11 Barrera, Isaac J. *Historia de la literatura ecuatoriana*. Quito: Libresa, 1979 (1ª. ed. a partir de 1944). [Nombra como principales vanguardistas a Alfredo Gangotena, Hugo Mayo y Manuel Agustín Aguirre].

E.12 Carvajal, Iván. *La lírica ecuatoriana en el siglo XX: estudios sobre el pensamiento poético*. Quito: Conuepuasb, 3 tomos, 1997. [Con estudios sobre, p. ej., Hugo Mayo, Alfredo Gangotena, José Carrera Andrade y Gonzalo Escudero; *cfr*. también su *A la zaga del animal imposible: lecturas de la poesía ecuatoriana del siglo XX*. Quito: Centro Cultural Benjamín Carrión, 2005].

E.13 Donoso Pareja, Miguel. *Los grandes de la década del 30. Estudio introductorio*. Quito: El Conejo, 1985. [Ensayo sobre el comienzo de la literatura ecuatoriana moderna, en la cual tienen influencias el realismo socialista y los postulados de la vanguardia. Libro muy instructivo sobre el tema].

E.14 Fernández, María del Carmen. *El realismo abierto de Pablo Palacio en la encrucijada de los 30*. Quito: Libri Mundi, 1991. [Además de trabajar la obra de Pablo Palacio, el estudio da una visión bastante completa de la literatura vanguardista del Ecuador; de suma importancia; publica, p. ej., un poema de Alejandro Carrión; compara *Banca* de Ángel F. Rojas con las obras de Pablo Palacio y Humberto Salvador].

E.15 González Arciniega, Vicente Napoleón. *Biografías de grandes literatos lojanos. Crítica de algunas de sus obras y poesía de y para Cecilia*. Loja: Consejo Nacional de Cultura, 1995. [Con breves menciones de Alejandro Carrión, Pablo Palacio y Ángel F. Rojas].

E.16 Harrison, Regina. *Entre el tronar épico y el llanto elegíaco: simbología indígena en la poesía ecuatoriana de los siglos* XIX-XX. Quito: Abya-Yala/Universidad Andina Simón Bolívar, 1996. [En los capítulos “Las revistas literarias” y “Tres poetas indigenistas” trae informaciones sobre revistas literarias de la época de las vanguardias y un estudio sobre Jorge Carrera Andrade, G. Humberto Mata (“el vanguardismo entre el frac y el poncho”; por lo menos el libro *Galope de volcanes* lo incluye en la tendencia vanguardista) y, ya fuera de la vanguardia, César Dávila Andrade].

E.17 *Historia de las literaturas del Ecuador*. Quito: Editora Nacional/ Universidad Andina Simón Bolívar, a partir de 2000. [Los Vols. V y VI, que abarcarán la época de las vanguardias, van a ser coordinadas por Jorge Dávila Vázquez].

E.18 *Jorge Icaza, Pablo Palacio y las vanguardias*. Congreso Internacional Quito, Universidad Andina Simón Bolívar, septiembre de 2006 (organizadores Alicia Ortega, Raúl Vallejo, Raúl Serrano, Alejandro Moreano y Fernando Balseca). [Uno de los acontecimientos académicos más importantes para la investigación de las vanguardias del área andina, en general, y de la ecuatoriana, en especial. Juntar a Pablo Palacio y Jorge Icaza en un congreso no obedece, en este caso, a la casualidad de tener que celebrar simplemente los cien años de nacimiento de ambos; por el contrario, los centenarios sirvieron para plantearse la pregunta de si realmente existe una ruptura profunda e insalvable en la estética de ambos. Medio centenar de ponencias tratan así, directa o indirectamente, el tema de las vanguardias (no solamente en el Ecuador, sino también en otros países de América Latina) y su relación con las tendencias de la narrativa en los años treinta. Hasta la publicación de las actas, recomendamos observar la página del congreso: <www.uasb.edu.ec/eventos/2006/03/vanguardia2.htm>].

E.19 Pesántez Rodas, Rodrigo. *Literatura ecuatoriana. Sexto Curso*. Guayaquil: Pacífico, ed. actualizada 1986 (nueva edición *Lecciones de literatura ecuatoriana e hispanoamericana. Sexto Curso*. Guayaquil: Nueva Luz, 1992). [Nombra como principales vanguardistas a Jorge Carrera Andrade, Gonzalo Escudero, Miguel Ángel León y Hugo Mayo].

E.20 Pólit Dueñas, Gabriela (ed.). *Crítica literaria ecuatoriana. Hacia un nuevo siglo. Antología*. Quito: Flacso, 2001 (existe versión *online*). [Incluye el artículo “La noción”, de Humberto E. Robles, de 1988, y el de Wilfrido H. Corral de su edición de Pablo Palacio de 2000: “Humberto Salvador y Pablo Palacio: política literaria y psicoanálisis en la Sudamérica de los treinta”].

E.21 Robles, Humberto E. *La noción de vanguardia en el Ecuador. Recepción, trayectoria, documentos. 1918-1934*. Guayaquil: Casa de la Cultura Ecuatoriana, 1989 (2ª. ed. actualizada, Universidad Andina Simón Bolívar/Corporación Editora Nacional, 2006). [El estudio, pp. 11-76, difiere un poco del artículo de 1988 con el mismo título, y por ende, leído junto con éste, es indispensable para el tema; valiosísimos son también los documentos que reflejan todas las etapas de la discusión de la época sobre la vanguardia].

E.22 Varas, Patricia. *Narrativa y cultura nacional*. S. l.: Abrapalabra, 1993. [Interesa solamente su breve estudio sobre Pablo Palacio].

Artículos

E.23 Castillo de Berchenko, Adriana. "La controversia vanguardista en la literatura ecuatoriana de los años 30. Los casos de Pablo Palacio y Alfredo Gangotena", en *Polémiques et manifestes en Amérique Latine*. Paris: Presse de la Sorbonne Nouvelle, 1998, pp. 81-88. [Breve contribución sobre el silenciamiento de los dos autores que quisieron ser todavía vanguardistas en la época del realismo social].

E.24 Cueva, Agustín. "Literatura y sociedad en el Ecuador. 1920-1959", en *Revista Iberoamericana*, núms. 144-145, 1988, pp. 629-647. [En las páginas 630-634 describe el proceso del postmodernismo de las primeras obras de Jorge Carrera Andrade y Gonzalo Escudero hacia el vanguardismo de Pablo Palacio y Humberto Salvador, hasta llegar al "eclipse del vanguardismo y su reemplazo por cierto tipo de realismo" en el año 1932; versión intensamente modificada en su *Literatura y conciencia histórica en América Latina*. Quito: Planeta, 1993].

E.25 Fernández, Teodosio. "Jorge Carrera Andrade y la vanguardia ecuatoriana", en Luis Sainz de Medrano. *Las vanguardias tardías en la poesía hispanoamericana*. Roma: Bulzoni, 1993, pp. 183-194. [Corta, pero muy instructiva reconstrucción del vanguardismo ecuatoriano].

E.26 Lorente Medina, Antonio. "*Barro de la sierra* y las tensiones de la modernidad en el Ecuador de los 30", en Carmen Ruiz Barrionuevo y César Real Ramos (eds.). *La modernidad literaria en España e Hispanoamérica*. Salamanca: Universidad de Salamanca, 1996, pp. 93-101. [Partiendo de Robles, *Noción*, 1989, y Fernández, *Realismo*, 1991, demuestra que Icaza ya en sus cuentos de 1933 se afilia a la línea del "realismo social" del Grupo de Guayaquil, separándose de la estética de Pablo Palacio].

E.27 Pérez Pimentel, Rodolfo. "La vanguardia se impuso a través de los polirritmos y la motocicleta", en *Expreso* (Guayaquil), 11 de mayo de 1985, s. p. [No pudimos ver el artículo].

E.28 Robles, Humberto E. "La noción de vanguardia en el Ecuador: Recepción y trayectoria (1918-1934)", en *Revista Iberoamericana*, núms. 144-145, 1988, pp. 649-674. [Artículo de suma importancia sobre los comienzos de la discusión sobre la vanguardia europea, la escritura de una literatura ecuatoriana de vanguardia hasta el cambio del concepto de vanguardia en los años treinta: literatura social y comprometida; igualmente importante por el estudio de revistas de la época; *cfr*. también el libro de Robles de 1989].

Revistas, grupos y antologías de la época

E.29 ***América***. Revista, Quito. 61 núms. entre 1925 y 1935; más de 100 núms. hasta 1970. Directores: Augusto Arias, César Arroyo, Alfredo Martínez y Antonio Montalvo; colaboran: Pablo Palacio, Gonzalo Escudero, Jorge Carrera Andrade, Alberto Guillén (Perú), Serafín Delmar (Perú). [El tomo núms. 60-61, 1935, trae un editorial de Antonio Montalvo sobre diez años de la revista; Robles, "Noción", 1988, *passim* menciona a los núms. 26-27, 1927; "Entra en la discusión acerca del concepto de vanguardia"; p. 666].

E.30 ***Caricatura***. Revista semanal, Quito. 1918-1921. Colaboran, p. ej.: Gonzalo Escudero, Jorge Carrera Andrade, Enrique Terán, Benjamín Carrión.

E.31 Edición facsimilar de los núms. 1-29, abril de 1918 a julio de 1919. Quito: Banco Central, 1992. [Robles, *Noción*, 1989, opina sobre la revista: "un somero repaso de *Caricatura* entre 1920-21, advierte que el interés en los movimientos de Vanguardia europeos se acentúa en correspondencia con la oposición a los mismos", p. 20].

E.32 ***Élan***. Revista, Quito. Por lo menos 6 núms., (?) a octubre de 1932; nombre de la segunda época de *Lampadario*. Directores y/o colaboradores: Enrique Terán, Ignacio Lasso, Jorge Fernández; colabora: Pablo Palacio. [Fernández, *Realismo*, 1991, pp. 101-114 ve el 'Elanismo' como nueva estética vanguardista; buena información sobre la revista también en Robles, *Noción*, 1989].

Crítica

E.33 Rodríguez Castelo, Hernán (ed.). *Los de Élan y una voz grande*. Guayaquil/Quito: Ariel, [1972]. [Antología comentada de colaboradores de la revista].

E.34 ***Esfinge***. Revista, Quito. Por lo menos 2 núms., 1926. Director: Hugo Alemán, colabora: Pablo Palacio. [Robles, *Noción*, 1989, opina: "En lo literario se imbrican y se apartan una tendencia formalista, egregia y cosmopolita, y una de temática social", p. 40].

E.35 ***Frivolidades***. Revista, Quito. Núm. 1, agosto de 1919-? [Según Robles, *Noción*, 1989, se encuentra en la revista la "presencia de una consciente voluntad de renovación y desavenencia con las normas estéticas establecidas", p. 17].

E.36 **Grupo de Guayaquil**. Integrantes principales del grupo: Joaquín Gallegos Lara, Enrique Gil Gilbert, Demetrio Aguilera Malta, José de la Cuadra y Alfredo Pareja Diezcanseco. [Grupo que se distancia de la vanguardia estética para buscar el camino de la vanguardia política con su realismo social].

E.37 *Narradores ecuatorianos del 30* (selección y cronología: Pedro Jorge Vera; pról. Jorge Enrique Adoum). Caracas: Biblioteca Ayacucho, 1980. [Antología que incluye, p. ej., las obras que más caracterizan al grupo: *Los que se van*, 1930; *Los Sangurimas*, 1934, de José de la Cuadra; y *Hombres sin tiempo*, 1941, de Alfredo Pareja Diezcanseco. El prólogo de Adoum caracteriza la narrativa del grupo como realista, mucho más cercana a *Huasipungo* de Icaza que a la obra de Pablo Palacio].

E.38 ***Hélice***. Revista, Quito. 5 núms. de abril a septiembre de 1926. Director: Camilo Egas (pintor) y Raúl Andrade; colaboran, p. ej.: Gonzalo Escudero, Alfredo Gangotena, Miguel Ángel Zambrano, Miguel Ángel León, Jorge Reyes, Pablo Palacio, Hugo Mayo.

E.39 Edición facsimilar, pról. Vladimiro Rivas Iturralde. Quito: Banco Central, 1993. [Excelente prólogo; el "manifiesto" de la revista se encuentra en Robles, *Noción*, 1989, pp. 114 s, quien afirma que "*Hélice* se adhiere a la renovación, a la pirotécnica y al creacionismo asociado con la Vanguardia histórica", p. 41; estudio de la revista también en Fernández, *Realismo*, 1991, pp. 55-64].

E.40 ***Los Hermes***. Antología de nuevos poetas ecuatorianos. [No pudimos verificar la existencia de la antología].

E.41 ***Hontanar***. Revista, Loja. Por lo menos 10 núms. de 1931 a 1932. Director: Carlos Manuel Espinosa; colaboran los del Grupo de Guayaquil, Pablo Palacio, Jorge Carrera Andrade, G. Humberto Mata, Humberto Salvador, Alejandro Carrión, Juan Cueva, Ángel F. Rojas. [Fernández, *Realismo*, 1991, pp. 89-101, subraya la tendencia vanguardista de la revista de Loja frente a la tendencia realista del Grupo de Guayaquil; para Robles, *Noción*, 1989, pp. 59, *Hontanar* es "una de las revistas de mayor acumen intelectual de este momento"].

E.42 ***Índice de la poesía ecuatoriana contemporánea*** (ed. Benjamín Carrión). Santiago de Chile: Ercilla, 1937. [Antología de suma importancia tanto por el prólogo como por los comentarios sobre cada poeta, por las notas bibliográficas, y también por la selección de los poemas; poemas publicados de vertiente claramente vanguardista de Gonzalo Escudero, Miguel Ángel León, Jorge Carrera Andrade, Manuel Agustín Aguirre, Hugo Mayo, Augusto Sacoto Arias y Hugo Alemán].

E.43 ***Iniciación***. Revista, Portoviejo. Noviembre de 1921 a 1927? Director: Wilfrido Loor. Colaboran, p. ej.: Hugo Mayo, José Antonio Falconí. [Para Fernández, *Realismo*, 1991, pp. 36-39, "*Iniciación* hizo gala de ciertas actitudes críticas (...) hasta dedicar una sección, bajo el título genérico de 'Poesía Dadaísta', a la nueva poética"; breve selección de textos en la antología de Pesántez Rodas, 1999, pp. 33-38].

E.44 ***Lampadario***. Revista, Quito. Por lo menos 2 núms, febrero y abril de 1931; nombre de la segunda época: *élan*. Directores: Ignacio Lasso y Jorge Fernández; colabora: Jorge Carrera Andrade. [Para Fernández, *Realismo*, 1991, pp. 101-114, *Lampadario* intenta definir las tendencias de la nueva literatura; Robles, *Noción*, 1989, p. 58 define la revista como "publicación (que) se inclinaba hacia la izquierda política, pero sin comprometerse a un programa de partidismo estético"].

E.45 ***Llamarada***. Revista, Quito. Por lo menos 5 núms. de diciembre de 1926 a febrero de 1927. Colabora: Pablo Palacio. [Fernández, *Realismo*, 1991, pp. 64-72. ve en *Llamarada* una revista con tendencia hacia el nativismo, pero abierto a tendencias vanguardistas; Robles, *Noción*, 1989, reconoce que la revista tenía "más que un pasajero conocimiento del surrealismo" y publica pp. 118 s el manifiesto].

E.46 ***Motocicleta***. Índice de poesía vanguardista. Aparece cada 360 horas. Revista, Guayaquil. 1924? Director: Hugo Mayo; colabora: G. Humberto Mata. [Probablemente se perdieron todos los ejemplares; *cfr*. la entrevista con Hugo Mayo, 1983].

E.47 ***Proteo***. Revista, Guayaquil. Núm. 1, enero de 1922-? Directora: Aurora Estrada y Ayala; colabora: Hugo Mayo. [Según Robles, "Noción", 1988, se trata de una revista de "carácter polifacético y ambivalente", con poemas de Gabriela Mistral, pero también con "los de inspiración futurista (¿estridentista?) de Hugo Mayo". "Proteo se quedó en un punto intermedio", pp. 656 s].

E.48 *Savia*. Revista, Guayaquil. Núm. 1, julio de 1925 hasta por lo menos el núm. 43, 1928. Director: Gerardo Gallegos (y José Aspiazu); colaboran: Hugo Mayo, Pablo Palacio, Miguel Ángel León, Gonzalo Escudero, Tata (María Luisa Lecaro), Raúl Andrade, Jorge Reyes, César Alfredo Miró Quesada (Perú). ["*Savia* agrupó a un buen número de 'rebeldes' que, encabezados por Hugo Mayo, dieron a conocer sus poemas dadaístas y ultraístas en sus páginas" (Fernández, *Realismo*, 1991, p. 73); para Robles, *Noción*, 1989, pp. 42 s, "*Savia* (...) tiene no poco de Vanity Fair (...) *Savia* resulta ejemplar, (...) porque en sus páginas se medita el concepto de vanguardia"].

Crítica

E.49 Handelsman, Michael. *Incursiones en el mundo literario del Ecuador*. Guayaquil: Universidad de Guayaquil, 1987. [Pp. 161-168, dentro del capítulo "El modernismo en las revistas del Ecuador: 1895-1930. Ensayo preliminar", estudia detenidamente a *Savia* (1925-1927, para él); desgraciadamente no trabaja con el concepto vanguardia, sino que se vale del término modernismo prácticamente para toda la literatura del presente siglo].

E.50 *Selección de modernos poetas y prosistas ecuatorianos*. Quito: Humanidad, 1924. [Citado según Miguel Ángel León, *Páginas escogidas*, 1988; no pudimos ver la antología].

E.51 *Síngulus*. Revista, Guayaquil. Núm 1, octubre de 1921-? Directores: Hugo Mayo, Rubén Irigoyen y Leopoldo Benítez. [Según Robles, *Noción*, 1989, p. 84, el manifiesto del primer número es "de evidente corte *arielista*"; pero entre poemas de Luis Carlos López, Delmira Agustini y otros, también se encuentran los de José Juan Tablada y Hugo Mayo, como "alternativa frente al gusto en vigencia"].

Autores

Aguirre, Manuel Agustín

Obra

E.52 *Poemas automáticos*. Guayaquil: Gutemberg, 1931 (2ª. ed., pról. Jaime Rodríguez Palacios. Loja: Casa de la Cultura Ecuatoriana "Benjamín Carrión", 1988). [Poemas escritos en 1928; su segundo poemario, *Llamada de los proletarios*, 1935, ya está claramente marcado por el realismo socialista].

Arroyo, César E.

Crítica

E.53 Ojeda, J. Enrique. "Jorge Carrera Andrade y la vanguardia", en *Revista Iberoamericana*, núms. 144-145, 1988, pp. 675-690. [Hace énfasis en la importancia de C. E. A. para la recepción de la vanguardia en el Ecuador].

E.54 Robles, Humberto E.: *La noción de vanguardia en el Ecuador. Recepción, trayectoria, documentos. 1918-1934*. Guayaquil: Casa de la Cultura Ecuatoriana, 1989. [Para él, C. E. A, como colaborador de *Cervantes*, Madrid, y en estrecho contacto con *Caricatura*, es el más importante impulsor de la recepción de la vanguardia en el Ecuador].

Carrera Andrade, Jorge

Obras

E.55 *La guirnalda del silencio*. Quito: Imprenta Nacional, 1926.

E.56 *Boletines de mar y tierra* (pról. Gabriela Mistral). Barcelona: Cervantes, 1930.

E.57 *Rol de la manzana. Poesías 1926-1929* (pról. Benjamín Jarnés). Madrid: Espasa-Calpe, 1935. [Incluye, p. ej., *Veinte microgramas*; el prólogo no menciona influencias vanguardistas].

E.58 *Microgramas, precedidos de un ensayo y seguidos de una selección de haikais japoneses*. Tokio: Editorial Asia-América, 1940. [Incluye "Origen y porvenir del micrograma", posteriormente publicado, p. ej., en J. C. A. *Viaje por países y libros a Paseos Literarios*. Quito: Casa de la Cultura Ecuatoriana, 1961; edición posterior de *Microgramas*, p. ej. Quito: Casa de la Cultura Ecuatoriana, 2004].

E.59 *Registro del mundo. Antología poética 1922-1939*. Quito: Universidad, 1940.

E.60 *Edades poéticas (1922-1956)*. Quito: Casa de la Cultura Ecuatoriana, 1958. [Edición definitiva, corregida por el autor, prólogo del autor].

E.61 *Obra poética completa*. Quito: Casa de la Cultura Ecuatoriana, 1976 [nueva ed., 3 tomos, 2003).

E.62 *Poemas desconocidos* (ed. y pról. J. Enrique Ojeda). Quito: Paradiso, 2002. [Poemas que J. C. A. no había incluido en su *Obra poética completa* de 1976; sólo algunos de ellos ofrecen nuevos aspectos para estudiar su poesía vanguardista].

E.63 *Jorge Carrera Andrade. Los caminos de un poeta. Obra poética. Biografía. Iconografía. Bibliografía* (ed. Jorge Aravena). Quito: Casa de la Cultura Ecuatoriana, 1980. [Obra poética completa muy valiosa por la inclusión del ensayo autobiográfico "Los caminos de un poeta", y la bibliografía exhaustiva].

E.64 *Obra poética* (ed. Raúl Pacheco y Javier Vásconez, pról. Alejandro Querejeta). Quito: Acuario, 2004.

E.65 *Jorge Carrera Andrade, Gonzalo Escudero y Alfredo Gangotena: Tres grandes poetas. Antología poética*. Quito: El Conejo, 1985 (3ª. ed. 1988).

E.66 *Antología poética* (pról. Oswaldo Encalada Vásquez). Quito: Libresa, 1990. [En el prólogo, Encalada Vásquez menciona como elementos vanguardistas en J. C. A. el verso libre y la metáfora].

E.67 *Antología poética* (ed. y pról. Vladimiro Rivas Iturralde). México, D. F.: FCE, 2000.

E.68 *3 poetas. Jorge Carrera Andrade, Gonzalo Escudero, Alfredo Gangotena* (ed. y comentarios Bruno Sáenz Andrade). Quito: El Conejo, 1997. [Antología ampliada en comparación con la de 1985 (*Tres grandes*...)].

E.69 *Registre du monde* (ed. y trad. Claude Couffon). Quito: Comisión Nacional Permanente de Conmemoraciones Cívicas, 2002. [Antología bilingüe].

Crítica

Libros y homenajes

E.70 Beardsell, Peter R. *Winds of Exile. The Poetry of Jorge Carrera Andrade*. Oxford: Dolphin Book, 1977. [Con un capítulo sobre microgramas en la línea del vanguardismo].

E.71 Calderón Chico, Carlos (ed.). *Homenaje a Jorge Carrera Andrade*. Guayaquil: Casa de la Cultura Ecuatoriana, 2002. [Con un artículo de Sonia Manzano sobre los Hai kai].

E.72 Casares Carrera, Fanny: *Jorge Carrera Andrade y la nueva orientación poética en las letras ecuatorianas*. Quito: Colegio de los SS. Corazones, 1962. [Citado según Beardsell, *Winds*, 1977, que nombra la tesis como un texto que ve a J. C. A. como vanguardista].

E.73 Córdova, Jorge H. *Itinerario poético de Jorge Carrera Andrade*. (Diss. Cornell University, 1976). Quito: Casa de la Cultura Ecuatoriana, 1986. [2ª. ed., Cuenca: Casa de la Cultura Ecuatoriana/Universidad de Cuenca, 2004].

E.74 *Homenaje a Jorge Carrera Andrade*. Número especial de *El Guacamayo y la Serpiente* (Cuenca), núm. 17, 1979. [Interesan aquí la reedición del prólogo de Gabriela Mistral a *Boletines*, el pequeño estudio de Francisco Carrasquer, el artículo de Oswaldo Encalada Vásquez, y la entrevista con J. C. A.].

E.75 *Jorge Carrera Andrade*. Número especial de *Kipus: revista andina de letras*, núm. 15, 2002-2003. [Homenaje con unas veinte contribuciones; pero ninguna se centra explícitamente en la vanguardia].

E.76 Lara, A. Darío. *Jorge Carrera Andrade. Memorias de un testigo*. Quito: Casa de la Cultura Ecuatoriana, 2 tomos, 1998 y 1999. [Biografía muy personal a partir de los años cuarenta; *cfr*. también la edición de la correspondencia de Carrera Andrade con intelectuales franceses, preparada por Lara, en tres tomos, 2004].

E.77 Ojeda, J. Enrique. *Jorge Carrera Andrade: Introducción al estudio de su vida y obra*. Nueva York: Eliseo Torres & Sons, 1972. [Incluye una parte dedicada al estudio de los microgramas].

Artículos

E.78 Encalada Vásquez, Oswaldo. "El haikú en Jorge Carrera Andrade", en *El Guacamayo y la Serpiente* (Cuenca), núm. 17, 1979, pp. 138-177. [Un capítulo de su tesis doctoral sobre el *haikú* en la vanguardia hispanoamericana; lo compara con José Juan Tablada y revisa cada uno de los microgramas].

E.79 Fernández, Teodosio. "Jorge Carrera Andrade y la vanguardia ecuatoriana", en Luis Sainz de Medrano. *Las vanguardias tardías en la poesía hispanoamericana*. Roma: Bulzoni, 1993, pp. 183-194. [Corta, pero muy instructiva reconstrucción del vanguardismo ecuatoriano. Desde esa perspectiva estudia la obra poética de J. C. A. de 1926 a 1940, atribuyéndole el título vanguardista, con algunas salvedades].

E.80 Jackson, Richard L. "Apuntes sobre la lengua gregueristica en la poesía contemporánea hispanoamericana", en *Hispanófila*, Vol. 10, núm. 28, 1966-1967, pp. 49-58. [Con dos páginas sobre la greguería en J. C. A.].

E.81 Ojeda, J. Enrique. "Jorge Carrera Andrade y la vanguardia", en *Revista Iberoamericana*, núms. 144-145, 1988, pp. 675-690. [Por el uso de la metáfora pone ya a *La guirnalda* en la cercanía de la vanguardia. Más claramente vanguardista, sin embargo, son, para él, los microgramas. Niega la influencia surrealista. Estudio importante].

E.82 Straub, William J. "Conversación con Jorge Carrera Andrade", en *Revista Iberoamericana*, núm. 79, 1972, pp. 307-315. [Entrevista interesante porque aborda las influencias —o no influencias— de los distintos movimientos de vanguardia en J. C. A.].

E.83 Strosetzki, Christoph. "Haikai und Mikrogramm bei Flavio Herrera und Jorge Carrera Andrade", en *Neue Romania* (Berlín), núm. 16, 1995, pp. 53-65. [Estudio sobre los microgramas, partiendo del concepto "indofuturista" (Gabriela Mistral), pero sin calificar claramente a J. C. A. como vanguardista].

E.84 Vogelgsang, Fritz. "Epílogo", en Jorge Carrera Andrade. *Poemas, Gedichte*. Stuttgart: Klett-Cotta, 1980, pp. 199-215. [El estudio toma como punto de partida el término inventado por Gabriela Mistral: "indofuturista", y discute su poesía en el horizonte de la vanguardia].

Cuadra, José de la

Obras

E.85 *Los Sangurimas*. Novela montuvia ecuatoriana. Madrid: Cenit, 1934 (otras ediciones Bogotá: Norma, 1992, con artículos de Jacques Gilard, Diego Araujo Sánchez *et al.*; ed. bilingüe alemán-español, Bamberg: Bamberger Editionen, 1995, ed., trad. y pról. Jürgen Günsche, buena bibliografía; ed. bilingüe inglés-español, Quito: Casa de la Cultura Ecuatoriana, 2003].

E.86 *Obras completas* (pról. Alfredo Pareja Diezcanseco). Quito: Editorial Casa de la Cultura Ecuatoriana, 1958 (nueva ed., 2 tomos, 2003; y la ed. Guayaquil: Municipalidad de Guayaquil, 2003). [Ed. Melvin Hoyos y Javier Vásconez, sin el pról. de Pareja Diezcanseco, pero con contribuciones críticas de Wilfrido Corral, Leonardo Valencia y Cristóbal Zapata que subrayan su papel de precursor del "realismo mágico"].

E.87 *Cuentos* (ed. y pról. Jorge Enrique Adoum). La Habana: Casa de las Américas, 1970.

E.88 *Cuentos escogidos* (pról. Hernán Rodríguez Castelo). Guayaquil: Ariel, s. f. [1971?].

Crítica

E.89 Gerdes, Dick. "Sociología y expresionismo en *Los Sangurimas*", en *Texto Crítico*, núms. 42-43, 1990, pp. 105-114. [Breve estudio del "relato", valiéndose de los conceptos surrealismo, expresionismo y esperpento].

E.90 Gómez Iturralde, José Antonio (ed.). *Historia, sociedad y literatura en José de la Cuadra*. Guayaquil: Archivo Histórico de Guayas, 2004. [Editado con ocasión del centenario de J. d. l. C., reproduce su tesis sobre el matrimonio y una buena docena de conferencias que subrayan la modernidad de su escritura; incluso hablan de vez en cuando de asomos de una escritura surrealista o de una función de vanguardia de los escritores del treinta en un contexto marcado por el modernismo, pero no discuten realmente su relación con la vanguardia histórica].

E.91 González, Galo F. "José de la Cuadra: Nicasio Sangurima, un patriarca olvidado", en *Revista Iberoamericana*, núms. 144-145, 1988, pp. 739-751. [Cita, afirmativamente, la expresión de Robles, "Génesis", 1979: "Así, en 1934 se coloca a la vanguardia espiritual y técnica de promociones que se consolidarán después en la narrativa hispanoamericana"].

E.92 *José de la Cuadra: homenaje = Kipus: revista andina de letras*, núm. 16, 2003. [Con "textos ignorados", rescatados por Humberto E. Robles, y una docena de contribuciones críticas].

E.93 Robles, Humberto E. *Testimonio y tendencia mítica en la obra de José de la Cuadra*. Quito: Casa de la Cultura Ecuatoriana, 1976. [Edición actualizada de su tesis de 1968; el estudio más importante sobre el autor; predomina el concepto del "realismo mágico" y no el de vanguardia].

E.94 Robles, Humberto E. "Génesis y vigencia de *Los sangurimas*", en *Revista Iberoamericana*, núms. 106-107, 1979, pp. 85-91. [Para justificar el estudio dentro del número de la *Revista Iberoamericana* dedicado a Huidobro y la vanguardia, parte en su artículo de un concepto de vanguardia en el cual coinciden la "renovación cultural-artística y sociopolítica"].

E.95 Robles, Humberto E. "De San Borondón a Samborondón. Sobre la poética de José de la Cuadra", en *Nuevo Texto Crítico*, Vol. IV, núm. 8, 1991, pp. 173- 178. [Una sola vez emplea el concepto "surrealismo" para la poética narrativa de J. d. l. C.]

E.96 Sacoto, Antonio. "*Los Sangurimas*", en A. S. *Novelas claves de la literatura ecuatoriana*. Cuenca: Universidad de Cuenca, 1990, pp. 169-199. [La declara novela precursora de las grandes novelas totalizadoras del realismo mágico latinoamericano, sin valerse del concepto vanguardia; de pronto es más pertinente su reciente ensayo *Indianismo, indigenismo y neoindigenismo en la novela ecuatoriana*, de 2006].

Escudero, Gonzalo

Obras

E.97 *Las parábolas olímpicas*. Quito: Atlántida, 1922.

E.98 *Hélices de huracán y de sol*. Madrid: Compañía General de Artes Gráficas, 1933.

E.99 *Paralelogramo. Comedia en seis cuadros*. Quito: Universidad Central, 1935. [Reeditado en Hernán Rodríguez Castelo (ed.). *Teatro ecuatoriano*. Guayaquil/Quito: Ariel, s. f. [1971], t. II; con introducción muy informativa].

E.100 *Altanoche*. Quito, 1947. [Poemas de 1933-1943].

E.101 *Poesía* (pról. Alejandro Carrión). Quito: Casa de la Cultura Ecuatoriana, 1965. [Incluye, p. ej.: *Hélices de huracán y de sol*, *Altanoche*, *Las parábolas olímpicas*].

E.102 *Obra poética* (ed. Javier Vásconez, pról. Iván Carvajal). Quito: Acuario, 1998. [Esta edición se entiende como la tercera (contando una de 1983) de la *Poesía* de 1965].

E.103 *Poesía*. Quito: Casa de la Cultura Ecuatoriana, 2004.

E.104 *Jorge Carrera Andrade, Gonzalo Escudero y Alfredo Gangotena: Tres grandes poetas. Antología poética*. Quito: El Conejo, 3ª. ed. 1988 (1ª. ed. 1985).

E.105 *3 poetas. Jorge Carrera Andrade, Gonzalo Escudero, Alfredo Gangotena* (ed. y comentarios Bruno Sáenz Andrade). Quito: El Conejo, 1997. [Antología ampliada en comparación con la de 1985 (*Tres grandes...*)].

E.106 *Poesía selecta* (ed. y pról. Galo René Pérez). Quito: Comisión Nacional Permanente de Conmemoraciones Cívicas, 2005 (existe versión *online*). [Antología bastante completa].

Crítica

E.107 Aulestia, Carlos. "Clasicismo y modernidad en el verso de Gonzalo Escudero", en *Letras del Ecuador*, núm. 189, 2006, pp. 145-156. [Estudio de la métrica de G. E.; establece una sucesión cronológica: imitador del modernismo, versolibrista (¿vanguardista?), hasta convertirse en tradicionalista moderno].

E.108 Descalzi, Ricardo. "Gonzalo Escudero", en R. D. *Historia crítica del teatro ecuatoriano*. Quito: Casa de la Cultura Ecuatoriana, 1968, t. III, pp. 973-984. [Para él, *Paralelogramo* es una pieza dramática brillante y surrealista].

E.109 Fernández, Maricarmen [María del Carmen]. "*Paralelogramo*: un ensayo de teatro surrealista ecuatoriano", en *El Guacamayo y la Serpiente* (Cuenca), núm. 30, 1990, pp. 91-121. [Encuentra similitudes entre la obra teatral de G. E. y los postulados del surrealismo, por un lado, y de Pablo Palacio, por otro].

E.110 Luna, Violeta. *Gonzalo Escudero. Poeta de la luz*. Quito: Comisión Nacional Permanente de Conmemoraciones Cívicas/Casa de la Cultura Ecuatoriana, 2003 (= *Los Cuadernos de Divulgación Cívica* 15, existe versión *online*). [Breve ensayo con análisis de poemas de los distintos poemarios de G. E., sin que en el análisis cobre mayor importancia la pregunta por la vanguardia, mencionada en la introducción].

E.111 Pesántez Rodas, Rodrigo. *Literatura ecuatoriana. Sexto Curso*. Guayaquil: Pacífico, 1986. [Publicaciones vanguardistas son, para él, *Hélices de huracán y de sol*, y *Altanoche*: "Los primeros poemas de este libro están marcadamente realizados bajo la nueva concepción del vanguardismo", p. 108; respecto a *Paralelogramo* dice: "Obra surrealista más de testimonio que de realización", p. 488].

E.112 Vianna, Fernando Mendes. "Gonzalo Escudero, poeta equatoriano. Um dos três grandes do pós-modernismo", en *Minas Gerais. Suplemento Literário*, núm. 1123, 1989, pp. 10-11. [Sobre todo en *Hélices* encuentra influencias surrealistas].

Falconí Villagómez, José Antonio (Nicol Fasejo)

Obra

E.113 *El surtidor harmónico. Versos*. Guayaquil: Casa de la Cultura Ecuatoriana, 1956. [Incluye, pp. 118-132, los poemas de su fase "dadaísta", como él mismo lo dice en el prólogo; publicados en 1921 bajo los seudónimos Victorio Abril y Júlio Marzo en *El Telégrafo*].

Fernández, Jorge

Obra

E.114 *Antonio ha sido una hipérbole* (pról. Benjamín Carrión). Quito: Élan, 1932 (nueva ed., estudio y carta Ángel Felicísimo Flores, pról. Benjamín Carrión. Quito: Centro Cultural Jorge Fernández/Universidad Internacional/Casa de la Cultura Ecuatoriana, 1999).

Gangotena, Alfredo

Obras

E.115 *Orogénie*. Paris: Nouvelle Revue Française, 1928.

E.116 *Absence 1928-1930*. Quito: Universidad Central de Quito, 1930 (2ª. ed. Quito: Chez l'auteur, 1932).

E.117 *Nuit* (Poème liminaire de Jules Supervielle). Bruxelles, Paris: Cahiers des Poètes Catholiques, 1938.

E.118 *Poesía* (trad. Gonzalo Escudero y Filoteo Samaniego; mensaje de Jules Supervielle; pról. Juan David García Bacca). Quito: Casa de la Cultura Ecuatoriana, 1956 (2ª. ed. 2004). [Incluye *Orogenia* (1928, orig. francés), *La tempestad secreta* (1926-1927, orig. francés), *Ausencia* (1928-1930, orig. francés), *Noche* (1938, orig. francés), *Tempestad secreta* (1940, orig. español) y *Poemas varios* (orig. francés y español, la mayoría de los años veinte)].

E.119 *Poesía completa*. Guayaquil: Casa de la Cultura Ecuatoriana, 1978.

E.120 *Jorge Carrera Andrade, Gonzalo Escudero y Alfredo Gangotena: Tres grandes poetas. Antología poética*. Quito: El Conejo, 3ª. ed. 1988 (1ª. ed. 1985).

E.121 *Poèmes françaises* (ed. Claude Couffon). Paris: La Différence, 2 tomos, 1991-1992. [Incluye el hasta entonces inédito poemario *Jocaste*, de 1934].

E.122 *3 poetas. Jorge Carrera Andrade, Gonzalo Escudero, Alfredo Gangotena* (ed. y comentarios Bruno Sáenz Andrade). Quito: El Conejo, 1997. [Antología ampliada en comparación con la de 1985 (*Tres grandes*)].

E.123 *Antología* (pról. Adriana Castillo de Berchenko, trad. Filoteo Samaniego, Gonzalo Escudero, Margarita Guarderas, Cristina Burneo y Verónica Mosquera. Madrid: Visor, 2005. [Edición bilingüe; incluye bibliografía].

Crítica

E.124 Carvajal, Iván. "Alfredo Gangotena. Poeta del extrañamiento", en *Hispamérica*, Vol. 27, núm. 79, 1998, pp. 65-82. [En las pp. 83-91 sigue una pequeña muestra de poemas de Gangotena. En su artículo, Carvajal analiza las principales constantes de la poesía de A. G., para esbozar, a continuación, el corpus de sus poemas].

E.125 Castillo de Berchenko, Adriana. *Alfredo Gangotena, poète équatorien (1904-1944) ou l'écriture partagée*. Perpignan: Presses Universitaires, 1992. [Estudio más bien biográfico que solamente en los últimos capítulos habla de las influencias vanguardistas en la poesía de Gangotena; resumen de la tesis doctoral, A. C. de B. *L'itinéraire d'un poète équatorien en France: Alfredo Gangotena 1920-1930*. Université de Perpignan, 3 Vols.; publicado Université de Lille: Atelier National de Reproduction des Thèses, 1992; con bibliografía].

E.126 Castillo de Berchenko, Adriana. "Texto, contexto, intertexto en *Noche* de Alfredo Gangotena", en *Cahiers d'Études Romanes*, núm. 17, 1993, pp. 5-17. [Estudia el desarrollo poético del vanguardismo de *Absence* a *Nuit*].

E.127 Pérez, Virginia. *Alfredo Gangotena*. Quito: Comisión Nacional Permanente de Conmemoraciones Cívicas, 2006 (= *Los Cuadernos de Divulgación Cívica* 25, existe versión *online*). [Ensayo bio-bibliográfico de unas cincuenta páginas, con especial interés por su vinculación a las vanguardias, con bibliografía y una lista de páginas web; *cfr*. también su *Huésped de sangre*. *Ensayos sobre la poesía de Alfredo Gangotena*. Quito: El País Secreto, 2004].

E.128 Samaniego, Filoteo. "A 40 años de la muerte de Alfredo Gangotena", en *Cultura* (Quito), núm. 20, 1984, pp. 375-392. [Más que el mismo artículo interesa aquí la publicación de la correspondencia entre Max Jacob y A. G.].

Lasso, Ignacio

Obra

E.129 *Escafandra*. *Poemas*. Quito: Élan, 1934.

Crítica

E.130 Arias, Augusto. "Perfil de dos jóvenes poetas ecuatorianos", en *Revista de las Indias* (Bogotá), núm. 103, 1948, pp. 109-117. [Compara la poesía de *Escafandra* con las producciones de los *Contemporáneos* y *Ulises* de México].

Lecaro, María Luisa (Tata)

Obra

E.131 "Poemas de María Luisa Lecaro (Tata)", en Rodrigo Pesántez Rodas (ed.). *Del vanguardismo hasta el 50*. Guayaquil: Universidad de Guayaquil, 1999, pp. 40-45. [Seis poemas tomados de la revista *Savia*; la autora probablemente no escribió o publicó mucho más, pero es quizá la única mujer que en el Ecuador escribió poesía vanguardista].

León, Miguel Ángel

Obra

E.132 *Labios sonámbulos*. 1923 (2ª. ed., pról. Gonzalo Escudero. Quito: Casa de la Cultura Ecuatoriana, 1954). [No pertenece a los libros de poesía con el ímpetu vanguardista más fuerte].

E.133 *Páginas escogidas* (pról. Carlos Ortiz A.). Riobamba: Biblioteca Chimboracense, 1988. [Incluye, p. ej.: *Labios sonámbulos*, otras producciones y páginas en prosa; el prólogo muestra a M. A. L. en su inconformidad rebelde, siempre a la búsqueda de una nueva sociedad, también con su literatura; buena bibliografía].

Crítica

E.134 Pesántez Rodas, Rodrigo. *Literatura ecuatoriana. Sexto Curso*. Guayaquil: Pacífico, 1986. ["Su canto al Chimborazo o su Elegía de la Raza se adelantaron incluso al atrevimiento metafórico de las escuelas vanguardistas europeas", p. 115].

Mata, G. Humberto

Obra

E.135 *Galope de volcanes*. Cuenca: Cenit, 1932.

E.136 *El correo* [Poema vanguardista, según afirmación de Hugo Mayo en la entrevista de 1983].

Mayo, Hugo (seudónimo de Miguel Augusto Egas)

Obras

E.137 *Poemas de Hugo Mayo* (ed. Rodrigo Pesántez Rodas). Guayaquil: Casa de la Cultura Ecuatoriana, 1976.

E.138 *El zaguán de aluminio*. Guayaquil: Casa de la Cultura, 1982. [Reconstrucción del libro perdido de 1921-1922; no pudimos ver la edición].

E.139 "Anexos", en Jackelín Verdugo Cárdenas. *Hugo Mayo y la vanguardia*. Cuenca: Universidad de Cuenca/Encuentro sobre Literatura Ecuatoriana, 2002, pp. 171-333. [Recopilación de suma importancia o, incluso, primer intento para llegar a una obra poética completa; la fase vanguardista ("Primera etapa: 1919-1933") abarca las pp. 173-220, y consta de poemas publicados en varias revistas y antologías. Ofrece también las listas de poemas de Mayo publicados en recopilaciones anteriores].

E.140 *Hugo Mayo. Memoria de vida* (ed. María Gabriela Borja). Quito: Casa de la Cultura Ecuatoriana, 2005. [Magnífico poemario en formato grande, con prólogo informativo; lamentablemente, la recopilación de los poemas no aporta nada al establecimiento de una edición crítica de la obra].

Crítica

E.141 "Conversación con el poeta Hugo Mayo", en Carlos Calderón Chico. *Literatura, autores y algo más. Entrevistas*. Guayaquil: Offset Graba, 1983, pp. 158-172 (primera publicación en 1981). [Entrevista muy instructiva sobre el ambiente literario de la época en el Ecuador, y sobre la obra de H. M.; menciona como vanguardistas, p. ej., a Tata (María Luisa Lecaro) y a G. Humberto Mata].

E.142 Robles, Humberto E. *La noción de vanguardia en el Ecuador. Recepción, trayectoria, documentos. 1918-1934*. Guayaquil: Casa de la Cultura Ecuatoriana, 1989. [Incluye, pp. 87-90, el artículo de Luisa Luisi. "Las nuevas literaturas: Hugo Mayo", tomado de *Proteo*, núm. 2, febrero de 1922].

E.143 Verdugo Cárdenas, Jackelín. *Hugo Mayo y la vanguardia*. Cuenca: Universidad de Cuenca/Encuentro sobre Literatura Ecuatoriana, 2002. [Partiendo de un capítulo sobre la vanguardia en el Ecuador, analiza la obra poética de H. M., diferenciándola en tres momentos. El estudio sobre el "primer ciclo escritural vanguardista", que abarca los años 1919 a 1933, constituye, con unas 50 páginas, el centro de su investigación; *cfr*. también su artículo en la revista *Kipus*, núm. 7, 1997].

Palacio, Pablo

Obras

E.144 "Un nuevo caso de *mariage en trois*", en *América* (Quito), núm. 5, diciembre de 1925, pp. 146-148. [Parte de la novela *Ojeras de Virgen*, nunca publicada].

E.145 "Comedia inmortal", en *Esfinge* (Quito), núm. 2, febrero de 1926, pp. 24-26.

E.146 *Débora*. Quito: [s. p. d. i.], 1927.

E.147 *Un hombre muerto a puntapiés. Cuentos*. Quito: Universidad Central, 1927.

E.148 *Vida del ahorcado. Novela subjetiva*. Quito: Talleres Nacionales, 1932.

E.149 "Novela guillotinada", en Humberto E. Robles. "Noción", 1988, pp. 673-674. [Cuento corto publicado en revistas, inédito en libros].

E.150 *Obras completas* (pról. Alejandro Carrión). Quito: Casa de la Cultura Ecuatoriana, 1964. (2ª. ed., pról. Agustín Cueva, Guayaquil: Casa de la Cultura Ecuatoriana, 1976). [Incluye estudios de Benjamín Carrión (de 1930 y de 1951), Ángel F. Rojas (de 1948), Hugo Alemán (de 1953), Edmundo Rivadeneira (de 1958) y otros artículos pequeños de 1933 a 1956].

E.151 *Obras completas* (ed. y pról. María del Carmen Fernández). Quito: Libresa, 1997. [Esta edición volvió a publicarse por la Universidad Andina en 2006 con ocasión del centenario de P. P.].

E.152 *Obras completas* (ed. Wilfrido H. Corral). Paris *et al.*: Colección Archivos, 2000. [Edición crítica indispensable para cualquier estudio sobre P. P.; con contribuciones y artículos relativos al tema de la vanguardia de Adriana Castillo de Berchenko, Humberto E. Robles, Pierre Lopez, Yanna Hadatty Mora, Noé Jitrik, Gilda Holst y Celina Manzoni, además de la recopilación de algunos trabajos ya clásicos, p. ej. de María del Carmen Fernández].

E.153 *Obras escogidas* (pról. Hernán Rodríguez Castelo). Quito: Ariel, s. f. (alrededor de 1970). [Incluye: *Un hombre muerto a puntapiés*, *Débora*, *Vida del ahorcado*, "Comedia inmortal", "Un nuevo caso de *mariage en trois*"].

E.154 *Débora y Vida del ahorcado* (ed. e introd. Vladimiro Rivas Iturralde). México, D. F.: Universidad Autónoma Metropolitana, Azcapotzalco, 1995.

E.155 *Un hombre muerto a puntapiés y otros textos* (ed., pról., cronol. y bibl. Raúl Vallejo). Caracas: Biblioteca Ayacucho, 2006.

Crítica

Bibliografía

E.156 Pignatello, Ellen. "Bibliografía" (revisión y actualización de Wilfrido H. Corral), en Pablo Palacio. *Obras completas*. Paris *et al.*: Colección Archivos, 2000, pp. 601-620. [Incluye trece páginas de bibliografía crítica].

Libros y homenajes

E.157 Carrión, Alejandro *et al. Cinco estudios y dieciséis notas sobre Pablo Palacio*. Guayaquil: Casa de la Cultura Ecuatoriana, 1976. [Recopilación de estudios críticos; *cfr.* la segunda edición de las *Obras completas* de 1976].

E.158 Crissman, Louise Thorpe. *The Works of Pablo Palacio: an Early Manifestation of Contemporary Tendencies in Spanish American Literature*. Diss. University of Maryland, 1973. [Estudio indispensable, sobre la técnica narrativa de P. P.].

E.159 Donoso Pareja, Miguel. *Recopilación de textos sobre Pablo Palacio*. La Habana: Casa de las Américas, 1987. [Selección muy valiosa de textos críticos, algunos de ellos nuevos; de los artículos escritos especialmente para esa recopilación, o tomados de obras más amplias, interesan sobre todo los de Jorge Dávila Vázquez, Louise Thorpe Crissman y Nelson Osorio; buena bibliografía].

E.160 Fernández, María del Carmen. *El realismo abierto de Pablo Palacio en la encrucijada de los 30*. Quito: Libri Mundi, 1991. [Además de revisar la obra de P. P. y la crítica sobre él, el estudio da una visión bastante completa de la literatura vanguardista del Ecuador; de suma importancia; *cfr*. también su tesis de licenciatura *La narrativa de Pablo Palacio*. Madrid: U.N.E.D., 1986].

E.161 Holst de Romero, Gilda. *La narrativa de Pablo Palacio*. Tesis de grado, Universidad Católica de Santiago de Guayaquil, 1984. [*Cfr*. también la entrevista con Holst, "Una lectura novedosa sobre Palacio", en *Matapalo*, núm. 5, enero de 1988, pp. 6-7].

E.162 *Homenaje a Pablo Palacio*, en *Cultura* (Quito), núm. 20, 1984, pp. 29-128. [Interesan los artículos de Louise Thorpe Crissman —el cap. IV de su tesis sobre P. P.— y Myriam Julia Kohen, con su revisión de la crítica sobre la obra de P. P.; parte de su tesis].

E.163 *Homenaje a Pablo Palacio*, en *Encuentros* (Quito), núm. 8, 2006. [Con ocasión del centenario editado por el Consejo Nacional de Cultura, con contribuciones de Humberto E. Robles, Rafaela Salmeri, Yanna Hadatty, Celina Manzoni, Gilda Holst, Wilfrido Corral, Raúl Serrano, Santiago Cevallos y Xavier Sempértegui].

E.164 Lopez, Pierre. *Pablo Palacio entre le drame et la folie. Le cas d'un écrivain équatorien des années 30*. Perpignan: Université de Perpignan, 1993. [Incluye, como introducción, el artículo "Pablo Palacio y las vanguardias latinoamericanas de los 30" de Adriana Castillo de Berchenko. Este libro fue duramente criticado por Katharina Niemeyer, 2004 (*cfr*. sección América Latina), en parte con razón, porque el autor no distingue suficientemente entre narrador y autor, e incluso parece querer insinuar que la vida y la salud psíquica del autor interviene directamente en los personajes. Sin embargo, ni Niemeyer ni nosotros conocemos el reciente libro del autor: *Pablo Palacio: l'expression d'une avant-garde dans l'espace littéraire équatorien des années 1920-1930*. Lille: Presses Universitaires du Septentrion, 2001, donde probablemente ha modificado su perspectiva biografista; además, ha publicado media docena de artículos sobre P. P., p. ej. en la edición de la Colección Archivos].

E.165 Manzoni, Celina. *El mordisco imaginario. Crítica de la crítica de Pablo Palacio*. Buenos Aires: Biblos, 1994. [Revisión y antología de la crítica sobre P. P., con buena bibliografía; muy valioso].

E.166 Palacios, Ángela Elena. *El mal en la narrativa ecuatoriana moderna. Pablo Palacio y la Generación de los 30*. Quito: Universidad Andina Simón Bolívar/Editora Nacional/Abya-Yala, 2003. [Sobre las diferencias en el tratamiento del tema del mal en el "realismo psicológico" de P. P. y en la "narrativa social" de los años treinta].

E.167 Quintero, David. *Representación e ideología en Pablo Palacio*. Cuenca: Casa de la Cultura Ecuatoriana, 1994. [Trabaja la diferencia del estilo narrativo de P. P. frente al realismo vigente].

Artículos

E.168 Adoum, Jorge Enrique. "Pablo Palacio: el realismo contra la realidad", en J. E. A. *La gran literatura ecuatoriana del 30*. Quito: El Conejo, 1984, pp. 95-104. [La estética de P. P. frente al realismo reinante].

E.169 Burgos, Fernando. "La vanguardia hispanoamericana y la transformación narrativa", en *Nuevo Texto Crítico* 2, núm. 3, 1989, pp. 157-169. [Investiga detalladamente el procedimiento que hace de los cuentos y de las novelas de P. P. de 1927-1932 una narrativa vanguardista; de suma importancia; *cfr*. también F. B. *Vertientes de la modernidad hispanoamericana*. Lima: Monte Ávila, 1995, pp. 165-178].

E.170 Corral, Wilfrido H. "Colindantes sociales y literarios de *Débora* de Pablo Palacio", en *Texto Crítico*, núm. 14, 1979, pp. 188-199. [Estudio sobre la relación literatura-sociedad, y la función de la fragmentación de la narración en la "novella"; incluido en la recopilación de Donoso Pareja, 1987].

E.171 Corral, Wilfrido H.: "La recepción canónica de Palacio como problema de la modernidad y la historiografía literaria hispanoamericana", en *Revista Iberoamericana*, núms. 144-155, 1988, pp. 710-724 (anteriormente publicado en *Nueva Revista de Filología Hispánica*, Vol. 35, núm. 2, 1987, pp. 773-788). [Revisión de la recepción de P. P. por la crítica; muy importante].

E.172 Crissman, Louise Thorpe. "Las técnicas cinematográficas en *Débora*", en Donoso Pareja, *Recopilación*, 1987, pp. 371-381. [Estudio muy interesante sobre la técnica narrativa de fragmentación y los efectos tipográficos de la obra; parte de su tesis de 1973].

E.173 Cueva, Agustín. "*Collage* tardío en torno de *L'affaire* Palacio", en A. C. *Literatura y conciencia histórica en América Latina*. Quito: Planeta, 1993, pp. 143-166. [Última contribución de Cueva al estudio de P. P.; revisa gran parte de las opiniones sobre la obra para rectificar la sobrevaloración de ella en los años anteriores; también en las *Obras completas* de la Colección Archivos].

E.174 Dahl, Mari. "Reacciones frente al espejo palaciano: la condena, la locura y la modernidad", en *Dáctylus* (Austin), núm. 12, 1993, pp. 71-83. [Buena interpretación de los cuentos de "aquel vanguardista ecuatoriano"].

E.175 Dávila Vázquez, Jorge. "Tal era su iluminado alucinamiento", en Donoso Pareja, *Recopilación*, 1987, pp. 199-270. [Le atribuye una fuerte influencia surrealista en su 'segunda época', a partir de 1927].

E.176 Descalzi, Ricardo. "Pablo Palacio", en R. D. *Historia crítica del teatro ecuatoriano*. Quito: Casa de la Cultura Ecuatoriana, 1968, t. II, pp. 730-735. [Habla de un "golpe de muerte al romanticismo decadente" que asesta P. P. con *Comedia inmortal*].

E.177 Handelsman, Michael. "Una doble y única lectura de 'Una doble y única mujer' de Pablo Palacio", en *Chasqui* (Tempe), Vol. 24, núm. 2, 1995, pp. 3-23. [Interpretación del cuento que forma parte de *Un hombre*].

E.178 Jitrik, Noé. "Extrema vanguardia. Pablo Palacio todavía inquietante", en Inke Gunia *et al.* (eds). *La modernidad revis(it)ada. Literatura y cultura latinoamericanas de los siglos* XIX *y* XX. Berlin: Tranvía, 2000, 299-305. [Intento de una lectura a través de la "ininteligibilidad" de *Vida del ahorcado*, con la ayuda de la palabra "cubo"; también en las *Obras completas* de la Colección Archivos].

E.179 Jozef, Bella. "Pablo Palacio, um renovador", en B. J. *O jogo Mágico*. Rio de Janeiro: José Olympio, 1980, pp. 139-141. [Artículo corto, en el cual compara a P. P. con Oswald de Andrade].

E.180 Lavin Cerda, Hernán. "Pablo Palacio: El vértigo de la figura", en *Cuadernos Americanos*, núm. 257, 1984, pp. 70-81. [Sin usar el concepto "vanguardia" —se vale del concepto "nueva escritura"— lee a P. P. en la perspectiva de la vanguardia, comparándolo con Huidobro, Kafka, Macedonio Fernández *et al.*].

E.181 Maturo, Graciela. "Apuntes sobre la transformación de conciencia en la vanguardia hispanoamericana", en Fernando Burgos (ed.). *Prosa hispánica de vanguardia*. Madrid: Orígenes, 1986, pp. 43-52. [Toma, como ejemplo principal para su tesis, a *Débora*, pues le "parece especialmente representativa del sesgo vanguardista", p. 47].

E.182 Mauro Castellarín, Teresita. "Pablo Palacio, precursor de la nueva novela", en *Anales de Literatura Hispanoamericana*, núm. 26, 2, 1997, pp. 381-394 (existe una versión *online* de la revista). [Después de ubicar a P. P. dentro de la vanguardia, analiza uno a uno de sus textos narrativos].

E.183 Osorio, Nelson. "Pablo Palacio y Julio Garmendia", en Donoso Pareja, *Recopilación*, 1987, pp. 403-409. [Compara *Un hombre* con *La tienda de muñecos* del venezolano; parte de un artículo sobre Garmendia y la vanguardia de 1978 (*cfr.* sección Venezuela)].

E.184 Prada Oropeza, Renato. "La metaliteratura de Pablo Palacio", en *Hispamérica*, Vol. X, núm. 28, 1981, pp. 3-17. [Compara la técnica narrativa de P. P., la "destrucción del realismo", con la obra de, p. ej., Gómez de la Serna, Macedonio Fernández y Franz Kafka; incluido en la recopilación de Donoso Pareja, 1987].

E.185 Quintero, David. "*Un hombre muerto a puntapiés*: Lectura introductoria", en *Revista Iberoamericana*, núms. 144-145, 1988, pp. 725-737. [Interpretación detenida].

E.186 Rivas Iturralde, Vladimiro. "Pablo Palacio", en V. R. I. *Descifamientos y complicidades*. México, D. F.: Difusión Cultura, 1991, pp. 45-74. [La narrativa de P. P. le parece mucho más revolucionaria que la de los cultivadores del realismo social; reeditado en Manzoni, *Mordisco*, 1994].

E.187 Robles, Humberto E. "Pablo Palacio: el anhelo insatisfecho", en *Cahiers du monde hispanique et luso-brésilien – Caravelle* (Toulouse), núm. 34, 1980, pp. 141-156. [Estudio detenido de la técnica narrativa de P. P., nombrándola, aunque solamente "de paso" (p. 154), como vanguardista; incluido en la recopilación de Donoso Pareja, 1987].

E.188 Ruffinelli, Jorge. "Pablo Palacio: Literatura, locura y soledad", en *Revista de Crítica Literaria Latinoamericana* (Lima), Vol. 5, núm. 10, 1979, pp. 47-60. [Corrobora la diferencia en la técnica narrativa entre Palacio, por un lado, y los demás narradores de los años treinta: Icaza y el Grupo de Guayaquil; incluido en la recopilación de Donoso Pareja, 1987].

E.189 Sacoto, Antonio. "*Vida del ahorcado*. Revisión y revaloración de la obra de Pablo Palacio", en A. S. *Novelas claves de la literatura ecuatoriana*. Cuenca: Universidad de Cuenca, 1990, pp. 135-156. [Las novelas de P. P. no son grandes novelas, pero son importantes para el desarrollo del género en el Ecuador, p. ej. porque son vanguardistas].

E.190 Wishnie, Kenneth J. A. "Anti-Realism Before Realism: Pablo Palacio, the Ecuadorian Vanguard, and European Surrealism", en J. A. K. W. *Twentieth-Century Ecuadorian Narrative*. Lewisburg: Bucknell University Press, 1999, pp. 19-38. [Después de una larga introducción llega a una breve presentación del cuento "Un hombre"].

Reyes, Jorge

Obras

E.191 *Treinta poemas de mi tierra*. Quito: [s. p. d. i.], 1926.

E.192 *Quito, arrabal del cielo*. Quito: Talleres Gráficos Nacionales, 1930.

Rojas, Ángel F.

Obra

E.193 *Banca*. Loja: Jorge Fernández, 1940 (varias ediciones posteriores, p. ej. Quito: El Conejo, 1994). [Novela escrita entre 1931 y 1933; no pertenece al grupo de las novelas con un alto grado de experimentación vanguardista].

E.194 *Novelas, relatos, críticas*. Quito: Casa de la Cultura Ecuatoriana, 2002. [Con *Banca* y varias opiniones críticas acerca de la novela y su modernidad].

Sacoto Arias, Augusto

Obras

E.195 *El porvenir del humo*. *Poesías*, 1935 (inédito).

E.196 *Obras completas* (ed. y estudio Filoteo Samaniego). Quito: Banco Central, 1993. [Rodrigo Pesántez Rodas, en su antología de 1999, añade algunos poemas inéditos, poco vanguardistas; sin embargo le adscribe un "sosegado trance vanguardista"].

E.197 *Augusto Sacoto Arias. Su creación poética cronológica* (ed. y pról. Edgar Palomeque Vivar). Cañar: Casa de la Cultura Ecuatoriana, 2005. [Incluye media docena de poemas de los años treinta que muestran, según las distintas opiniones del libro, influencias vanguardistas y, especialmente, de la Generación del 27].

Crítica

E.198 Arias, Augusto. "Perfil de dos jóvenes poetas ecuatorianos", en *Revista de las Indias* (Bogotá), núm. 103, 1948, pp. 109-117. [Contradice la opinión de Benjamín Carrión en el *Índice*, 1937, y lo llama un poeta clásico, basándose, sin embargo, solamente en su producción poética posterior a 1938].

E.199 Sacoto, Antonio. "Pasión y fuerza líricas en la poesía de Augusto Sacoto Arias", en A. S. *Temas literarios*. Cuenca: Universidad de Cuenca, 1995, pp. 141-144. [Artículo de reseña de las obras completas; habla de influencias vanguardistas en la obra de A. S. A.].

SALVADOR, HUMBERTO

Obras

E.200 *Ajedrez*. Quito: Talleres de la Escuela de Artes y Oficios, 1929.

E.201 *En la ciudad he perdido una novela*. Quito: Talleres Gráficos Nacionales, 1930 (2ª. ed., ed. y pról. María del Carmen Fernández. Quito: Libresa, 1993). [El prólogo a la segunda edición sitúa la novela y los dos libros de cuentos de 1929 y 1932 dentro de una vertiente claramente vanguardista, antes de que H. S., también a causa de los ataques de Gallegos Lara, cambiara su estilo hacia el realismo social; *cfr*. también la bibliografía].

E.202 *Taza de té*. Quito: Talleres Gráficos Nacionales, 1932.

E.203 *La navaja y otros cuentos*. Quito: Libresa, 1994. [Selección de cuentos escritos entre 1928 y 1935; vale la pena incluirlos en reflexiones sobre la narrativa de vanguardia].

Crítica

E.204 Vieira, León. "Humberto Salvador", en L. V.: *Doce escritores ecuatorianos contemporáneos y una glosa*. Guayaquil: Universidad de Guayaquil, 1976, pp. 151-172. [Una entrevista y comentarios no muy instructivos].

Perú

Antologías

P.1 *9 libros vanguardistas* (pról. Mirko Lauer). Lima: El Virrey/Agencia Española de Cooperación Internacional, 2001. [Excepcional reproducción de poemarios vanguardistas olvidados o nunca reeditados o poco leídos: *Química del espíritu*, de Alberto Hidalgo; *El perfil de frente*, de Juan Luis Velázquez; *Himno del cielo y de los ferrocarriles*, de Juan Parra del Riego; *Diánidas*, de Juan José Lora; *Ande*, de Alejandro Peralta; *Antipoemas*, de Enrique Bustamante y Ballivián; *Varios poemas a la misma distancia*, de Magda Portal; *Canto del arado y de las hélices*, de César Alfredo Miró Quesada; *Las barajas y los dados del alba*, de Nicanor A. de la Fuente].

P.2 Baciu, Stefan (ed.). *Antología de la poesía surrealista latinoamericana*. Valparaíso: Ediciones Universitarias, 2ª. ed. 1981 (1ª. ed. México, D. F.: Joaquín Mortiz, 1974). [Nombra como precursor del surrealismo a José María Eguren; como surrealistas a César Moro, Emilio Adolfo Westphalen y a Rafael Méndez Dorich].

P.3 Eielson, Jorge Eduardo, Sebastián Salazar Bondy y Javier Sologuren (eds.). *La poesía contemporánea del Perú*. Lima: Cultura Antártica, 1946. [Antología comentada importante, incluyendo a los poetas Xavier Abril, Martín Adán, José María Eguren, Carlos Oquendo de Amat, Ricardo Peña Barrenechea, César Vallejo y Emilio Adolfo Westphalen; introducción a la selección: Sebastián Salazar Bondy].

P.4 Escobar, Alberto (ed.). *Antología de la poesía peruana*. Lima: Nuevo Mundo, 1965. [Antología comentada; en su lista de diez poetas vanguardistas —los llama “forjadores”— incluye a José María Eguren, pero excluye a Abraham Valdelomar].

P.5 González Vigil, Ricardo (ed.). *El cuento peruano 1920-1941*. Lima: Copé, 1990. [Nombra como prosistas vanguardistas a César Vallejo, César Falcón, Gamaliel Churata, Adalberto Varallanos, Martín Adán, Xavier Abril, Luis Alberto Sánchez, y algunos otros con ciertos recursos vanguardistas; muy interesantes las clasificaciones en el prólogo].

P.6 González Vigil, Ricardo (ed.). *Poesía peruana vanguardista*. Lima: Cultura Peruana, 2004. [Selección que incluye, p. ej., César Vallejo, Carlos Oquendo de Amat, Martín Adán, César Moro, Emilio Adolfo Westphalen, Alberto Hidalgo, Xavier Abril, Alejandro Peralta, los Peña Barrenechea].

P.7 Kishimoto Yoshimura, Jorge (ed.). *Narrativa peruana de vanguardia* = *Documentos de Literatura* (Lima), núms. 2-3, 1993. [Antología comentada de suma importancia; con muestras de Xavier Abril, Martín Adán, Mario J. Chávez, Gamaliel Churata, Serafín Delmar, César Falcón, Alberto Hidalgo, José Carlos Mariátegui, Néstor Martos, Magda Portal, Julio del Prado, Ángela Ramos, Abraham Valdelomar, César Vallejo, Adalberto Varallanos y María Wiesse].

P.8 Lauer, Mirko (ed.). *Antología de la poesía vanguardista peruana*. Lima: El Virrey/Hueso Húmero, 2001. [Por tratarse de una antología (casi) definitiva de la poesía vanguardista peruana, con prólogo altamente recomendable, me permito anotar aquí la totalidad de los autores incluidos: Xavier Abril, Martín Adán, Emilio Armaza, Armando Bazán, Federico Bolaños, Blanca Luz Brum, Enrique Bustamante, Mario Chabes, Nazario Chávez, Gamaliel Churata, Nicanor de la Fuente, Serafín Delmar, Alberto Guillén, Alberto Hidalgo, Juan José Lora, Rafael Méndez, César Alfredo Miró, Carlos Oquendo, Juan Parra, Enrique Peña, Alejandro Peralta, Julián Petrovick, Magda Portal, Luis de Rodrigo, Cesar Atahualpa Rodríguez, César Vallejo, José Varallanos, Adalberto Varallanos, Juan Luis Velázquez].

P.9 Lauer, Mirko (ed.). *La polémica del vanguardismo*. Lima: UNMSM, 2001 (existe versión *online*). [Antología de suprema utilidad para cualquier investigación sobre la vanguardia peruana; con los textos y tomas de posición más importantes de la época y con un excelente prólogo].

P.10 Lauer, Mirko y Abelardo Oquendo (eds.). *Surrealistas y otros peruanos insulares* (pról. Julio Ortega). Barcelona: Ocnos, 1973. [Antología comentada; contiene poemas de César Moro, Carlos Oquendo de Amat, Martín Adán, Emilio Adolfo Westphalen y otros; con sólida bibliografía; 1ª. ed. 1970, con el título *Vuelta a la otra margen*].

P.11 Moro, César, Emilio Adolfo Westphalen, Rafo Méndez, Paul Eluard, André Breton, Xavier Villaurrutia, *et al. El uso de la palabra* y *Vicente Huidobro o El obispo embotellado*. Lima: Sur Librería Anticuaria/El Virrey, 2004. [Edición facsimilar de dos publicaciones decisivas para el surrealismo peruano].

P.12 Pariente, Ángel (ed.). *Antología de la poesía surrealista en lengua española*. Madrid: Júcar, 1985. [Contiene poemas de Carlos Oquendo de Amat, Emilio Adolfo Westphalen, César Moro y César Vallejo].

P.13 Sánchez, Luis Alberto (ed.). *Índice de la poesía peruana contemporánea (1900-1937)*. Santiago de Chile: Ercilla, 1938. [La mayoría de los poetas abajo enunciados se encuentra con ejemplos en esta antología; prólogo corto pero instructivo].

P.14 Silva-Santisteban, Ricardo (ed.). *Antología general de la poesía peruana*. Lima: Biblioteca Básica Peruana, 1994. [Incluye casi una docena de poetas vanguardistas; con buenos comentarios sobre cada uno de ellos y con una bibliografía de antologías poéticas de poesía peruana].

Visiones de conjunto

Bibliografías

P.15 Champión, Emilio. "Bibliografía de la poesía peruana (1900-1937)", en *Letras* (Lima), núm. 8, 1937, pp. 474-485. [En orden alfabético de los autores, no del todo confiable].

P.16 Foster, David William. *Peruvian Literature. A Bibliography of Secondary Sources*. Westport, London: Greenwood Press, 1981. [Valiosas sobre todo las listas para los autores Martín Adán, José María Eguren, Alberto Hidalgo, José Carlos Mariátegui, César Moro, Carlos Oquendo de Amat, Abraham Valdelomar y César Vallejo].

P.17 Monguió, Luis. "Contribución a la bibliografía de la poesía peruana", en L. M. *La poesía postmodernista peruana*. Berkeley/Los Angeles/México, D. F.: University of California Press/FCE, 1954, pp. 207-239. [En orden alfabético de los autores].

P.18 Rodríguez Rea, Miguel Ángel. "Poesía peruana del siglo XX", II (1921-1930), III (1931-1935), y IV (1936-1940), en *Hueso Húmero*, núm. 8, 1981, pp. 132-149; núm. 9, 1981, 148-158; y núm. 14, 1982, pp. 186-204. [Enumera los libros poéticos en el orden del año de publicación].

P.19 Rodríguez Rea, Miguel Ángel. *El Perú y su literatura*. Lima: PUCP, 1992. [Excelente bibliografía con índices muy valiosos; sirve especialmente para las publicaciones del mismo Perú y de la América Latina, con muy pocas entradas de Europa y EE.UU.].

P.20 Soriano Saavedra, Ana Luisa y Elizabeth Siches Goicochea (eds.). *Catálogo de la literatura peruana publicada en la revista "Mundial" (1920-1933)*. Lima: Villanueva, 1987. [En las pp. 96-100 dan una pequeña revisión de revistas publicadas en el Perú entre 1920 y 1933; pp. 115-118 bibliografía sobre el periodismo en el Perú].

Crítica

Libros y publicaciones periódicas

P.21 Arias-Larreta, Abraham. *Radiografía de la literatura peruana, con una antología de la vanguardia poética peruana*. Trujillo: Sayaci, 194?; segunda parte: Trujillo: Bolívar, 1947. [No pudimos ver la obra].

P.22 Arroyo Reyes, Carlos (ed.). *Hombres de letras. Historia y crítica literaria en el Perú*. Lima: Memoria Angosta, 1992. [Entrevistas con los críticos más destacados de la literatura peruana; mucha información sobre José Carlos Mariátegui, César Vallejo, Carlos Oquendo de Amat —mencionando algunas tesis que se escribieron en el Perú sobre él— y muchos otros vanguardistas].

P.23 *Avatares del Surrealismo en el Perú y en América Latina. Avatars du surréalisme au Pérou et en Amérique Latine*. Actas del coloquio internacional, Lima 1990 (comps. Joseph Alonso, Daniel Lefort y José A. Rodríguez Garrido). Lima: Institut Français d'Études Andines/PUCP, 1992. [Recopilación sobre la importancia del surrealismo dentro de los movimientos de la vanguardia en el Perú, con especial interés para el estudio de César Moro, Emilio Adolfo Westphalen, Gamaliel Churata, y la recepción de Breton en el Perú].

P.24 Bernabé, Mónica. *Vidas de artista: bohemia y dandismo en Mariátegui, Valdelomar y Eguren (Lima, 1911-1922)*. Lima: Instituto de Estudios Peruanos, 2006. [La autora entiende su estudio sobre el dandismo también como contribución a la investigación sobre la génesis de la vanguardia peruana].

P.25 Castro Arenas, Mario. *De Palma a Vallejo*. Lima: Populibros Peruanos, 1964. [Además de un estudio sobre Martín Adán, se encuentran en los primeros dos artículos alguna que otra observación sobre otros vanguardistas: Xavier Abril, Alberto Hidalgo *et al.*].

P.26 *Ciberayllu* (revista electrónica, desde 1996: <www.andes.missouri.edu/Andes/Ciberayllu.shtml>). [Breves ensayos y estudios, p. ej. sobre Martín Adán; la polémica entre Huidobro, por un lado, y César Moro y Westphalen, por otro; sobre la resemantización de la "Vanguardia peruana" (Yazmín López Lenci, dos entregas); sobre intelectuales de la generación de Mariátegui y otros ensayos sobre el autor de los *7 ensayos*; una entrevista con Riccardo Badini, el traductor al italiano de los *5 metros* de Oquendo de Amat, etc.].

P.27 Cornejo Polar, Antonio. *La formación de la tradición literaria en el Perú*. Lima: CEP, 1989. [Interesa aquí el cap. V: "El surgimiento de una nueva tradición", sobre la literatura de los años veinte y treinta, especialmente sobre José Carlos Mariátegui, *Amauta* y el indigenismo; *cfr*. también la versión "andina" en su *Escribir en el aire*, 1994].

P.28 Coronado, Jorge Felipe. *Displaced Modernities: Poetics and politics in the Andean Avant-Garde*. Diss. Columbia University, 2002. [Sobre la relación e interacción de los distintos discursos occidentales (imperialistas) y autóctonos en los discursos vanguardistas de resistencia (Oquendo de Amat, Vallejo, Mariátegui)].

P.29 *Encuentro Internacional de Peruanistas. Estado de los estudios histórico-sociales sobre el Perú a fines del siglo XX*. Lima: Universidad de Lima/Unesco/FCE, tomo II, 1998. [Para nuestro tema las contribuciones más importantes, al lado de artículos de Marco Martos sobre la poesía de Moro, de Manuel Pantigoso sobre la generación del 30 al 36, o de Roland Forgues y Stephen Hart sobre Vallejo, son: Alfonso Castrillón. "Iconografía de la revista *Amauta*", en la cual se pregunta por la relación de Mariátegui con las vanguardias desde el punto de vista del arte; y Martha Canfield. "César Moro ¿bilingüismo o translingüismo", un breve recorrido por su obra poética].

P.30 Escobar, Alberto. *El imaginario nacional. Moro-Westphalen-Arguedas. Una formación literaria*. Lima: Instituto de Estudios Peruanos, 1989. [Intenta ubicar a los tres autores dentro del concepto "indigenismo versus vanguardismo"].

P.31 Ferrari, Américo. *La soledad sonora. Voces poéticas del Perú e Hispanoamérica*. Lima: PUCP, 2003. [Recopilación (más amplia que su *Los sonidos del silencio*, de 1990) de artículos, reseñas y comentarios de los últimos treinta o cuarenta años, con unos quince textos sobre Vallejo, Mariátegui, Moro, Adán y Westphalen, algunos de ellos inéditos].

P.32 Flórez Áybar, Jorge. *Literatura y violencia en los Andes*. Lima: Arteida, 2004. [El tercer capítulo, "Período indigenista", constituye un texto variopinto, mezcla entre crítica literaria, defensa del indigenismo y antología de todos los autores vinculados a la vanguardia indigenista].

P.33 González Vigil, Ricardo. *El Perú es todas las sangres. Arguedas, Alegría, Mariátegui, Martín Adán, Vargas Llosa y otros*. Lima: PUC, 1991. [Recopilación de artículos y estudios sobre Oquendo de Amat, Enrique Peña Barrenechea, Abril, Moro, Westphalen, Luis Alberto Sánchez, Ricardo Peña Barrenechea, Adán, Churata y Emilio Vásquez como escritores vanguardistas. Libro indispensable para el estudio de la vanguardia peruana].

P.34 Higgins, James. *The Poet in Peru*. Liverpool: F. Cairns, 1982. [Interesan los artículos sobre *Trilce*, César Moro y la poesía de Martín Adán: "Adán has none of the revolutionary pretensions of Vallejo or Moro and sees himself (...) as the heir of a long literary tradition", p. 145.].

P.35 Higgins, James. *A History of Peruvian Literature*. Liverpool: Francis Cairns, 1987. [Con estudios cortos sobre Adán, Valdelomar, Hidalgo, Vallejo, Alejandro Peralta, Oquendo de Amat, Westphalen y Moro].

P.36 Higgins, James. *Hitos de la poesía peruana siglo XX*. Lima: Milla Batres, 1993. [En el capítulo sobre "La poesía vanguardista" estudia, después de una pequeña introducción, detenidamente a Vallejo, Westphalen y Moro].

P.37 Jurado Párraga, Raúl. *Panorama y apuntes de literatura peruana*. Lima: Zorro del Viento, 1993. [Útil para una revisión rápida de las historias de la literatura peruana y sus menciones de la vanguardia].

P.38 Kapsoli, Wilfredo. *Ayllus del sol: anarquismo y utopía andina*. Lima: Tarea, 1984. [Libro que no trata directamente del tema de la vanguardia literaria; pero muy interesante para el estudio del indigenismo peruano de los años veinte].

P.39 Langowski, Gerald J. *El surrealismo en la ficción hispanoamericana*. Madrid: Gredos, 1982. [Menciona en el cap. II a los surrealistas peruanos, incluyendo a César Vallejo; importante también su apéndice I].

P.40 Lauer, Mirko. *Introducción a la pintura peruana del siglo XX*. Lima: Mosca Azul, 1976. [En algunos capítulos relaciona la vanguardia literaria con la vanguardia artística, nombrando especialmente a Miró Quesada y Moro].

P.41 Lauer, Mirko. *El sitio de la literatura. Escritores y política en el Perú del siglo XX*. Lima: Mosca Azul, 1989. [Especialmente en el primer capítulo se encuentran algunas reflexiones sobre la relación entre la vanguardia literaria y la política].

P.42 Lauer, Mirko. *Andes imaginarios. Discursos del indigenismo 2*. Cuzco: Centro de Estudios Regionales Andinos, 1997. [Diferencia entre el "indigenismo 2" (cultural) y el indigenismo socio-político, y ubica al primero en el contexto cultural de la primera mitad del siglo XX, o sea, también en el contexto de su relación con la vanguardia, pero no solamente con ella].

P.43 Lauer, Mirko. *Musa mecánica. Máquinas y poesía en la vanguardia peruana*. Lima: Instituto de Estudios Peruanos, 2003. [Quizá el estudio sobre la vanguardia peruana más importante de los últimos años. Aunque, como el título indica, una y otra vez aparecen los "futuristas" Alberto Hidalgo y Juan Parra del Riego, Lauer no se limita a un estudio meramente temático de cierta euforia tecnológica, sino que abarca el vasto espectro de la poesía vanguardista "entusiasta", con análisis, referencias a la situación socio-cultural de la época y reflexiones sobre estética y modernidad].

P.44 López Lenci, Yazmín. *El laboratorio de la vanguardia peruana. Trayectoria de una génesis a través de las revistas culturales de los años veinte*. Lima: Horizonte, 1999. [Muy recomendable; muchas de nuestras informaciones sobre las revistas vanguardistas provienen de este libro].

P.45 López Lenci, Yazmín. *El Cusco, paqarina moderna. Cartografía de una modernidad e identidades en los Andes peruanos (1900-1935)*. Lima: UNMSM/Concytec, 2004. [En este estudio la autora ya no se centra tanto en los procesos internos de los grupos y las revistas vanguardistas (como en su libro de 1999), sino que traza mapas culturales más amplios del Cuzco en la época de la vanguardia].

P.46 Maihold, Günther. *José C. Mariátegui: Nationales Projekt und Indio-Problem. Zur Entwicklung der indigenistischen Bewegung in Peru*. Frankfurt am Main: Athenäum, 1988. [Con breves reflexiones sobre la estética del grupo *Orkopata*, de las revistas *La Sierra*, *Boletín Titikaka* y *Amauta*, y sobre Mariátegui].

P.47 Mariátegui Chiappe, Sandro (ed.). *Amauta y su época*. Simposio internacional, Lima, septiembre de 1997. Lima: Minerva, 1998. [Libro de suma importancia. Las contribuciones quizá más interesantes al tema son: Yazmín

López Lenci, "Patria de ensueño digno país de utopía. Génesis y tempestad de la vanguardia andinista en Luis E. Valcárcel"; Carlos Meneses, "Vallejo, Borges, Oquendo y otros amigos de *Amauta*"; Guissela González Fernández, "Gamaliel Churata: una visión del Indio y de Mariátegui"; Arturo Corcuera, "En *Amauta*, José María Eguren: la realidad de la maravilla"; Daniel Mathews Carmelino, "*Amauta* N° 21, dedicado a José María Eguren"; Wilfredo Kapsoli, "*Amauta* y la organización de la cultura nacional" (la revista *Chirapu*); Américo Ferrari, "La revista *Amauta* y las vanguardias poéticas peruanas"; Tomás G. Escajadillo, "¿Existió una prosa de ficción de 'Vanguardia' en *Amauta*?" (diferencia la prosa publicada en *Amauta* según distintas categorías de cercanía a la vanguardia); Marco Martos, "La trayectoria poética de Emilio Adolfo Westphalen"; Roger Santiváñez, "La poesía peruana de vanguardia"; Carla Vanessa Gonzáles Márquez, "Borges, Huidobro e Hidalgo en *Amauta*"; y varias contribuciones al papel de José Carlos Mariátegui y a la relación de *Amauta* con otras revistas de vanguardia].

P.48 Monguió, Luis. *La poesía postmodernista peruana*. Berkeley/Los Angeles, México, D. F.: University of California Press/FCE, 1954. [Trabajo que sigue siendo fundamental para el estudio de la vanguardia peruana].

P.49 Montalbetti, Mario (moderador). *Literatura y sociedad en el Perú*. Vol. I: *Cuestionamiento de la crítica*. Lima: Hueso Húmero, 1981; Vol. II: *Narración y poesía. Un debate*. Lima: Hueso Húmero, 1982. [Conversaciones de algunos de los críticos peruanos más destacados sobre la literatura en el siglo XX; referencias a y discusiones sobre la vanguardia en los primeros capítulos del primer tomo y entre las pp. 60 y 95 del segundo].

P.50 Niño de Guzmán, Guillermo. *La búsqueda del placer*. Lima: Campodónico, 1996. [Con breves ensayos sobre Eguren, Adán, Oquendo de Amat, Moro y Westphalen; no muy instructivo para el tema de la vanguardia].

P.51 Núñez, Estuardo. *Panorama actual de la poesía peruana*. Lima: Antena, 1938. [Fuente inestimable sobre nombres y publicaciones].

P.52 Núñez, Estuardo. *La literatura peruana en el siglo XX*. México, D. F.: Pormaca, 1965. [Interesan sobre todo las pp. 25-60: "La poesía", una revisión general de la producción poética peruana, con constantes referencias a tendencias vanguardistas; y las pp. 82-91 sobre la prosa de la época; indispensable fuente bibliográfica].

P.53 Ortega, Julio. *Figuración de la persona*. Barcelona: Edhasa, 1970. [Con artículos sobre Vallejo y Moro (*cfr*. también su *La imaginación crítica*. Lima: Peisa, 1974), y con pequeñas notas sobre Oquendo de Amat, Adán y Westphalen].

P.54 Ortega, Julio. *Arte de innovar*. México, D. F.: UNAM/El Equilibrista, 1994. [Recopilación de artículos sobre, p. ej., Moro y Westphalen].

P.55 Rodríguez Rea, Miguel Ángel. *La literatura peruana en debate: 1905-1928*. Lima: Antonio Ricardo, 1985. [Estudio interesante —aunque no mencione directamente la cuestión de la vanguardia— sobre cuatro críticos de la literatura peruana de la época, entre ellos Luis Alberto Sánchez y José Carlos Mariátegui].

P.56 Sánchez, Luis Alberto. *La literatura peruana*. Lima: Juan Mejía Baca, tomos IV y V, 1981. [En la séptima y octava parte de su obra monumental se encuentran muchas informaciones sobre autores vanguardistas].

P.57 Silva-Santisteban, Ricardo. *Escrito en el agua*. Lima: Colmillo Blanco, 1989. [Recopilación de artículos; interesan especialmente las contribuciones sobre Westphalen, Moro y Enrique Peña Barrenechea].

P.58 Sologuren, Javier. *Gravitaciones y tangencias*. Lima: Colmillo Blanco, 1988. [Artículos sobre, p. ej., Vallejo, Oquendo de Amat, Moro, Westphalen, Adán y Enrique Peña Barrenechea].

P.59 Sucre, Guillermo. *La máscara, la transparencia. Ensayos sobre poesía latinoamericana*. México, D. F.: FCE, 2ª. ed. aumentada 1985. [Varias contribuciones sobre Vallejo y un artículo sobre Moro].

P.60 Tamayo Herrera, José. *Historia del indigenismo cuzqueño*. Lima: Instituto Nacional de Historia, 1980. [Mucha información sobre la obra de Luis E. Valcárcel, su relación con Mariátegui y algunas revistas indigenistas que no eran precisamente vanguardistas].

P.61 Tamayo Herrera, José. *Historia social e indigenismo en el altiplano*. Lima: Treintaitres, 1982. [Dos capítulos extensos e informativos sobre el grupo *Orkopata*, la revista *Boletín Titikaka* y los hermanos Alejandro Peralta y Gamaliel Churata].

P.62 Tamayo Vargas, Augusto. *Literatura peruana*. Lima: Peisa, 3 tomos, 1993. [Estudios sobre muchos autores y movimientos de la vanguardia en el tomo 3, capítulos “Del posmodernismo” y “Vanguardistas y contemporáneos”].

P.63 Toro Montalvo, César. *Historia de la literatura peruana*. Lima: AFA Editores, 1996. [Obra monumental que se centra en la presentación de autores; casi se podría decir que se trata de un diccionario de autores con comentarios de textos. El tomo X trae a colación la mayoría de los poetas vanguardistas; el tomo XII, la narrativa de los años veinte y treinta].

P.64 Unruh, Vicky. *The Avant-Garde in Peru: Literary Aesthetics and Cultural Nationalism*. Diss. University of Austin, 1984. [Trabajo fundamental; se centra especialmente en Mariátegui, el indigenismo, el grupo *Orkopata* y su revista *Boletín Titikaka*, y en los hermanos Alejandro Peralta y Gamaliel Churata; buena bibliografía].

P.65 Veres, Luis. *Periodismo y literatura de vanguardia en América Latina: el caso peruano*. Valencia: Universidad Cardenal Herrera, 2003. [Más interesado en la vanguardia política y los debates acerca del indigenismo que en la literatura; ofrece algunas informaciones útiles sobre grupos y revistas, especialmente sobre *Amauta*; amplia bibliografía, pero no muy actualizada. Anteriormente, el autor había publicado numerosos artículos sobre *Amauta* y su relación con las vanguardias europeas, p. ej. en los núms. 15 y 20 de la revista electrónica *Espéculo* de Madrid].

Artículos

P.66 Arias-Larreta, Abraham. "Realidad lírica peruana", en *Revista Iberoamericana*, núm. 7, 1941, pp. 53-87. [Artículo muy instructivo sobre los movimientos poéticos de los años veinte y treinta; con mucha información bibliográfica sobre libros y revistas. Además de muchos vanguardistas conocidos, presenta, pp. 78-81, a Anaximandro Vega, colaborador de la revista *La Sierra*].

P.67 Basadre, Jorge. "Divagación sobre literatura reciente", en J. B. *Equivocaciones*. Lima: La Opinión Nacional, 1928, pp. 40-43. [Inventario del movimiento vanguardista peruano de su época; ed. facs. del libro de Basadre (ed. Ismael Pinto), Lima: Universidad San Martín de Porres, 2003. En una reseña de la nueva edición (en *Quehacer*, Lima, núm. 141, 2003), Mirko Lauer incluso quiere ver en este libro de ensayos en su conjunto un libro vanguardista].

P.68 Belli, Carlos Germán. "El surrealismo en el Perú", en Luis Sainz de Medrano (ed.). *Las vanguardias tardías en la poesía hispanoamericana*. Roma: Bulzoni, 1993, pp. 195-203. [Breve revisión de autores, de Eguren hasta los poetas-pintores Gerardo Chávez y Carlos Revilla].

P.69 Böhringer, Wilfried. "Der Indigenismus in Peru", en *Iberoamericana* (Frankfurt am Main), núm. 15, 1982, pp. 58-77. [Ofrece un esquema del movimiento indigenista del Perú y su expresión en distintas ramas literarias, p. ej. la vanguardista].

P.70 Bolaños, Federico. "La nueva literatura peruana", en *La Pluma* (Montevideo), núm. 10, 1929, pp. 73-77. [Revisión contemporánea completa de la vanguardia peruana].

P.71 Bremer, Thomas. "*Canté un día la alegría de las locomotoras*. Aspekte der Futurismus-Rezeption bei Juan Parra del Riego (Peru/Uruguay) und Manuel Maples Arce (Mexiko) und der Übergang vom Modernismus. Mit einem Anhang zu Marinettis Lateinamerika-Reise 1926", en Harald Wentzlaff-Eggebert (ed.). *Europäische Avantgarde im lateinamerikanischen Kontext/ La vanguardia europea en el contexto latinoamericano*. Frankfurt am Main: Vervuert, 1991, pp. 105-145. [Además de la comparación entre Parra del Riego y Maples Arce, da una revisión corta del movimiento vanguardista en el Perú].

P.72 Cornejo Polar, Jorge. "Notas sobre indigenismo y vanguardia en el Perú", en James Higgins (ed.). *Heterogeneidad y literatura en el Perú*. Lima:

Centro de Estudios Literarios Antonio Cornejo Polar, 2003, 199-221. [Breve presentación del "indigenismo vanguardista" como "fenómeno de la transculturación"].

P.73 Lauer, Mirko. "La poesía vanguardista en el Perú", en *Revista de Crítica Literaria Latinoamericana*, núm. 15, 1982, pp. 77-86. ["Casi no hay nombre de poeta que quepa entero en el vanguardismo (...); pero a la vez son pocos los que en ese momento se libraron de alguna forma de asociación con la vanguardia", p. 77; *cfr*. también su *Los exilios interiores* (Martín Adán), 1983].

P.74 Lauer, Mirko. "Máquinas y palabras: la sonrisa internacional hacia 1927", en Ana Maria de Moraes Belluzo (ed.). *Modernidade: vanguardas artísticas na América Latina*. São Paulo: Memorial, Unesp, 1990, pp. 45-65. [Resumen de sus trabajos sobre la vanguardia peruana].

P.75 López Lenci, Yazmín. "La vanguardias peruanas: la reconstrucción de continuidades culturales", en *Revista de Crítica Literaria Latinoamericana*, núm. 62, 2005, pp. 143-161. [Buen resumen de la vanguardia peruana y al mismo tiempo resumen de su libro *El laboratorio*, de 1999].

P.76 Martínez Gómez, Juana. "El libro-galería como manifiesto en la vanguardia peruana (Alberto Hidalgo y Alberto Guillén)", en *Anales de Literatura Hispanoamericana*, núm. 26, 2, 1997, pp. 353-361 (existe una versión *online*). ["Libro-galería" es para la autora una publicación seudo-crítica y elogiosa-ególatra sobre los autores contemporáneos que sirve, en la vanguardia, como una especie de manifiesto panfletario. En el caso peruano, se trata de *Hombres y bestias* (1918) y *Muertos, heridos y contusos* (1920), de Hidalgo, y de *La linterna de Diógenes* (1921 y 1923), de Guillén; estudio que merece atención].

P.77 Martínez Gómez, Juana. "Indigenismos y vanguardia en el Perú", en Eloy Navarro Domínguez y Rosa García Gutiérrez (eds.). *Nacionalismo y vanguardias en las literaturas hispánicas*. Huelva: Universidad de Huelva, 2002, 273-288. [Breve resumen de la tendencia indigenista de la vanguardia peruana (Mariátegui, Churata *et al.*)].

P.78 Martos, Marco. "Reflexión sobre la poética de los movimientos de vanguardia latinoamericana", en *Les Langues Néo-Latines*, núm. 297, 1996, pp. 157-167. [Discute primordialmente la relación de Vallejo, Moro, Westphalen y Abril con el surrealismo; *cfr*. también su "Reflexión sobre vanguardia y surrealismo en el Perú", en *Lienzo* (Lima), núm. 17, 1996, pp. 171-183].

P.79 Melis, Antonio. "La poesia degli anni '30 tra avanguardia e impegno: il caso peruviano", en *Letterature d'America*, Vol. 5, núms. 24-25, 1984, pp. 123-134. [Esboza a grandes rasgos la poesía vanguardista después de *Amauta*].

P.80 Monguió, Luis. "El agotamiento del modernismo en la poesía peruana", en *Revista Iberoamericana*, núm. 36, 1953, pp. 227-267. [Revisión de la poesía peruana de aproximadamente 1915-1920: la transición del modernismo al vanguardismo; *cfr*. su libro *La poesía postmodernista*, 1954].

P.81 Moore, Melisa. "Critical Junctures: Politics, Poetics and Female Presence in the Avant-garde in Peru", en *Journal of Iberian & Latin American Studies*, Vol. 12, núm. 1, 2006, pp. 1-14. [Sospechamos que se trata de un artículo sobre Magda Portal].

P.82 Núñez, Estuardo. "Expresionismo en la poesía indigenista del Perú", en *The Spanish Review*, núm. 2, 1935, pp. 69-79. [Compara el expresionismo alemán con la poesía de Vallejo, Alejandro Peralta y Guillermo Mercado].

P.83 Núñez, Estuardo. "La recepción del surrealismo en el Perú", en Peter G. Earle y Germán Gullón. *Surrealismo/Surrealismos. Latinoamérica España*. Philadelphia: University of Pennsylvania, 1977, pp. 40-48. [Se centra en la acogida dada al surrealismo por parte de *Amauta* (Mariátegui y Xavier Abril; *cfr*. también su libro sobre Mariátegui, 1978, y la versión del artículo publicado en su *Las letras de Francia y el Perú*. Lima: UNMSM, 1997].

P.84 Ortega, Julio. "Moro, Westphalen y el surrealismo", en José Ignacio Uzquiza González (ed.). *Lo Real Maravilloso en Iberoamérica*. Actas del I simposio internacional de literatura iberoamericana en Cáceres, 1990. Cáceres: Junta de Extremadura/Universidad de Extremadura, 1992, pp. 95-114. [Contiene muchos detalles sobre la *Exposición surrealista* en Lima, 1935, la discusión entre Moro y Huidobro, y la amistad entre Moro y Westphalen].

P.85 Oviedo, José Miguel. "Cuatro vanguardistas peruanos", en *Anales de Literatura Hispanoamericana*, núm. 28, 2, 1999, pp. 1067-1080 (existe una versión *online* de la revista). [Breve presentación comentada de vidas y obras de Adán, Oquendo de Amat, Abril, Moro y Westphalen].

P.86 Pantigoso, Manuel. "Autoctonismo y expresionismo poético en el Perú del siglo XX", en *Boletín de la Academia Peruana de la Lengua*, núm. 20, 1985, pp. 87-121. [Revisa quince años de poesía peruana, de 1915 a 1930; entre los poetas que estudia brevemente son vanguardistas, para él, Vallejo, José Varallanos, Nicanor de la Fuente, Guillermo Mercado, Alejandro Peralta, Emilio Vásquez, Gamaliel Churata, Dante Nava, Emilio Armaza y Carlos Oquendo de Amat].

P.87 Paoli, Roberto. "Poetas peruanos frente a sus problemas expresivos", en R. P. *Estudios sobre literatura peruana contemporánea*. Firenze: Parenti, 1985, pp. 93-163. [Estudio que incluye, p. ej., los artículos: "Westphalen o la desconfianza de la palabra", "La lengua escandalosa de César Moro", "Lo hiperformal y lo informal de Martín Adán", y algunas observaciones a la obra de Xavier Abril].

P.88 Ripoll, Carlos. "Perú", en C. R. *La Revista de Avance (1927-1930): Episodio de la literatura cubana*. (Diss. New York University, 1964). Ann Arbor: UMI, 1988, pp. 56-70. [Breve revisión de la vanguardia peruana, desde la perspectiva de Mariátegui y *Amauta*].

P.89 Rivas, Pierre. "Périphérie et marginalité dans les surréalismes d'expression romane: Portugal, Amérique Latine", en Luis de Moura Sobral (ed.). *Surréalisme périphérique*. Montreal: Université de Montreal, 1984, pp. 11-20. [Gran parte de sus ejemplos de surrealistas latinoamericanos son peruanos; *cfr*. también su pequeña contribución "Le surréalisme au Pérou", en *Mélusine* III, 1982, pp. 109-114].

P.90 Schnelle, Kurt. "Literarische Avantgarden. Elite und Gegenkultur in Hispano-Amerika. Ein Versuch", en *Heidelberger Jahrbücher* 36, 1992, pp. 81-101. [Introducción general a las vanguardias latinoamericanas, con los ejemplos de Vallejo y Mariátegui].

P.91 Velázquez Castro, Marcel. "Los signos de la ceniza. Las primeras lecturas en el Perú del fenómeno de las vanguardias", en *Hueso Húmero*, núm. 39, 2001, pp. 131-148. [Indaga en la prehistoria de la vanguardia peruana, antes de 1920, con la Generación del 900, *Colónida*, Clemente Palma (como enemigo de la vanguardia), Valdelomar e Hidalgo; también publicado en las *Actas del Coloquio César Moro*, 2005].

P.92 Vich, Cynthia. "Hacia un estudio del 'indigenismo vanguardista': la poesía de Alejandro Peralta y Carlos Oquendo de Amat", en *Revista de Crítica Literaria Latinoamericana*, núm. 47, 1998, pp. 187-205. [Sobre el papel que desempeña la metáfora en la conformación del indigenismo vanguardista de ambos autores; *cfr*. también su tesis de doctorado sobre el *Boletín Titikaka*, publicada en 2000].

P.93 Westphalen, Emilio Adolfo. "Poetas en la Lima de los años treinta", en E. A. W. y Julio Ramón Ribeiro. *Dos soledades*. Lima: Instituto Nacional de Cultura, 1974, pp. 13-48. [Recuerdos personales de los poetas —vanguardistas— que tuvieron influencia sobre su poesía de los años treinta; reproducido en su *Otra imagen deleznable*, México, D. F., 1980].

P.94 Wise, David. "Indigenismo de izquierda y de derecha: dos planteamientos de los años 1920", en *Revista Iberoamericana*, núm. 122, 1983, pp. 159-169. [Aunque no se preocupe directamente de la vanguardia literaria, este artículo sirve para entender mejor el ambiente de la época, sobre todo en lo que se refiere a la publicación de revistas].

P.95 Zevallos Aguilar, Ulises Juan. "Balance y exploración de la base material de la vanguardia y de los estudios vanguardistas peruanos (1980-2000)", en *Revista de Crítica Literaria Latinoamericana*, núm. 53, 2001, 185-198. [Más que de balance de los estudios se trata de un llamado de atención sobre la necesidad de publicar ediciones facsimilares de las revistas de la época; *cfr*. también "La otra vanguardia. Propuesta de edición de revistas vanguardistas peruanas (1920-1930)", en Ignacio Arellano y José Antonio Mazzotti (eds.). *Edición e interpretación de textos andinos*. Pamplona/Madrid/ Frankfurt: Universidad de Navarra/Iberoamericana/Vervuert, 2000].

Revistas y grupos

P.96 *ABCDARIO*. Hojas de Letra, Arte, Crítica. Revista, Lima. 1929-1930. Director: José Varallanos; colabora, p. ej. Emilio Adolfo Westphalen.

P.97 *LA ALDEA*. Revista, Arequipa. 1927? Director: Manuel Gallegos Sanz.

P.98 *AMAUTA*. Revista mensual de doctrina, arte, literatura, polémica. Revista, Lima. 32 núms. de septiembre de 1926 a septiembre de 1930; no se publicó de junio a noviembre de 1927. Director de septiembre de 1926 a abril de 1930: José Carlos Mariátegui; de mayo a septiembre de 1930: Ricardo Martínez de la Torre; colaboran: Xavier Abril, Martín Adán, Alejo Carpentier, Mario Chávez, Serafín Delmar, José María Eguren, Nicanor de la Fuente, Nicolás Guillén, Carlos Oquendo de Amat, César A. Miró Quesada, Magda Portal, Alejandro Peralta, Gamaliel Churata, Antero Peralta Vásquez, Guillermo Mercado, Adalberto Varallanos, José Varallanos, Emilio Adolfo Westphalen, María Wiesse y muchos otros.

P.99 Edición facsimilar (ed. José Carlos Mariátegui Chiappe; pról. Alberto Tauro; índice Violeta de Guerra García). Lima: Amauta, 6 tomos, 1976 (2ª. ed. 1981).

Crítica

Libros

P.100 Banning, Beverly B. *Amauta (1926-1930)*. Diss. Tulane University, 1982. [Tiene un índice muy valioso de “Literary Contributers” y sus contribuciones; igualmente valioso el estudio].

P.101 Mariátegui Chiappe, Sandro (ed.). *Amauta y su época*. Simposio internacional, Lima, septiembre de 1997. Lima: Minerva, 1998. [Para la lista de contribuciones al tema *cfr*. arriba sección “Visiones de conjunto”].

P.102 Tauro, Alberto. *Amauta y su influencia*. Lima: Amauta, 12ª. ed. 1989 (1ª. ed. 1960, Ediciones Populares de las *Obras completas* de José Carlos Mariátegui, Vol. 19). [Índice muy valioso de *Amauta*, precedido de un corto estudio de la revista; el índice fue publicado anteriormente en la revista *Boletín Bibliográfico*, Lima, núms. 8 y 9, 1938-39].

P.103 Wise, David Oakley. *“Amauta”. 1926-1930. A Critical Examination*. (Diss. University of Illinois, 1978). Ann Arbor: UMI, 1981. [El cap. V trata de *Amauta* y el arte, especialmente de literatura vanguardista].

Artículos

P.104 Bermúdez Gallegos, Marta. “*Colónida* y *Amauta*: Revaloración de la revista y su papel en la modernidad”, en *Romance Languages Annual*, núm. 3,

1991, pp. 357-363. [Demuestra el desarrollo de la poesía vanguardista en el Perú desde *Colónida* hasta *Amauta*].

P.105 Garscha, Karsten. "Die Universitätsreform-Bewegung in Peru und die Zeitschrift *Amauta*", en *Iberoamericana* (Frankfurt am Main), núm. 15, 1982, pp. 78-87. [Subraya la importancia de la reforma universitaria para Mariátegui y *Amauta*].

P.106 Mathews, Daniel. "Las polémicas literarias en *Amauta*", en *Revista Nacional de Cultura* (Caracas), núms. 294-295, 1994, pp. 42-53. [Unas cuántas páginas sobre la polémica Magda Portal-Miguel Ángel Urquieta en la revista].

P.107 Melis, Antonio. "La experiencia vanguardista en la revista *Amauta*", en Harald Wentzlaff-Eggebert (ed.): *Europäische Avantgarde im lateinamerikanischen Kontext/ La vanguardia europea en el contexto latinoamericano*. Frankfurt am Main: Vervuert, 1991, pp. 361-370. [Artículo informativo sobre Mariátegui, *Amauta* y la vanguardia literaria del Perú].

P.108 Nitschack, Horst. "La recepción de la cultura de habla alemana en *Amauta*", en Miguel Giusti y Horst Nitschack (eds.): *Encuentros y desencuentros. Estudios sobre la recepción de la cultura alemana en América Latina*. Lima: PUC, 1993, pp. 231-259. [Partiendo del artículo de Antonio Melis, 1991, amplía el espectro de las influencias alemanas en *Amauta* más allá del expresionismo].

P.109 Sánchez, Luis Alberto. "Amauta: su proyección y su circunstancia", en *Cuadernos Americanos*, Vol. 36, núm. 1, 1977, pp. 142-149. [Compara brevemente *Amauta* con *Colónida*].

P.110 Wise, David Oakley. "*Amauta* (1926-1939). Una fuente para la historia cultural peruana", en Víctor Berger (ed.): *Ensayos sobre Mariátegui*. Lima: Amauta, 1987, pp. 125-154. [Resumen de una parte de su tesis de 1978; primera publicación del artículo en la *Revista Interamericana de Bibliografía*, 1979; existe otro artículo sobre el indigenismo en *Amauta* en *Ideologies and Literatures*, núm. 13, 1980, pp. 70-104].

P.111 ***Boletín Titikaka***. Revista, Puno. 34 núms. de agosto de 1926 a mediados de 1930. Directores: Alejandro Peralta y Arturo Peralta (Gamaliel Churata); colaboran: Luis E. Valcárcel, Emilio Romero, Luis de Rodrigo *et al.* [Revista del grupo *Orkopata*].

P.112 Edición facsimilar (ed. Dante Callo Cuno). Arequipa: Universidad Nacional de San Agustín, 2004.

Crítica

P.113 Churata, Gamaliel. "Pórtico", en Emilio Vásquez: *Altiplanía*. Lima: Instituto Puneño de Cultura, 1966, pp. 7-12. [Aprovecha el prólogo a este libro de poesías para recordar el movimiento poético del Titikaka y sus integrantes].

P.114 Rodríguez Rea, Miguel Ángel. "Guía del Boletín Titikaka (Puno, 1926-1930)", en *Hueso Húmero*, núm. 10, 1981, pp. 184-204; y núm. 11, 1981, pp. 140-159. [Incluye un índice temático y onomástico].

P.115 Vich, Cynthia Maria. *Indigenismo de vanguardia en el Perú. Un estudio sobre el Boletín Titikaka*. Lima: PUCP, 2000. [Diss. Stanford University, 1995; trabajando con el concepto del "campo literario" de Bourdieu, se centra especialmente en el papel de Churata y Alejandro Peralta; rechaza la visión indígena —o sea, el *Boletín* como publicación de y para indígenas— y subraya la conformación específica —también sociológica— del vanguardismo indigenista].

P.116 Wise, David Oakley. "Vanguardismo a 3800 metros: el caso del *Boletín Titikaka* (Puno, 1926-1930)", en *Revista de Crítica Literaria Latinoamericana*, núm. 20, 1984, pp. 89-100. [Subraya la importancia de la revista, y el papel sobresaliente de Gamaliel Churata en ella].

P.117 Zevallos Aguilar, Ulises Juan. *Indigenismo y nación. Los retos a la representación de la subalternidad aymara y quechua en el Boletín Titikaka*. Lima: Banco Central de Reserva/Instituto Francés de Estudios Andinos, 2002. [Indaga en la identidad de los intelectuales alrededor del *Boletín*, como los que buscaron una nueva cohesión nacional, situado en un lugar específico, los Andes, como sujetos de enunciación en medio de los indios subalternos y los grupos hegemónicos; no se centra específicamente en los aspectos literarios].

P.118 **Colónida**. Revista de combate. Revista, Lima. 4 (?) núms., 1916. Director: Abraham Valdelomar; colaboran: Enrique Bustamante y Ballivián, José María Eguren, César Atahualpa Rodríguez, José Carlos Mariátegui y otros. [Publica en 1916 la antología *Voces múltiples*].

P.119 Edición facsimilar (pról. Luis Alberto Sánchez; carta de Alfredo González Prada). Lima: Copé, 1981.

Crítica

P.120 Arroyo Reyes, Carlos. "Abraham Valdelomar y el movimiento colonidista", en *Cuadernos Hispanoamericanos*, núm. 557, 1996, pp. 83-95. [Revisa la revista, preguntando por la influencia que iba a ejercer sobre los movimientos vanguardistas de los años veinte].

P.121 Bermúdez Gallegos, Marta. "*Colónida* y *Amauta*: Revaloración de la revista y su papel en la modernidad", en *Romance Languages Annual*, Vol. 3, 1991, pp. 357-363. [Demuestra el desarrollo de la poesía vanguardista en el Perú desde *Colónida* hasta *Amauta*].

P.122 Tamayo Vargas, Augusto. *Literatura Peruana*. Lima: Paisa, 1993, t. 3, pp. 728-730. [Corta revisión de la revista: "Es una etapa de presentación de los que habrá de ser la literatura peruana durante unos 30 años"].

P.123 Tauro, Alberto. "Colónida en el modernismo peruano", en *Revista Iberoamericana*, núm. 1, 1939, pp. 77-82. [Breve revisión de la revista].

P.124 Tauro, Aberto. "Bibliografía de Colónida", en *Revista Iberoamericana*, núm. 3, 1939, pp. 461-467.

P.125 ***Chirapu***. Revista, Arequipa. Por lo menos 7 núms., 1928. Director: Antero Peralta Vásquez; colaboran: Carlos Oquendo de Amat, Guillermo Mercado, César Atahualpa Rodríguez, César A. Miró Quesada, Armando Rivera, Óscar Cerruto (Bolivia) y otros.

P.126 ***Escocia***. Revista, Arequipa. 1927. Director: Francisco Mostajo.

P.127 ***Flechas***. Revista quincenal de letras. Órgano de las modernas orientaciones literarias y de los nuevos valores intelectuales del Perú. Revista, Lima. Núm. 1, octubre de 1924 a núms. 4-6, diciembre de 1924. Directores: Federico Bolaños y Magda Portal; colaboran: Alejandro Peralta, Serafín Delmar, Juan José Lora, Luis de la Jara, Mario Chávez, César Atahualpa Rodríguez *et al*.

Crítica

P.128 Castañeda Vielakamen, Esther. *El vanguardismo literario en el Perú. Estudio y selección de la revista Flechas (1924)*. Lima: Amaru, 1989. [Estudio detenido de la revista con índice y antología. Llega a la conclusión de que *Flechas* abre el camino de la vanguardia pero que sus directores "no pueden desprenderse de las influencias modernistas", p. 51].

P.129 ***Guerrilla***. Revista, Lima. Por lo menos 2 núms, quizá 4, 1927. Directora: Blanca Luz Brum (Uruguay, viuda de Juan Parra del Riego); colabora: Serafín Delmar.

P.130 ***Hangar***. Ex-trampolín-arte supra-cosmopolita. Revista, Lima. Un número, octubre de 1926. Director: Juan José Lora. [Segundo número de *Trampolín*].

P.131 ***Hélice***. Revista de Vanguardia. Revista, Huancayo. Existe el núm. 7, 28 de julio de 1925. Director: Julián Petrovick.

P.132 ***Hurra***. Revista, Lima. Un número, 1927. Director: Carlos Oquendo de Amat.

P.133 ***Jarana***. Cuaderno de arte actual. Revista, Lima. Un número, 31 de octubre de 1927. Directores, p. ej.: Jorge Basadre y Adalberto Varallanos; colaboran: Xavier Abril, Mario Chávez, Juan José Lora, Néstor Martos, Rafael Méndez Dorich, Carlos Oquendo de Amat, Francis Xandoval.

P.134 Edición facsimilar de las páginas 1 y 4, en Adalberto Varallanos. *Permanencia*. Buenos Aires: Andimar, 1968, s. p.

P.135 **Orkopata**. Grupo, Puno. 1924-1930. Fundador: Arturo Peralta (Gamaliel Churata); integrantes: Alejandro Peralta, Emilio Vásquez, Luis de Rodrigo, Carlos Dante Nava, Emilio Armaza, Emilio Romero y otros. Colaboran con *Amauta*. [Grupo alrededor de la revista *Boletín Titikaka*].

Crítica

P.136 Badini, Riccardo: *L'indigenismo di Orkopata e El pez de oro*. Diss. Università di Siena, 1991-1992. [Tesis de doctorado al parecer no publicada; sin embargo hay toda una serie de contribuciones de Badini al estudio del grupo de Puno, especialmente de Churata].

P.137 ***Poliedro***. Revista, Lima. 8 núms. de agosto a diciembre de 1926. Director: Armando Bazán; colabora, p. ej.: Carlos Oquendo de Amat.

P.138 ***Presente***. Revista, Lima. 3 núms., 1930 o 1931. Directores: Ricardo Martínez de la Torre y Eudocio Ravines; colaboran: Carlos Oquendo de Amat, Emilio Romero, Jorge Basadre. [Revista fundada con la intención de continuar *Amauta* después de la muerte de Mariátegui].

P.139 ***La Puna***. Revista, Cuzco. 1927.

P.140 ***Rascacielos***. Ex-hangar-revista de arte internacional. Revista, Lima. Un número, noviembre de 1926. Director: Serafín Delmar. [Tercer número de *Trampolín*]

P.141 **Resurgimiento**. Grupo, Cuzco. Alrededor de 1929-1930. Dirigente: Luis E. Valcárcel.

P.142 ***La Sierra***. Revista, Lima. 34 núms. de enero de 1927 a julio de 1930. Director: Juan Guillermo Guevara; colaboran: Gamaliel Churata, Luis E. Valcárcel, Luis de Rodrigo, Carlos Oquendo de Amat, Anaximandro Vega *et al*.

Crítica

P.143 Wise, David Oakley. "La Sierra (1927-1930): 'The Voice of the Men of the Andes'", en *Revista Interamericana de Bibliografía. Inter-American*

Review of Bibliography, Vol. 35, núm. 2, 1985, pp. 166-190. [Importante publicación de la provincia; sin intervenir en la discusión acerca de la vanguardia, publica literatura vanguardista].

P.144 ***TIMONEL***. Ex-rascacielos arte y doctrina. Revista, Lima. Un número, marzo de 1927. Directora: Magda Portal. [Cuarto número de *Trampolín*].

P.145 ***TRAMPOLÍN***. Revista supra-cosmopolita-**HANGAR-RASCACIELOS-TIMONEL**. Revista, Lima. 1926-1927. Directores: Serafín Delmar, Magda Portal y Juan José Lora (Hangar); cuatro números de una revista, cada uno con un nuevo nombre; colaboran, p. ej.: Carlos Oquendo de Amat, Alberto Hidalgo, Alejandro Peralta, Gamaliel Churata, Óscar Cerruto (Bolivia).

P.146 Edición facsimilar en *Hueso Húmero*, núm. 7, 1980.

Crítica

P.147 Portal, Magda. "Una revista de cuatro nombres", en *Hueso Húmero*, núm. 7, 1980, pp. 101-104. [Recuerdos de la fundadora de la revista después de más de medio siglo].

P.148 ***EL USO DE LA PALABRA***. Revista, Lima. Un número, 1933. Directores: César Moro y Emilio Adolfo Westphalen; colabora: Rafael Méndez Dorich.

P.149 Edición facsimilar, César Moro, Emilio Adolfo Westphalen, Rafo Méndez, Paul Eluard, André Breton, Xavier Villaurrutia, *et al*. *El uso de la palabra* y *Vicente Huidobro o El obispo embotellado*. Lima: Sur Librería Anticuaria/El Virrey, 2004.

P.150 ***VANGUARDIA***. Revista, Cuzco. 1927.

P.151 **LOS ZURDOS**. Grupo, Arequipa. 1928. Fundador: Antero Peralta Vásquez; integrantes: César Atahualpa Rodríguez, Guillermo Mercado, Armando Rivera y otros. [Grupo alrededor de la revista *Chirapu*].

Crítica

P.152 Kapsoli, Wilfredo. "Prospecto del grupo 'Los Zurdos' de Arequipa", en *Revista de Crítica Literaria Latinoamericana*, núm. 20, 1984, pp. 101-110. [Revisión corta pero instructiva del grupo, de su revista *Chirapu*, y de sus relaciones con el grupo *Orkopata* de Puno; reeditado en su *Literatura e historia del Perú*. Lima: Lumen, 1986, pp. 55-74].

Autores

Abril, Xavier

Obras

P.153 *Exposition de poèmes et dessins*. Catalogue. Paris: Imprimeries Amédée-Chiroutre, 1927. [Catálogo de la Exposición de once poemas de Xavier Abril y dibujos de Jean Devéscovi, pról. de Jean Cassou, nota crítica de César Vallejo].

P.154 *Hollywood (Relatos contemporáneos)*. Madrid/Buenos Aires: Ulises, 1931. [Contiene: *Prosas para una dama de Europa*, Paris 1927; *Poemas turistas*, 1926-1927; *Bulevar*, Madrid 1926; *Pequeña estética*, 1923-1926].

P.155 *Difícil trabajo. Antología 1926-1930* (pról. Emilio Adolfo Westphalen). Madrid: Plutarco, 1935. [Contiene: *Taquicardia*, 1926; *Guía del sueño*, 1925-1928; *Difícil trabajo*, 1929; *Crisis*, 1928-1929].

P.156 *El autómata o Pequeño crimen burgués*. [Un capítulo publicado en *Bolívar*, Madrid, 1930; otros en el número dedicado a Abril de *Creación y Crítica*, núm. 9-10, 1971. El texto íntegro se publicó en Kishimoto Yoshimura. *Narrativa*, 1993, pp. 159-204].

P.157 *Descubrimiento del alba*. Lima: Front, 1937 (ed. facs. Montevideo: Mario Zanochi, 1982).

P.158 *Poesía inédita 1921-1976* (noticia bio-bibliográfica de María Luz Canosa Ortega). Montevideo: Graffiti, 1994. [Contiene, p. ej.: *Experiencia de París*, 1927-1935; *Retratos de mujeres*, 1934; y *Otros poemas*, 1921-1976].

P.159 *Poesía soñada* (pról. Marco Matos, noticia bio-bibliográfica de María Luz Canosa Ortega). Lima: UNMSM, 2006. [Reedición de sus siete poemarios, con bibliografía].

Crítica

P.160 *Congreso Internacional Carlos Oquendo de Amat, Abril y la vanguardia latinoamericana* en la Universidad San Marcos, 2005. [*Cfr*. la página web Carlos Oquendo de Amat; no obtuvimos información sobre la publicación de las Actas].

P.161 *Homenaje a Xavier Abril*, en *Creación y Crítica*, núm. 9-10, 1971. [Además de dos artículos de Washington Delgado y Antonio Melis, publica también obras inéditas de X. A.; buena bibliografía].

ADÁN, MARTÍN (seudónimo de Rafael de la Fuente Benavides)

Obras

P.162 *La casa de cartón* (pról. de Luis Alberto Sánchez; colofón de José Carlos Mariátegui). Lima: Talleres de Impresiones y Encuadernaciones Perú, 1928 (muchas reed., p. ej., con pról. de Luis Fernando Vidal y notas de Elsa Villanueva, Lima: Peisa, 1989; o Lima: Alfaguara, 2006; o ed. de Eva María Valero Juan, Madrid: Huerga y Fierro, 2006).

P.163 *La rosa de la espinela*. Lima: Cuadernos de Cocodrilo, 1939 = Separata del núm. 2 de la revista, agosto de 1939 (2ª. ed. Lima: Juan Mejía Baca, 1958).

P.164 *Travesía de extramares (Sonetos a Chopin)*. Lima: Ediciones de la Dirección de Educación Artística y Extensión Cultural del Ministerio de Educación Pública, 1950. [Muy discutida la pertenencia de los poemas a la vanguardia].

P.165 *Obra poética*. Lima: Instituto Nacional de Cultura, 1971. [Incluye la poesía publicada por el autor en libros, revistas y periódicos, entre 1927 y 1971, y una breve sección de poemas inéditos y textos críticos sobre el autor].

P.166 *Obra poética (1927-1971)* (pról. Edmundo Bendezú Aibar; bibl. Miguel Ángel Rodríguez Rea). Lima: Instituto Nacional de Cultura, 1976.

P.167 *Obra poética* (ed., pról. y notas Ricardo Silva Santisteban). Lima: Edubanco, 1980. [Contiene, p. ej., las colecciones: *Itinerario de primavera* (1927-1932); *La campana catalina* (1936); *La rosa de la espinela* (1939); *Sonetos a la rosa* (1931-1942); *Travesía de extramares. Sonetos a Chopin* (1929-1946); edición de los poemas con las últimas correcciones del autor].

P.168 *Obras en prosa* (ed., pról. y notas Ricardo Silva Santisteban). Lima: Edubanco, 1982. [Además de *La casa de cartón*, son de cierto interés algunos textos cortos de los años 1929-1931, pp. 91-101].

P.169 *Antología* (ed. y pról. Mirko Lauer). Madrid: Visor, 1989. [El pról. pone los poemas entre *Navidad* (1927) y *La rosa de la espinela* (1939) en la cercanía del vanguardismo; 2ª. ed. 2002].

P.170 *El más hermoso crepúsculo del mundo. Antología* (ed. y pról. José Aguilar Mora). México, D. F.: FCE, 1992. [Estudio de 150 páginas, muy recomendable; incluye el texto completo de *La casa de cartón*].

Crítica

Bibliografía

P.171 Weller, Hubert P. *Bibliografía analítica y anotada de y sobre Martín Adán (Rafael de la Fuente Benavides) (1927-1974)*. Lima: Instituto Nacional de Cultura, 1975. [Bibliografía exhaustiva, completa y comentada].

Libros y página web

P.172 Bendezú Aibar, Edmundo. *La poética de Martín Adán*. Lima: Villanueva, 1969. [Estudia principalmente a *Travesía* y, por eso, prácticamente no habla de vanguardia].

P.173 Bravo, José Antonio. *Biografía de Martín Adán*. Lima: Biblioteca Nacional, 1988. [Libro pequeño, muy útil para conseguir las primeras informaciones].

P.174 Chirinos, Eduardo. *Nueve miradas sin dueño. Ensayos sobre la modernidad y sus representaciones en la poesía hispanoamericana y española*. Lima: PUCP, 2004. [El capítulo sobre los "Poemas underwood" de *La casa de cartón* que interesa aquí, ya había sido publicado en la *Revista de Crítica Literaria Latinoamericana*, núm. 57, 2003, pp. 45-58].

P.175 Kinsella, John. *Lo trágico y su consuelo. Estudio de la obra de Martín Adán*. Lima: Mosca Azul, 1989. [Ante todo es un estudio sobre la obra poética de M. A., con muchas informaciones sobre la etapa vanguardista].

P.176 Lauer, Mirko. *Los exilios interiores: una introducción a Martín Adán*. Lima: Hueso Húmero Ediciones, 1983. [Edición que reúne y amplía varios estudios suyos sobre M. A. y la vanguardia peruana; muy interesante].

P.177 Malpartida Chaupin, Violeta Trinidad. *Interpretación de los filones inconscientes y otros tópicos en "La casa de cartón" de Martín Adán*. Tesis Lima: UNMSM, 2004 <www.cybertesis.edu.pe>. [Análisis lacaniano de la "novela vanguardista"].

P.178 *Martín Adán* <www.pucp.edu.pe/martinadan/index.htm>. [Pagina de la Biblioteca Central de la Universidad Católica, con informaciones sobre la Colección Martín Adán, con la edición electrónica de primeras ediciones, manuscritos y otros materiales].

P.179 Martínez, Elizabeth Coonrod. "Back to the Future in Vanguardia Narrative: Martín Adán's Vision and Revisioning of the New Era", in *Corner*, núm. 1, 1998, s. p. (versión *online*). [Pone a *La casa de cartón* entre el surrealismo y el expresionismo; *cfr*. también su *Before the Boom. Latin American Revolutionary Novels of the 1920s*, 2001 (sección América Latina)].

P.180 Piñeiro Mayorga, Máximo Andrés. *Desventura en extramares: conciencia desgarrada en la poética de Martín Adán*. Lima: UNMSM, 2003 (existe versión *online*). [Estudio filosófico de los sonetos a la rosa en *Travesía*; intenta ubicar la visión trágica de la vida de ellos dentro de la tradición judeocristiana; por su pregunta específica no se preocupa, obviamente, por la vanguardia].

P.181 Santos Gargurevich, Eduardo. *El estilo es una de las formas de la edad. (Una biografía de Martín Adán)*. Diss. University of Maryland College Park, 1992.

P.182 Smith, Karen Lynn Brownlee. *Mythic Patterns in the Poetry of Martín Adán*. Diss. 1984 (DAI 45, 5, 1984, pp. 1414A-1415A). [No pudimos ver la tesis].

P.183 Vargas Durand, Luis. *Martín Adán*. Lima: Brasa, 1995. [Estudio bio-bibliográfico, con amplia bibliografía].

Artículos

P.184 Bendezú Aibar, Edmundo. "La obra poética de Martín Adán", en A. David Kossoff *et al.* (eds.). *Actas del VIII Congreso de la Asociación Internacional de Hispanistas*. Madrid: Istmo, 1986, pp. 203-210. [Estudia la producción poética de Adán de los años veinte y treinta en el contexto de la vanguardia, con conclusiones como la siguiente: "Los sonetos de *Amauta*, más que anti-sonetos, fueron un intento bastante precoz de arribar a las orillas de una anti-poesía vanguardista", p. 204].

P.185 Bendezú Aibar, Edmundo. "Martín Adán", en E. B. A. *La novela peruana*. Lima: Lumen, 1992, pp. 151-170. [Toma la vanguardia como una corriente del modernismo, y por ende no queda siempre muy claro el resultado de su análisis de *La casa de cartón*].

P.186 Castro Arenas, Mario. "Cimientos estéticos de la *Casa de Cartón*", en M. C. A.: *De Palma a Vallejo*. Lima: Populibros Peruanos, 1964, pp. 125-135. [Compara la novela con *Ulisses* y con algunos textos de Gómez de la Serna; *cfr*. también las cinco páginas sobre la novela vanguardista peruana, dedicada casi exclusivamente a *La casa de cartón* en M. C. A. *La novela peruana y la evolución social*. Lima: José Godard, 2ª. ed., s. f., pp. 203-208].

P.187 Elmore, Peter. "*La casa de cartón* y *Duque*: más allá de la aldea", en P. E. *Los muros invisibles. Lima y la modernidad en la novela del siglo XX*. Lima: Mosca Azul, 1993, pp. 53-97. [Compara *La casa de cartón* como novela vanguardista con *Duque*, de José Díez-Canseco, novela no vanguardista].

P.188 Higgins, James. "Two Poet-Novelists of Peru", en Ann L. Mackenzie y Dorothy S. Severin (eds.). *Hispanic Studies in Honour of Geoffrey Ribbans* (Special Homage Volume of the *Bulletin of Hispanic Studies*). Liverpool: Liverpool University Press, 1992, pp. 289-296. [Estudio de *La casa de cartón*, clasificándola como "avant-garde work clearly influenced by Proust, Joyce and the surrealists", p. 289. El otro autor estudiado es Jorge Eduardo Eielson].

P.189 Karageorgou Bastea, Christina. "Voz narrativa: identidad y amor en *La casa de cartón* de Martín Adán", en *Torre de Papel* (Iowa), Vol. VI, núm. 3, 1996, pp. 9-25. [La técnica narrativa de la novela va más allá de las "obligaciones generacionales" vanguardistas, p. 23].

P.190 Kinsella, John. "The Artist as Subject: A Study of Martín Adan's *La casa de cartón*", en P. S. N. Russell-Gebbett *et al.* (eds.). *Belfast Spanish and*

Portuguese Papers. Belfast: Queen's University, 1979, pp. 69-77. [Después de la revisión de la crítica, analiza la obra como novela vanguardista].

P.191 Kinsella, John. "Realism, Surrealism, and *La casa de cartón*", en Steven Boldy (ed.). *Before the Boom: Four Essays on Latin-American Literature Before 1940*. Liverpool: University of Liverpool, 1981, pp. 31-39. [Artículo que subraya la técnica vanguardista de la novela].

P.192 Kinsella, John. "La creación de Barranco: un estudio de *La casa de cartón* de Martín Adán", en *Revista de Crítica Literaria Latinoamericana*, núm. 26, 1987, pp. 87-96. [Encuentra en la novela "una percepción cubista" y "premisas surrealistas", p. 90].

P.193 Kinsella, John. "La travesía poética de Martín Adán", en *Inti* (Cranston), núms. 29-30, 1989, pp. 169-176. [Estudio de dos poemas de *Travesía de extramares*].

P.194 Loayza, Luis. "Martín Adán en su casa de cartón", en L. L. *El Sol de Lima*. Lima: Mosca Azul, 1974, pp. 127-141. [Subraya la novedad del estilo de la novela sin querer usar un concepto fijo de "ismo"; publicado también en *Ínsula*, núms. 332-333, 1974, pp. 8-9].

P.195 Sologuren, Javier. "Martín Adán: un olvidado en el paraíso de la vanguardia", en *Revista de la Universidad de México*, Vol. 34, núm. 1, 1979, pp. 24. Seguido del cuento "Mis primeros cinco amores", de Martín Adán, pp. 25-28. [Breve estudio sobre el estilo de *La casa de cartón*].

P.196 Vargas Llosa, Mario. "La casa de cartón", en *Cultura Peruana* (Lima), núm. 135-136, 1959, s. p. (9 y 62); y núm. 137, 1959, s. p. (7 y 46). [Artículo breve que inicia o reanuda la discusión sobre la 'novela' de M. A.; varias veces publicado].

P.197 Vélez, Julio. "Martín Adán: la palabra y el laberinto", en *Revista Iberoamericana*, núm. 159, 1992, pp. 657-671. [Intenta discutir la presencia de M. A. en los movimientos de vanguardia, centrándose, sin embargo, casi exclusivamente en la discusión del concepto de vanguardia en general].

P.198 Verani, Hugo J. "*La casa de cartón* de Martín Adán y el relato vanguardista hispanoamericano", en Antonio Vilanova (ed.). *Actas del X Congreso de la Asociación Internacional de Hispanistas*, Barcelona 1989. Barcelona: PPU, 1992, Vol. 4, pp. 1077-1084. [Más que analizar la novela en el sentido estricto de la palabra, se vale de *La casa de cartón* para explicar con ella los principios de una narrativa vanguardista; estudio bastante importante].

P.199 Weller, Hubert P. "*La casa de cartón* de Martín Adán y el mar como elemento metafórico", en *Letras* (Lima), núms. 66-67, 1961, 142-153. [Estudia la relación de M. A. con el surrealismo y el creacionismo].

ALVARADO SÁNCHEZ, JOSÉ

Obra

P.200 *Arte de olvidar*. Lima: Palabra, 1942.

ARMAZA VALDEZ, EMILIO

Obra

P.201 *Falo*. Puno: Tipografía Comercial, 1926.

BOLAÑOS DÍAZ, ÓSCAR (*cfr.* Julián Petrovick)

BOLAÑOS DÍAZ, REYNALDO (*cfr.* Serafín Delmar)

BUSTAMANTE Y BALLIVIÁN, ENRIQUE

Obras

P.202 *Antipoemas*. Buenos Aires: El Inca, 1927 (reedición en *9 libros vanguardistas*, 2001).

P.203 *Junín*. Lima: La Revista, 1930. [En algunos poemas todavía se siente la estética vanguardista].

P.204 *Obras completas*. Lima: Compañía de Impresores y Publicaciones, 4 tomos, 1955-58. [El tomo IV, 1958, incluye *Antipoemas* y *Junín*].

Crítica

P.205 Núñez, Estuardo. "La poesía de Enrique Bustamante y Ballivián", en *Letras* (Lima), núm. 6, 1937, pp. 78-109. [Con algunas observaciones sobre los dos poemarios enunciados].

P.206 Tamayo Vargas, Augusto. *Literatura Peruana*. Lima: Peisa, 1993, t. 3, pp. 686-691. [Esboza su camino poético desde el modernismo hasta el vanguardismo, nombrándolo precursor de la literatura moderna peruana, al lado de Eguren y Valdelomar].

P.207 Xammar, Luis Fabio. "La poesía de Enrique Bustamante y Ballivián", en *Letras* (Lima), núm. 30, 1945, pp. 57-95. [Subraya el hecho curioso de que E. B. y B. publicara al mismo tiempo, viviendo en Montevideo, su obra vanguardista y las *Odas vulgares*, escritas quince años antes].

CHÁVEZ, MARIO J. (también: Chabes)

Obras

P.208 *Alma*. Arequipa: Edición del autor, 1922.

P.209 *El silbar del payaso* (pról. Miguel A. Urquieta). Arequipa: Editorial Urquieta, 1923.

P.210 *Ccoca*. Buenos Aires: El Inca, 1926.

Crítica

P.211 García, Carlos. "Macedonio y Mario Chabes", en *macedonio.net*, 22 de mayo de 2005, s. p. <www.macedonio.net/critical/macchabes.htm>. [Breves notas sobre la relación entre Macedonio Fernández y M. Ch., con reproducción de sus cartas].

CHÁVEZ ALIAGA, NAZARIO

Obras

P.212 *Parábolas del Ande*. Cajamarca: El Perú, 1928 (2ª. ed., con postfacio de Óscar Cerruto, Lima: Norma, 1960). [Mirko Lauer, en su pról. a *9 libros vanguardistas*, 2001, incluye *Huerto de lilas*, de 1927, en una lista de posibles libros vanguardistas que esperan su reedición].

P.213 *Autobiografía*. Lima: Unica, 1973. [En las pp. 69-75 habla de la fundación del diario *El Perú* de Cajamarca, en el cual colaboraron, p. ej., José Carlos Mariátegui, Alejandro Peralta, José Varallanos y Nicanor de la Fuente, y de sus relaciones con Mariátegui y *Amauta*].

CHURATA, GAMALIEL (seudónimo de Arturo Peralta)

Obras

P.214 *El pez de oro. Retablos del Layhkakuy*. La Paz: Canata, 1957 (2ª. ed., pról. Luis E. Valcárcel, epíl. José Luis Ayala, Lima, Puno: Cordepuno = tomo I y II del II Festival del Libro Puneño, 1987). [Contiene los escritos de los años veinte y treinta].

P.215 *Antología y valoración*. Lima: Instituto Puneño de Cultura, 1971. [Contiene una selección de *El pez de oro*, y otras prosas líricas, ensayos y poesías; además de una docena de estudios sobre vida y obra del autor. Antología muy valiosa].

P.216 [*Alfabeto del incognoscible. Resurrección de los muertos. Obra inédita*]. Probablemente Lima 2007. [Proyecto de publicación de Riccardo Badini y José Luis Ayala; igualmente supimos de otro proyecto de los dos sobre *El pez de oro*].

Crítica

P.217 Aramayo, Omar. *"El Pez de oro", la Biblia del indigenismo*. Tesis no publicada, Puno, 1979. [No pudimos ver el trabajo; *cfr*. Tamayo Herrera, 1982 (Visones de conjunto)].

P.218 Badini, Riccardo. "La fucina del popolo. Il sincretismo nella cultura andina: Il caso Churata", en Luciano Giannelli e Maria Beatrice Lenzi (eds.). *L'America e la differenza*. Siena: Università di Siena, Laboratorio EtnoAntropologico, 1994, pp. 119-131. [Lee a Churata en el contexto de una utopía indigenista que tiene consecuencias para la forma literaria y lingüística de su obra; tiene varios otros trabajos sobre Churata].

P.219 Bosshard, Marco Thomas. *Ästhetik der andinen Avantgarde. Gamaliel Churata zwischen Indigenismus und Surrealismus*. Berlin: Wissenschaftlicher Verlag, 2002. [Altamente recomendable porque ofrece una extensa revisión de la literatura crítica sobre G. Ch., incluyendo algunas de las tesis no publicadas (p. ej. la de Guissela González Fernández y Juan Carlos Ríos Moreno). A través de detenidos análisis, especialmente del discurso mitológico en *El pez de oro*, busca delimitar las semejanzas y las diferencias entre vanguardia europea, especialmente el surrealismo, y la escritura de Churata: una especie de vanguardismo basado en la cosmología indígena andina].

P.220 Bosshard, Marco Thomas. "Mito y monada: la cosmovisión andina como base de la estética vanguardista de Gamaliel Churata", aparece en *Revista Iberoamericana*, núm. 219, 2007. [Resumen de su monografía de 2002].

P.221 Dottori, Nora. "Sobre *El pez de oro* de Gamaliel Churata", en Noé Jitrik (ed.). *Atípicos de la literatura latinoamericana*. Buenos Aires: Instituto de Literatura Hispanoamericana, 1996, 309-313. [Brevísima presentación del libro].

P.222 González Vigil, Ricardo. "Surrealismo y cultura andina: la opción de Gamaliel Churata", en *Avatares del Surrealismo en el Perú y en América Latina. Avatars du surréalisme au Pérou et en Amérique Latine* (eds. Joseph Alonso, Daniel Lefort y José A. Rodríguez Garrido). Lima: Institut Français d'Études Andines, PUCP, 1992, pp. 111-129. [Estudia la relación entre indigenismo y vanguardismo, especialmente surrealismo, en la obra de G. Ch.; otra edición, con dos artículos pequeños, en su *El Perú es todas las sangres*, 1991].

P.223 Huamán, Miguel Ángel. *Fronteras de la escritura. Discurso y utopía en Churata*. Lima: Horizonte, 1994. [Libro crítico exhaustivo; incluye su tesis de 1991: *Deconstrucción de una utopía. Claves para la lectura de El Pez de Oro de Gamaliel Churata*, un artículo, publicado antes en *Literaturas Andinas*, Vol. 3, núms. 5-6, 1991, pp. 23-44, y un texto de G. Ch.; con bibliografía completa; muy importante].

P.224 Huamán Peñazola, Domingo. *El retorno de Gamaliel Churata a Puno*. Lima: Tarea, 1982. [Dentro de la crónica sobre el traslado de los restos mortales, informaciones, documentos y discursos sobre su vida literaria].

P.225 Pantigoso, Manuel. *El ultraorbicismo en el pensamiento de Gamaliel Churata*. Lima: Universidad Ricardo Palma, 1999. [Libro, a la par muy valioso por la gran cantidad de nueva información que ofrece sobre G. Ch., y muy controvertido por el intento del autor de aplicar el término "ultraorbicismo" como nueva vertiente del vanguardismo a Churata y el grupo Orkopata].

P.226 Usandizaga, Helena. "Cosmovisión y conocimiento andinos en el *Pez de oro* de Gamaliel Churata", en *Revista Andina*, núm. 40, 2005, pp. 237-259. [Contribución que subraya el alto nivel del debate de los últimos años sobre el libro de Churata; lo analiza desde la perspectiva andina, sin desconocer las tendencias vanguardistas occidentales].

Dammert Elguera, Enrique

Obra

P.227 *Biografía del joven que no vale nada*. Lima: Unión, 1931. [Novela con un "Prólogo desglosable"].

Delmar, Serafín (seudónimo de Reynaldo Bolaños Díaz)

Obras

P.228 *Los espejos envenenados*. [Perú] 1926.

P.229 *El derecho de matar* (en colaboración con Magda Portal). La Paz: Continental, 1926.

P.230 *Radiogramas del Pacífico*. Lima: Minerva, 1927.

P.231 *Opiniones sobre el libro "El movimiento estridentista" de Germán List Arzubide*. Xalapa, 1928. [Colaborador].

P.232 *El hombre de estos años*. México, D. F.: Ediciones Apra, 1929.

Crítica

P.233 Baquerizo, Manuel J. "La poesía de Junín: vanguardismo y modernidad", en *Hueso Húmero*, núm. 30, 1994, pp. 49-65. [Estudiando las actividades de S. D. en el ambiente literario de los años veinte, da una visión interesante de las revistas vanguardistas, de las diferencias entre la provincia y Lima, y de la conexión entre indigenismo y vanguardismo; *El hombre de estos años*, y las obras que siguen, abandonan "ya del todo el estilo ultraísta", p. 64].

P.234 Barquero, J. "Serafín Delmar, precursor de la literatura social del Perú", en *Proceso* (Huancayo), núm. 6, 1977, pp. 3-16. [Encuentra el valor literario de S. D. no en la poesía, sino en la narrativa; por ser uno de los primeros artículos extensos sobre el autor, estudio fundamental].

P.235 Sánchez, Luis Alberto. "Prólogo", en S. D. *Sol. Están destruyendo a tus hijos*. Buenos Aires: América Lee, 1941. [Muchas informaciones sobre la vida y la obra de S. D. y Magda Portal].

EGUREN, JOSÉ MARÍA

Crítica

P.236 Areta Marigó, Gema. "José María Eguren: algunas claves poéticas", en Leonor Fleming y María Teresa Bosque Latra (eds.). *La crítica literaria española frente a la literatura latinoamericana*. México, D. F.: UNAM, 1993, pp. 85-93. [Artículo muy informativo sobre la relación de Eguren con la vanguardia, revisando gran parte de la literatura sobre el poeta].

P.237 Belli, Carlos Germán. "El surrealismo en el Perú", en Luis Sainz de Medrano (ed.). *Las vanguardias tardías en la poesía hispanoamericana*. Roma: Bulzoni, 1993, pp. 195-203. ["Por lo tanto, el solitario simbolista peruano, el modernista terminal parece que fuera también un presurrealista (sin que él ni sus coetáneos tal vez nunca se dieran cuenta)", pp. 195-196].

FALCÓN, CÉSAR

Obra

P.238 *Plantel de inválidos*. Madrid: Pueyo, 1921. [La reciente biografía política de Falcón, *¡Por la República!* (de Ascensión Martínez Riaza, Lima: Instituto de Estudios Peruanos, 2004), no menciona este texto].

FUENTE, NICANOR A. DE LA

Obra

P.239 *Las barajas i los dados del alba* (pról. Antenor Orrego). Chiclayo: Héctor E. Carmona R., 1937 (reedición en *9 libros vanguardistas*, 2001). [Poemas escritos entre 1924 y 1928].

FUENTE BENAVIDES, RAFAEL DE LA (cfr. Martín Adán)

GONZÁLEZ, CARLOS ALBERTO

Obra

P.240 *El poema de los cinco sentidos* (forro de Jorge Basadre). Lima: Minerva, 1927. [En el prólogo, Basadre dice que este libro "viene a aumentar la belleza adjudicable a nuestro vanguardismo. Aunque en verdad a González habría que clasificarlo como poeta de transición", s. p.].

Guillén, Alberto

Obras

P.241 *Prometeo* (próls. Alberto Hidalgo y Miguel Ángel Urquieta). Arequipa: Quiroz Perea, 1918.

P.242 *Deucalión* (con varias notas y opiniones). Lima: F. E. Rosay, 1920 (2ª. ed., pról. Ventura García Calderón; epíl. Raúl Porras Barrenechea, Madrid: Nosotros, 1921).

P.243 *La linterna de Diógenes*. Madrid: América, 1921 (2ª. ed. Madrid, 1923; nueva ed. Madrid: Ave del Paraíso, 2001; con un poema-carta a su padre).

P.244 *El libro de la democracia criolla*. Lima: Imprenta Lux, 1924.

P.245 *Poetas jóvenes de América (Exposición)*. Madrid: Aguilar, 1930. [Antología muy interesante por la participación/selección de poetas vanguardistas, p. ej. del Perú, y por la no participación de poetas vanguardistas, p. ej. de Colombia].

Crítica

P.246 Arias Robalino, Augusto. *Tres ensayos*. Quito: Universidad Central, 1941. [No logramos conseguir información más específica sobre esta contribución].

P.247 Bermejo, Vladimiro. "Alberto Guillén o el vuelo interrumpido", en *Revista Universitaria* (Arequipa), núm. 49, 1961, pp. 215-268. [Ensayo bio-bibliográfico].

Hernández, José A.

Obras

P.248 *Tren* (pról. Martín Adán). Lima: Hidalgo, s. f. (1931 o 1932).

P.249 *Juegos olímpicos* (pról. Luis de Carvajal). Lima: Hidalgo, 1933. [Ya se distancia un poco de los postulados de la vanguardia, como subraya Carvajal en el prólogo muy interesante para el tema].

Hidalgo, Alberto

Obras

P.250 *Arenga lírica al Emperador de Alemania, otros poemas* (próls. Miguel A. Urquieta y César A. Rodríguez). Arequipa: Quiroz, 1916.

P.251 *Panoplia lírica* (próls. Abraham Valdelomar y Luis Fernán Cisneros). Lima: Víctor Fajardo, 1917.

P.252 *Hombres y bestias. Bocetos críticos*. Arequipa: Quiroz, 1918.

P.253 *Las voces de colores*. Arequipa: Quiroz, 1918.

P.254 *Jardín zoológico*. Arequipa: Quiroz, 1919.

P.255 *Joyería (Poemas escogidos)*. Buenos Aires: Virtus, 1919.

P.256 *De muertos, heridos y contusos*. Buenos Aires: Mercatali, 1920 (reedición, ed. David Ballardo, Walter Sanseviero y Álvaro Sarco, pról. Fernando Iwasaki. Lima: Sur Librería Anticuaria/El Virrey, 2004).

P.257 *España no existe*. Buenos Aires, 1921.

P.258 *Tu libro* (pról. Enrique González Martínez). Buenos Aires: Mercateli, 1922.

P.259 *Química del espíritu* (pról. Ramón Gómez de la Serna). Buenos Aires: Mercateli, 1923 (reedición en *9 libros vanguardistas*, 2001).

P.260 *Simplismo (Poemas inventados por Alberto Hidalgo)*. Buenos Aires: El Inca, 1925.

P.261 *Índice de la nueva poesía americana* (en colaboración con Jorge Luis Borges y Vicente Huidobro). Buenos Aires: El Inca, 1926. [Antología de suprema importancia; los prólogos se publican también en *Amauta*, núm. 4, 1926, pp. 41-43].

P.262 *Los sapos y otras personas*. Buenos Aires: El Inca, 1927. [Narrativa].

P.263 *Descripción del cielo (Poemas de varios lados, construidos por Alberto Hidalgo)*. Buenos Aires: El Inca, 1928.

P.264 *Opiniones sobre el libro "El movimiento estridentista" de Germán List Arzubide*. Xalapa: s. e., 1928. [Colaborador].

Crítica

Bibliografía

P.265 "Bibliografía de Alberto Hidalgo", en *Anuario bibliográfico peruano*, 1967/69, pp. 190-221.

Libros y homenajes

P.266 Andía, Ernesto Daniel. *Diagnosis de la poesía y su arquetipo*. Buenos Aires: El Ateneo, 1951. [Ensayo largo sobre A. H., "el poeta más grande de habla española", p. 9].

P.267 Armand, Octavio R. *El yo en la poesía de Alberto Hidalgo*. (Diss. Rutgers University, 1974). Ann Arbor: UMI, 1975. [No se interesa mucho por la vanguardia; importante por la bibliografía; *cfr*. también sus dos artículos, tomados de la tesis, en *Cuadernos Hispanoamericanos*, núm. 333, 1978, y núm. 371, 1981].

P.268 Fernández, Claudio Ariel. *Las entrelíneas en Alberto Hidalgo*. Buenos Aires: Ciordia, 1961.

P.269 *Homenaje a Alberto Hidalgo = Taller* (Lima), Vol. 1, núm. 2, 1968. [Número monográfico dedicado a A. H.].

P.270 Kosice, Gyula. *Peso y medida de Alberto Hidalgo*. Buenos Aires: Sigla, 1953.

P.271 Muñoz Cota, José. *Construcción de Alberto Hidalgo*. Asunción: Firmamento, 1947.

P.272 Pavletich, Esteban. *Constancia de Hidalgo*. Lima: Sociedad Peruana de Escritores, 1968.

P.273 Sarco, Álvaro. *Alberto Hidalgo, el genio del desprecio. Materiales para su estudio*. Lima: Talleres Tipográficos, 2006. [Recopilación de textos y artículos de y sobre A. H., poniendo hincapié también en su participación en el *Índice* de 1926 y su relación con la Argentina].

Artículos

P.274 Forster, Merlin H. "Alberto Hidalgo: vanguardismo, simplismo y poesía visual", en Harald Wentzlaff-Eggebert (ed.). *Naciendo el hombre nuevo... Fundir literatura, artes y vida como práctica de las vanguardias en el Mundo Ibérico*. Madrid/Frankfurt am Main: Iberoamericana/Vervuert, 1999, 173-185. [Análisis de la poética del simplismo de A. H., comparándola con su praxis poética].

P.275 González Contreras, Gilberto. "Geografía poética de Alberto Hidalgo", en *Revista Iberoamericana*, núm. 4, 1940, pp. 441-459. [Recorre los libros publicados por A. H., poniendo especial hincapié en la explicación del vanguardismo en ellos].

P.276 Núñez, Estuardo. "Alberto Hidalgo o la inquietud literaria", en *Letras* (Lima), núms. 80-81, 1968, pp. 149-152. [Breve recorrido de su obra desde el futurismo y el simplismo hasta sus etapas posteriores].

P.277 O'Hara, Edgar. "Alberto Hidalgo, hijo del arrebato", en *Revista de Crítica Literaria Latinoamericana*, núm. 26, 1987, pp. 97-114. [Llega a la conclusión de que lo trágico de Hidalgo consiste en que quiso seguir escribiendo vanguardísticamente, aun cuando la vanguardia histórica ya se había agotado].

P.278 Reedy, Daniel R. "'Soi un bardo nuevo de concepto i de forma': La poesía futurista de Alberto Hidalgo", en *Discurso Literario*, Vol. 4, núm. 2, 1987, pp. 485-495. [El artículo trabaja sobre los primeros escritos del autor "y el papel que ejerció en la divulgación de preceptos futuristas varios años antes de entrar el Perú en la plenitud del Vanguardismo"].

P.279 Stimson, Frederick S. "Simplismo. Alberto Hidalgo (Perú)", en *The New Schools of Spanish American Poetry*. Madrid: Castalia, 1970, pp. 111-131. [La importancia del simplismo y la poesía de A. H. dentro del vanguardismo peruano].

Huanka, Amador

Crítica

P.280 Lauer, Mirko. "La poesía vanguardista en el Perú", en *Revista de Crítica Literaria Latinoamericana*, núm. 15, 1982, pp. 7-86. ["Es significativo que muchos de los poetas restantes, que aparecieron en las revistas de vanguardia, prácticamente no volvieron a escribir luego de 1931: (...) de (...) Amador Huanka y (otros) no hablaban ya las revistas de poesía de los años treinta.", p. 78].

Jara, Luis de la

Obra

P.281 *Espigas*. Madrid: Maroto, 1921.

Lora, Juan José

Obras

P.282 *Diánidas, poemas*. Lima: Rivas Berrio, 1925 (reedición en *9 libros vanguardistas*, 2001).

P.283 *Lydia*. Trujillo: [Impreso en mimeógrafo por su autor], 1929.

Mariátegui, José Carlos

Obras

P.284 *7 (siete) ensayos de interpretación de la realidad peruana*. Lima: Amauta, 1928 (muchísimas reediciones, p. ej. la de las Ediciones Populares de las *Obras Completas*, Vol. 2, Lima: Amauta; la versión *online* de 1996: <www.yachay.com.pe/especiales/7ensayos/ENSAYOS/Amautainfo.htm>; y la de Lima: San Marcos, 2004).

P.285 *El artista y la época*. Lima: Amauta, 8ª. ed. 1980 (Ediciones Populares de las *Obras Completas*, Vol. 6).

P.286 *Peruanicemos al Perú* (pról. César A. Guardia Mayorga). Lima: Amauta, 11ª. ed. 1988 (Ediciones Populares de las *Obras Completas*, Vol. 11).

P.287 Aquézolo Castro, Manuel (ed.). *La polémica del indigenismo: José Carlos Mariátegui y Luis Alberto Sánchez*. Lima: Mosca Azul, 1976. [Documentación de una serie de artículos al tema, de J. C. M., Sánchez y otros autores, publicados en *Amauta* y *Mundial* en los años 1926 y 1927].

P.288 *Mariátegui total* (ed. Sandro Mariátegui Chiappe). Lima: Amauta, 2 Vols., 1994.

Crítica

Bibliografías

P.289 Chang-Rodríguez, Eugenio. “Bibliografía”, en E. Ch. R. *Poética e ideología en José Carlos Mariátegui*. Madrid: José Porrúa Tunanzas, 1983, pp. 205-230. [Complementa aquí su propia bibliografía de E. Ch. R. *La literatura política de González Prada, Mariátegui y Haya de la Torre*. México, D. F.: De Andrea, 1957, pp. 375-388].

P.290 Rouillon, Guillermo. *Bio-bibliografía de José Carlos Mariátegui*. Lima: UNMSM, 1963.

Libros, homenajes, publicaciones periódicas y páginas web

P.291 *7 ensayos: 50 años en la historia*. Lima: Amauta, 1979. [Con un estudio extenso de Tomás G. Escajadillo sobre la periodización de la literatura peruana y la literatura indigenista en J. C. M., y una contribución de Alberto Flores Galindo sobre los intelectuales de la época, mencionando algunos vanguardistas y revistas literarias].

P.292 *Anuario Mariateguiano* (revista). Lima: Amauta, a partir de 1989. [Revista anual de investigación sobre J. C. M.; importantes contribuciones bibliográficas y estudios, p. ej. en el núm. 7, 1995, Max Hernández sobre “Mariátegui ante el Surrealismo”, o en el núm. 8, 1996, Fernanda Beigel sobre J. C. M., *Amauta* y la vanguardia].

P.293 Beigel, Fernanda. *El itinerario y la brújula. El vanguardismo estético-político de José Carlos Mariátegui*. Buenos Aires: Biblios, 2003. [Estudio sociológico que investiga en las fronteras entre praxis y teoría, política y estética, heterodoxia y ortodoxia].

P.294 Carnero Checa, Genaro. *La acción escrita. José Carlos Mariátegui periodista*. Lima: Torres Aguirre, 1964. [Revisa el trabajo periodístico de J. C. M. en las distintas revistas y periódicos de Lima; con un capítulo sobre *Amauta*; existe una segunda edición de 1980].

P.295 Chang-Rodríguez, Eugenio. *Poética e ideología en José Carlos Mariátegui*. Madrid: José Porrúa Tunanzas, 1983. [Importantes los capítulos sobre literatura e indigenismo; con bibliografía muy completa, pp. 205-230].

P.296 Escajadillo, Tomás G. *Mariátegui y la literatura peruana*. Lima: Amaru, 2004. [Un libro difícil, en el que recoge algunos trabajos anteriores, los amplía, especialmente en el cap. “El relato indigenista en las páginas de *Amauta*”, y los introduce con un largo prólogo de casi cien páginas que ofrece sus opiniones y comentarios sobre varias décadas de investigación sobre Mariátegui, la literatura y el indigenismo].

P.297 Falcón, Jorge (ed.). *José Carlos Mariátegui. Rememoración y ratificación en el sesenta aniversario de su fallecimiento*. Lima: Amauta, 1990. [No conseguimos ver el libro pero, según una reseña, puede haber en él contribuciones interesantes al tema].

P.298 Forgues, Roland (ed.). *Mariátegui, una verdad actual siempre renovada*. Lima: Amauta, 1994. [Recopilación de artículos de hispanistas franceses; de especial interés los artículos abajo enunciados de Américo Ferrari y Modesta Suárez].

P.299 Hovestadt, Volker. *José Carlos Mariátegui und seine Zeitschrift Amauta (Lima 1926-1930)*. Frankfurt am Main: Peter Lang, 1987. [Revisión de *Amauta*, sobre todo de los artículos escritos por el mismo Mariátegui; a los postulados literarios de la revista les dedica solamente algunas páginas].

P.300 *José Carlos Mariátegui* <www.antorcha.org/galeria/mariat.htm>. [Página del Partido Comunista de España, bastante limitada con tendencia biográfica].

P.301 *José Carlos Mariátegui* <www.marxists.org>. [Página bastante extensa, con muchos escritos *online*, en varios idiomas].

P.302 José Carlos Mariátegui <www.yachay.com.pe/especiales/mariategui>. [Página de la Casa Museo Mariátegui, con bibliografía, textos, biografía, direcciones de investigadores, etc.; al parecer no actualizada desde aproximadamente 1997].

P.303 *José Carlos Mariátegui y Europa. El otro aspecto del descubrimiento*. Encuentro internacional Pau y Tarbes, 1992. Lima: Amauta, 1993. [Además del artículo abajo enunciado de James Higgins, hay dos o tres contribuciones más sobre la relación de J. C. M. con la literatura].

P.304 Luna Vegas, Ricardo (ed.). *Mariátegui y la literatura*. Lima: Amauta, 1980. [Ensayos de Xavier Abril, Antonio Cornejo Polar, Tomás G. Escajadillo, Samuel Glusberg, Gerardo Mario Goloboff, Antonio Melis, Estuardo Núñez, Atanas Stoikov y Augusto Tamayo Vargas; muy importante].

P.305 Miró, César. *Elogio y elegía del Amauta*. Lima: Amauta, 1995. [Recuerdos muy interesantes sobre J. C. M., *Amauta* y los escritores relacionados con la revista; *cfr*. también sus otras monografías sobre Mariátegui en los últimos años, especialmente *Mariátegui, el tiempo y los hombres*. Lima: Amauta, 1989].

P.306 Núñez, Estuardo. *La experiencia europea de Mariátegui*. Lima: Amauta, 1978. [Contiene, p. ej., el artículo "José Carlos Mariátegui y la recepción del surrealismo en el Perú", publicado antes en la *Revista de Crítica Literaria Latinoamericana*, núm. 5, 1977, pp. 57-66; *cfr*. también la versión publicada en Peter G. Earle y Germán Gullón. *Surrealismo/Surrealismos. Latinoamérica España*. Philadelphia: University of Pennsylvania, 1977, pp. 40-48].

P.307 Orrillo, Winston. *Martí, Mariátegui: Literatura, inteligencia y revolución en América Latina*. Lima: Causachun, 1989. [Estudio exhaustivo de las correlaciones de ideas políticas y literarias en J. C. M. y el cubano].

P.308 Portocarrero, Gonzalo *et al.* (eds.). *La aventura de Mariátegui. Nuevas perspectivas*. Lima: PUC, 1995. [Además del abajo enunciado artículo de Augusto Castro, las contribuciones al capítulo 'Mariátegui, el arte y la cultura' traen una que otra referencia a la vanguardia].

Artículos

P.309 Alcibíades, Mirla. "Mariátegui, *Amauta* y la vanguardia literaria", en *Revista de Crítica Literaria Latinoamericana*, núm. 15, 1982, pp. 123-139. [Estudio muy valioso sobre la relación de J. C. M. con la vanguardia en general y la peruana en especial, con *Amauta* como instrumento].

P.310 Castro, Augusto. "Mariátegui: estética y modernidad", en Gonzalo Portocarrero *et al.* (eds.). *La aventura de Mariátegui. Nuevas perspectivas*. Lima: PUC, 1995, pp. 179-208. [Lectura de *El artista y la época*, subrayando la relación entre estética moderna y socialismo en J. C. M.].

P.311 Cruz Leal, Petra-Iraides. "Mariátegui, director e impulsor de páginas vanguardistas", en *Inti* (Cranston), núms. 43-44, 1996, pp. 177-187. [Muy interesante].

P.312 Chang-Rodríguez, Eugenio. "El indigenismo peruano y Mariátegui", en *Revista Iberoamericana*, núm. 127, 1984, pp. 367-393. [Además de dar una visión amplia de la polémica acerca del indigenismo en los años veinte, y de la importancia de Mariátegui en ese proceso, hace hincapié en la estética y técnica vanguardistas de los poetas indigenistas de la época].

P.313 D'Allemand, Patricia. "José Carlos Mariátegui: Beyond 'El proceso de la literatura'", en P. D'A. *Latin American Cultural Criticism*. Lewinston: Edwin Mellen, 2000, pp. 15-48. [Sobre la función del apoyo a las vanguardias en el proyecto crítico-cultural de J. C. M.].

P.314 Dessau, Adalbert. "Literatura y sociedad en las obras de José Carlos Mariátegui", en Antonio Melis *et al. Mariátegui: tres estudios*. Lima: Amauta, 1971, pp. 51-109. [Breve revisión de las posiciones literarias de J. C. M., desde la perspectiva marxista].

P.315 Díaz Caballero, Jesús. "La concepción del realismo en Mariátegui", en *Revista de Crítica Literaria Latinoamericana*, núm. 20, 1984, pp. 113-120. [Discute la actitud de J. C. M. frente a los distintos movimientos vanguardistas].

P.316 Earle, Peter G. "Ortega y Gasset y Mariátegui frente al 'arte nuevo'", en Donald W. Bleznick y Juan O. Valencia (eds.). *Homenaje a Luis Leal: Estudios sobre literatura hispanoamericana*. Madrid: Ínsula, 1978, pp. 115-127. [La influencia de los distintos puntos de vista filosóficos en la actitud de ambos frente a la vanguardia].

P.317 Ferrari, Américo. "Mariátegui y las literaturas de vanguardia en Europa y en el Perú", en Roland Forgues (ed.). *Mariátegui, una verdad actual siem-*

pre renovada. Lima: Amauta, 1994, pp. 79-86. [Analiza la actitud de J. C. M. frente a los distintos movimientos vanguardistas en sus escritos].

P.318 Higgins, James: "José Carlos Mariátegui y la literatura de vanguardia", en *José Carlos Mariátegui y Europa. El otro aspecto del descubrimiento*. Encuentro internacional Pau y Tarbes, 1992. Lima: Amauta, 1993, pp. 285-299. [Subraya el apoyo de J. C. M. a escritores vanguardistas, aunque no fueran revolucionarios].

P.319 Lipp, Solomon. "Releyendo a Mariátegui: algunos aspectos de su mundo literario", en Víctor Berger (ed.). *Ensayos sobre Mariátegui*. Lima: Biblioteca Amauta, 1987, pp. 109-124. [Habla, p. ej., de la actitud de J. C. M. frente a los movimientos vanguardistas].

P.320 López Alfonso, Francisco José. "En el centenario de Mariátegui", en *Cuadernos Hispanoamericanos*, núm. 531, 1994, pp. 6-18. [Análisis de las ideas literarias de J. C. M.].

P.321 Osorio Tejada, Nelson. "Mariátegui y *Amauta* en el contexto de los años veinte", en *Nuevo Texto Crítico*, núm 2, 1988, pp. 315-327. [Abarca el espectro socio-político de la época y publica la "Presentación" y el "Balance" de *Amauta*, escritos por Mariátegui].

P.322 Suárez, Modesta. "José Carlos Mariátegui. Reflexiones en torno a una estética femenina", en Roland Forgues (ed.). *Mariátegui, una verdad actual siempre renovada*. Lima: Amauta, 1994, pp. 147-161. [Sobre la crítica de J. C. M a la obra de Magda Portal].

P.323 Unruh, Vicky. "Mariátegui's Aesthetic Thought: A Critical Reading of the Avant-Gardes", en *Latin American Research Review*, Vol. 24, núm. 3, 1989, pp. 45-69. [Excelente resumen de la recepción de las vanguardias europeas y su transmisión al Perú; buenas referencias bibliográficas; *cfr*. también su tesis de doctorado sobre la vanguardia en el Perú].

P.324 Wentzlaff-Eggebert, Harald. "Mariáteguis Avantgarde-Begriff", en José Morales Saravia (ed.). *José Carlos Mariátegui*. Gedenktagung Berlín, 1994. Frankfurt/M.: Vervuert, 1997, pp. 95-109. [Distingue entre un concepto de vanguardia personal de J. C. M. —el revolucionario— y el concepto de vanguardia más abierto de los intelectuales que publican en su revista *Amauta*, un concepto que él toleraba; buena bibliografía].

Méndez Dorich, Rafael

Obras

P.325 *Dibujos animados*. Lima: Perú Actual, 1936.

P.326 *El obispo embotellado*. Lima, 1936. [Folleto de polémica en contra de Vicente Huidobro, a raíz de la *Exposición* de 1935; escrito en colaboración con Emilio Adolfo Westphalen y César Moro; edición facsimilar César

Moro *et al. El uso de la palabra* y *Vicente Huidobro o El obispo embotellado*. Lima: Sur Librería Anticuaria/El Virrey, 2004].

Crítica

P.327 Baciu, Stefan. "'Rafo Méndes' evoca el surrealismo peruano y a César Moro", en S. B. *Surrealismo latinoamericano. Preguntas y respuestas*. Valparaíso: Ediciones Universitarias Cruz del Sur, 1979, pp. 39-44. [Entrevista con R. M. D. sobre el surrealismo peruano; con un poema de R. M. D. de 1934, titulado "César Moro"].

MERCADO BARROSO, GUILLERMO (también Gregorio Mercado)

Obras

P.328 *Un chullo de poemas* (con varias notas). Sicuaní: Kuntur, 1928.
P.329 *Tremos (Libro cholo)*. Arequipa: Portugal, 1933.

MIRÓ QUESADA, CÉSAR ALFREDO

Obra

P.330 *Cantos del arado y de las hélices*. Buenos Aires: El Inca, 1929 (reedición en *9 libros vanguardistas*, 2001).

Crítica

P.331 Videla de Rivero, Gloria: *Direcciones del vanguardismo hispanoamericano*. Pittsburgh: Instituto Internacional de Literatura Iberoamericana, 2ª. ed. 1994 (1ª. ed. 1990). [Interpretación de poemas de C. A. M. Q. en el cap. VII, "La convergencia de indigenismo y vanguardia poética", con ligeros cambios comparado con el artículo "La convergencia de indigenismo y vanguardia poética en dos poemas de César Alfredo Miró Quesada", en *Revista Chilena de Literatura*, Vol. 34, 1989, pp. 43-53].

MORO, CÉSAR (seudónimo de Alfredo Quíspez Asín)

Obras

P.332 *El obispo embotellado*. Lima, 1936. [Folleto de polémica en contra de Vicente Huidobro, a raíz de la *Exposición* de 1935; escrito en colaboración con Emilio Adolfo Westphalen y Rafael Méndez Dorich; ed. facs. César Moro *et al. El uso de la palabra* y *Vicente Huidobro o El obispo embotellado*. Lima: Sur Librería Anticuaria/El Virrey, 2004].
P.333 *Le château de Grisou*. México, D. F.: Tigrodine, 1943.
P.334 *Lettre d'amour*. México, D. F.: Dyn, 1944.

P.335 *La tortuga ecuestre y otros poemas (1924-1949)* (ed. André Coyné). Lima: UNMSM, 1957 (otras ediciones *La tortuga ecuestre y otros textos*, ed. Julio Ortega, con textos de André Coyné *et al.*, Caracas: Monte Ávila, 1976; *La tortuga ecuestre (1938-1939)*. Medellín: Fundación Otras Palabras, 1989; *La tortuga ecuestre y otros poemas en español*, ed. crít. e introd. Américo Ferrari, epíl. André Coyné. Madrid: Biblioteca Nueva, 2002).

P.336 *Los anteojos de azufre* (prosas reunidas y presentadas por André Coyné). Lima: UNMSM, 1958.

P.337 *L'Ombre du Paradisier et autres textes/La sombra del ave del paraíso y otros textos* (trad. Franca Linares). Lima: Antares, 1987 (separata de la revista *Umbral*). [Textos escritos entre 1939 y 1945].

P.338 *Ces poèmes.../Estos poemas* (trad. Armando Rojas; postfacios Armando Rojas, André Coyné y Julio Ortega). Madrid: Libros Maina, 1987. [Poemas y otros escritos de 1930 a 1936].

P.339 "Poemas inéditos", en *Hueso Húmero*, núm. 27, 1990, pp. 20-31. [Poemas en francés, con traducción española, de 1937, y en español de 1925 y 1928; tuvimos conocimiento de la edición de otros poemarios de C. M., pero no pudimos verificar su existencia: *Couleur de bas rêves tête de nègre*. Lisboa, 1983; *Renombre de amor. Antología*. México, D. F., sin fecha].

P.340 *Obra poética* (ed. y pról. Ricardo Silva Santisteban, prefacio de André Coyné). Lima: Instituto Nacional de Cultura, tomo 1, 1980. [Incluye, en español, *La tortuga ecuestre, 1938-1939*, *Cartas, 1939*; en edición bilingüe, *Le château de Grisou*, 1939-1941, *Lettre d'amour*, 1942, *Pierre des soleils*, 1944-1946, y otros; *cfr.* la crítica a la edición de André Coyné. "Una edición y varias discrepancias", en *Hueso Húmero*, núm. 10, 1981, pp. 148-170].

P.341 *Viaje hacia la noche* (ed. Julio Ortega). Madrid: Huerga & Fierro, 1999. [Con la *Exposición de las obras de Jaime Dvor, César Moro,* etc.].

P.342 *Con los anteojos de azufre*. *César Moro artista plástico*. Lima: Centro Cultural de España, 2000.

P.343 *Prestigio del amor. Obras esenciales* (ed., trad. y pról. Ricardo Silva Santisteban). Lima: PUCP, 2002. [Gran antología con cuatro libros completos, una selección de otros escritos, muestras de la obra plástica y bibliografía].

P.344 *Reverdy, Breton, de Chirico, Peret y otras versiones del Surrealismo*. Barcelona: Tusquets, 2002.

P.345 *Amor a muerte/Amour à mort*. Lima: Riotigre, 2004.

P.346 *Couleur de bas rêves tête de nêgre*. Lima: Riotigre, 2004.

Crítica

Libros, homenajes y páginas web

P.347 *César Moro* <webserver.rcp.net.pe/convenios/moro>. [Página web con antología poética, biografía, muestra pictórica y el ensayo "Notas sobre Moro y las artes visuales", de Rodrigo Quijano].

P.348 Coyné, André. *César Moro*. Lima: Torres Aguirre, 1956. [Tres pequeños estudios sobre C. M. y su relación con el movimiento surrealista; *cfr*. la reciente recopilación *César Moro*. Lima: Ensueño Indescifrable Editores, 2003].

P.349 Dickson, Kent L. *César Moro y Xavier Villaurrutia. The Politics in Eros*. Diss. University of California, Los Angeles, 2005. [Sobre la vida en el espacio ambiguo entre esteticismo (vanguardista) autónomo y su función política implícita, entre Eros y actividad].

P.350 Dreyfus, Mariela. *Renommé de l'amour: la poesía surrealista de César Moro*. Diss. University of New York. Ann Arbor: UMI, 1996. [La autora ya había presentado en 1989 su tesis en la Universidad San Marcos sobre la obra de C. M.].

P.351 Estela, Carlos y José Ignacio Padilla (eds.). *Amour à Moro. Homenaje a César Moro*. Lima: Signo Lotófago, 2003. [Antología con comentarios, textos, crítica, traducciones, comentarios, etc.; un verdadero homenaje crítico artístico].

P.352 Favaron, Pedro. *Caminando sobre el abismo: vida y poesía de César Moro*. Lima: Antares, 2003. [Aunque dice que no quiere ser un trabajo académico, esta biografía sí puede convertirse en una ayuda muy útil].

P.353 *Homenaje a César Moro*, en *Amaru* (Lima), núm 9, 1969, pp. 51-69. [Con poemas y dibujos de C. M., y notas de Álvaro Mutis y Emilio Adolfo Westphalen].

P.354 *Homenaje a César Moro en el centenario de su nacimiento = Martín*. Revista de Artes y Letras (Lima, Universidad de San Martín de Porres), año III, núms. 7-8, 2003. [Varios artículos críticos y textos de C. M.].

P.355 *Homenaje a César Moro = Fuegos de arena* (Lima), núms. 2-3, 2003. [Con artículos de Julio Ortega, Camilo Fernández Cozman, Perla Masi, James Higgins, Kent Dickson, Mariela Dreyfus, Magdalena García-Pinto, Yolanda Westphalen, Martha Canfield y William Keeth; importante por las contribuciones que reflexionan sobre la convergencia entre arte y literatura].

P.356 Ruiz Ayala, Iván. *César Moro y La tortuga ecuestre. Dos lecturas*. Lima: Banco Central, 1998. [Lecturas, verso por verso, de los poemas "Visión del piano" y "Oh furor el alba"].

P.357 Schneider, Luis Mario. *México y el surrealismo (1925-1950)*. México, D. F.: Arte y libros, 1978. [Especialmente el último capítulo habla de su participación en la *Exposición* de 1940 y en el grupo formado en México].

P.358 Westphalen, Yolanda. *César Moro: la poética del ritual y la escritura mítica de la modernidad*. Lima: UNMSM, 2001 (existe versión *online*). [Divide la obra poética en tres etapas: vanguardista, surrealista militante y surrealista independiente, y elige para su análisis retórico y hermenéutico tres textos de la segunda época].

P.359 Westphalen, Yolanda (ed.). *Actas del Coloquio Internacional César Moro y el surrealismo en América Latina*. Lima: UNMSM/Centro Cultural España, 2005. [Unas treinta ponencias en siete bloques temáticos (con una muestra de cuadros): el surrealismo en América Latina y el Perú, con contribuciones sobre Westphalen y Abril; Moro dentro del surrealismo, lecturas de Moro, el compromiso estético y político, la recepción, Moro y las artes, etc. Lo que sorprende en este homenaje es la gran cantidad de nuevos investigadores de la obra de Moro y del surrealismo peruano, de manera que el "testimonio" de Coyné casi aparece como un mensaje de otra época; obviamente se trata de una obra indispensable para cualquier estudio en el futuro].

Artículos

P.360 Altuna, Elena. "César Moro: Escritura y exilio", en *Revista de Crítica Literaria Latinoamericana*, núm. 39, 1994, pp. 109-125. [Estudio interpretativo de *La tortuga*, subrayando la singularidad de C. M. dentro del vanguardismo latinoamericano].

P.361 Canfield, Martha L. "Gnosis de la tiniebla: César Moro", en M. C. *Configuración del arquetipo*. Firenze: Universitá degli Studi di Firenze, 1988, pp. 145-172. [Artículo ampliado de uno publicado en 1987; interpretación de *Tortuga* y algunas cartas que ella toma como poemas en prosa; *cfr*. C. M. *Vida de poeta: algunas cartas de César Moro en la Ciudad de México entre 1943 y 1948* (ed. y trad. Emilio Adolfo Westphalen). Lisboa: SCARL, 1983].

P.362 Canfield, Martha L. "César Moro: otra lengua para nacer de nuevo", en *Universidad de Antioquia* (Medellín), núm. 245, 1996, pp. 62-71. [Sobre la importancia de haber elegido el francés como lengua literaria de su obra surrealista; *cfr*. también las contribuciones de Canfield en los distintos homenajes de 2003].

P.363 Coyné, André. "César Moro: El hilo de Ariadna", en *Ínsula*, núms. 332-333, 1974, pp. 3 y 12.

P.364 Coyné, André. "César Moro entre Lima, París y México", en Julio Ortega (ed.). *Convergencias/divergencias/incidencias*. Barcelona: Tusquets, 1974, pp. 215-227. [C. M. y Breton].

P.365 Coyné, André. "Moro entre otros y sus días", en *Cuadernos Hispanoamericanos*, primera parte: núm. 448, 1987, pp. 70-89. [Antes de empezar con Moro, habla de la relación entre Larrea y Huidobro; parece que la segunda parte del artículo nunca se publicó].

P.366 Coyné, André. “Prólogo” y “Epílogo”, en C. M. *Amour à mort et autres poèmes*. Paris: Orphée, La Différence, 1990, pp. 7-21 y 119-123.

P.367 Coyné, André. “César Moro: surrealismo y poesía”, en *Avatares de Surrealismo en el Perú y en América Latina. Avatars du surréalisme au Pérou et en Amérique Latine* (eds. Joseph Alonso, Daniel Lefort y José A. Rodríguez Garrido). Lima: Institut Français d’Études Andines/PUCP, 1992, pp. 189-202. [Los artículos aquí nombrados son una selección de toda una serie de contribuciones más bien bio-bibliográficas de Coyné sobre C. M.].

P.368 Figueroa, Esperanza. “Presencia de César Moro”, en *San Marcos* (Lima), núm. 15, 1977, pp. 91-96. [Breve revisión de la obra de C. M., partiendo del concepto del surrealismo].

P.369 Higgins, James. “Westphalen, Moro y la poética surrealista”, en *Cielo Abierto*, núm. 29, 1984, pp. 16-26. [Interpretación de poemas de Westphalen y C. M, partiendo de la afirmación de que éstos tuvieron fuertes vínculos con el movimiento surrealista].

P.370 Huamán Mori, Reinhard. “César Moro: plástica: surrealismo: militancia”, en Maria Estela Guedes y Floriano Martins (eds.). *Surrealismo: poesia e liberdade*. Versión *online*, aprox. 2005 <www.triplov.com/mori/cesar_moro.htm). [Excelente resumen de los múltiples trabajos de los últimos años sobre la relación entre arte y literatura en C. M.; en la misma edición amplísima de textos sobre el surrealismo se encuentran otras contribuciones sobre Moro y sobre Westphalen].

P.371 Klengel, Susanne. “‘Lima la horrible’ de César Moro: Experiencia de la modernización limeña desde el espíritu surrealista”, en *Ibero-Amerikanisches Archiv. Neue Folge* (Berlin), Vol. 17, núm. 4, 1991, pp. 373-386. [Revisión de la experiencia surrealista de C. M., y comparación de la expresión “Lima la horrible” en el poeta y en su recepción por Sebastián Salazar Bondy en su ensayo con éste título].

P.372 Lauer, Mirko. “Razón y pasión en Moro”, en *Hueso Húmero*, núm. 27, 1990, pp. 134-143. [Artículo de cierto interés sobre la vida de C. M., sus relaciones con el surrealismo y la recepción de su obra en el Perú].

P.373 Oviedo, José Miguel. “Éxtasis y horror. El Perú en la obra de César Moro”, en J. M. O. *Escrito al margen*. México, D. F.: Premiá, 1987, pp. 318-328. [Compara textos tempranos sobre el Perú con los del año 1949, y busca hacer resaltar la manera surrealista de percibir su patria].

P.374 Rivas, Pierre. “Vicente Huidobro entre modernité et surréalisme: la polémique de César Moro”, en Alejandro Canseco-Jerez (ed.). *L’avant-garde littéraire chilienne et ses précurseurs*. Paris: L’Harmattan, 1994, pp. 97-107. [Intenta explicar, a partir de las distintas experiencias de Huidobro y C. M. con el campo literario en Francia, la polémica tan violenta entre los dos poetas a partir de la *Exposición surrealista* de 1935].

P.375 Silva-Santisteban, Ricardo. "André Breton en el Perú", en *Avatares del Surrealismo en el Perú y en América Latina. Avatars du surréalisme au Pérou et en Amérique Latine* (eds. Joseph Alonso, Daniel Lefort y José A. Rodríguez Garrido). Lima: Institut Français d'Études Andines/PUCP, 1992, pp. 79-108. [Estudia, pp. 93-101, la amistad entre C. M. y Breton, y las publicaciones de C. M. al respecto en México].

P.376 Sobrevilla, David. "Surrealismo, homosexualidad y poesía. El caso de César Moro", en *Avatares del Surrealismo en el Perú y en América Latina. Avatars du surréalisme au Pérou et en Amérique Latine* (eds. Joseph Alonso, Daniel Lefort y José A. Rodríguez Garrido). Lima: Institut Français d'Études Andines/PUCP, 1992, pp. 167-188 [Además de profundizar en la relación entre la homosexualidad de C. M. y su poesía surrealista, interpreta ampliamente el poema "Antonio es Dios"; buena bibliografía].

P.377 Vargas Llosa, Mario. "*Carta de amor* de César Moro", en *Literatura* (Lima), núm. 2, 1958, pp. 27-31. [Pequeña nota sobre C. M. y su *Lettre d'amour*].

P.378 Westphalen, Emilio Adolfo. "Digresión sobre surrealismo y sobre César Moro entre los surrealistas", en *Avatares del Surrealismo en el Perú y en América Latina. Avatars du surréalisme au Pérou et en Amérique Latine* (eds. Joseph Alonso, Daniel Lefort y José A. Rodríguez Garrido). Lima: Institut Français d'Études Andines/PUCP, 1992, pp. 203-216. [Comentario más bien personal sobre la poesía surrealista de Moro y sus experiencias en París; reedición en E. A. W. *La poesía, los poemas, los poetas*. México, D. F.: Universidad Iberoamericana/Artes de México, 1995; el último de varios artículos de E. A. W. sobre su amigo; *cfr*. también *Primera Exposición Surrealista*].

Nava, Carlos Dante

Obra

P.379 *Báquica febril* (pról. Emilio Armaza). Puno: Tipografía Founier, 1921.

Oquendo de Amat, Carlos

Obras

P.380 *5 metros de poemas*. Lima: Minerva, 1927 (ed. facs., ed. Pedro Cateriano, Lima: Copé, 1980; otras ediciones: con una página introductoria de Mario Vargas Llosa, Lima: Decantar, 1969; pról. Manuel Gutiérrez Sousa, corrección del texto Carlos Meneses, Madrid: Orígenes, 1985; con pról. de Luis Hernán Castañeda —publicado también en *Hueso Húmero*, núm. 42, 2003—, Lima: PUCP, 2002; Madrid: El Taller del Libro, 2004; Lima, 2005;

versión *online* <http://agenciaperu.com/cultural/portada/oquendo_amat/>; trad. ital. Riccardo Badini, Bologna: In Forma di Parole, 2002).

P.381 *Voz de Ángel. Obra poética completa y apuntes para un estudio* (ed. Jorge Eslava; colofón Carlos Germán Belli). Lima: Colmillo Blanco, 1990. [Nueve páginas de bibliografía].

Crítica

Libros, homenajes y páginas web

P.382 Aramayo, Omar y Rodolfo Milla. *Carlos Oquendo de Amat. Cien años de poesía viva 1905-2005*. Lima: Fondo Editorial Cultura Peruana, 2004. [Recopilación de 19 artículos, comentarios y notas de escritores y críticos sobre la vida y la obra de O. de A.; entre ellos dos de Carlos Meneses, dos de José Luis Ayala y dos del mismo Omar Aramayo].

P.383 Ayala, José Luis. *Carlos Oquendo de Amat. Cien metros de biografía, crítica y poesía de un poeta vanguardista itinerante. De la subversión semántica a la utopía social*. Lima: Horizonte, 1998.

P.384 *Carlos Oquendo de Amat* <http://agenciaperu.com/cultural/portada/oquendo_amat/>. [Página con textos críticos (p. ej. de Gustavo Espinoza Martínez y Yazmín López Lenci) y con la ed. facs. de 5 metros en formato pdf].

P.385 *Congreso Internacional Carlos Oquendo de Amat, Abril y la vanguardia latinoamericana* en la Universidad San Marcos, 2005. [*Cfr*. la página web Carlos Oquendo de Amat; no obtuvimos información sobre la publicación de las Actas].

P.386 *Homenaje a Carlos Oquendo de Amat*, en *Qlisgen* (Lima), año 4, núm. 4, 1948.

P.387 Meneses, Carlos. *Tránsito de Oquendo de Amat (1905-1936)*. Las Palmas: Inventarios Provisionales, 1973. [Estudio exhaustivo; el autor sigue investigando sobre el poeta con artículos].

Artículos

P.388 Bueno, Raúl. "La interpretación del poemario (Aproximación teórico-metodológica e ilustración sumaria mediante el estudio de *5 metros de poemas* de Oquendo de Amat)", en R. B. *Poesía hispanoamericana de vanguardia. Procedimientos de interpretación textual*. Lima: Latinoamericana Editores, 1985, pp.107-134. [Interpretación bastante interesante].

P.389 Harmuth, Sabine. "Poesía del metro corriente: *5 metros de poemas* de Carlos Oquendo de Amat", en Inke Gunia *et al*. (eds). *La modernidad revis(it)ada. Literatura y cultura latinoamericanas de los siglos* XIX *y* XX. Berlin: Tranvía, 2000, 271-284. [Sobre los distintos discursos visuales del libro].

P.390 Meneses, Carlos. "Oquendo de Amat, vivir para soñar", en *Quimera: Revista de Literatura*, Vol. 17, 1982, pp. 26-30.

P.391 Meneses, Carlos. "Oquendo, leído en otras lenguas", en *Revista de Crítica Literaria Latinoamericana*, núm. 34, 1991, pp. 263-265.

P.392 Meneses, Carlos. "Carlos Oquendo de Amat y otros vanguardistas peruanos", en *Coloquio internacional: El texto latinoamericano* (Centre de Recherches Latino-Américaines, Université de Poitiers). Madrid: Espiral, 1994, Vol. I, pp. 77-85.

P.393 Meneses, Carlos. "Retrato de poeta", en *Ciberayllu*, 23 de octubre de 2005, s. p. <www.andes.missouri.edu/andes/especiales/CMOquendo/CM_Oquendo1[2].html>. [Ensayo biográfico-literario sobre O. de A.; las cuatro enunciadas son contribuciones recientes de Meneses, después de su libro de 1973, para rescatar al poeta vanguardista del olvido, tarea que cumple desde que en 1947 publicó en el primer número de *San Marcos* una pequeña nota, pp. 171-172].

P.394 Monguió, Luis. "Un vanguardista peruano: Carlos Oquendo de Amat", en Donald W. Bleznick y Juan O. Valencia (eds.). *Homenaje a Luis Leal: Estudios sobre literatura hispanoamericana*. Madrid: Ínsula, 1978, pp. 203-214. [Artículo muy interesante, completando algunos aspectos del libro de Meneses; nuevamente publicado en Aramayo y Milla, 2004].

P.395 O'Hara, Edgar. "Casi en la palma del mundo", en *Iris* (Montpellier), s. n., 1995, pp. 113-124 [Partiendo de un breve esbozo del movimiento vanguardista en América Latina, revisa *Cinco metros*].

P.396 Orihuela, Carlos L. "Crónica de *Cinco metros de poemas*", en *Osamayor* (Pittsburgh), Vol. 2, núm. 4, 1991, pp. 13-25. [Ubica a O. de A. en el movimiento vanguardista peruano].

P.397 Tamayo Vargas, Augusto. *Literatura peruana*. Lima: Paisa, 1993, t. 3, pp. 824-831. [Lo sitúa entre creacionismo, surrealismo y dadaísmo].

Palma, Clemente

Obra

P.398 *XYZ: novela grotesca*. Lima: Perú Actual, 1934.

Crítica

P.399 Burgos, Fernando. "Logos y simulaciones: Vicente Huidobro y Clemente Palma", en F. B. *Vertientes de la modernidad hispanoamericana*. Caracas: Monte Ávila, 1995, pp. 142-158. [En la parte dedicada a C. P., compara un cuento de 1894 con la "novela vanguardista" *XYZ*, subrayando su tesis de que no se puede hablar de una ruptura abrupta en el estilo del autor].

P.400 Kason, Nancy M. *Breaking Traditions. The Fiction of Clemente Palma*. Lewisburg: Bucknell University Press, 1988. [*XYZ* es, para ella, una novela grotesca con una utopía negativa; este capítulo fue publicado en *Monographic Review/Revista Monográfica*, Vol. 3, núm. 1-2, 1987, pp. 33-42].

P.401 Mora, Gabriela. *Clemente Palma. El modernismo en su versión decadente y gótica*. Lima: Instituto de Estudios Peruanos, 2000. [Es su extenso análisis de *XYZ* rechaza explícitamente la etiqueta "novela vanguardista" que había utilizado Fernando Burgos].

Parra del Riego, Juan

Obras

P.402 *Blanca Luz. Poemas*. Montevideo: Agencia General de Librería y Publicaciones, 1925.

P.403 *Canción del Carnaval*. Montevideo: Morales, 1925. [También citado como *Canto al Carnaval*].

P.404 *Himnos del cielo y de los ferrocarriles*. Montevideo: Morales, 1925 (reedición en *9 libros vanguardistas*, 2001).

P.405 *Tres polirritmos inéditos* (pról. Manuel de Castro). Montevideo: Institutos Penales, 1937.

P.406 *Obras completas* (eds. y pról. Esther de Cáceres y Manuel de Castro). Montevideo: Biblioteca de Cultura Uruguaya, 2 tomos, 1943.

P.407 *Poesías* (ed. Esther de Cáceres). Huancayo, 1978. [Existe otra edición, Lima 1994].

Crítica

P.408 Beltroy, Manuel. "Juan Parra del Riego", en *Letras* (Lima), núms. 58-59, 1957, pp. 18-35. [Importante, sobre todo porque no existe mucha literatura sobre el poeta].

P.409 Nieto, Luis. "Juan Parra del Riego, el poeta de los polirritmos", en L. N. *Poetas y escritores peruanos*. Cuzco: Sol y Piedra, 1957, pp. 17-23. [Ve la poesía de J. P. d. R. bajo la influencia del futurismo].

P.410 O'Mailia, James Joseph. "La poesía de Juan Parra del Riego", en *Revista Letras Peruanas*, núm. 2, 1951. [No pudimos ver el artículo].

Pavletich, Esteban

Obra

P.411 *6 poemas de la revolución*. Publicado en un "cartel ingente, con grabado alusivo de Gabriel Fernández Ledesma" en Lima, principios de 1927. [Según afirmación propia en el prólogo a Adalberto Varallanos. *Permanencia*, 1968, p. 37].

Peña Barrenechea, Enrique

Obras

P.412 *Cinema de los sentidos puros*. Lima: F. E. Hidalgo, 1931 (reedición de Ricardo Silva-Santisteban como separata del núm. 3 de la revista *Kuntur*, Lima, 1987).

P.413 *Obra poética*. Lima: Mejía Baca, 1977. [Con correcciones del poemario *Cinema*].

Crítica

P.414 *Homenaje a Enrique Peña Barrenechea*, en *Cielo Abierto* (Lima), núm. 30, 1984. [Con contribuciones de José Alvarado Sánchez, Luis Jaime Cisneros y Javier Sologuren].

Peña Barrenechea, Ricardo

Obra

P.415 *Eclipse de una tarde gongorina y Burla de don Luis de Góngora*. Lima: F. E. Hidalgo, 1932. [Reedición de *Eclipse* en Ricardo González Vigil. *El Perú*, 1991, pp. 152-165, junto con dos estudios de 1973 y 1982 sobre el poemario. González Vigil lo lee como obra vanguardista; bibliografía p. 145].

Peralta, Alejandro (también con el seudónimo Antero Obrien)

Obras

P.416 *Ande*. Puno: Titikaka, 1926 (reedición en *9 libros vanguardistas*, 2001).

P.417 *Opiniones sobre el libro "El movimiento estridentista" de Germán List Arzubide*. Xalapa: s. e., 1928. [Colaborador].

P.418 *El Kollao* (pról. Enrique Bustamante y Ballivián). Lima: Compañía de Impresiones y Publicidad, 1934.

P.419 *Poesía de entretiempo*. Lima: Andimar, 1968. [Incluye *Ande*, 1926, *El Kollao*, 1934, y poemas inéditos a partir de 1919].

Crítica

P.420 Palau de Nemes, Graciela. "La poesía indigenista de vanguardia de Alejandro Peralta", en *Revista Iberoamericana*, núms. 110-111, 1980, pp. 205-216. ["El uso más novedoso de la poesía de Peralta está en el uso de las técnicas de vanguardia", p. 205, tanto en *Ande* como en *Kollao*].

P.421 Tauro, Alberto. *El indigenismo a través de la poesía de Alejandro Peralta*. Lima: Compañía de Impresores y Publicidad, 1935. [Ensayo contemporáneo bastante interesante, desde una posición post-vanguardista; con una selección de sus poemas].

P.422 Unruh, Vicky. "El vanguardismo indigenista de Alejandro Peralta", en *Discurso Literario*, Vol. 4, núm. 2, 1987, pp. 553-566. [Estudio excelente sobre la fase vanguardista de Al. P.; resumen de un capítulo de su tesis doctoral de 1984].

PERALTA, ARTURO (*cfr.* Gamaliel Churata)

PETROVICK, JULIÁN (seudónimo de Óscar Bolaños Díaz; también Juan Petrovick)

Obras

P.423 *El cinema de Satán*. 1926. [Mirko Lauer, en su pról. a *9 libros vanguardistas*, 2001, incluye a *El cinema de Satán* en una lista de posibles libros vanguardistas que esperan su reedición].

P.424 *Naipe adverso*. Santiago de Chile: Ediciones Ande, 1929.

PORTAL, MAGDA

Obras

P.425 *El derecho de matar* (en colaboración con Serafín Delmar). La Paz: Continental, 1926.

P.426 *Opiniones sobre el libro "El movimiento estridentista" de Germán List Arzubide*. Xalapa: e. d., 1928. [Colaboradora].

P.427 *Una esperanza i el mar (Varios poemas a la misma distancia)*. Lima: Minerva, 1927 (reedición en *9 libros vanguardistas*, 2001).

P.428 *Constancia del ser* (pról. José Carlos Mariátegui, de 1928, postf. Ricardo A. Latschan). Lima: Villa Nueva, 1965. [Incluye poemas de *Una esperanza*].

Crítica

P.429 Castañeda Vielakamen, Esther y Elizabeth Toguchi: "Magda Portal y su irrupción en la vanguardia", en *Warmi Nayra* (Círculo de mujeres Magda Portal, Lima), Vol. 1, nov. de 1990, pp. 28-37.

P.430 Forgues, Roland. *Plumas de Afrodita. Una mirada a la poeta peruana del siglo XX*. Lima: UNMSM, 2004. [En el capítulo sobre la vertiente social de la poesía de mujeres declara a M. P. una figura paradigmática, y analiza después su obra en el contexto de las fundadoras].

P.431 Grünfeld, Mihai. "Voces femeninas de la vanguardia. El compromiso de Magda Portal", en *Revista de Crítica Literaria Latinoamericana*, núm. 51, 2000, pp. 67-82. [Examina la confluencia de la vanguardia y del compromiso social-político en M. P., diferenciando tres etapas: la modernista, la vanguardista (*El derecho* y *Una esperanza*), y la postvanguardista].

P.432 Pratt, Mary Louise. "Women, Literature, and National Brotherhood", en *Women, Culture and Politics in Latin America*. Berkeley *et al.*: University of California Press, 1990, pp. 48-73. [En el capítulo sobre las mujeres de *Amauta*, revisa un poema en prosa vanguardista de M. P.].

P.433 Reedy, Daniel R. *Magda Portal, la Pasionaria peruana*. Lima: Flora Tristán, 2000. [Biografía exhaustiva; para nuestro tema importan caps. III: "Atravesando el abismo", y IV: "Los amautas: la política del arte y el arte de la política (1926-1930)"; bibliografía impresionante].

P.434 Sánchez, Luis Alberto. "Prólogo", en Serafín Delmar. *Sol. Están destruyendo a tus hijos*. Buenos Aires: América Lee, 1941. [Muchas informaciones sobre la vida y la obra de Serafín Delmar y M. P.].

P.435 Smith, Myriam. *Re-evaluando la vanguardia: la poesía y la política de Magda Portal*. (Diss. University of California Santa Barbara). Ann Arbor: UMI, 2000. [Estudio importante, con buena bibliografía].

P.436 Suárez, Modesta. "José Carlos Mariátegui. Reflexiones en torno a una estética femenina", en Roland Forgues (ed.). *Mariátegui, una verdad actual siempre renovada*. Lima: Amauta, 1994, pp. 147-161. [Sobre la crítica de Juan Carlos Mariátegui a la obra de M. P.].

P.437 Weaver, Kathleen. "Magda Portal: Translation-in-Progress", en *Translation Review*, núms. 32-33, 1990, pp. 41-43. [Mucha información bio-bibliográfica].

QUÍSPEZ ASÍN, ALFREDO (*cfr.* César Moro)

RÍOS, JUAN

Obras

P.438 *Canción de siempre* (pról. Xavier Abril). Lima: Front, 1941.

P.439 *Malstrom (Invitation á l'assassinat, Vol. II)*. Lima: Gil, 1947.

P.440 *Primera antología poética* (pról. Xavier Abril). Lima: Campodónico, 1981.

Crítica

P.441 Adler, Heidrun. *Juan Ríos: Ein peruanischer Lyriker*. Bern/Frankfurt am Main: Herbert Lang/Peter Lang, 1972. [Importante, porque es el único estudio exhaustivo sobre el autor; con anotaciones bibliográficas].

RODRIGO, LUIS DE (seudónimo de Luis A. Rodríguez O.)

Obra

P.442 *Puna*, en Mario Florián *Urpi*; Luis de Rodrigo: *Puna*; Luis Nieto: *Charango*. Lima: Ministerio de Educación, 1945, pp. 107-165. [Poemas escritos entre 1925 y 1934; pp. 109-114 una presentación del poeta].

RODRÍGUEZ, CÉSAR ATAHUALPA (seudónimo de César Augusto Rodríguez)

Obras

P.443 *La torre de las paradojas*. Buenos Aires: Nuestra América, 1926.

P.444 *La poesía de César A. Rodríguez*. Antología (ed. Rubén Darío Pacheco Cárdenas). Lima: Autores Peruanos, [1948?].

P.445 *Obra poética* (ed. Bertha Rodríguez de Emmanuel y Enrique Azálgara Ballón). Arequipa: Universidad Nacional de San Agustín, 3 tomos, 1993.

Crítica

P.446 Pantigoso, Manuel. *César Atahualpa Rodríguez: la emoción de pensar*. Lima: Intihuatana, 1989. [Dentro del tono modernista de *La torre*, encuentra también poemas tardíos con técnicas vanguardistas; con artículos de y sobre C. A. R., y con poemas inéditos].

P.447 Polar Ugarteche, Mario. "Perfil de César Atahualpa Rodríguez", en C. A. R.: *Sonatas en tono del silencio*. Lima: Ministerio de Educación Pública, 1966, pp. 5-9. [Breve introducción a la vida y la obra de C. A. R., contando la historia de la publicación de *La torre*].

SÁNCHEZ, LUIS ALBERTO

Obras

P.448 *Pasajeros P. S. N. C. Orcoma*. Lima: Print Colors, 1984. [Novela corta de 1930].

P.449 *América: novela sin novelistas*. Santiago de Chile: Ercilla, 2ª. ed. actualizada, 1940 (1ª. ed. 1933). [Obra importantísima como testimonio histórico; habla de los vanguardistas Pablo Palacio y Martín Adán, pero también del colombiano Eduardo Zalamea con "una de las novelas más singulares que se han producido en América"].

VALDELOMAR, ABRAHAM

Obras

P.450 *Neuronas. Diálogos Máximos* (comp. e introd. Estuardo Núñez). Lima: UNMSM, alrededor de 1966. [Compilación completa de las "Neuronas", pp. 11-16, de las cuales Mariátegui había dicho: "La greguería empieza con Valdelomar en nuestra literatura" (de *7 Ensayos*); *cfr*. el prólogo, con la cita entera y otras al respecto; *cfr*. también el artículo de Núñez y la publicación de "Neuronas" en *Letras* (Lima), núms. 74-75, 1965, pp. 48-57].

P.451 *Obras* (ed. y pról. Luis Alberto Sánchez; reordenamiento de textos Ismael Pinto). Lima: Edubanco, 2 tomos, 1988.

Crítica

P.452 Ángeles Caballero, César. *Textos marginados sobre Abraham Valdelomar*. Lima: UNMSM, 2004. [Recopilación de artículos y notas sobre el poeta].

P.453 Núñez, Estuardo: "Valdelomar y los orígenes de la vanguardia", en *Hispamérica*, Vol. 20, núm. 60, 1991, pp. 133-140. [Estudio del papel de A. V. en la revista *Colónida*; menciona también brevemente a Alberto Hidalgo como precursor de la vanguardia].

VALLEJO, CÉSAR*

Obras

P.454 *Trilce* (pról. Antenor Orrego). Lima: Talleres Tipográficos de la Penitenciaría, 1922 (2ª. ed., pról. José Bergamín; poema de Gerardo Diego. Madrid: Compañía Ibero-Americana de Publicaciones, 1930; ediciones críticas recientes, ed. y pról. de Julio Ortega. Madrid: Cátedra, Letras Hispánicas, 2003; ed., pról, notas, documentos de Víctor de Lama. Madrid: Castalia, Castalia Didáctica, 1991).

P.455 "Fabla salvaje" (pról. Pedro Berantes Castro), en *La Novela Peruana*, núm. 9, mayo de 1923.

P.456 *Escalas melografiadas*. Lima: Talleres Gráficos de la Penitenciaría, 1923 (nueva versión, establecida por Claude Couffon según manuscrito inédito del poeta, Arequipa: Universidad Nacional de San Agustín de Arequipa, 1994).

P.457 *Favorables París Poema* (París, revista); 2 núms., jul. y oct. de 1926. Directores: César Vallejo y Juan Larrea (ed. facs., Sevilla: Renacimiento, 1982).

P.458 *Literatura y arte (textos escogidos)*. Buenos Aires: Mediodía, 1966.

P.459 *Contra el secreto profesional* (ed. e introd. Georgette de Vallejo). Lima: Mosca Azul, 1973. [T. 1 de la *Obras*].

---

* Ante la abrumadora cantidad de ediciones, traducciones, recopilaciones críticas, homenajes, libros, tesis y artículos (y estos últimos muchas veces reescritos, actualizados y publicados varias veces) sobre la obra de César Vallejo en los últimos veinte años, optamos por aplicar criterios más restringidos que en la primera edición; afortunadamente disponemos de varias bibliografías excelentes que nos permiten concentrarnos todavía más en la relación entre César Vallejo y la vanguardia, con el resultado de que algunos estudios muy valiosos, pero que no se dedican directamente a nuestro tema, ya no aparecen aquí.

P.460 *El arte y la revolución* (ed. Georgette de Vallejo). Lima: Mosca Azul, 1973. [T. 2 de las *Obras*].

P.461 *Crónicas 1915-1938* (ed. pról., cronología y notas de Enrique Ballón Aguirre). México, D. F.: UNAM, 2 tomos, 1984-1985.

P.462 *Desde Europa. Crónicas y artículos 1923-1938* (ed., pról., notas y documentación de Jorge Puccinelli). Lima: Fuente de la Cultura Peruana, 2ª. ed. 1987.

P.463 *Obras completas* (ed. Georgette de Vallejo). Lima: Mosca Azul, 1973-1974. [En el t. III, *Obra poética completa*, 1974, los apuntes biográficos de 1968 ampliados].

P.464 *Obras completas*. Barcelona: Laia, 9 Vols., 1976-78. [Edición del texto establecido por Georgette de Vallejo; con reediciones].

P.465 *Obras completas*. Lima: Editora Perú, 14 Vols., 1992. [Prólogos de Ricardo González Vigil en cada tomo; el primer consta de un estudio introductorio].

P.466 *[Obras completas]*. Lima: PUCP, 1997-2003. [La edición más completa hasta el momento, con un total de 14 tomos, cuidadosamente preparados por reconocidos expertos de la obra de Vallejo (p. ej. Ricardo Silva-Santisteban y Jorge Puccinelli): *Poesía completa*, 4 tomos, 1997; *Narrativa y teatro*, 4 tomos, 1999; *Artículos y crónicas completos*, 2 tomos, 2002; *Correspondencia completa*, 2002; *Autógrafos olvidados*, 2003; *Ensayos y reportajes completos*, 2003; *Traducciones completas*, 2003. Con prólogos, reproducciones de manuscritos, recopilaciones de textos críticos de la época, etc., pero sin aparatos críticos abundantes. Como decimoquinto tomo, Silva-Santisteban publicó en 2004 la antología *Obras esenciales*].

P.467 *Obras completas de César Vallejo* (ed. Héctor Aldo Piccoli, pról. Claudia Cassio). Rosario: Nueva Hélada, 2001, versión CD-Rom. [*Cfr*. también el ensayo de Claudia Cossio en su *De vértigo, asombro y ensueño*. Rosario: Vites, 2001].

P.468 *Obra poética completa* (ed. y apuntes biográficos Georgette de Vallejo; pról. Américo Ferrari). Lima: Francisco Moncloa, 1968.

P.469 *Obra poética completa* (pról. Roberto Fernández Retamar). La Habana: Casa de las Américas, 1975.

P.470 *Poesía completa* (ed. crítica y estudio Juan Larrea). Barcelona: Barral, 1978.

P.471 *Obra poética completa* (ed., pról. y cronología Enrique Ballón Aguirre). Caracas: Biblioteca Ayacucho, 1979.

P.472 *Obra poética completa* (introd. Américo Ferrari). Madrid: Alianza, 1982.

P.473 *Obra poética* (ed. Américo Ferrari). París *et al.*: Colección Archivos, 1988 (2ª. ed. aumentada, con bibl. actualizada, 1996). [Con la colaboración de Jean Franco, Rafael Gutiérrez Girardot, Giovanni Meo Zilio, Julio Ortega, José Miguel Oviedo, José Ángel Valente, y Alain Sicard (2ª. ed.); edición indispensable para cualquier estudio sobre Vallejo].

P.474 *Poesía completa* (ed. Raúl Hernández Novás). La Habana: Casa de las Américas, 1988. [Edición crítica; esta edición se publicó también, sin estudio, en Bogotá: Procultura, 1988].

P.475 *Poesía completa*. Trujillo: Consejo de Integración Cultural Latinoamericana, 1988.

P.476 *Obras completas. Tomo I: Obra poética* (ed., pról., bibl. e índices de Ricardo González Vigil). Lima: Banco de Crédito del Perú, 1991.

P.477 *Poemas completos* (ed. Ricardo González Vigil). Lima: Petroperú 1998 (Quito: Libresa, 1999).

P.478 *Poesía completa* (ed. Antonio Merino). Madrid: Akal 2005.

P.479 *The Complete Poetry: a Bilingual Edition* (ed. y trad. Clayton Eshleman, pról. Mario Vargas Llosa, introd. Efraín Kristal, cronol. Stephen M. Hart). Berkeley: University of California Press, 2007.

P.480 *Sombrero, abrigo y otros poemas* (ed. José Manuel Arango). Bogotá: Norma: 1992. [Antología poética con estudios de Fernando Charry Lara, discutiendo las influencias del ultraísmo en C. V.; y un estudio-prólogo de Edgar O'Hara].

P.481 *Novelas y cuentos completos* (ed. Georgette de Vallejo). Lima: Francisco Moncloa, 1967.

P.482 *Narrativa completa* (ed. y pról. Antonio Merino). Madrid: Akal, 1996.

P.483 *Novelas y cuentos completos* (ed. Ricardo González Vigil). Lima: Petroperú, 1998.

Crítica

Bibliografías y artículos bibliográficos

P.484 Coyné, André. "Ya que de vallejismos se trata...", en *Caminando con César Vallejo*. Lima: Perla, 1988. pp. 59-92. [Revisión de notas y críticas a la obra de C. V. desde 1918 hasta 1946; discutiendo también el cambio de la noción del concepto vanguardismo].

P.485 Escobar, Alberto. "Una edición memorable de la poesía vallejiana", en A. E. *Patio de letras 3*. Lima: Luis Alfredo Ediciones, 1995, pp. 239-247 (artículo de 1991). [Partiendo de la edición crítica de la Colección Archivos, revisa también las ediciones de Georgette de Vallejo y de Juan Larrea].

P.486 Hart, Stephen M. (en colaboración con Jorge Cornejo Polar). *César Vallejo. A Critical Bibliography of Research*. London: Tamesis, 2002. [Casi 700 entradas bibliográficas con amplios comentarios; absolutamente indispensable].

P.487 Istituto Italo-Latino Americano. *César Vallejo (1892-1938). Bibliografia*. Roma: Istituto Italo-Latino Americano. Centro de Documentación, 1988. [Enuncia más de 400 estudios sobre C. V.].

P.488 Martínez García, Francisco. "Bibliografía de César Vallejo y sobre César Vallejo", en *Cuadernos Hispanoamericanos*, núms. 456-457, 1988, pp. 1065-1090. [Contiene unas 600 entradas de títulos sobre C. V.].

P.489 Pixis, Christian. *Bibliografía de la crítica vallejiana*. München: Pixisverlag, 1990. [Exhaustiva y completa; incluye títulos hasta 1988].

P.490 Roggiani, Alfredo. "Mínima guía bibliográfica", en *Revista Iberoamericana*, núm. 71, 1970, pp. 353-358. [Revisión corta pero instructiva de los estudios sobre C. V. hasta este entonces].

P.491 Sobrevilla, David. "Las ediciones y estudios vallejianos: 1971-1979. Un estado de la cuestión", en Gisela Beutler y Alejandro Losada (eds.). *César Vallejo*. Actas del coloquio Berlín, 1979. Tübingen: Niemeyer, 1981, pp. 64-94. [Artículo de reseña].

P.492 Sobrevilla, David. *Introducción bibliográfica a César Vallejo*. Lima: Amaru, 1995. [Bibliografía comentada de suma utilidad].

P.493 *Vallejo, cien años de ser 1892-1992* (Catálogo de la Exposición en el Museo de la Nación, Lima 1992). Lima: Seglusa, 1992. [Con dos secciones de una bibliografía comentada de las "Obras de" y "Obras sobre César Vallejo", no tan extensa e informativa como Sobrevilla 1995].

Libros, homenajes, publicaciones periódicas y páginas web

P.494 Abril, Xavier. *Exégesis trilcica*. S. l.: Gráfica Labor, 1980. [Recopilación de artículos de X. A. sobre Vallejo y *Trilce*. Contiene pp. 173 s. la bibliografía completa de las numerosas contribuciones del autor al estudio de su amigo].

P.495 Angvik, Birger. *La ausencia de la forma da forma a la crítica que forma el canon literario peruano*. Lima: PUCP, 1999. [El primer capítulo, pp. 31-106, parte de la diferencia entre Vallejo y Mariátegui como críticos literarios, pasa a la recepción de la obra narrativa de Vallejo, para discutir después si *Escalas* puede contar como narrativa vanguardista].

P.496 Arévalo, Guillermo Alberto. *César Vallejo, poesía en la historia*. Bogotá: Carlos Valencia, 1977. [Estudio marxista de la obra poética, con un largo capítulo sobre *Trilce* y la vanguardia].

P.497 *Aula Vallejo* (revista). Universidad Nacional de Córdoba, núms. 1 (1961); 2-3-4 (1963); 5-6-7 (1967); 8-9-10 (1971); 11-12-13 (1974). [Revista o serie de actas de coloquios, liderados por Juan Larrea. Tal como lo comenta Hart, 2002, pp. 54 s. en su amplia reseña bibliográfica, esta publicación tiene hoy en día un indudable valor histórico. *Cfr*. David Lagmanovich y Laura Pollastri. *La revista Aula Vallejo. Introducción e índice*. Tucumán y Torreón: Cuadernos del Norte y Sur, 2001].

P.498 Ayala, José Luis. *El cholo Vallejo*. Lima: FIMART, 1994. [Con análisis de algunos poemas de *Trilce*].

P.499 Beutler, Gisela y Alejandro Losada (eds.). *César Vallejo*. Actas del coloquio Berlín, 1979. Tübingen: Niemeyer, 1981. [Además del arriba enunciado artículo bibliográfico de Sobrevilla, interesan aquí los artículos de Jean Franco y Víctor Farías].

P.500 Bravo, Federico. *Le discours poétique de César Vallejo dans Trilce*. Tesis de doctorado, Université de Bordeaux III, 1990. [Trabajo exhaustivo sobre *Trilce*; sin embargo, no se ocupa primordialmente de la pregunta por elementos vanguardistas en el poemario].

P.501 Buxó, José Pascual. *César Vallejo. Crítica y contracrítica*. México, D. F.: UNAM, 1992. [Son de especial interés los tres primeros capítulos sobre *Trilce*. El tercer capítulo: "Trilce I y el conflicto de las exégesis", ya se encuentra con el mismo título en el *Anuario de Filología*, núms. 8/9, 1968/70].

P.502 *Caminando con César Vallejo*. Actas del coloquio internacional Grenoble 1988. Lima: Perla, 1988. [Además de artículos de Roland Forgues ("César Vallejo o la poesía fracturada...") y Marco Martos ("Las palabras de *Trilce*") sobre *Trilce* y alguna que otra contribución más tarde ampliada o reproducida, no deja de tener cierto interés el estudio bibliográfico de Coyné mencionado arriba].

P.503 Carrasco Santaya, Lawrence Allan. *Las ideas estéticas de César Vallejo: estudio de sus textos en prosa reflexiva, desde 1915 hasta 1937*. Lima: Fondo Editorial del Pedagógico San Marcos, 2005 <www.cybertesis.edu.pe>. [El título mismo del estudio explica el objetivo de la tesis].

P.504 Cerna-Bazán, José: *Sujeto a cambio. De las relaciones del texto y la sociedad en la escritura de César Vallejo (1914-1930)*. Lima: Latinoamericana, 1995. [Sobre la poesía de Vallejo en el contexto discursivo de su tiempo, también en el del discurso vanguardista].

P.505 *César Vallejo* <www.ucl.ac.uk/spanish-latinamerican/news/vallejo.htm). [Página del Centre of César Vallejo Studies del University College London, con *Newsletter* y un link al *Journal of Peruvian Cultural Studies*].

P.506 *César Vallejo* <http://spanport.byu.edu/instituto_Vallejiano/index.html). [Página del Instituto de Estudios Vallejianos de la Brigham Young University, Provo; con el *Heraldo Vallejiano* y enlaces a otros sitios].

P.507 *César Vallejo* <www.literatura.us/vallejo/index.html>. [Página con la obra poética completa *online*, así como algunas opiniones críticas].

P.508 *César Vallejo* <www.yachay.com.pe/especiales/vallejo/>. [Con breve biografía y selección de poemas, con traducción al quechua].

P.509 Cornejo Polar, Jorge y Carlos López Degregori (eds.): *Vallejo. Su tiempo y su obra*. Actas del coloquio internacional, Universidad de Lima, 1992. Lima: Universidad de Lima, 2 tomos, 1994. [Además de varios artículos sobre *Trilce*, *Escalas* y *Fabla* son importantes para la vanguardia los trabajos abajo enunciados de Jorge Cornejo Polar y Antonio Merino; colección de artículos comparable en su importancia con la de *Cuadernos Hispanoamericanos* de 1988].

P.510 Coyné, André. *César Vallejo*. Buenos Aires: Nueva Visión, 1968. [Interesan los capítulos IV, V y VI sobre *Trilce*, y una que otra nota sobre *Escalas*; más información que en su *César Vallejo y su obra poética* de 1957, o en su artículo "*Trilce* y los límites de la poesía", *Letras* (Lima), núms. 54-55, 1955, pp. 67-128].

P.511 Coyné, André. *Medio siglo con Vallejo*. Lima: PUCP, 2000. [Recopilación de los trabajos de Coyné sobre C. V.]

P.512 Delgado Bravo, Alfredo José. *Los móviles existenciales de Trilce*. Lima: Ernesto Zúñiga Heredia, 1988. [Según Hart, 2002, una valiosa lectura analítica e interpretativa].

P.513 *Encuentro con Vallejo. Año del siglo de César Vallejo*, en *Casa de las Américas*, núm. 189, 1992, pp. 2-92. [Muchos de los artículos trabajan sobre *Trilce*, p. ej. los de Raúl Hernández Novás y Monique Lemaître sobre *Trilce* I].

P.514 Escobar, Alberto: *Cómo leer a Vallejo*. Lima: Villanueva, 1973. [Pp. 85-194, estudio detenido de *Trilce*, buscando la continuidad con *Los heraldos negros*; *cfr*. también su interpretación "Zeitlichkeit und Räumlichkeit in 'Trilce LVIII'", en Gisela Beutler (ed.). *Sieh den Fluß der Sterne strömen. Hispanoamerikanische Lyrik der Gegenwart*. Darmstadt: Wissenschaftliche Buchgesellschaft, 1990, pp. 80-91].

P.515 Espejo Asturrizaga, Juan. *César Vallejo. Itinerario del hombre 1892-1923*. Lima: Seglusa, 1989. [Escrito en 1945; otra publicación 1969; aunque la biografía (una de las mejores) no hable de vanguardia; interesa aquí por las informaciones y documentos sobre *Trilce*, *Escalas* y *Fabla*].

P.516 Ferrari, Américo. *El universo poético de César Vallejo*. Caracas: Monte Ávila, 1974. [Difícilmente puede faltar este libro en una bibliografía sobre Vallejo; ya existe la 2ª. ed. de 1997, Lima: Universidad de San Martín].

P.517 Ferrero, Mario. *César Vallejo: el hombre total*. Santiago de Chile: Fértil Provincia, 1992. [Discutiendo la pertenencia de C. V. a los distintos movimientos vanguardistas, encuentra en su obra una vanguardia anterior a la vanguardia histórica].

P.518 Fisher, Jeffrey Charles. *The Prose Fiction of César Vallejo and Vicente Huidobro*. Diss. Ohio State University, 1991. [Partiendo de la discusión sobre la narrativa vanguardista, se vale para la narrativa vallejiana del concepto "transculturación" de Ángel Rama].

P.519 Flores, Ángel (ed.). *Aproximaciones a César Vallejo*. New York: Las Américas Publishing Company, 2 tomos, 1971. [El segundo tomo, pp. 79-177, contiene catorce ensayos sobre *Trilce* (siete de ellos de André Coyné) y una extensa bibliografía].

P.520 Forgues, Roland (ed.). *César Vallejo. Vida y obra*. Lima: Amaru, 1994. [Al lado de dos o tres trabajos sobre *Trilce*, merece atención el abajo enunciado artículo de Roberto Paoli].

P.521 Franco, Jean. *César Vallejo, the Dialectics of Poetry and Silence*. Cambridge: Cambridge University Press, 1976 (versión española 1984). [Uno de los estudios fundamentales de la poesía de C. V.; no habla directamente de vanguardismo].

P.522 González Cruz, Luis F. *Microcosmos poéticos: Pablo Neruda, César Vallejo y Federico García Lorca*. Madrid/New York: Anaya/Las Américas, 1975. [Con interpretaciones exhaustivas de *Trilce* I y *Trilce* XXXII, sin valerse del concepto vanguardia].

P.523 González Montes, Antonio Raúl. *Escalas hacia la modernización narrativa*. Lima: UNMSM, 2002. [Estudio detenido de *Escalas* dentro de la obra de C. V., de su recepción y análisis del "libro insólito", pero sin ubicarlo, por lo menos con un esfuerzo teórico novedoso, dentro de la vanguardia].

P.524 González Vigil, Ricardo. *César Vallejo*. Lima: Brasa, 1995. [Con un capítulo sobre *Trilce* y buena información sobre *Fabla* y *Escalas*; *cfr*. también su *Retablo de autores peruanos*, de 1990, y su incansable labor de editor de las obras de C. V.].

P.525 González Vigil, Ricardo (ed.). *Intensidad y altura de César Vallejo*. Lima: PUC, 1993. [Además de dos artículos sobre la estética de C. V. de Julio Vélez y Ricardo Falla Barreda, interesa el estudio de Antonio González Montes sobre "La narrativa de César Vallejo"].

P.526 Granados, Pedro. *Poesías y utopías en la poesía de César Vallejo*. Lima: PUCP, 2004. [En el cap. sobre *Trilce* especula sobre la función de los números, pero no se interesa realmente por la vanguardia].

P.527 Gutiérrez Correa, Miguel. *Vallejo, narrador*. Lima: Pedagógico San Marcos, 2004. [En realidad, se trata de una antología de la obra narrativa con extensa introducción que menciona la pertenencia de algunos textos a la vanguardia, pero no discute el concepto].

P.528 Gutiérrez Girardot, Rafael. *César Vallejo y la muerte de Dios*. Bogotá: Panamericana, 2003. [Recopilación de los artículos de R. G. G. sobre Vallejo; no tratan directamente de la vanguardia, pero permiten la ubicación de su obra dentro del contexto filosófico y cultural de su época].

P.529 Guzmán, Jorge. *Tahuashando. Lectura mestiza de César Vallejo*. Santiago de Chile: LOM, 2002. [2ª. ed. ampliada del libro *Contra el secreto profesional. Lectura...*, de 1991; se trata de un estudio sobre el trasfondo cultural de la producción poética de Vallejo, como modernidad por reflejo].

P.530 Hart, Stephen M. (ed.). *César Vallejo in the New Millennium*, en *Romance Quarterly*, Vol. 49, núms. 2-3, 2002. [Propuestas de nuevas interpretaciones a la luz de teorías postcoloniales, semicoloniales y otros, con contribuciones de Hart, James Higgins, Keith McDuffie, George Lambie, Juan Fló, Dominic Moran, Nicola Miller, Adam Sharman y Jason Wilson].

P.531 Hedrick, Tace Megan Sutter. *The Art of Having: Hunger and Appropriation in the Works of Marilynne Robinson, César Vallejo, and Clarice Lispector*. (Diss. University of Iowa, 1992). Ann Arbor: UMI, 1993. [En el capítulo sobre el cuerpo en *Trilce*, parte de la ruptura de Vallejo con la poesía tradicional].

P.532 Hernández Novás, Raúl (ed.). *Valoración múltiple César Vallejo*. Bogotá, La Habana: Instituto Caro y Cuervo, Casa de las Américas, Vol. I, 2000. [Recopilación de textos fundamentales de la investigación sobre la poesía en general, y *Los heraldos* y *Trilce* en especial, p. ej. de Roberto Paoli, Américo Ferrari, Mario Castro Arenas, André Coyné, Saúl Yurkievich, Alberto Escobar, Julio Ortega y José Pascual Buxó].

P.533 Higgins, James. *César Vallejo en su poesía*. Lima: Seglusa, 1990. [Colección de interpretaciones de poemas, entre ellos una docena de poemas de *Trilce*].

P.534 *Homenaje a César Vallejo*, en *Ínsula*, núms. 386-387, 1979. [Interesan aquí los artículos de Robert Edward Gurney, "César Vallejo, París y la vanguardia"; René de Costa, "*Favorables París Poema*: Un acto de presencia"; y Luis Monguió, "Trilce en su tiempo"].

P.535 *Homenaje a César Vallejo*. Edición monográfica (y monumental) de *Cuadernos Hispanoamericanos*, núms. 454-457, 1988. [Además de los siete u ocho artículos sobre *Trilce*, núms. 456-457, pp. 261-315, *cfr*. los abajo enunciados artículos de Fernando R. Lafuente, Rocío Oviedo, Amancio Sabugo Abril, André Coyné, Trinidad Barrera, Sonia Mattalía, y la bibliografía de Francisco Martínez García].

P.536 *Homenaje a César Vallejo*, en Carmen Ruiz Barrionuevo y César Real Ramos (eds.). *La modernidad literaria en España e Hispanoamérica*. Actas del Simposio Internacional Salamanca, 1992. Salamanca: Universidad de Salamanca, 1996, pp. 197-240. [Cuatro artículos de Federico Bravo, José Carlos González Boixo, Keith McDuffie y Julio Vélez sobre *Trilce* y la relación de C. V. con la modernidad literaria y la vanguardia].

P.537 Larrea, Juan. *César Vallejo y el surrealismo*. Madrid: Visor, 1976 (1ª. ed. 1967; 3ª. ed. 2001). [Una etapa más en la discusión entre Larrea y Coyné que marcó el estudio de la obra de C. V. por décadas].

P.538 Larrea, Juan. *Al amor de Vallejo*. Valencia: Pre-textos, 1980. [Recopilación de algunos de los artículos de Larrea sobre C. V.].

P.539 López Alfonso, Francisco José. *César Vallejo, las trazas del narrador*. Valencia: Universidad de Valencia, 1995 (Anejo XI de la revista *Cuadernos de Filosofía*). [Partiendo de la discusión del concepto vanguardia, y especialmente del concepto vanguardia latinoamericana, analiza la obra narrativa de C. V.; libro importante].

P.540 Ly, Nadine (ed.). *César Vallejo: la escritura y lo real*. Actas del coloquio internacional Bordeaux, 1988. Madrid: Ediciones de la Torre, 1988. [Interesan para el tema de la vanguardia un artículo reciente de Keith McDuffie, y la comparación entre C. V. y Oliverio Girondo de Jesús García Calderón; en menor grado también el excelente estudio de Serge Salaün sobre la narrativa a partir de 1927, y la interpretación de *Trilce* XXXVI de Federico Bravo].

P.541 Martos, Marco y Elsa Villanueva. *Las palabras de Trilce*. Lima 1989. [Estudio lexicográfico de *Trilce*, no sin cierto interés aquí; con una bibliografía que no llega sino hasta los años setenta].

P.542 Mata, Rodolfo. *Las vanguardias literarias latinoamericanas y la ciencia. Tablada, Borges, Vallejo y Andrade*. México, D. F.: UNAM, 2003. [El quinto capítulo revisa la posición de C. V. frente a la tecnología y el progreso científico, desde sus inicios, pasando por la fase vanguardista de *Trilce*, hasta su opción por el comunismo].

P.543 McDuffie, Keith. *The Poetic Vision of César Vallejo in Los heraldos negros and Trilce*. Diss. University of Pittsburgh, 1969. [Importante trabajo sobre la influencia de las vanguardias en el paso de *Los heraldos* hacia *Trilce*].

P.544 Merino, Antonio (ed.). *En torno a César Vallejo*. Madrid: Júcar, 1988. [Recopilación de artículos críticos e importantes, algunos de ellos con cierto interés para la cuestión de la vanguardia].

P.545 Monguió, Luis. *César Vallejo (1892-1938). Vida y obra. Bibliografía. Antología*. New York: Hispanic Institute of the United States, 1952. [Pp. 114-136 estudio de *Trilce* y de la prosa de 1923].

P.546 Neale-Silva, Eduardo. *César Vallejo en su fase trílcica*. Madison: The University of Wisconsin Press, 1975. [Voluminosa e indispensable interpretación de los poemas de *Trilce*].

P.547 Neale-Silva, Eduardo. *César Vallejo cuentista. Escrutinio de un múltiple intento de renovación*. Barcelona: Salvat, 1987. [Subraya el deseo de experimentación de C. V. en *Escalas* y en otros textos narrativos].

P.548 *Norte*. Revista del Instituto de Estudios Vallejianos, Universidad Nacional de Trujillo (ed. César Adolfo Alva Lescano), 7 núms., de 1994 hasta 2000.

P.549 Orrego, Antenor. *Mi encuentro con César Vallejo* (ed. Luis Alva Castro). Bogotá: Procultura, Tercer Mundo, 1989. [Recopilación de textos de y sobre el prologuista de *Trilce*; importante para el estudio de los movimientos literarios de 1915-1923].

P.550 Ortega, Julio (ed.). *César Vallejo*. Madrid: Taurus, 2ª. edición, 1981 (1ª. ed. 1975). [De especial interés son los artículos abajo enunciados de José Miguel Oviedo y Saúl Yurkievich].

P.551 Ortega, Julio. *La teoría poética de Vallejo*. Lima: El Sol, 1989. [Para la vanguardia interesa un pequeño estudio sobre *Trilce* y la conclusión general].

P.552 Paoli, Roberto. *Mapas anatómicos de César Vallejo*. Messina, Firenze: Casa Editrice D'Anna, 1981. [Recopilación de estudios sobre C. V.; importante aquí el artículo de 1966: "En los orígenes de *Trilce*: Vallejo entre modernismo y vanguardia"].

P.553 Podestá, Guido A. *Desde Lutecia. Anacronismo y modernidad en los escritos teatrales de César Vallejo*. Lima/Berkeley: Latinoamericana, 1994. [Con algunas observaciones al tema de la vanguardia; ya había publicado un libro (1985) y varios artículos al respecto].

P.554 Rodríguez Chávez, Iván. *La ortografía poética de Vallejo*. Lima: Compañía de Impresiones y Publicidad, 1973. [Sobre los cambios ortográficos y su significado, especialmente en *Trilce*].

P.555 Schneider, Emily-Miriam. *The Poetry of César Vallejo and the Interwar Europeen Avant-Garde*. Diss. University of Harward, 1991. [Sobre el rechazo y la asimilación de procedimientos formales de las vanguardias].

P.556 *Séminaire César Vallejo*. Poitiers: Centre de Recherches Latino-Américaines de l'Université de Poitiers, 2 tomos, 1972 y 1973. [Contiene p. ej., una interpretación del poema XXVII de *Trilce* por Saúl Yurkievich, y su artículo abajo enunciado: "El salto"].

P.557 Sharman, Adam (ed.). *The Poetry and Politics of César Vallejo: The Fourth Angle of the Circle*. Lampeter: Edwin Mellen, 1997. [Recopilación con algunos estudios centrados en *Trilce*, por ejemplo de Susana Reisz y de Arthur Terry].

P.558 Schmidt-Welle, Friedhelm (ed.). *Guillén, Vallejo, Drummond de Andrade: vanguardia-compromiso-etnicidad/vanguarda-compromisso-etnicidade*. Berlin: Iberoamerikanisches Institut, 2004 (= ibero-online.de). [Con el artículo de Dieter Reichardt sobre "Los hablantes líricos en la poesía de Nicolás Guillén y César Vallejo", y el de Antonio Melis, "Perú del mundo: Vallejo entre indigenismo y vanguardia", donde busca la confluencia de indigenismo y vanguardia, como propuesta de futuros estudios].

P.559 Sobrevilla, David. *César Vallejo. Poeta nacional y universal y otros trabajos vallejianos*. Lima: Amaru, 1994. [Importa sobre todo el aspecto bibliográfico, por su revisión de lo que se ha escrito sobre Vallejo en los últimos 25 años; *cfr*. también su arriba mencionada *Introducción bibliográfica*].

P.560 Vega, José Luis. *César Vallejo en Trilce*. Río Piedras: Universidad de Puerto Rico, 1983. [Estudio breve pero instructivo sobre *Trilce*, discutiendo también el vanguardismo en C. V.].

P.561 Vegas-García, Irene. *Trilce, estructura de un nuevo lenguaje*. Lima: PUC, 1982. [Tesis de doctorado de 1978; análisis textual de *Trilce*].

Artículos

P.562 Aullón de Haro, Pedro. "Las ideas teórico-literarias de Vallejo", en P. A. de H. *La modernidad poética, la vanguardia, el creacionismo*. Málaga:

Universidad de Málaga, 2000, pp. 257-288. [Estudio sistemático de los escritos poetológicos de C. V. en el contexto de la vanguardia].

P.563 Bar-Lewaw, Itzhak. "Notas en torno al periodismo de César Vallejo", en I. B.-L. *Temas literarios latinoamericanos*. México, D. F.: Costa-Amic, 1961, pp. 127-146. [Sobre las colaboraciones de C. V. en revistas vanguardistas de los años veinte].

P.564 Barrera, Trinidad. "*Escalas melografiadas* o la lucidez vallejiana", en *Cuadernos Hispanoamericanos*, núms. 454-455, 1988, pp. 317-328. [Muestra cómo C. V. se aparta del modernismo, y corrobora las correlaciones de *Escalas* con *Trilce*].

P.565 Buelow, Christiane von. "Vallejo's Venus de Milo and the Ruins of Language", en *PMLA*, Vol. 104, núm. 1, 1989, pp. 41-52. [Interpreta el poema *Trilce* XXXVI como poema vanguardista].

P.566 Bueno, Raúl. "Vallejo y la exactitud poética. Dos ejemplos", en R. B.: *Poesía hispanoamericana de vanguardia. Procedimientos de interpretación textual*. Lima: Latinoamericana Editores, 1985, pp. 18-27. [Artículo de 1978, interpreta *Trilce* II y un poema de *Los Heraldos*].

P.567 Castagnino, Raúl H. "Dos narraciones de César Vallejo", en *Revista Iberoamericana*, núm 71, 1970, pp. 321-339. [Análisis de *Tungsteno* y de *Paco Yunque*. La introducción del artículo dice, respecto a *Escalas*, que Vallejo "instala imprevistamente al lector en un mundo surrealista", p. 321].

P.568 Celorio, Gonzalo. "César Vallejo", en G. C. *La épica sordina*. México, D. F.: Cal y Arena, 1990, pp. 69-77. [Resalta la singularidad de *Trilce* dentro del vanguardismo hispanoamericano].

P.569 Cornejo Polar, Jorge. "Vallejo y la vanguardia. Una relación problemática", en J. C. P. (ed.). *Vallejo. Su tiempo y su obra*. Lima: Universidad de Lima, 1994, t. II, pp. 65-80. [Trabajo fundamental; varias veces publicado, p. ej. en su *Estudios de literatura peruana*. Lima: Universidad de Lima, 1998].

P.570 Coyné, André. "Vallejo y el surrealismo", en *Revista Iberoamericana*, núm. 71, 1970, pp. 243-301. [Ponencia leída en 1967; como epílogo, pp. 294-301, una respuesta al artículo de Juan Larrea: "César Vallejo frente a André Breton", en *Revista de la Universidad Nacional de Córdoba*, núms. 3-4, 1969, con el cual éste había respondido a Coyné].

P.571 Coyné, André. "Digo, es un decir", en *Cuadernos Hipanoamericanos*, núms. 454-455, 1988, pp. 57-86. [Artículo que reanuda la polémica con Larrea sobre la interpretación de la obra de C. V. y el surrealismo; *cfr*. también al respecto su "Moro entre otros y en sus días, I", en *Cuadernos Hispanoamericanos*, núm. 448, 1987, pp. 70-89, especialmente la nota 50, pp. 87-89, que ofrece un repaso no siempre agradable de las luchas entre ambos, pero sirve para una mejor interpretación de *Aula Vallejo*].

P.572 Dove, Patrick. "The Catastrophe of Modernity: Vallejo's *Trilce* Between Indigenism and the Avant-garde", en D. P. *The Catastrophe of Modernity: Tragedy and the Nation in Latin American Literature*. Lewisburg: Bucknell University Press, 2004. ["The reeding is based on a yuxtaposition of aporetically incompatible terms: mourning, the avant-garde, and Andean indigenism or messianism"].

P.573 Duffey, J. Patrick. "El arte humanizado y la crítica cinematográfica de Jaime Torres Bodet y César Vallejo", en *Anales de Literatura Hispanoamericana*, núm. 32, 2003, pp. 37-52 (existe una versión *online* de la revista). [En lo que se refiere a Vallejo, el autor se limita a su relación con Chaplin, sin explicar cómo se imagina el postulado de un vanguardismo que ha logrado humanizar a la velocidad moderna].

P.574 Fernández Díaz, Osvaldo. "La poética explícita de Vallejo. Un ejercicio de comparación", en Jeannine Potelet *et al*. *Literatura e identidad en América Latina: Carpentier, Borges, Vallejo*. La Garenne-Colombes: Editions de l'Espace Européen, 1991. [Partiendo de *Trilce* XXXVI estudia la ruptura entre *Los heraldos* y *Trilce*].

P.575 Flores, Félix Gabriel. "Un libro enigmático", en F. G. F. *Rostros de la poesía latinoamericana*. Buenos Aires: Corregidor, 1990, pp. 29-42. ["Más que de surrealismo o de discordancias expresivas, creemos que en *Trilce* puede hablarse de una visión extraviada de la realidad", p. 37].

P.576 Franco, Jean. "Vallejo and the Crisis of the Thirties", en *Hispania*, Vol. 72, núm. 1, 1989, pp. 42-48. [Partiendo del concepto de vanguardia según Peter Bürger, revisa la obra de C. V. en los años treinta].

P.577 Gazzolo, Ana María. "El cubismo y la poética vallejiana", en *Cuadernos Hispanoamericanos*, núm. 510, 1992, pp. 30-42. [Después de buscar referencias al cubismo artístico en los escritos periodísticos de C. V. en Europa, encuentra también huellas de esa vertiente vanguardista en *Poemas Humanos*; publicado también en Cornejo Polar, *Vallejo*, 1994].

P.578 Goloboff, Gerardo Mario. "El Vallejo de Trilce", en *Quimera* (Bogotá), núms. 14-15, 1992, pp. 42-44. [Discute brevemente posibles lecturas de C. V. de autores vanguardistas antes de *Trilce*].

P.579 Guijarro-Grouch, Mercedes. "*Trilce* III, expresión de tiempo y abandono", en *Revista Canadiense de Estudios Hispánicos*, Vol. 14, núm. 2, 1990, pp. 265-275. [Análisis semántico del poema].

P.580 Gurney, Robert: "César Vallejo, Juan Larrea & their Advant-guarde [*sic*!] Magazine *Favorables París Poema*", en *Bulletin of the Society for Latin American Studies* (Glasgow), núm. 31, 1979, pp. 56-76. [Revisión detenida de los dos números de la revista cuyo objetivo consistió, en su opinión, en insertar a C. V. en el movimiento vanguardista europeo].

P.581 Henao Durán, Juan Carlos y Daniel Jerónimo Tobón Giraldo: "Vidales, Vallejo, Vanguardia", en *Estudios de Literatura Colombiana* (Medellín), núm. 9, 2001, pp. 33-52. [Partiendo del análisis de "Trilce VII" y de "En el café" de Luis Vidales, llegan a la conclusión de que existe un abismo entre C. V. y el poeta colombiano, una diferencia tan radical que, incluso, afecta al mismo concepto de vanguardia].

P.582 Ibérico, Mariano, Yolanda de Westphalen y María Eugenia de Gerbolini. "En el mundo de *Trilce*", en *Letras* (Lima), núms. 70-71, 1963, pp. 5-52. [Breves comentarios e interpretaciones de todos los poemas de *Trilce*].

P.583 Janik, Dieter. "Vicente Huidobro und César Vallejo: Zwei Außenseiter der europäischen Avantgarde aus Spanischamerika", en Rainer Warning y Winfried Wehle (eds.). *Lyrik und Malerei der Avantgarde*. München: Wilhelm Fink, 1982, pp. 193-209. [Breve introducción a la poesía vanguardista de ambos].

P.584 Lafuente, Fernando R. "La vanguardia literaria: El escritor como vulgar espantapájaros", en *Cuadernos Hispanoamericanos*, núms. 456-457, 1988, pp. 937-943. [Artículo sobre C. V. y la vanguardia, partiendo de sus escritos críticos].

P.585 Madrid, Lelia. "César Vallejo", en L. M. *El estilo del deseo. La poética de Darío, Vallejo, Borges y Paz*. Madrid: Pliegos, 1988, pp. 53-71. [Comparando a C. V. con otros tres poetas, llama a la poesía de C. V. a partir de Trilce "uno de los extremos" de la poesía vanguardista hispanoamericana].

P.586 Mattalía, Sonia. "*Escalas melografiadas*: Vallejo y el vanguardismo narrativo", en *Cuadernos Hispanoamericanos*, núms. 454-455, 1988, pp. 329-343. [Partiendo de una definición específica de la vanguardia, ubica a *Escalas* en este concepto; nuevamente publicado, junto con un artículo sobre *Trilce* de 1988, en su *Tupí or not Tupí*. Mérida: El otro, el mismo, 2004].

P.587 McDuffie, Keith A. "César Vallejo y el humanismo socialista vs. el surrealismo", en Peter G. Earle y Germán Gullón (eds.): *Surrealismo/ Surrealismos. Latinamérica y España*. Philadelphia: University of Pennsylvania, 1977, pp. 67-73. [Analiza la actitud de C. V. en Europa frente al surrealismo, especialmente frente a Breton].

P.588 McDuffie, Keith A. "César Vallejo y el creacionismo", en *La Chispa '85* (ed. Gilbert Paolini). New Orleans: Tulane University, 1985, pp. 259-266. [Subraya la gran diferencia entre la poesía de C. V. y el creacionismo de Huidobro].

P.589 McDuffie, Keith A. "César Vallejo y la vanguardia en España", en *Las relaciones literarias entre España e Iberoamérica*. Madrid: Editorial Universitaria, 1986, pp. 493-499. [La relación con la vanguardia española de mediados de los años veinte hasta comienzos de los treinta].

P.590 McGuirk, Bernard. “Poetry, Pedagogy and Intranslatability. On *écriture* and *oralité* in Two Poems of César Vallejo’s *Trilce*, en B. M. *Latin American Literature. Symptoms, Risks and Strategies of Post-Structuralist Criticism*. London/New York: Routledge, 1997, 95-120. [Acercamiento post-estructuralista a *Trilce* I, con un breve comentario sobre *Trilce* XXV; también en Sharman, 1997].

P.591 Melis, Antonio. “L’austero laboratorio di Vallejo e il distacco dall’avanguardia”, en *Letterature d’America* (Roma), Vol. 3, núm. 11, 1982, pp. 35-59. [Buena revisión de la influencia de la vanguardia en C. V. y su actitud frente a ella en Europa].

P.592 Merino, Antonio. “César Vallejo: vanguardia y revolución entre dos mundos”, en Jorge Cornejo Polar (ed.). *Vallejo. Su tiempo y su obra*. Lima: Universidad de Lima, 1994, t. II, pp. 247-261. [Compara, de una forma paralela, el desarrollo de la obra de C. V. y el del vanguardismo en Europa].

P.593 Montañez, María Soledad. “Imágenes femeninas en la poesía vanguardista de: Nicolás Guillén: en *Otros poemas* (1920-1923), Vicente Huidobro: en *Poemas árcticos* (1918), César Vallejo: en *Trilce* (1919-1922)”, en *Espéculo*, núm. 29, 2005, s. p. <www.ucm.es/info/especulo/numero29/imagfeme.html>. [A pesar de una larga introducción sobre las vanguardias, no logra demostrar en qué consiste lo específicamente vanguardista de la imagen de la mujer en *Trilce*].

P.594 Morales Saravia, José. “César Vallejo y la internalización”, en *Revista de Crítica Literaria Latinoamericana*, Vol. 10, núm. 20, 1984, pp. 55-78. [Estudia la relación de C. V. con el surrealismo, comparándolo con Alejo Carpentier, Aimé Césaire y César Moro].

P.595 Morales Saravia, José. “*Trilce* LXVII de César Vallejo: la subjetividad ausente”, en *Iberoromania*, núm 40, 1994, pp. 116-132. [Preguntando por la constitución de “la conciencia moderna” en Latinoamérica, p. 116, analiza detenidamente el poema para llegar a la siguiente conclusión: “los procedimientos empleados, las rupturas de sentido y los quiebres sintácticos (...) hacen de este poema (...) un representante de la poesía de vanguardia en Latinoamérica”, p. 132].

P.596 Muschietti, Delfina. “El sujeto como cuerpo en dos poetas de vanguardia: César Vallejo y Oliverio Girondo”, en *Filología*, Vol. 23, núm. 1, 1988, pp. 127-149. [Comparación muy interesante del yo poético en los dos poetas].

P.597 Oviedo, José Miguel. “Vallejo entre la vanguardia y la revolución”, en Julio Ortega (ed.): *César Vallejo*. Madrid: Taurus, 1981, pp. 405-416 (artículo de 1974). [Estudia la actitud de C. V. frente a la vanguardia literaria desde el punto de vista de su marxismo].

P.598 Oviedo, José Miguel. “Trilce II: Clausura y apertura”, en *Revista Iberoamericana*, núms. 106-107, 1979, pp. 67-75. [Interpretación de *Trilce*

II en el número de la *Revista Iberoamericana* dedicado a Vicente Huidobro y la vanguardia; compara el poema con el cubismo de Picasso y, siguiendo a Larrea, "Considerando a Vallejo", 1967, lo interpreta como un mandala].

P.599 Oviedo [Pérez de Tudela], Rocío. "Del símbolo a la imagen surrealista", en *Cuadernos Hispanoamericanos*, núms. 456-457, 1988, pp. 961-971. ["Vallejo se sirve de las formulaciones estilísticas (...) (del) surrealismo, para llegar a alcanzar un acento propio", p. 971].

P.600 Oviedo Pérez de Tudela, Rocío. "César Vallejo en el umbral de las vanguardias", en *Anales de Literatura Hispanoamericana*, núm. 26, 2, 1997, pp. 363-380 (existe una versión *online* de la revista). [Retoma el debate acerca del vanguardismo en Vallejo, para dedicarse después a su obra narrativa-cuentística y la función de la imagen y otros aspectos en ella].

P.601 Oviedo Pérez de Tudela, Rocío. "La imagen diagonal. De lo cinemático en César Vallejo", en *Anales de Literatura Hispanoamericana*, núm. 32, 2003, pp. 53-70 (existe una versión *online* de la revista). [Amplio análisis de las crónicas de 1927 y 1928 sobre el cine; a pesar de que la autora incluya un capítulo sobre "El arte y el sentido iconográfico de las vanguardias", no siempre queda muy claro el concepto].

P.602 Paoli, Roberto. "¿Por qué Vallejo? Un revolucionario del idioma", en Roland Forgues (ed.). *César Vallejo. Vida y obra*. Lima: Amaru, 1994, pp. 151-165. [Ve en C. V. el "mayor poeta expresionista hispánico de este siglo", p. 154; anteriormente publicado en *Caminando con César Vallejo*. Lima: Perla, 1988].

P.603 Pérez Blanco, Lucrecio. "La poesía vanguardista hispanoamericana ante los temas universales", en *Estudios Paraguayos*, Vol. 6, núm. 1, 1978, pp. 9-30. [Sobre Dios, la vida y el amor en C. V., Borges y Huidobro].

P.604 Promis O., José. "La percepción de la profundidad en César Vallejo", en *Discurso Literario*, Vol. 4, núm. 1, 1986, pp. 201-212. [Partiendo de la actitud de C. V. frente a los movimientos de vanguardia, busca uno de los "motivos literarios" de los vanguardistas, "la percepción de la profundidad", en su obra].

P.605 Roca, Juan Manuel. "Vallejo y las vanguardias", en *Revista Casa Silva* (Bogotá), núm. 6, 1993, pp. 15-26. [Habla de una vanguardia sin vanguardismo en la poesía de C. V.].

P.606 Sabugo Abril, Amancio. "Vallejo y Larrea, o las afinidades electivas", en *Cuadernos Hispanoamericanos*, núms. 454-455, 1988, pp. 39-56. [Interesante porque examina todos los escritos de Larrea sobre C. V., con especial hincapié en el debate sobre el surrealismo en Vallejo, y la polémica Larrea-Coyné].

P.607 Serra, Edelweis. "El desgarramiento emocional en la poesía de César Vallejo", en E. S. *Poesía hispanoamericana*. Santa Fe: Instituto de

Literatura Hispánicas, 1964, pp. 219-246. [Con la interpretación de tres poemas de *Trilce*. Lo llama un "neorromántico de las corrientes vanguardistas"; también encuentra "expresionismo" y "superrealismo" en sus poemas].

P.608 Siebenmann, Gustav. "César Vallejo und die Avantgarde", en Harald Wentzlaff-Eggebert (ed.): *Europäische Avantgarde im lateinamerikanischen Kontext/La vanguardia europea en el contexto latinoamericano*. Frankfurt am Main: Vervuert, 1991, pp. 337-360. [Texto ampliado de "César Vallejo y las vanguardias", en *Hispania*, Vol. 72, núm. 1, 1989, pp. 33-41; busca en la vida y en la obra de C. V. los puntos de contacto con las vanguardias históricas, y llega a la conclusión de que hay que emplear otros conceptos ('otredad') para explicar su poesía].

P.609 Soria Olmedo, Andrés. "*Favorables París Poema*", en A. S. O. *Vanguardismo y crítica literaria en España*. Madrid: Istmo, 1988, pp. 237-243. [*Cfr*. también "Favorables París Poema y la joven literatura", en *Ínsula*, núm. 642, 2000, pp. 9-11; las contribuciones de C. V. sobre el vanguardismo en la revista y el debate entre los poetas del '27 con ocasión de la publicación de la revista].

P.610 Valcárcel, Eva. "Trilce XLV y LXIX: Lectura de dos poemas de mar", en *Cuadernos para Investigación de la Literatura Hispánica*, núm. 12, 1990, pp. 125-133. [Sin usar la palabra "vanguardia", interpreta los dos poemas con conceptos que dan la impresión como si ella los quisiera acercar a la poesía surrealista: "subconsciente", "inconsciente", "límites del sueño", "discurso irracional" y muchos otros].

P.611 Waldegaray, Marta. "Materialidad lingüística y humanidad del lenguaje en César Vallejo (análisis de dos poemas de *Trilce*)", en *Espéculo*, núm. 20, 2002, s. p. <www.ucm.es/info/especulo/numero20/vallejo.html>. [Análisis exhaustivo de los poemas V y X de *Trilce*, preguntando por otra "legibilidad", después de la ruptura vanguardista con la legibilidad tradicional de poemas].

P.612 Yurkievich, Saúl. "El salto por el ojo de la aguja", en Julio Ortega (ed.): *César Vallejo*. Madrid: Taurus, 1981, pp. 437-448. [Estudiando la poética de C. V., especialmente la de *Trilce*, parte de la afirmación: "Vallejo es un poeta vanguardista"; varias veces publicado, también en francés, por primera vez en 1973; *cfr*. también su ensayo *Valoración de Vallejo* de 1958].

P.613 Yurkievich, Saúl. "En torno de Trilce", en Julio Ortega (ed.): *César Vallejo*. Madrid: Taurus, 1981, pp. 245-264 (primera publicación en *Revista Peruana de Cultura*, núms. 9-10, 1966). [Después de situar a *Trilce* en la época de la vanguardia, presenta un breve estudio sobre los recursos expresivos de la obra; publicado, junto con otro artículo sobre *Trilce*, en S. Y. *Fundadores de la nueva poesía latinoamericana*. Barcelona: Barral, 3ª. ed.,

1978; tres artículos suyos sobre Vallejo se encuentran reunidos en su *Summa crítica*. México, D. F.: FCE, 1997: "Tu diamante implacable", "El salto por el ojo", y "César Vallejo y su percepción del tiempo discontinuo"; "Tu diamante implacable" fue reeditado nuevamente en su *Del arte verbal*. Barcelona: Galaxia Gutemberg, 2002].

P.614 Zimmermann, Marie-Claire. "Ruptures et démarcations dans la poésie latino-américaine depuis la fin du dix-neuvième siècle", en *Les Langues Néo-Latines*, núm. 297, 1996, pp. 169-188. [Estudio comparativo del sentido de ruptura en la poesía de Rubén Darío, Pablo Neruda, Vicente Huidobro y en *Trilce*].

VARALLANOS, ADALBERTO

Obra

P.615 *Permanencia. Cuentos, poemas, crítica y otros escritos* (ed. e introd. José Varallanos; pról. Esteban Pavletich). Buenos Aires: Andimar, 1968. [Obra completa, incluyendo la prosa vanguardista; con un facsímil de las pp. 1 y 4 de la revista *Jarana*; bibliografía y notas sobre el autor; de bastante interés sobre la vanguardia en el Perú en general el prólogo de Esteban Pavletich].

VARALLANOS, JOSÉ

Obra

P.616 *El hombre del Ande que asesinó su esperanza*. Lima: Minerva, 1928.

VÁSQUEZ, EMILIO

Obras

P.617 *Altipampa*. Poemas Multifacicos (Portada verbal de J. Uriel García). Puno: Fournier, 1933.

P.618 *Twantinsuyu*. Poema dramático. Puno: Fournier, 1934.

P.619 *Kollasuyu* (Bienvenida por Luis E. Valcárcel). Lima: Baluarte, 1940.

Crítica

P.620 Tamayo Vargas, Augusto. "Prólogo", en E. V. *Poemario Titikaka*. Lima: Juan Mejía Baca, 1984, pp. 13-17. ["Ya en sus primeros poemas de *Altipampa* se apreciaba la presencia de un tono particular (...) dentro del paisajismo estridentista de sus contemporáneos", p. 14. Contiene también otras opiniones sobre la obra de E. V.].

Velázquez, Juan Luis

Obra

P.621 *El perfil de frente*. Lima: Garcilaso, 1924 (reedición en *9 libros vanguardistas*, 2001).

Westphalen, Emilio Adolfo

Obras

P.622 *Las ínsulas extrañas*. Lima: Compañía de Impresores y Publicidad, 1933 (ed. facs., Lima: Riotigre, 2004).

P.623 *Abolición de la muerte*. Lima: Perú Actual, 1935 (*"Abschaffung des Todes" und andere frühe Gedichte*. Ed. bilingüe, ed. y artículo "Zur frühen Poesie Emilio Adolfo Westphalens", José Morales Saravia; trad. Martin von Koppenfels. Frankfurt am Main: Vervuert, 1995; ed. facs., con dibujos de César Moro, Lima: Riotigre, 2004).

P.624 *El obispo embotellado*. Lima, 1936. [Folleto de polémica en contra de Vicente Huidobro, a raíz de la *Exposición* de 1935; escrito en colaboración con César Moro y Rafael Méndez Dorich; ed. facs. César Moro *et al*. *El uso de la palabra* y *Vicente Huidobro o El obispo embotellado*. Lima: Sur Librería Anticuaria/El Virrey, 2004].

P.625 *Otra imagen deleznable*. México, D. F.: FCE, 1980. [Incluye p. ej. poemas de 1930 a 1978 bajo el título *Belleza de una espada clavada en la lengua*; y la conferencia de 1974, "Poetas en la Lima de los años treinta"].

P.626 *Belleza de una espada clavada en la lengua. Poemas 1930-1986*. Lima: Richay, 1986. [Incluye, p. ej.: *Las ínsulas* y *Abolición*; desgraciadamente sin prólogo].

P.627 *Cuál es la risa* (ed. André Coyné), Barcelona: Auqui, 1989. [Poemas inéditos].

P.628 *Bajo zarpas de la quimera. Poemas 1980-1988* (pról. José Ángel Valente). Madrid: Alianza, 1991. [Incluye, p. ej.: *Las ínsulas* y *Abolición*].

P.629 *Poesía completa y ensayos escogidos* (ed., pról. y cronología Marco Martos). Lima: PUCP, 2004. [Edición crítica de la poesía y parte de los ensayos].

P.630 *Escritos varios sobre arte y poesía*. México, D. F./Lima: FCE, 1997. [Importante no solamente por sus artículos sobre Moro, el surrealismo y otros poetas, sino también por sus reflexiones acerca de la poesía].

Crítica

Bibliografía

P.631 Morales Saravia, José. "Bibliographie", en E. A. W. *"Abschaffung des Todes" und andere frühe Gedichte*. Frankfurt am Main: Vervuert, 1995, pp. 117-128.

Libros y homenajes

P.632 *Creación y Crítica* (Lima), núm. 20, ago. de 1977. [Número monográfico dedicado a E. A. W.; con artículos de, p. ej., Ricardo Silva-Santisteban, Alonso Cueto, Bruno Podestá, Américo Ferrari].

P.633 Fernández Cozman, Camilo. *Las ínsulas extrañas de Emilio Adolfo Westphalen*. [Lima]: Naylamp, 1990 (2ª. ed. corr. y ampliada, Lima: UNMSM, 2003). [La segunda edición amplía y corrige especialmente la parte que trata del surrealismo; buena bibliografía].

P.634 Masiello, Francine. *La contemplación de la muerte. Poéticas de origen en la obra de Gabriela Mistral, José Gorostiza, Emilio Adolfo Westphalen y Gonzalo Rojas*. Diss. University of California, Berkley, 2005. [Sobre la muerte y el silencio en las primeras obras poéticas de E. A. W.].

P.635 O'Hara, Edgar. *La poesía en custodia. Acercamientos a Emilio Adolfo Westphalen*. Lima: Congreso del Perú, 2005. [Textos críticos, con fotografías y tres entrevistas de los años noventa].

P.636 Rodríguez Padrón, Jorge. *El pájaro parado (Leyendo a Emilio Adolfo Westphalen)*. Madrid: Ediciones del Tapir, 1992. [Ensayo interpretativo de la obra de E. A. W.; habla de la "infidelidad de Westphalen con el automatismo de la escritura surrealista", p. 39].

P.637 Ruiz Ayala, Iván. *Poética vanguardista westphaleana (1933-1936)*. Lima: PUCP, 1997. [Estudio detenido de la temática y de la poetología, de *Las ínsulas extrañas* y de *Abolición de la muerte*; amplia bibliografía].

P.638 Uzquiza, José Ignacio. *La diosa ambarina. Emilio Adolfo Westphalen y la creación poética*. Cáceres: Universidad de Extremadura, 2001. [*Cfr*. también su artículo en Eva Valcárcel, 2005 (sección América Latina); la presencia de la misteriosa Diosa de la Poesía en E. A. W. en el contexto de la poesía universal].

Artículos

P.639 "Conversaciones con Nedda Anhalt", en E. A. W. *La poesía, los poemas, los poetas*. México, D. F.: Universidad Iberoamericana/Artes de México, 1995, pp. 105-122. [Reedición de la entrevista de 1990].

P.640 Bary, Leslie. "El surrealismo en Hispanoamérica y el 'yo' de Westphalen", en *Revista de Crítica Literaria Latinoamericana*, núm. 27, 1988, pp. 97-110. [Subraya la fragmentación y la descentralización del "yo" lírico como una característica de las vanguardias literarias y de la obra de E. A. W.].

P.641 Cueto, Alonso. "Westphalen: el laberinto del silencio", en *Hueso Húmero*, núm. 7, 1980, pp. 122-129. [Breve estudio de *Las ínsulas extrañas* y *Abolición de la muerte*; en 1977 el autor había presentado su tesis sobre *Ínsulas* en la Universidad Católica del Perú].

P.642 Ferrari, Américo. “Lectura de Emilio Adolfo Westphalen”, en A. F. *El bosque y sus caminos*. Valencia: Pre-Textos, 1993, pp. 123-143. [Dos estudios de 1977 y 1987, sobre *Abolición de la muerte*, y una comparación de los poemas de los años treinta con los de la ‘segunda época’ del quehacer literario de E. A. W.].

P.643 Higgins, James. “Westphalen, Moro y la poética surrealista”, en *Cielo Abierto*, núm. 29, 1984, pp. 16-26. [Interpretación de poemas de los dos poetas, partiendo de la afirmación que ellos tuvieron fuertes vínculos con el movimiento surrealista].

P.644 Lefort, Daniel. “Emilio Adolfo Westphalen, surréaliste à l’approche le l’aube”, en *Avatares del Surrealismo en el Perú y en América Latina. Avatars du surréalisme au Pérou et en Amérique Latine* (eds. Joseph Alonso, Daniel Lefort y José A. Rodríguez Garrido). Lima: Institut Français d’Études Andines/PUCP, 1992, pp. 131-145. [Discute la relación no siempre muy clara de E. A. W. con el surrealismo].

P.645 O’Hara, Edgar. “Emilio Adolfo Westphalen: a merced de la noche”, en *Plural*, núm. 248, 1992, pp. 20-31. [Habla de algunos poemas de los años treinta, redescubiertos en los últimos años].

P.646 Oviedo, José Miguel. “La vuelta de Westphalen”, en J. M. O. *Escrito al margen*. México, D. F.: Premiá, 1987, pp. 254-261. [Releyendo sus poemas, descubre que el surrealismo le permite a E. A. W. la máxima libertad artística].

P.647 Zegarra, Chrystian. “Moro, Huidobro y Westphalen: aquella intolerable ansiedad”, en *Cyberayllu*, 20 de septiembre de 2005, s. p. <www.andes.missouri.edu/andes/especiales/CZ_Westphalen.html>. [Breve nota sobre la polémica, con una carta de Huidobro dirigida a Westphalen].

Exposiciones y otros eventos

P.648 **Exposition de poèmes et dessins**. *Catalogue* (pról. Jean Cassou; nota crítica de César Vallejo). Paris: Imprimeries Amédée-Chiroutre, 1927. [Catálogo de la exposición de once poemas de Xavier Abril y dibujos de Jean Devéscovi].

P.649 **Primera exposición latinoamericana del surrealismo** (también citada como: *Primera Exposición Surrealista del Perú*) en la Academia Alcedo, Lima, mayo de 1935. Catálogo preparado por César Moro, con la colaboración de Emilio Adolfo Westphalen, bajo el título: *Exposición de las obras de Jaime Dvor, César Moro, Waldo Párraguez, Gabriela Rivadeneira, Carlos Sotomayor, María Valencia*. Lima, mayo de 1935. [Exposición de 38 obras de César Moro y de 14 obras de cinco artistas chilenos; *cfr*. arriba César Moro. *Viaje hacia la noche*, 1999].

Crítica

P.650 Westphalen, Emilio Adolfo. "La primera exposición surrealista en América Latina", en *Debate* (Lima), Vol. 7, núm. 33, 1985, pp. 68-72. [Recuerdos de la exposición; con la reproducción de seis obras de César Moro].

P.651 **Exposición internacional del surrealismo** (en la Galería de Arte Mexicano), enero-febrero de 1940. Organizada por Wolfgang Paalen y César Moro; prefacio del catálogo por César Moro. [Reproducción de la presentación del catálogo en: Jorge Schwartz. *Las vanguardias latinoamericanas*. Madrid: Cátedra, 1991, pp. 440-443].

Crítica

P.652 Rodríguez Prampolini, Ina. "Antecedentes del surrealismo en México", en Ana Maria de Moraes Belluzo (ed.). *Modernidade: vanguardas artísticas na América Latina*. São Paulo: Memorial/Unesp, 1990, pp. 133-155. [Contiene muchas informaciones sobre la exposición].

P.653 Schneider, Luis Mario. *México y el surrealismo (1925-1950)*. México, D. F.: Arte y libros, 1978. [Llama la Exposición "el gran acontecimiento cultural y social de México", p. 169].

P.654 **Exposición de pinturas y dibujos de César Moro** (en la Galería Metropolitana, México, D. F.), 1989. Organizada por la Universidad Autónoma de México.

Crítica

P.655 Westphalen, Emilio Adolfo. "Sobre César Moro", en E. A. W. *La poesía, los poemas, los poetas*. México, D. F.: Universidad Iberoamericana/Artes de México, 1995, pp. 39-46. [Ponencia leída en la mesa redonda con ocasión de la exposición].

P.656 **El surrealismo entre viejo y nuevo mundo**. Exposición en Las Palmas de Gran Canaria, de diciembre de 1989 a febrero de 1990, Centro Atlántico de Arte Moderno. Catálogo preparado por Diego Lara, [Madrid]: [Visor], [1989]. [Con reproducciones de pinturas de César Moro, con el artículo "No en vano nacido", de Coyné, y con una que otra información sobre la *Exposición* de 1940 en México].

P.657 **Exposición retrospectiva de la obra plástica de César Moro y de ediciones originales de libros surrealistas**. Lima 1990. Catálogo: *César Moro: retrospectiva de la obra plástica*. Lima: Galerie L'Imaginaire, 1990. [Como actividad alrededor del Congreso Internacional Avatares del Surrealismo en el Perú y en América Latina; *cfr*. *Avatares*, 1993, p. II].

Venezuela

Antologías

V.1 Arráiz Lucca, Rafael (ed.). *Antología de la poesía venezolana*. Caracas: Panapo, 2 Vols. 1997. [Compilación de poetas mayores y menores desde la Independencia hasta finales del siglo XX. Con valiosas notas preliminares donde se apuntan sus vínculos con las corrientes de la época, el volumen I incluye varios autores —Ismael Urdaneta, Enrique Planchart, Antonio Arráiz y otros— que, aunque todavía en deuda con el postmodernismo, fueron indudablemente influidos por la vanguardia].

V.2 Bosch, Velia. *Estudio y antología de la revista Bolívar* (índices Fernando Villarraga). Caracas: Academia Nacional de la Historia, 1983. [Valiosa información sobre el desarrollo de la revista *Bolívar* (Madrid. Director: Pablo Abril de Vivero. Núm. 1: 1 de febrero 1930-núm. 14: diciembre 1930, enero 1931), donde diversos autores venezolanos entablaron un significativo diálogo con las vanguardias internacionales y, en particular, con el socialismo divulgador de la cultura soviética].

V.3 Osorio, Nelson. *La formación de la vanguardia literaria en Venezuela (antecedentes y documentos)*. Caracas: Academia Nacional de la Historia, 1985. [Sin duda uno de los trabajos más exhaustivos acerca del tema. La primera parte del libro es una monografía sobre los principales factores sociales e históricos que sirven de marco a la aparición de las vanguardias en el país; se examina la evolución de grupos, revistas y autores significativos con detenimiento y acopio de datos bibliográficos precisos. La segunda parte la conforma una extensa antología de ensayos, textos teóricos y proclamas publicados durante el auge vanguardista. Existe versión en Internet].

V.4 Osorio, Nelson (ed.). *Manifiestos, proclamas y polémicas de la vanguardia literaria hispanoamericana*. Caracas: Biblioteca Ayacucho, 1988. [Tanto el estudio preliminar como la selección de textos se dedican a la literatura hispanoamericana en general, pero el lugar que ocupa Venezuela en las consideraciones del antólogo resulta particularmente relevante; se incluyen textos de Henrique Soublette, Mariano Picón-Salas, José Antonio Ramos Sucre, Arturo Uslar Pietri y otros testigos del desarrollo de las vanguardias o participantes en sus actividades].

V.5 Pantin, Yolanda y Ana Teresa Torres (eds.). *El hilo de la voz: antología crítica de escritoras venezolanas del siglo* XX. Caracas: Fundación Polar, 2003. [Aunque se enfoca en la historia de la literatura producida por las venezolanas del siglo pasado, en varias secciones se encuentra un acopio valioso de datos y reflexiones sobre autoras que convivieron con las vanguardias sin integrarse plenamente en ellas; véase, por ejemplo, la sección donde se discute la inserción de estas escritoras en el campo cultural del gomecismo (pp. 53-62). El volumen, por lo demás, incluye un importante "Índice biobibliográfico de autoras venezolanas"].

Bibliografías

V.6 Barceló Sifontes, Lyll. *Índice de repertorios hemerográficos venezolanos (Siglo* XX*. Vol. I).* Caracas: Universidad Católica Andrés Bello, 1977. [Contiene el índice de *válvula* así como los de *La Alborada* y *Cultura*, revistas que, aunque no vanguardistas, son imprescindibles para captar la complejidad estética del postmodernismo venezolano, en el cual se desarrollaría la vanguardia propiamente dicha].

V.7 Becco, Horacio Jorge. *Fuentes para el estudio de la literatura venezolana* (pról. Pedro Grases). Caracas: Centauro, 2 Vols., 1978. [Bibliografía crítica con índices onomásticos].

Crítica y testimonios

Libros

V.8 Agudo Freites, Raúl. *Pío Tamayo y la vanguardia*. Caracas: Ediciones de la Biblioteca de la Universidad Central de Venezuela, 1969. [Una de las visiones crítico-testimoniales más completas de la vanguardia venezolana, con valiosas sugerencias acerca de obras individuales y de la interrelación entre periodismo, política y literatura].

V.9 Lasarte Valcárcel, Javier. *Juego y nación (postmodernismo y vanguardia en Venezuela)*. Caracas: Fundarte, 1995. [Junto con la que ofrece Nelson Osorio en 1985, constituye la visión crítica más acuciosa acerca de las vanguardias venezolanas; deslinda razonadamente modernismo, postmodernismo, vanguardia "histórica" y vanguardias (en sentido amplio), sin dejar confundirse por la proliferación de anglicismos historiográficos generados por el debate acerca de la "modernidad" y la "postmodernidad"].

V.10 Osorio, Nelson. *La formación de la vanguardia literaria en Venezuela (antecedentes y documentos)*. Caracas: Academia Nacional de la Historia,

1985. [Sin duda uno de los trabajos más exhaustivos acerca del tema. La primera parte del libro es una monografía sobre los principales factores sociales e históricos que sirven de marco a la aparición de las vanguardias en el país; se examina la evolución de grupos, revistas y autores significativos con detenimiento y acopio de datos bibliográficos precisos. La segunda parte la conforma una extensa antología de ensayos, textos teóricos y proclamas publicados durante el auge vanguardista. Existe versión en Internet].

Artículos y secciones de libros

V.11 Araujo, Orlando. "Seis autores en busca de su expresión", en *Narrativa venezolana contemporánea*. Caracas: Monte Ávila, 1988 (1ª. ed. 1972), pp. 73-155. [El segundo capítulo de este libro se concentra en la obra de autores que empezaron como vanguardistas y pronto produjeron una obra de acentos muy personales, apartada de las estéticas de grupo. En muchos sentidos, lo que Araujo ha dicho sobre la narrativa de Arturo Uslar Pietri, Enrique Bernardo Núñez, Ramón Díaz Sánchez, Antonio Arráiz y Miguel Otero Silva sigue siendo insustituible. Dedica también espacio al quehacer "trunco" de tres vanguardistas: Pedro Sotillo, Carlos Eduardo Frías y José Salazar Domínguez].

V.12 Arráiz Lucca, Rafael. "Prólogo", en *Antología de la poesía venezolana*. Caracas: Panapo, 1997, Vol. 1, pp. V-XXII. [Aunque de índole panorámica, esta visión de la poesía moderna venezolana ofrece valiosas disquisiciones sobre los rasgos prevanguardistas de la Generación del 18 y su proximidad estética a la del 28].

V.13 Bohórquez, Douglas. "Vanguardia literaria e insurgencia política a comienzos del siglo XX en Venezuela", en *Monteagudo* (Murcia), núm. 7, 2002, pp. 137-146. [Discusión de las consecuencias de la dictadura de Juan Vicente Gómez en la configuración del campo cultural venezolano].

V.14 Bravo, Víctor. "Fundación y tradición de la modernidad literaria en Venezuela", en *Revista Iberoamericana* (Pittsburgh), núms. 166-167, enero-junio 1994, pp. 97-108. [Cuestiona el papel de la vanguardia venezolana como espacio de despliegue definitivo de la modernidad literaria].

V.15 Cuenca, Héctor. *La palabra encendida: prosa pública*. Caracas: Ministerio de Educación, 1957. [Incluye rememoraciones de la participación de Cuenca en el grupo Seremos, con comentarios sobre sus ideales políticos y la desintegración debida a la persecución gomecista].

V.16 Cuenca, Humberto. "Prolegómenos de la vanguardia", en *Revista Nacional de Cultura* (Caracas), 17.110, mayo-junio 1955, pp. 117-127. [Revisión de los orígenes de la vanguardia venezolana; la contrasta con el postmodernismo y con el grupo de *La Alborada*; incluye comentarios sobre Picón-Salas y sus actitudes juveniles hacia los movimientos de renovación artística].

V.17 Fabbiani Ruiz, José. *Cuentos y cuentistas*. Caracas: Cruz del Sur, 1951, pp. 113-114. [Rememora y reconstruye lecturas hechas por los escritores que se iniciaron durante el auge de las vanguardias].

V.18 Gabaldón Márquez, Joaquín. *Memoria y cuento de la generación del 28*. Caracas: s. e., 1958. [Testimonio de la conjunción de lucha política y estética en la generación vanguardista, a la que perteneció el autor].

V.19 González Silva, Pausides. "De *La Alborada* a *Cantaclaro*: literatura y compromiso en cinco revistas", en Carlos Pacheco, Luis Barrera Linares y Beatriz González Stephan (eds.). *Nación y literatura: itinerarios de la palabra escrita en la cultura venezolana*. Caracas: Fundación Bigott/Equinoccio, 2006, pp. 415-430. [Examen de la función política de diversas revistas literarias venezolanas de la primera mitad del siglo XX, *válvula* incluida].

V.20 González Stephan, Beatriz. "Aspectos para una categorización de la vanguardia lírica venezolana", en *Memorias del III Simposio de Docentes e Investigadores de la Literatura Venezolana*. Mérida: Universidad de los Andes, 1978, Vol. 2, pp. 315-329. [Reflexiones acerca de las circunstancias literarias de la "generación del 18"; hace deslindes necesarios entre los escritores "epígonos del modernismo", los que aún acuden a "formas postmodernistas" y los ya identificables como vanguardistas].

V.21 Gutiérrez Ludovic, Douglas. "La poesía de vanguardia en Venezuela, el grupo Viernes", en *XVII Congreso del Instituto Internacional de Literatura Iberoamericana: Sesión de Madrid*. Madrid: Ediciones Cultura Hispánica del Centro Iberoamericano de Cooperación, 1978, pp. 827-843. [Señala brechas entre el surrealismo y las vanguardias precedentes y examina la estética de Viernes, tomando en cuenta tanto esa diferencia como las contradicciones en la adopción del surrealismo en Venezuela. Pone en duda que Viernes pueda limitarse a una agrupación surrealista].

V.22 Gutiérrez Plaza, Arturo. "De atardeceres, desorientados, angustias y hasta un viernes: la poesía de entreguerras", en Carlos Pacheco, Luis Barrera Linares y Beatriz González Stephan (eds.). *Nación y literatura: itinerarios de la palabra escrita en la cultura venezolana*. Caracas: Fundación Bigott/Equinoccio, 2006, pp. 519-535. [Revisión de las líneas de fuerza de la lírica venezolana desde los primeros indicios de la vanguardia hasta finales del decenio de los treinta, cuando el grupo Viernes, "de modo tardío", trató de sumar el país al proceso renovador de las vanguardias].

V.23 Infante, Ángel Gustavo. "Estética de la rebelión: los manifiestos literarios", en Carlos Pacheco, Luis Barrera Linares y Beatriz González Stephan (eds.). *Nación y literatura: itinerarios de la palabra escrita en la cultura venezolana*. Caracas: Fundación Bigott/Equinoccio, 2006, pp. 407-430. [Examen del género "manifiesto", tal como se practicó en Venezuela a lo largo del siglo XX. Infante recalca la necesidad de no desvincular los producidos por la vanguardia propiamente dicha de los anteriores (*La Alborada*) y los posteriores (*Viernes*, *Contrapunto*, *Sardio*, etcétera)].

V.24 "La vanguardia del 28 cuarenta años después", en *Zona Franca* (Caracas), núm. 63, noviembre-diciembre 1968, pp. 10-15. [Balance de la vanguardia venezolana y miscelánea de documentos].

V.25 Lasarte Valcárcel, Javier. "Los aires del cambio: literatura y cultura entre 1908 y 1935", en Carlos Pacheco, Luis Barrera Linares y Beatriz González Stephan (eds.). *Nación y literatura: itinerarios de la palabra escrita en la cultura venezolana*. Caracas: Fundación Bigott, Equinoccio, 2006, pp. 379-406. [Lasarte repasa y profundiza reflexiones de su libro *Juego y nación* (1995), situando con mucha precisión el postmodernismo y la vanguardia venezolanos en el proceso de modernización que se produjo durante el gomecismo].

V.26 Liscano, Juan. "Líneas de desarrollo de la cultura venezolana en los últimos cincuenta años", en Ramón J. Velázquez *et al*. *Venezuela moderna: medio siglo de historia (1926-1976)*. Caracas: Fundación Eugenio Mendoza, 1976, pp. 581-673. [Aunque no se concentra en las vanguardias, este ensayo ofrece sugerencias lúcidas sobre el nacionalismo literario de fines de los 1920 y principios de los 1930 que estimula una síntesis del criollismo prevanguardista con el vanguardismo propiamente dicho].

V.27 Liscano, Juan. *Panorama de la literatura venezolana actual*. Caracas: Alfadil, 1984. [Descripción general de movimientos, autores y obras del siglo XX, con testimonios relevantes y apreciaciones personales sobre la vanguardia].

V.28 Medina, José Ramón. *Noventa años de literatura venezolana (1900-1990)* (cronología y bibliografía. Horacio Jorge Becco). Caracas: Monte Ávila, 1993. [Valiosa fuente de datos bibliográficos de la literatura venezolana del siglo XX, agrupados en categorías heterogéneas entre las que se cuentan las generaciones, los géneros, los períodos puramente cronológicos y los movimientos. Un capítulo se dedica a "La vanguardia y el surrealismo"].

V.29 Meneses, Guillermo. "Nuestra generación literaria", en *El Farol* (Caracas), núm. 197, noviembre-diciembre 1961, pp. 33-36. [Reconstruye influencias que recibieron los escritores que empezaron a formarse durante el auge de las vanguardias].

V.30 Miliani, Domingo. "La narrativa venezolana", en *Tríptico venezolano (Narrativa. Pensamiento. Crítica)* (ed. Nelson Osorio). Caracas: Fundación de Promoción Cultural de Venezuela, 1985. [Las secciones tituladas "Diáspora de vanguardias" y "La generación de 1928. Transfiguraciones del realismo" ofrecen información bibliográfica y contextual precisa sobre obras vanguardistas o que coinciden en el tiempo con el auge de grupos que sí lo fueron abiertamente].

V.31 Miranda, Julio. "Javier Lasarte postmoderno", en *El Nacional* (Caracas), 22/10/1996, p. 3. [Pese a la brevedad de esta reseña, resulta significativo el apoyo que se da a los deslindes de modernismo, postmodernismo y vanguardia que Lasarte Valcárcel desarrolla en su libro *Juego y nación* (1995); Miranda, uno de los críticos activos en Venezuela más importantes de la segunda mitad del siglo XX, enfatiza el valor de esa iniciativa frente a las confusiones numerosas que genera la importación reciente de los debates acerca de la "postmodernidad"].

V.32 Osorio, Nelson. "Antecedentes de la vanguardia literaria en Venezuela (1901-1925)", en *Hispamérica* (Maryland), núm. 11.33, diciembre 1982, pp. 3-30. [Artículo pionero por el encuadre histórico-literario de la vanguardia venezolana y el relieve que da a Julio Garmendia y Mariano Picón-Salas como sus prefiguradores locales; en su mayor parte se reproducen sus contenidos en Osorio 1985, pp. 111-141].

V.33 Osorio, Nelson. "Tres textos de la vanguardia literaria en Venezuela", en *Revista de Crítica Literaria Latinoamericana* (Lima), núm. 15, 1982, pp. 193-197. [Una nota breve presenta piezas publicadas en *Élite* y *válvula*: "Granizada" de Ramos Sucre (1925), "Somos" (editorial de *válvula*, 1928) y "Forma y vanguardia" (1928)].

V.34 Otero Silva, Miguel. "Prólogo" a *Fiebre*. (Versión de 1971) Barcelona: Seix Barral, 1981, pp. 9-93. [Este prólogo incorpora los resultados de una encuesta hecha a veintiocho sobrevivientes de la generación del 28 acerca de qué definió a dicha colectividad; abundan las alusiones a la convivencia de ideales de renovación política con objetivos vanguardistas en las artes].

V.35 Picón-Salas, Mariano. *Formación y proceso de la literatura venezolana*. Caracas: Monte Ávila, 1984 (1ª. ed. 1940; ampliada y corregida por el autor en 1961). [Ensayo clásico en que, casi narrativamente, se describe cómo cristaliza el "espíritu" de la literatura venezolana y su "sentido" como expresión de una colectividad. Pese a haber sido Picón-Salas testigo directo del nacimiento de las vanguardias en su país, merece la pena observar cómo diluye el influjo de éstas: "lo que pudiera llamarse batalla vanguardista" se inicia "con marcado retraso en relación con otros países americanos". El carácter subrepticio que le atribuye se debió al "pavor gomecista" (p. 181). Si bien extiende el vanguardismo a la experiencia de "Viernes", Picón-Salas sugiere el agotamiento de la tendencia, patente en la excesiva heterogeneidad de los integrantes de este grupo(p. 182)].

V.36 Rama, Ángel. "José Juan Tablada en tierras de Bolívar", en *Escritura* (Caracas), núm. 1.1, enero-junio 1976, pp. 174-179. [Discute la influencia de Tablada en la sensibilidad postmodernista venezolana, que daría lugar a los primeros experimentos de la vanguardia].

V.37 Romero Luengo, Adolfo. *Maracaibo... un poco de su historia*. Maracaibo: La Columna, 1958. [Contiene datos acerca de varios integrantes del grupo Seremos: Jesús Enrique Lossada, Valmore Rodríguez, Manuel Noriega Trigo; incluye también un poema de este último (pp. 71-72)].

V.38 Tiempo, Lorenzo. "El surrealismo y las letras venezolanas", en *Zona Franca* (Caracas), núm. 2.11, febrero 1978, pp. 19-24. [No hemos podido consultar este artículo].

V.39 Uslar Pietri, Arturo. "Presentación", en *Obras selectas*. Caracas: Edime, 1956, pp. IX-XIV. [Evoca y describe la importancia que para su carrera juvenil tuvo el espíritu renovador "vanguardista"].

V.40 Venegas Filardo, Pascual. "Un movimiento poético: *Viernes*", en *Ínsula* (Madrid), núm. 10, julio-agosto 1969, p. 24. Reproducido en Gabriel Jiménez Emán. *El ensayo literario en Venezuela*. Caracas: La Casa de Bello, 1991, Vol. 2, pp. 493-495. [Testimonio de su participación en el grupo; menciona su afinidad con Mandrágora, pero también con tendencias no claramente afiliadas a la vanguardia histórica].

Manifiestos, polémicas y crítica de la época

V.41 Álvarez Marrón, M. "Para ser 'vanguardista'", en *El Radio* (Caracas), 3.644, 24/6/1928. Reproducido en Osorio 1985, pp. 387-390. [Acusa a los vanguardistas de efectismo y de un desprecio facilista de los logros artísticos del pasado].

V.42 Angarita Arvelo, Rafael. "El libro de las separaciones y de las revelaciones", en *El Universal* (Caracas), 20.6953, 19/9/1928. Reproducido en Osorio 1985, pp. 361-366. [Nota sobre *Barrabás y otros relatos* de Arturo Uslar Pietri que, sin embargo, contiene reflexiones sobre la vanguardia en general, identificando arte e inquietudes nacionalistas].

V.43 Angarita Arvelo, Rafael. "Panorama de vanguardia", en *El Nuevo Diario* (Caracas), 16.5402, 24/1/1928, p. 3. Reproducido en Osorio 1985, pp. 380-383. [Defensa de la vanguardia con ocasión de la aparición de *válvula*; enfatiza la necesidad de estar al día y encontrar "los caminos del mundo"].

V.44 Bello, Luis. "Sentido del arte nuevo", en *Gaceta de América* (Caracas), núm. 1.7-8, 1935. [Arremete contra el vanguardismo venezolano, el de *válvula* en particular, y lo atribuye a una nueva oleada hispanista y artepurista].

V.45 Callejones, Agapito [pseudónimo]. "Cartas parroquiales", en *Fantoches* (Caracas), 5.233, 11/1/1928. [Ataque a *válvula*; Nelson Osorio identifica tras este pseudónimo al dramaturgo Víctor Manuel Rivas (1985, pp. 176)].

V.46 Capriles, Carlos L. "El vanguardismo aquí es un mero pasatiempo de muchachos principiantes", en *El Universal* (Caracas), 20.6936, 2/9/1928, p. 1. Reproducido en Osorio 1985, pp. 391-394. [Reflexiones en torno al significado de la palabra "vanguardia" y ataque a los vanguardistas venezolanos, que sólo han publicado "vaguedades rítmicas, balbuceos fútiles"].

V.47 "El futurismo de Marinetti", en *El Cojo Ilustrado* (Caracas), 18.418, 15/5/1909, pp. 283-284. Reproducido en Osorio 1985, pp. 185-187. [Una de las primeras menciones del futurismo registradas en Latinoamérica; casi sin duda, la primera en Venezuela].

V.48 "El vanguardismo en acción", en *Mundial* (Caracas), 12.294, 7/1/1928, p. 1. [Noticia celebratoria de la aparición de *válvula* por compensar en el medio literario venezolano "las pesadas soserías engolilladas de pedantería académica"].

V.49 Espinoza, Gabriel. "El vanguardismo, sus extravagancias y sus límites", en *El Universal* (Caracas), 19.6722, 28/1/1928; 19.6723, 29/1/1928 y 19.6724, 30/1/1928. Reproducido en Osorio 1985, pp. 287-306 y Osorio 1988, pp. 280-296. [Ensayo dividido en tres partes que corresponden a las entregas aparecidas en el periódico. Análisis de tres aspectos del vanguardismo: el lógico, el estético y el poético. Aunque se celebra la "bella y verdadera polifonía" de la poesía vanguardista, se censuran, igualmente, sus "juegos infantiles"].

V.50 Febres Cordero, Miguel. "El vanguardismo y el doctor Gil Fortoul", en *El Universal* (Caracas), 20.6888, 16/7/1928, p. 1. Reproducido en Osorio 1985, pp. 319-321. [En respuesta al artículo "Vanguardismo poético" de Gil Fortoul, censura la excesiva importancia concedida al vanguardismo como "escuela" y destaca la efectividad de los talentos individuales].

V.51 Fombona Pachano, Jacinto. "Algunas críticas", en *Élite* (Caracas), núm. 1.12, 5/12/1925. Reproducido en Osorio 1985, pp. 225-227. [Matiza ataques de autores recientes a Rubén Darío y relativiza el valor de las "escuelas" en general, incluso las nuevas].

V.52 "Forma y vanguardia", en *válvula* (Caracas), núm. 1, enero 1928. [Texto breve incluido junto con otros materiales bajo el título general de "Colofón"; equipara "forma" e "ideas" en la estética vanguardista. Probablemente escrito por Uslar Pietri (*cfr*., de éste, "Una flecha en *válvula*"].

V.53 Garrido, Alipio. "El grupo 'Seremos'", en *Élite* (Caracas), núm. 2.81, 2/4/1927. [Noticia acerca del grupo y sus integrantes].

V.54 Garsa, L. "Propósitos sobre el vanguardismo", en *El Universal* (Caracas), 20.6945, 11/9/1928, p. 1. Reproducido en Osorio 1985, pp. 399-401. [Sopesa argumentos a favor y en contra de la estética vanguardista, con ocasión del artículo de Carlos Capriles (1928)].

V.55 Gil Fortoul, José. "Vanguardismo poético", en *Cultura Venezolana* (Caracas), núm. 86, enero-marzo 1928. Con el título "Sobre el vanguardismo" aparece en *El Universal* (Caracas), 20.687, 5/7/1928. Reproducido en Osorio 1985, pp. 309-318 y Osorio 1988, pp. 297-304. [Texto que inicia una polémica a la que se sumarán Miguel Febres Cordero (1928) y Fernando Paz Castillo (1928). En líneas generales, aunque no la condena e incluso se esfuerza en tratarla objetivamente, sugiere distancia irónica respecto de la vanguardia y, sobre todo, de sus tendencias a experimentar con la forma].

V.56 Himiob, Nelson. "Un libro nuevo", en *Fantoches* (Caracas), núm. 5.268, 12/9/1928. Reproducido en Osorio 1985, pp. 359-360. [Celebra la aparición de *Barrabás y otros relatos* con el mismo lenguaje con que los manifiestos de vanguardia proclaman la necesidad de renovación literaria].

V.57 La Mar, Gustavo. "Vanguardismo, 'Sagitario' y su obra", en *Fantoches* (Caracas), núm. 6.264, 15/8/1928, p. 3. Reproducido en Osorio 1985, pp. 337-339. [Defiende a Jesús Semprum [Sagitario] de los ataques de Salazar Domínguez (1928), que le atribuye superficialidad en su interpretación del auge vanguardista en Venezuela. Osorio indica que La Mar es pseudónimo (1985, pp. 21)].

V.58 "La revista *válvula*", en *El Universal* (Caracas), 19.6780, 6/1/1928, p. 1. [Noticia de la aparición de la revista y celebración de que los "grupos juveniles" finalmente se pongan a tono con "la vida moderna"].

V.59 Laguado Jayme, Francis [Francisco Laguado Jaime]. "La iconoclasta revista de Caracas", en *El País* (La Habana), núm. 6.44, 13/2/1928, p. 3. Reproducido en Osorio 1985, pp. 279-283. [Celebra la aparición de las "páginas guerreras" de *válvula* y las califica de "rebelión" contra la cultura artística aún "colonial" de Venezuela].

V.60 Landaeta, Leopoldo. "Auto de fe", en *válvula* (Caracas), núm. 1, 5/1/1928. [Destaca la necesidad de liquidar los residuos modernistas, celebrando que se le haya "torcido en definitiva el cuello al pavo real de la elocuencia", e invita a una renovación literaria que no caiga en el intelectualismo].

V.61 Lord Goring [pseudónimo]. "El vanguardismo", en *Élite* (Caracas), núm. 3.120, 31/12/1927. [Ataques a la vanguardia, cuya poesía, en particular, se acusa de facilista].

V.62 Martínez, Avelino. "El vanguardismo", en *El Universal* (Caracas), 19.6727, 2/2/1928, p. 5. Reproducido en Osorio 1985, pp. 383-386. [Ataque al "libertinaje" de las vanguardias, en particular la venezolana, y reivindicación del "modernismo de Rubén Darío"].

V.63 Martínez, Tulio. "La *válvula* de la *vanguardia*", en *Mundial* (Caracas), 12.332, 23/2/1928. [Ataque a *válvula*].

V.64 Mestre Fuenmayor, Aníbal. "'Seremos', grupo minorista de renovación literaria", en *Universidad* (Bogotá), núm. 2.119, 2/2/1929, pp. 125-126. [Según

Forster y Jackson, "comentarios sobre el grupo marabino hechos por uno de sus miembros" (1990, pp. 174); no pudimos consultar directamente este texto].

V.65 "Nuestra página", en *Élite* (Caracas), núm. 1.10, 21/11/1925. [En una nota perteneciente a esta sección de la revista se celebra la aparición del grupo vanguardista Seremos, en Maracaibo, encabezado por Fernando de Rossón y Héctor Cuenca].

V.66 Ollarves, Pastor. "La literatura de pasado mañana", en *Fantoches* (Caracas), núm. 5.198, 11/5/1927, p. 2. Reproducido en Osorio 1985, pp. 233-234. [Cuestiona la capacidad de suscitar asombro tanto del futurismo como de cualquier otra tendencia, puesto que la literatura es "de esencia puramente conservadora"].

V.67 Paz Castillo, Fernando. "*Literaturas de vanguardia*. Guillermo de Torre", en *Élite* (Caracas), núm. 1.12, 5/12/1925. Reproducido en Osorio 1985, pp. 221-223. [Aparecida en su sección "Bibliografía", esta reseña de Paz Castillo prueba el conocimiento que tuvieron los postmodernistas venezolanos del arte europeo de la época; hay una evidente simpatía hacia el ideal de renovación que unía a los diversos ismos].

V.68 Paz Castillo, Fernando. "Sobre el tema del vanguardismo", en *El Universal* (Caracas), 20.6893, 21/7/1928, p. 9. Reproducido en Osorio 1985, pp. 323-328 y Osorio 1988, pp. 308-312. [Parte de la polémica iniciada por José Gil Fortoul (1928) y continuada por Miguel Febres Cordero (1928); acomete a ambos por su escasa información, pero en particular a Febres Cordero por su hostilidad a todo lo que en arte signifique renovación].

V.69 Paz García, Carlos. "La práctica de los horrores", en *El Cojo Ilustrado* (Caracas), núm. 23.547, 1/10/1914, pp. 523-531. [Se ocupa de la guerra en Europa; echa en cara a Marinetti y el futurismo haber deseado la violencia antes y ahora estar escondidos "quién sabe si bajo tierra"].

V.70 Pereira Machado, Manuel. "El vanguardismo", en *Fantoches* (Caracas), núm. 5.228, 7/12/1927, pp. 5-6. Reproducido en Osorio 1985, pp. 235-239. [Uno de los ataques a la vanguardia más agresivos publicados por esta revista].

V.71 Pérez, Lotario. "Críticos y criticados", en *El Radio* (Caracas), núm. 3.652, 19/8/1928. Reproducido en Osorio 1985, pp. 345-347. [Defiende a Salazar Domínguez de ataques de La Mar (1928) y confirma que las preferencias estéticas divulgadas desde la tribuna de *El Cojo Ilustrado*, en la que Semprum se formó, son anticuadas].

V.72 Picón-Salas, Mariano. "Las nuevas corrientes del arte", en *Cultura Venezolana* (Caracas), núm. 2.7, junio de 1919, pp. 27-38. Reproducido en Osorio 1985, pp. 193-204 y Osorio 1988, pp. 50-59. [Primera edición de una conferencia dictada el 28 de octubre de 1917 en Mérida; se lamenta que aún circulen vestigios modernistas ("decadentes") y se saludan las primeras manifestaciones vanguardistas europeas].

V.73 Planchart Burguillos, Antonio. "Vanguardismo criollo", en *Mundial* (Caracas), núm. 12.300, 14/1/1928, pp. 1-2. Reproducido en Osorio 1985, pp. 371-374. [Ataque a *válvula*].

V.74 "Poetas venezolanos de vanguardia", en *Cultura Venezolana* (Caracas), núm. 10.81, mayo-junio de 1927, pp. 172-190. [Antología breve de textos pertenecientes a Antonio Arráiz, Jacinto Fombona Pachano, Pedro Sotillo, Fernando Paz Castillo, Vicente Fuentes, Ismael Urdaneta y Augusto Mijares. De importancia por revelar diferencias entre el horizonte de expectativas de la época y los posteriores: algunos de estos poetas no siempre han sido considerados vanguardistas].

V.75 Ramos, Julio César. "¿Arte?", en *Fantoches* (Caracas), núm. 5.233, 11/5/1928. [Ataca la aparición de *válvula*].

V.76 Ramos Sucre, José Antonio. "Granizada", en *Élite* (Caracas), núm. 1.4, 10/10/1925. Reproducido en Osorio 1985, pp. 217-220 y Osorio 1988, pp. 160-162. Una versión que incluye los diversos agregados publicados en vida del poeta y textos afines aparecidos con diferentes títulos puede consultarse en José Antonio Ramos Sucre. *Obra completa* (ed. José Ramón Medina). Caracas: Biblioteca Ayacucho, 1980, pp. 423-427. [Serie de fragmentos y aforismos no concebida como manifiesto vanguardista pero, debido a sus sarcasmos y espíritu acrático, leída hasta cierto punto como tal por la crítica].

V.77 Salazar Domínguez, José. "La crítica de 'Sagitario'", en *El Radio* (Caracas), núm. 3.651, 12/8/1928. Reproducido en Osorio 1985, pp. 331-335. [Acusa a Jesús Semprum (Sagitario) de superficialidad y autoritarismo intelectual en su tratamiento de la vanguardia].

V.78 Salazar Domínguez, José. "La cátedra de Gustavo La Mar", en *El Radio* (Caracas), núm. 3.652, 19/8/1928. Reproducido en Osorio 1985, pp. 341-342. [Salazar Domínguez se defiende del ataque de La Mar (1928), quien, a su vez, defiende a Semprum de los ataques de Salazar Domínguez (1928)].

V.79 Semprum, Jesús. "El futurismo y la guerra", en *El Cojo Ilustrado* (Caracas), núm. 23.547, 1/10/1914, p. 531-532. Reproducido en Osorio 1985, pp. 189-191. [Censura de las hipócritas alabanzas de la guerra prodigadas años antes por los futuristas, quienes siguen los acontecimientos del presente "a la distancia y en el ensueño (...) dentro de la dulce y pacífica Italia"].

V.80 Semprum, Jesús [Sagitario]. "La revista de la 'vanguardia'", en *Fantoches* (Caracas), núm. 5.233, 11/1/1928. Reproducido en Osorio 1985, pp. 269-271. [Ataque directo a la revista *válvula*: "campo de los suicidas", "palenque ridículo y trágico"].

V.81 Semprum, Jesús [Sagitario]. "Libros venezolanos: Arturo Uslar Pietri. *Barrabás y otros relatos*, Caracas, 1928", en *Fantoches* (Caracas), núm. 6.273, 17/10/1928. Reproducido en Osorio 1985, pp. 367-378. [Reseña del libro y ataque simultáneo a las vanguardias: lo bueno que tienen los relatos de Uslar no es vanguardista y sus rasgos vanguardistas "no tienen nada de bueno"].

V.82 "Somos", en *válvula* (Caracas), núm. 1, enero 1928. Reproducido en Osorio 1988, pp. 278-279. [Manifiesto central de la vanguardia venezolana, que recoge varios de los tópicos principales de la vanguardia internacional].

V.83 Sotillo, Pedro. "Comentarios bibliográficos: *Barrabás y otros relatos*", en *El Universal* (Caracas), 20.6942, 8/9/1928. Reproducido en Osorio 1985, pp. 351-355. [Destaca el cuento como uno de los géneros de más reciente aparición en Venezuela y a *Barrabás y otros relatos* como ejemplo de su integración en una "literatura de avance"].

V.84 Soublette, Henrique. "El futurismo italiano y nuestro modernismo naturalista", en *El Tiempo* (Caracas), 1/8/1910. Reproducido en Osorio 1988, pp. 27-29. [Celebra el fin del simbolismo y el decadentismo y la llegada de nuevas tendencias, aunque se ataca la falta de seriedad de la vanguardia italiana, que ha de ser sustituida en América por un arte responsable].

V.85 Sutil, Lino [pseudónimo]. "Música celestial", en *El Universal* (Caracas), 19.6709, 15/1/1928, p. 1. Reproducido en Osorio 1985, pp. 375-378. [Evaluación distanciada del vanguardismo, cuya violencia se cuestiona ya que la renovación artística ha podido prescindir de ella a través de los siglos; de hecho, Galileo y Rubén Darío fueron también "vanguardistas". Nelson Osorio identifica tras este pseudónimo a Rafael Sylva (1985, pp. 178)].

V.86 "Triunfal irrupción *valvulística*", en *Élite* (Caracas), núm. 3.121, 7/1/1928. [Noticia inserta en la sección "Nuestra página" que elogia la aparición de *válvula*, empleando paródicamente, entre otros registros léxicos, el épico-militar; incluye una lista de asistentes al banquete de lanzamiento de la revista en que, significativamente, figuran autores como Rómulo Gallegos y Fernando Paz Castillo, considerados casi siempre como ajenos a las estéticas de vanguardia].

V.87 "Un cantor de Bolívar", en *El Universal* (Caracas), 16.5449, 18/6/1924, p. 1. Reproducido en Osorio 1985, pp. 207-213. [Un anónimo reflexiona sobre el peruano Alberto Hidalgo y el futurismo, no identificándose, sin embargo, con la estética de este movimiento].

V.88 Uslar Pietri, Arturo. "El crítico Capriles ignora qué son las escuelas de vanguardia", en *El Universal* (Caracas), 20.6940, 6/9/1928, p. 5. Reproducido en Osorio 1985, pp. 395-398. [Contra las ideas de Carlos Capriles (*cfr.* entrada en esta lista) se defiende a la vanguardia como manifestación "sincera" del arte, que no "levanta estatuas" sino que "desnuda ideas"].

V.89 Uslar Pietri, Arturo. "El futurismo", en *Índice* (Maracaibo), núm. 1.1, 19/2/1927. Reproducido en Osorio 1985, pp. 229-231 y Osorio 1988, pp. 238-240. [Defensa de los ataques de Marinetti a los vestigios románticos y decadentes; se lleva a cabo con esporádicos préstamos, no confesos, de la retórica con que muchos años antes Manuel Díaz Rodríguez, en *Camino de perfección*, había respaldado el modernismo contra las censuras provenientes de círculos académicos].

V.90 Uslar Pietri, Arturo. "La vanguardia, fenómeno cultural", en *El Universal* (Caracas), 19.6674, 10/12/1927, p. 5. Reproducido en Osorio 1985, pp. 241-244. [Defiende a las vanguardias americanas de la acusación de meramente reproducir tendencias europeas; reconoce a Herrera y Reissig como antecedente de la vanguardia].

V.91 Uslar Pietri, Arturo. "Una flecha en *válvula*", en *Mundial* (Caracas), núm. 12.297, 11/1/1928, p. 1. Reproducido en Osorio 1985, pp. 273-274. [Defensa de *válvula* contra los ataques de Jesús Semprum (1928), a quien se califica de superficial. Un pasaje de este ensayo permitiría atribuir a Uslar Pietri el fragmento teórico anónimo "Forma y vanguardia" aparecido en *válvula* (*cfr*. en esta lista)].

Revistas y periódicos

V.92 ***Arquero***. Caracas, 1932. [Sólo hemos podido consultar el núm. 6 del 8/10/1932, pero tenemos noticias de la existencia continua de este semanario por lo menos hasta el núm. 8; sobre su participación en debates de la vanguardia venezolana, véase Lasarte 1995, pp. 109-114].

V.93 ***El Ingenioso Hidalgo***. Caracas, 1935. [No hemos podido consultar ejemplares de esta revista; sobre sus vínculos con la vanguardia consúltese Medina 1993, p. 110, y Lasarte 1995, pp. 109-119].

V.94 ***Élite***. Caracas. Directores: Raúl Carrasquel y Valverde (núms. 1-65); entre los directores posteriores se cuentan Juan de Guruceaga (a partir del núm. 66) y Carlos Eduardo Frías. Núm. 1, 17 de septiembre de 1925. [Revista de variedades que, particularmente desde el número 66, se convierte en punto de encuentro de diversos vanguardistas venezolanos; su larga duración, de hecho, la convierte en muestrario privilegiado de la cultura venezolana del siglo XX].

V.95 ***Índice***. Maracaibo. Núm. 1, 19 de febrero de 1927-núm. 4, 20 de abril de 1927 (probablemente el último). [Revista de corta duración que sirvió de órgano de expresión del grupo Seremos; al parecer este mismo grupo había publicado previamente tres números de un boletín a los que se hace referencia en Osorio 1985, p. 152 n, explicando que le había sido imposible localizar ejemplares. Tampoco a nosotros nos ha sido posible].

V.96 *Gaceta de América*. Caracas. Núm. 1, enero de 1935-núm. 8, agosto de 1935. [Aunque no se trata de una revista de vanguardia en sentido estricto, un marcado nacionalismo continentalista, así como la combinación de elementos literarios con sociológicos e históricos (en especial la valoración del subalterno en una sociedad regida por el positivismo, como lo era la venezolana bajo la tutela de Juan Vicente Gómez) permite que la crítica haya podido ver en ella ciertos parecidos con proyectos como el de *Amauta* (Lasarte 1995, p. 111). Nelson Osorio ha dedicado un artículo al surgimiento de la revista ("Miguel Acosta Saignes y la *Gaceta de América*", en *Al margen de las letras*. Caracas: Fundarte, 1994, pp. 29-34), donde señala como su mayor logro la armonía que logra entre debates políticos, sociales y literarios, con una convencida revaloración de los componentes no blancos y provincianos de la cultura nacional].

V.97 *La Universidad*. Caracas. Director: Rafael Vegas; Redactor de Literatura: Carlos Eduardo Frías. Núm. 1, junio de 1927-núm. 3, noviembre de 1927. [Órgano de la Federación de Estudiantes de Venezuela; aunque en él no se expresan grupos plenamente identificados con la vanguardia, resulta un documento valioso que contribuye a establecer la conexión entre una izquierda moderna en el país y la recepción de las vanguardias internacionales (Osorio 1985, pp. 162-163)].

V.98 *Oriflama*. Ciudad Bolívar. Director: Juan Alberto Gambús. Núm. 1, mayo de 1926-núm. 24, abril de 1928. [Publicación de estudiantes de secundaria; aunque no directamente vanguardista, varios textos, incluidos anuncios, prueban una temprana familiaridad con la nueva estética (Osorio 1985, pp.160-162)].

V.99 *válvula*. Caracas. Director ("comisario para la administración", puesto que se expresa no tener propietarios ni directores): Nelson Himiob. Único núm., enero de 1928. [Cristalización definitiva de la vanguardia en Venezuela, con manifiestos explícitos y textos de los principales representantes del movimiento en el país; incluye ilustraciones cubistas de Rafael Rivero Oramas].

V.100 *Viernes*. Caracas. Secretario de Redacción: Vicente Gerbasi. Núm. 1, 1939-núms. 18-22, mayo de 1941. [Órgano oficial del grupo Viernes, en el que se constata el influjo del surrealismo. La crítica oscila entre la definición de este grupo como vanguardista o como un fenómeno ya distanciado del tipo de experimentación y combatividad estético-política que el vanguardismo supone; esa vacilación, por lo demás, se constata respecto de todos los surrealismos no franceses].

Autores

Arráiz, Antonio

Obras

V.101 *Áspero*. Caracas: Imprenta Bolívar, 1924; 2ª. ed.: Editorial Élite, 1939.

V.102 *Parsimonia*. Buenos Aires: Talleres Gráficos Argentinos, 1932.

Crítica

V.103 Araujo, Orlando. "Seis autores en busca de su expresión", en *Narrativa venezolana contemporánea*. Caracas: Monte Ávila, 1988, pp. 124-134.

V.104 Araujo, Orlando y Óscar Sambrano Urdaneta. *Antonio Arráiz*. Caracas: Universidad Central de Venezuela, 1975. [Una de las visiones de conjunto más completas acerca del autor].

V.105 Arráiz Lucca, Rafael. "Antonio Arráiz y la vanguardia", en *El coro de las voces solitarias: una historia de la poesía venezolana*. Caracas: Eclepsidra, 2003, pp. 125-142. [Discusión exhaustiva del componente "neorromántico" en la poesía de Arráiz; la resurrección de ciertas preferencias del romanticismo se entiende como rasgo inseparable de la vanguardia].

V.106 Olivares Figueroa, Rafael. "La brava estética de Antonio Arráiz", en *Nuevos poetas venezolanos*. Caracas: Cuadernos de la Asociación de Escritores Venezolanos, 1939. Recogido en Gabriel Jiménez Emán. *El ensayo literario en Venezuela*. Caracas: La Casa de Bello, 1991, Vol. 6, pp. 43-47. [Lectura de conjunto de las obras de Arráiz más próximas de la estética de vanguardia; significativamente, pese a que este ensayo se escribió a fines del decenio de 1930 y a que su autor participó en el grupo Viernes, las cualidades "vanguardistas" de Arráiz se minimizan y se hace énfasis en los nexos con el Darío de *Cantos de vida y esperanza*; se trazan afinidades igualmente con el ideario político de la obra de Rómulo Gallegos y con el criollismo de Manuel Urbaneja Achelpohl].

Barrios Cruz, Luis

Obras

V.107 *Respuesta a las piedras*. Caracas: Editorial Élite, 1931.

Crítica

V.108 González Stephan, Beatriz. "Luis Barrios Cruz: renovación vanguardista y nativismo poético en Venezuela", en *Revista de Crítica Literaria Latinoamericana* (Lima), núm. 15, 1982, pp. 87-107. [Relectura de *Respuesta a las piedras*, situándola en la ambigua encrucijada historiográfica que supone el momento postmodernista, entre rezagos decimonónicos diversos y los primeros influjos de la vanguardia internacional].

Castro, Luis

Obra

V.109 *Garúa*. Caracas: Instituto Nacional de Cultura y Bellas Artes, 1969 (1ª. ed. 1935). [Publicada luego de la muerte en prisión del autor].

Díaz Sánchez, Ramón

Obra

V.110 *Mene*. Caracas: Cooperativa de Artes Gráficas, 1936. [Hay numerosas ediciones posteriores].

Crítica

V.111 Araujo, Orlando. "Seis autores en busca de su expresión", en *Narrativa venezolana contemporánea*. Caracas: Monte Ávila, 1988, pp. 118-124. [Explícitamente enmarcadas en la iniciación literaria de Díaz Sánchez con el grupo Seremos, las reflexiones de Araujo rescatan *Mene* del olvido o la crítica negativa hecha desde horizontes de expectativa ajenos a los proyectos vanguardistas].

V.112 Miliani, Domingo. "La narrativa venezolana", en *Tríptico venezolano (Narrativa. Pensamiento. Crítica)* (ed. Nelson Osorio). Caracas: Fundación de Promoción Cultural de Venezuela, 1985, pp. 123-125. [Referencias explícitas a las raíces vanguardistas, en particular seremistas, de la obra narrativa posterior de Díaz Sánchez].

Frías, Carlos Eduardo

Obra

V.113 *Canícula-Giros de mi hélice*. Caracas: Élite, 1930. [Tomo que recoge dos obras: *Canícula*, de Frías, y *Giros*... de Nelson Himiob].

Crítica

V.114 Araujo, Orlando. "Seis autores en busca de su expresión", en *Narrativa venezolana contemporánea*. Caracas: Monte Ávila, 1988, pp. 80-81 [Pese a que su obra sea breve y "trunca", destaca la importancia de Frías como precursor y hasta cierto punto modelo de narradores estimulados por el espíritu innovador de la vanguardia].

V.115 Arráiz Lucca, Rafael. "Carlos Eduardo Frías, centenario", en *El Nacional* (Caracas) 29/5/2006, p. A/8. [Semblanza que funciona como buena introducción a la relevancia social de Frías, mencionando su paso por las vanguardias y concentrándose en su posterior esfuerzo por fundar la publicidad moderna en Venezuela].

Gabaldón Márquez, Joaquín

Obra

V.116 *El poeta desaparecido y sus poemas* ("Nota liminar" de Miguel Otero Silva). Caracas: Edime, 1954. [Recoge poemas vanguardistas de su juventud: "Las torres de radio", "Arenga", "Año nuevo vanguardista", "Listen, my Brother!"; en la "Nota liminar", Otero Silva considera que Gabaldón Márquez fue el primero de los vanguardistas venezolanos que rompió con la musicalidad heredada del modernismo].

Crítica

V.117 Sambrano Urdaneta, Óscar y Domingo Miliani. "Nuevas tendencias de la poesía venezolana", en *Literatura hispanoamericana*. Caracas: Italgráfica, 1976, Vol. 2, pp. 163-176. [Destaca el papel de Gabaldón Márquez en la poesía vanguardista venezolana, frecuentemente olvidado debido a su abandono del género (p. 167)].

Gallegos, Rómulo

Obra

V.118 "Entre las ruinas", en *El Cojo Ilustrado* (Caracas), núm. 20.472, 15/8/1911, pp. 468-70. [Versión temprana de un pasaje, muy reelaborado, de la novela *Reinaldo Solar* (final del capítulo VII, Primera Jornada); una de las primeras menciones al futurismo en Venezuela figura aquí, en boca de un personaje. Téngase en cuenta, además, la cercanía personal e ideológica que hubo entre Gallegos y muchos de los escritores que simpatizarían a la larga con las vanguardias. La aparente distancia entre el célebre regionalismo del autor y los "ismos" de los años diez y veinte quizá debería reevaluarse o matizarse, lo que se confirma si atendemos a testimonios ofrecidos por Joaquín Gabaldón Márquez sobre las primeras lecturas de capítulos de *Doña Bárbara* que hicieron en la Tipografía Vargas los vanguardistas venezolanos: "¡Esto también es vanguardia! (...) Así menudearon los comentarios y las exclamaciones, explosiones de juvenil admiración. Y así quedaba tácitamente incorporado Rómulo Gallegos a la falange vanguardista" (en Efraín Subero, ed. *Gallegos: materiales para el estudio de su vida y su obra*. Caracas: Centauro, 1980, Vol. 1, p. 79)].

GARMENDIA, JULIO

Obras

V.119 *La hoja que no había caído en su otoño* (comp. Óscar Sambrano Urdaneta). Caracas: Monte Ávila, 1982. [Relatos inéditos entre los que se incluyen dos datados en la época de auge de las vanguardias].

V.120 *La tienda de muñecos*. Paris: Excelsior, 1927. [Varios de los cuentos se habían publicado previamente en la revista *Cultura Venezolana*; las reimpresiones posteriores son numerosas].

V.121 *Opiniones para después de la muerte (1917-1924)* (comp. y notas Óscar Sambrano Urdaneta). Caracas: Monte Ávila, 1984. [Se agrupa casi la totalidad de lo publicado por el autor en periódicos y revistas, incluyendo cuentos, poemas y crónicas. De especial interés pueden ser sus lecturas de contemporáneos, Pedro Sotillo, José Antonio Ramos Sucre y Antonio Arráiz, usualmente asociados por la crítica posterior a los movimientos de vanguardia].

Crítica

V.122 Burgos, Fernando. "Prosa de renovaciones: *Tienda de muñecos* de Julio Garmendia", en *Escritura* (Caracas), núm. 9.22, julio-diciembre 1986, pp. 219-229. [Análisis de tres cuentos del libro].

V.123 Lasarte Valcárcel, Javier. "Poéticas de la primera contemporaneidad y cambio intelectual. La narrativa del postmodernismo histórico", en *Juego y nación*. Caracas: Fundarte, 1995, pp. 7-31. [Ofrece razones de peso para distanciar a Garmendia de los grupos vanguardistas].

V.124 Miliani, Domingo. "*La tienda de muñecos* cincuenta años después", en Julio Garmendia. *La tienda de muñecos*. Caracas: Monte Ávila, 1985, pp. 99-108. [Publicado originalmente como prólogo a la reedición del libro de Garmendia hecha en Mérida por el Rectorado de la Universidad de los Andes en 1970. Niega que Garmendia, al distanciarse de las estéticas regionalistas, se haya "adentrado" por la ruta de las vanguardias].

V.125 Osorio, Nelson. "*La tienda de muñecos* de Julio Garmendia en la narrativa de vanguardia hispanoamericana", en *Actualidades* (Caracas), núms. 3-4, 1977-1978, pp. 11-36. [La integración más sistemática del libro de relatos de Garmendia en el contexto vanguardista internacional y nacional, con comentarios valiosos acerca de varios cuentos específicos].

V.126 Rama, Ángel. "La familia latinoamericana de Julio Garmendia", en *El Nacional*, Papel Literario (Caracas), 17/7/1977. [Desarrolla sugerencias hechas antes por Miliani sobre la afinidad con otros cultivadores de lo fantástico en Latinoamérica].

Himiob, Nelson

Obra

V.127 *Canícula-Giros de mi hélice*. Caracas: Élite, 1930. [Tomo que recoge dos obras: *Canícula*, de Carlos Eduardo Frías, y *Giros*... de Nelson Himiob].

Mestre Fuenmayor, Aníbal

Obra

V.128 *Ésta es mi sangre*. Maracaibo: Imprenta Nacional, 1927.

Crítica

V.129 Semprum, Jesús. [Reseña de *Ésta es mi sangre*], en *Fantoches* (Caracas), núm. 5.228, 7/12/1927, p. 6. [Crítica negativa, hecha desde un sistema de preferencias aún marcadamente modernista].

Núñez, Enrique Bernardo

Obras

V.130 *Después de Ayacucho*. Caracas: Tipografía Vargas, 1920.

V.131 *Cubagua*. Paris: Le Livre Libre, 1931. [La tercera edición, Caracas: Ministerio de Educación Nacional, 1947, contiene correcciones del autor. Existe una edición crítica a cargo de Rafael Ángel Rivas D., Caracas: Monte Ávila, 1987].

V.132 *La galera de Tiberio: crónica del canal de Panamá*. Bruselas: [¿s. e.?], 1938. [No hemos podido consultar ejemplares de la primera edición, arrojada por Núñez al río Hudson casi en su totalidad, según repiten los críticos. La edición a cargo de Guillermo Argüello, Augusto Germán Orihuela y Carlos Augusto León, Caracas: Universidad Central de Venezuela, 1967, incorpora correcciones abundantes hechas por el autor].

Crítica

V.133 Araujo, Orlando. "Ensayo sobre la obra de Enrique Bernardo Núñez", en *Cacao*. Caracas: Banco Central de Venezuela, 1972, pp. 23-87. [Lamenta la escasa recepción de la narrativa de Núñez entre las promociones vanguardistas, pues ella representa acaso la búsqueda de innovación técnica más osada del país].

V.134 Araujo, Orlando. "Seis autores en busca de su expresión", en *Narrativa venezolana contemporánea*. Caracas: Monte Ávila, 1988, pp. 97-117.

[Visión de conjunto con énfasis en los momentos de ruptura respecto del legado decimonónico].

V.135 Carrera, Gustavo Luis. "*Cubagua* y la fundación de la novela estéticamente contemporánea", en *Revista Iberoamericana* (Pittsburgh), núms. 166-167, enero-junio 1994, pp. 451-456. [Análisis de aspectos rupturistas de la novela, haciendo explícita la filiación vanguardista de ésta].

V.136 *Imagen* (Caracas), núm. 16, octubre 1971. [Número monográfico dedicado por esta revista a la revaloración del autor; frecuentes alusiones a las cualidades vanguardistas ignoradas por sus contemporáneos].

OTERO SILVA, MIGUEL

Obras

V.137 *Agua y cauce: poemas revolucionarios*. México, D. F.: México Nuevo, 1937.

V.138 *Fiebre: novela de la revolución venezolana*. Caracas: Élite, 1939. [Reescrita en 1971; en su última versión, según afirma el prólogo del autor, se "poda" el libro de su "oratoria anti-novelística", lo cual podría contradecir la promesa, hecha poco después, de haberse mantenido "el estilo digamos 'vanguardista'" (Barcelona: Seix Barral, 1981, pp. 10). La reedición, por lo tanto, sólo puede ser útil para el lector interesado en examinar el influjo vanguardista si se compara con el texto original].

Crítica

V.139 Araujo, Orlando. "Seis autores en busca de su expresión", en *Narrativa venezolana contemporánea*. Caracas: Monte Ávila, 1988, pp. 134-154. [Visión de la evolución de la obra oteriana en el marco de la búsqueda de una "nueva novela". Censura correcciones hechas por Otero Silva en la versión de 1971 de *Fiebre*, por impedir apreciar los rasgos más característicos de su vanguardismo inicial (p. 135)].

V.140 Prieto Figueroa, Luis Beltrán. "La poesía social de Miguel Otero Silva", en *Tejer y destejer*. Caracas: Academia Nacional de la Historia, 1988. [Repaso del repertorio temático de la poesía de Otero Silva, destacando el vínculo que en ella existe entre la inquietud social y los orígenes vanguardistas del escritor].

PARRA, TERESA DE LA

Obras

V.141 *Ifigenia*. Paris: Casa Editorial Franco-ibero-americana, 1924 [Numerosas reediciones. La segunda (Paris: I. H. Bendelac, 1928) incluye correcciones y añadidos de la autora].

V.142 *Las memorias de Mamá Blanca*. Paris: Le Livre libre, 1929. [Numerosas reediciones]

Crítica

V.143 Masiello, Francine. "Texto, ley, transgresión: especulación sobre la novela (feminista) de vanguardia", en. *Revista Iberoamericana* (Pittsburgh), núms.132-3, 1985, pp. 807-22. [Se clasifica a Teresa de la Parra, Norah Lange y María Luisa Bombal como vanguardistas. En el caso de la venezolana el concepto de vanguardia que se maneja, no obstante, resulta vago y no parece tomarse en cuenta la distancia irónica que mantuvo con respecto a vanguardias muy específicas, tanto en textos acaso regidos por la "ficción" —la "Advertencia" a *Las memorias de Mamá Blanca*— como en documentos personales que no se prestan a las dudas de la ficción (*cfr*. Teresa de la Parra. *Obra*. Velia Bosch, ed. Caracas: Biblioteca Ayacucho, 1982, p. 554)].

V.144 Unruh, Vicky. *Performing Women and Modern Literary Culture in Latin America: Intervening Acts*. Austin: University of Texas Press, 2006. [La introducción recoge una nueva versión de un artículo previo de Unruh ("Teresa de la Parra and the Avant-Gardes: An Equivocal Encounter with Literary Culture", en Mara García and Douglas Weatherford, eds. *Todo ese fuego: Homenaje a Merlin Forster*, Tlaxcala: Universidad Autónoma de Tlaxcala, 1999, pp. 65-79) donde se considera a Teresa de la Parra como escritora de vanguardia. *Las memorias de Mamá Blanca* sirve de paradigma para el tipo de análisis al que se someterá a las demás autoras estudiadas en el libro (pp. 16-22). La relación de la venezolana con el vanguardismo, sin embargo, se formula sin precisar su actitud con respecto a movimientos o grupos concretos y está fundamentada en criterios que también podrían aplicarse, por ejemplo, a obras modernistas: "profoundly modern artistic concerns", "genre indeterminacy", "impious appropriation [...] of a hodgepodge of literary traditions"].

Planchart, Enrique

Obra

V.145 *Primeros poemas*. 1919. Recogido en *Bajo su mirada*. Caracas: s. e., 1954, y en *Poesías*. Buenos Aires: Losada, 1958.

Crítica

V.146 Cuenca, Humberto. "Prolegómenos de la vanguardia", en *Revista Nacional de Cultura* (Caracas), núm. 17.110, mayo-junio 1955, pp. 117-127. [Lo considera postmodernista, aunque uno de los antecesores más determinantes de la vanguardia].

V.147 Medina, José Ramón. "El libro *Primeros poemas* de Enrique Planchart", en *Noventa años de literatura venezolana (1900-1990)*. Caracas: Monte Ávila, 1993, pp. 59-64. [Polemiza con Agudo Freites (*Pío Tamayo y la vanguardia*, 1969) acerca de la índole vanguardista de este poemario; enfatiza su "prevanguardismo"].

QUEREMEL, ÁNGEL MIGUEL

Obras

V.148 *Yo, pecador*. Caracas: [¿s. e.?], 1922. Recogido en *Poesías*. Caracas: Ministerio de Educación, 1965.
V.149 *El barro florido*. Cádiz: Librería Universal de Morillas, 1924.
V.150 *El hombre de otra parte*. Madrid: Fernando Fe, 1925.
V.151 *Brinco*. Madrid: Fernando Fe, 1926.
V.152 *Trayectoria*. Madrid: Imprenta Sur [Librería de Fernando Fe, exclusiva de venta], 1927.
V.153 *Tabla*. Málaga: Imprenta Sur, 1928.
V.154 *El trapecio de las imágenes*. Madrid: [s. e.], 1929.

Crítica

V.155 Gutiérrez Ludovic, Douglas. "La poesía de vanguardia en Venezuela, el grupo Viernes", en *XVII Congreso del Instituto Internacional de Literatura Iberoamericana: Sesión de Madrid*. Madrid: Ediciones Cultura Hispánica del Centro Iberoamericano de Cooperación, 1978, pp. 827-843. [Se refiere, con inclusión de testimonios, a la importancia de Queremel como puente entre la vanguardia española y la venezolana].
V.156 Heredia, José Ramón. "Incursión en la poética de Ángel Miguel Queremel", en *Revista Nacional de Cultura* (Caracas), núm. 6, abril de 1939, pp. 50-53. [Visión de conjunto].

RAMOS SUCRE, JOSÉ ANTONIO

Obra

V.157 *La torre de Timón*. Caracas: Tipografía Vargas, 1925.
V.158 *El cielo de esmalte*. Caracas: Tipografía Americana, 1929.
V.159 *Las formas del fuego*. Caracas: Tipografía Americana, 1929.

Crítica

V.160 Arráiz Lucca, Rafael. "José Antonio Ramos Sucre: máscaras de una isla enigmática", en *El coro de las voces solitarias: una historia de la poesía venezolana*. Caracas: Eclepsidra, 2003, pp. 111-124. [Descarta como "exabrupto" la vinculación del autor con la vanguardia, particularmente con el surrealismo].

V.161 Baciu, Stefan. *Antología del surrealismo latinoamericano*. México, D. F.: Joaquín Mortiz, 1974, pp. 49-52 y 138-140. [Señala explícitamente a Ramos Sucre como uno de los principales precursores del surrealismo latinoamericano].

V.162 Medina, José Ramón. "Trayectoria de José Antonio Ramos Sucre", en José Antonio Ramos Sucre. *Obra completa*. Caracas: Biblioteca Ayacucho, 1980, pp. IX-LXXXV. [Apta introducción a la historia de la recepción del poeta y a sus principales temas; cuestiona la clasificación de su obra como vanguardista].

V.163 Montejo, Eugenio. "Nueva aproximación a Ramos Sucre", en *El taller blanco*. México, D. F.: Universidad Autónoma Metropolitana, 1996 (1ª ed. 1983), pp. 29-39. [Este trabajo recoge y amplía postulados de Montejo dados a conocer en decenios previos; niega la afinidad entre Ramos Sucre y la vanguardia, destacando la necesidad de no desligar su estética de la simbolista].

V.164 Rama, Ángel. *El universo simbólico de José Antonio Ramos Sucre*. Cumaná: Universidad de Oriente, 1978. [Útiles sugerencias acerca de los vínculos de su poética y la época gomecista; traza también paralelos entre la escritura escoliasta de Ramos Sucre y la de Borges. Ve como necesaria la colocación de su obra en el campo de la vanguardia].

V.165 Rivera, Francisco. "Diez fragmentos sobre Ramos Sucre", en *Inscripciones*. Caracas: Fundarte, 1981, pp. 49-58. Recogido también, con variantes, en Francisco Rivera. *Entre el silencio y la palabra*. Caracas: Monte Ávila, 1986, pp. 31-38. [Cuestiona la aproximación de Ramos Sucre al surrealismo y ofrece comentarios certeros acerca de particularidades lingüísticas del autor hasta ahora vagamente atribuidas a su supuesto experimentalismo vanguardista].

V.166 Ruiz Barrionuevo, Carmen. "Modernismo *versus* modernidad en José Antonio Ramos Sucre", en Julio Ortega (ed.). *Venezuela: fin de siglo*. Caracas: La Casa de Bello, 1993, pp. 91-97. [Aunque Ramos Sucre "supere" los objetivos estéticos modernistas y postmodernistas, se cuestiona en este trabajo la supuesta cercanía del autor a las vanguardias].

V.167 Sucre, Guillermo. *La máscara, la transparencia*. México, D. F.: Fondo de Cultura Económica, 1985 (1ª ed. 1975), pp. 69-77. [Algunas de las páginas más lúcidas dedicadas a Ramos Sucre se encuentran en un capítulo acerca de autores que, sin que ellos se identificaran con ninguna de esas tendencias, Guillermo Sucre sitúa entre el modernismo y las vanguardias. El ensayista, sin embargo, celebra que Baciu considere a Ramos Sucre "surrealista *avant la lettre*"].

Tamayo, José Pío

Obra

V.168 "Homenaje y demanda del indio", en *Mundial* (Caracas), 7/2/1928. Reproducido en Osorio 1985, pp. 255-259; Agudo Freites 1969, pp. 180-185; Pereira, Pedro 1952, pp. 211-215 y Fernández, Carlos 1969, 158-162. [Poema de extremada importancia para la vanguardia venezolana; aunque de obra literaria exigua, el autor, encarcelado, se convirtió en símbolo de resistencia al gomecismo].

Crítica y testimonios

V.169 Agudo Freites, Raúl. *La memoria perdida*. Caracas: Academia Nacional de la Historia, 1983, *passim*.

V.170 Agudo Freites, Raúl. "Pío Tamayo, el adelantado del 28", en *El Nacional* (Caracas), 15/2/1978, p. C-1.

V.171 Agudo Freites, Raúl. *Pío Tamayo y la vanguardia*. Caracas: Ediciones de la Biblioteca de la Universidad Central de Venezuela, 1969.

V.172 Fernández, Carlos Emilio. *Hombres y sucesos de mi tierra (1909-1935)*. Madrid: Talleres del Sagrado Corazón, 1969, *passim*. [Datos testimoniales].

V.173 Pereira, Pedro N. *En la prisión (los estudiantes de 1928)*. Caracas: Ávila Gráfica, 1952, *passim*. [Datos testimoniales].

Uslar Pietri, Arturo

Obras

V.174 *Barrabás y otros relatos*. Caracas: Tipografía Vargas, 1928. [Numerosas reediciones].

V.175 *Las lanzas coloradas*. Madrid: Zeus, 1931. [Numerosas reediciones].

V.176 *Red*. Caracas: Élite, 1936. [Numerosas reediciones].

Crítica

V.177 Angarita Arvelo, Rafael. "El libro de las separaciones y de las revelaciones", en *El Universal* (Caracas), 20.6953, 19/9/1928. [Comentario acerca de aspectos innovadores de *Barrabás* hecho desde la óptica de un escritor y crítico cuyas preferencias oscilan entre el postmodernismo y la vanguardia propiamente dicha].

V.178 Araujo, Orlando. "Seis autores en busca de su expresión", en *Narrativa venezolana contemporánea*. Caracas: Monte Ávila, 1988, pp. 82-97. [Examen de la obra uslariana teniendo en cuenta los desafíos iniciales de su etapa vanguardista].

V.179 Dabove, Juan Pablo. "*Las lanzas coloradas*: nación, vanguardia y guerra", en Arturo Uslar Pietri: *Las lanzas coloradas/Primera narrativa* (coord.

François Delprat). Paris/Madrid: Archivos/F.C.E-España, 2002, pp. 612-630. [Exhaustiva discusión de los lazos no siempre visibles entre la actividad vanguardista uslariana y la escritura de su principal novela].

V.180 González Stephan, Beatriz. "'Barrabás' de Arturo Uslar Pietri en la Venezuela de 1928", en *Revista de Crítica Literaria Latinoamericana* (Lima), núm. 11, 1980, pp. 47-63. [Coloca el relato "Barrabás" en el contexto del arranque de la vanguardia venezolana y, pese a describirlo como políticamente moderado, afirma que hay en él una oposición a los sectores intelectuales más conservadores de la época, aún "rubenianos y torremarfilistas"].

V.181 Guerrero, Gustavo. "Uslar Pietri en traje de cuentista", en Arturo Uslar Pietri. *Cuentos completos*. Madrid: Páginas de Espuma, 2006, pp. 7-20. [Este volumen recoge todas las narraciones breves del autor y la introducción destaca la importancia del cuento para valorar su obra, lejos del tradicional énfasis en la novela; se incluyen reflexiones certeras sobre los inicios vanguardistas de Uslar, entre deudas modernistas y deseos de ruptura con esa estética].

V.182 Leo, Ulrich. "*Las lanzas coloradas*: ensayo de análisis", en *Interpretaciones estilísticas*. Caracas: Presidencia de la República, 1977, pp. 129-150. [Apunta la convergencia técnica de esta novela con el surrealismo, poco señalada por el peso que explícitamente dio Uslar Pietri al "realismo mágico" en algunos de sus ensayos].

V.183 Márquez Rodríguez, Alexis. "El surrealismo y su vinculación con el realismo mágico y lo real maravilloso", en Fernando Burgos (ed.). *Prosa hispánica de vanguardia*. Madrid: Orígenes, 1986, pp. 77-86. [Discute la obra de Carpentier, contrastándola con la de García Márquez y Uslar Pietri en la confluencia de corrientes con la que culminan las vanguardias].

V.184 Miliani, Domingo. *Uslar Pietri, renovador del cuento venezolano*. Caracas: Monte Ávila, 1969. [Reflexiones sobre los vínculos entre el narrador y los movimientos de vanguardia, con útiles comentarios acerca de las lecturas heterogéneas de su generación y el papel de Uslar como "realizador cabal" de proyectos estéticos que en la obra de Carlos Eduardo Frías tan sólo se desean y esbozan].

V.185 Osorio, Nelson. "El primer libro de Uslar Pietri y la vanguardia literaria de los años veinte", en *Revista de Crítica Literaria Latinoamericana* (Lima), núm. 9, 1979, pp. 135-139. Una versión de este estudio, con el título de "Sobre *Barrabas*, *válvula* y las vanguardias", figura en el libro de Osorio, *Al margen de las letras*. Caracas: Fundarte, 1994, pp. 23-27. [Sitúa la desigual factura de los diversos relatos que componen *Barrabás* en la no menos heterogénea confluencia en la Venezuela de la época de modernismo tardío, criollismo, naturalismo residual y, sobre todo, los primeros estímulos vanguardistas; sin embargo, esa variedad de preferencias, según el crítico, impide que el libro pueda clasificarse exclusivamente "como una obra vanguardista"].

V.186 Parra, Teresita. *Visión histórica en la obra de Arturo Uslar Pietri*. Madrid: Pliegos, s. f. [¿1993?]. [Las secciones tituladas "Su papel como iniciador de la vanguardia en Venezuela" y "Mágico-realista precoz" resumen aptamente las principales discusiones respecto de estos asuntos y enfatizan el deseo programático de Uslar de apartarse de los costumbrismos circulantes en la época, para lo cual echó mano de lo "mítico"; correctamente, Parra vincula así vanguardia venezolana y realismo mágico].

V.187 Pacheco, Carlos. "Arturo Uslar Pietri: de renovador vanguardista a patriarca de la cultura nacional", en *Iberoamericana* (Frankfurt am Main), núm. 4, 2001, pp. 158-163. [Destaca los orígenes vanguardistas de Uslar y ofrece una descripción sucinta pero certera de las transformaciones posteriores de su poética; una de las mejores evaluaciones de conjunto de la importancia de este autor].

V.188 Varela, Rafael. "*Barrabás* de Arturo Uslar Pietri y la crítica de su época", en *Revista de Crítica Literaria Latinoamericana* (Lima), núm. 9, 1979, pp. 141-144. [Sitúa la obra juvenil de Uslar Pietri en el horizonte de expectativas de los años de su publicación].

ANTOLOGÍA CRÍTICA

Alberto Julián Pérez

Reflexiones sobre la poesía del área andina en el siglo XX

I

Hablar de la obra de un poeta contemporáneo nos impone hacer unas reflexiones acerca de la poesía en general. La poesía ha dado bastante que pensar a los poetas y también a los lectores, en particular a los críticos. Múltiples son las preguntas que como género uno puede hacerse sobre la poesía, y quizá las más convincentes sean aquellas que se refieren a los cambios históricos que ha tenido, especialmente en nuestro siglo, el siglo dominado por las innovaciones de las vanguardias. La poesía ha gozado a partir del Romanticismo de un lugar central como rectora de los cambios estéticos. Muchas veces los poetas se quejan del escaso público lector, pero no hay que olvidar que la aparente indiferencia del público hacia la poesía es engañosa, porque la poesía mantiene frente a los otros géneros un papel de privilegio. Durante el Romanticismo los poetas alemanes e ingleses lideraron el cambio estético, verdadera revolución que conmovió la preceptiva neoclásica que había mantenido su validez desde el Renacimiento, flexibilizando las formas poéticas cultas, introduciendo formas poéticas populares e imponiendo en la literatura de su época el famoso *pathos* romántico, que dio origen a una poética de la subjetividad y del yo.[1]

Si el siglo XIX vivió, poéticamente hablando, dominado por las innovaciones del Romanticismo, incluidas las rebeldías del Parnaso y las reformas del Simbolismo, que aparecen siempre enmarcadas por el papel hegemónico de la transformación romántica, el siglo XX ha vivido bajo la égida de la revolución vanguardista. El arte poética de las vanguardias echó por tierra el pasado poético creado por el Romanticismo: desapareció la preceptiva de sus formas poéticas, que los poetas modernistas habían llevado a un perfeccionismo inusitado y, por sobre todo, se destruyó la figuración, creándose un efecto poético nuevo, el efecto poético vanguardista, que basó su capacidad expresiva en la imagen oscura, en la metáfora no figurativa.[2] Es difícil para nosotros imaginar ahora la conmoción que la imagen van-

[1] Ver Paul Bénichou, *El tiempo de los profetas. Doctrinas de la época romántica*. México, D. F.: Fondo de Cultura Económica, 1984, trad. de Aurelio Garzón del Camino, pp. 213-303.

[2] Ver mi artículo "El modernismo ante el Romanticismo y la Vanguardia", *Cincinnati Romance Review* No. 8, Spring 1989, pp. 86-90.

guardista causó en el medio poético de la época, dominado por la poesía modernista, pero el abismo que creó entre la vieja sensibilidad y la nueva se nos hace hoy evidente si leemos, por ejemplo, la poesía de Darío y Jaimes Freyre primero, y la del Neruda de la primera y segunda *Residencia en la tierra*, la de Camargo, Medinaceli y Julio de la Vega después. De esta segunda poesía han desaparecido la sensibilidad hacia los metros poéticos cuidados que trataban de equilibrar el contenido y la forma, el estudio de los múltiples efectos sonoros del lenguaje que cultivaba la poesía modernista; también desaparecieron las exageradas referencias intertexuales al mundo del arte, el empleo de las mitologías como mundos exóticos. El poeta vanguardista, en cambio, se entrega libremente al juego de la expresión, busca crear un mundo de metáforas no figurativas en que desaparece el referente realista, chocando y sorprendiendo al lector.

Las vanguardias crean un nuevo tipo de lector, una nueva sensibilidad, y su predominio en las poéticas de nuestro siglo ha sido tan grande que aún ahora, en las postrimerías del siglo XX, se sigue escribiendo poesía neovanguardista. Tengo en mis manos una antología reciente de poesía boliviana y consulto los poemas de los poetas más jóvenes que participan en ésta, Jorge Campero, nacido en 1954, Julio Barriga, 1956, Eduardo Nogales Guzmán, 1957, y veo que son poemas neovanguardistas, que emplean en el todo o en parte el efecto estético vanguardista, la metáfora oscura, la imagen no figurativa.[3] En otros países, como Argentina, la poesía neovanguardista de influencia Lezamiana tiene inusitado vigor y predomina entre los poetas jóvenes, como se puede consultar en las numerosas ediciones de Último Reino.[4] Escriben una poesía de imágenes herméticas, asociaciones oníricas, neologismos, creando un elaborado lenguaje poético especial que distancia a la poesía del lenguaje cotidiano.

Si bien la ya envejecida y aún no definitivamente reemplazada poética vanguardista ha revolucionado y dominado la creación poética de nuestro siglo, con el transcurso de los años ha perdido su posición hegemónica. En las décadas del veinte y del treinta la única manera legítima de escribir, si el poeta no quería hacer poesía "vieja", poesía modernista, era la vanguardista, pero ya a mediados del treinta aparece el Realismo Socialista, y los mismos poetas líderes de las Vanguardias, que han sido reconocidos como nuestros poetas mayores, Neruda y Vallejo, se autocritican su período vanguardista, el de la primera y la segunda *Residencia en la tierra* y *Trilce*, como período hermético y solipsista, en que fueron incapaces de trasladar al

[3] Me refiero a la antología de Humberto Quino, *Fosa común*. La Paz: Ediciones del Taller, 1985.

[4] Dentro de esta poesía neovanguardista debemos citar la de Néstor Perlongher, autor de *Austria-Hungría*, 1980, *Alambre*, 1987, *Hule*, 1989, *Parque Lezama*, 1990, poeta de excelente nivel y creciente fama.

poema la realidad social del hombre oprimido, la historia de nuestros pueblos. Ambos escriben poesía realista socialista; los poemas excepcionales de Vallejo son recogidos en *Poemas humanos* y Neruda inicia un proceso que culmina con su consagración como vate continental con *Canto general*. A fines de la década del treinta el vanguardismo pierde su aura indiscutible de movimiento líder de la modernidad poética, disminuye hasta casi desaparecer el agresivo proselitismo que habían mantenido en su momento grupos como el Estridentismo y el Ultraísmo (aunque lo conserva el Surrealismo); el vanguardismo tiene que compartir el espacio literario con las propuestas del realismo socialista: la restauración del referente poético figurativo, la adopción de un lenguaje poético más sencillo, un uso mas cauto de las figuras poéticas, especialmente la metáfora, de la que habían abusado las primeras vanguardias, la creación de poemas de contenido histórico que admitían la incorporación de una voz narrativa neo-épica.

La producción poética realista socialista constituye un episodio singularmente feliz para las letras latinoamericanas, no sólo por las obras de los ya citados Vallejo y Neruda, sino también por la de otros importantes poetas, como Roque Dalton, Ernesto Cardenal y, en la poesía boliviana, Pedro Shimose. Desde el advenimiento de las Vanguardias la poesía en lengua hispana ha crecido ininterrumpidamente en calidad y en prestigio, luego de nuestros limitados y hasta cierto punto frustrados experimentos románticos durante el siglo XIX y gracias, en gran medida, a la dinámica poética que creó el Modernismo. Poetas como Neruda y el español García Lorca han disfrutado de un sostenido prestigio internacional, y siguen siendo populares aún en nuestros días, como integrantes de una tradición que se resiste a ser reemplazada por otras poéticas. Dentro de los logros de la poesía de vanguardia, debemos reconocer un valor especial a la poesía surrealista que influyó a poetas de la calidad de Octavio Paz, y en el ámbito boliviano, a Edmundo Camargo. Estas poéticas vanguardistas siguen conviviendo en el espacio poético, ya vecino el fin de siglo, con el Realismo Socialista o con poéticas derivadas del mismo, como la poesía "conversacional" de poetas como Antonio Cisneros, escrita en un lenguaje voluntariamente alejado de cualquier fulgor literario, y con la poesía y las propuestas literarias de los poetas "críticos", como Nicanor Parra y Carlos Germán Belli, que han hecho de la negación y de la desconfianza a la concreción misma del fenómeno poético el centro de su poetizar, como si la poesía se complaciera en jugar —porque ésta es una poesía especialmente lúdica— con las posibilidades de su propio acabamiento, explorando los límites del lenguaje poético, como lo vemos en la antipoesía de Parra, o recuperando "antiguallas" descartadas por la historia de la poesía, como el barroco e insistente uso del hipérbaton que hace Belli para hablar del muy material bolo alimenticio. Estas poéticas críticas se caracterizan por su fuerte sentido de negación que las sitúa al margen del sistema literario, como conciencia crítica de sus posibilidades. Son, sin embargo, poéticas "terminales", que difícilmente crean escuelas, como lo hicieron las Vanguardias y el Realismo Socialista; son más bien señales luminosas de advertencia, brillantes casos individuales donde los poetas conquistan su gloria literaria a pesar de, y aun en contra de, la poesía misma.

Las poéticas hegemónicas de la primera mitad de nuestro siglo han ido perdiendo paulatinamente su representatividad en la segunda mitad, ya que la fe en la revolución poética de las Vanguardias y la esperanza de transformar el mundo y el hombre del Realismo Socialista no poseen la misma legitimidad y prestigio. En la aceptación de este relativismo cultural influyeron poetas de la negación, como Parra y Belli, que han contribuido a que se multipliquen las dudas sobre la posibilidad de tener una poética hegemónica y han hecho que la poesía perdiera parte del prestigio que tuvo en la década del veinte y en la del treinta como líder de los cambios estéticos literarios, como género capaz de ponerse al frente de una revolución estética, aleccionando con sus logros y su práctica a los otros géneros. En este mundo poético heterogéneo en que vivimos hoy los poetas han ido aceptando el papel disminuido del hecho poético, así como también la lentitud de los cambios y, si se quiere, la desorientación que cunde en la práctica, unida a la dificultad de encontrar una poética personal satisfactoria en un mundo poético relativista, fragmentado y, hasta cierto punto, escéptico.

Frente a esta situación los jóvenes poetas siguen afinando su instrumento poético, practicando poéticas neo-vanguardistas y neo-realistas en sus diferentes matices y posibilidades, y aguardando la transformación histórica del hecho poético: el añorado surgimiento de un nuevo fenómeno literario totalmente original, que restaure a la poesía su valor como género líder, que cree una sensación de progreso y de cambio, de transformación del mundo literario. Desgraciadamente ésta no es una buena época para revoluciones, porque vivimos precisamente en un tiempo de contrarrevoluciones sociales y marcha atrás en nuestra historia, en que los logros sociales de otra época se desmoronan para ser reemplazados por una práctica restauradora de modelos sociales efectivos, aunque en contradicción con ideales de humanidad y justicia. Es como si los ideales del Iluminismo, que guiaron las historias de nuestras repúblicas desde la época de las revoluciones independentistas, con su lema de igualdad, fraternidad, libertad y progreso, quedaran súbitamente cancelados en esa ola pragmática, escéptica y relativista que se embandera muchas veces con las veleidades intelectuales del pos-modernismo.

Esta historia social regresiva y caótica, en que sentimos dificultad para articular cualquier pensamiento utópico regenerador del tejido social, se extiende al mundo de la cultura y del arte. La poesía sobrevive a esta peligrosa inercia social y cultural canibalizando sus propios recursos, alimentándose de sus viejas formas poéticas, sacando brillo a recursos poéticos que han perdido su capacidad de sorpresa, entregándose, en el mejor de los casos, a juegos intertextuales que ponen en primer plano la meditación sobre el hecho poético y su lenguaje. Éste es el momento en que nos acercamos peligrosamente a un pesimismo finisecular semejante al que en el siglo pasado alimentaran el Parnaso francés y el Simbolismo, y que heredó en buena medida nuestro Modernismo.

II

Concluida esta historia resumida de los hechos contemporáneos más relevantes de la poesía latinoamericana, podemos salir de las generalidades y las generalizaciones del pensamiento histórico y considerar los momentos particulares que componen el hecho histórico que, lejos de ser unívoco y homogéneo, tiene numerosos matices. De lo contrario, transformaríamos el hecho literario en un producto calculado, resultado de un determinado tipo de pensamiento lógico. La historia no contempla muchas veces diferencias y particularidades que son relevantes para el hecho literario. La poesía no se crea desde el proyecto intelectual general solamente (aunque éste participa) sino desde la experiencia concreta y desde la vida. Veremos cuáles son las preguntas y paradojas que plantea una poesía como la de Eduardo Mitre a quien trata de comprenderla como parte de la producción literaria del mundo andino, a la que pertenece.

Bolivia es un país paradójico, creo, no sólo para alguien como yo que trata de comprenderlo desde afuera (el viaje crítico hacia la poesía que propongo acompaña mi acercamiento al objeto de estudio, desde afuera hacia adentro, desde la poesía latinoamericana en general a la poesía boliviana en particular y a la poesía misma de uno de sus poetas contemporáneos más destacados) sino también para los mismos críticos e intelectuales bolivianos que procuran explicarlo en sus aparentes negaciones, silencios y contradicciones. Javier Sanjinés manifiesta sorpresa ante el camino seguido por la narrativa boliviana después del proceso revolucionario de 1952, explicando que "ante la imposibilidad de poder dar una interpretación franca del dato social [...] optó por retroceder en el tiempo, encasillándose en una temática positivista —raza, medio ambiente, momento histórico—, como condiciones fatales de la elección humana, característica del período decimonónico liberal".[5] Dentro de la poesía, Eduardo Mitre comprueba en su ensayo "Cuatro poetas bolivianos contemporáneos" el retraso con que se manifiestan los movimientos poéticos continentales en Bolivia: nota que Franz Tamayo finaliza su obra poética modernista en 1945 "cuando ya se han dado las obras fundadoras de la nueva poesía latinoamericana", las de Huidobro, Vallejo y Neruda, prácticamente veinte años antes.[6] Las vanguardias, a su vez, no se manifiestan en Bolivia hasta fines de la década del cuarenta con la segunda *Gesta Bárbara*, motivada por Gustavo Medinaceli, que da obras maduras en la década del cincuenta: *Cuando su voz me dolía*, 1958, del mismo Gustavo Medinaceli y *Amplificación temática*, 1957, de Julio de la Vega, iniciación vanguardista tardía que aún mantiene su vigencia en la literatura boliviana.

---

[5] En Javier Sanjinés (ed.). *Tendencias actuales en la literatura boliviana*. Minneapolis/ Valencia: Institute for the Study of Ideologies & Literatures, 1985, p. 18.

[6] *Revista Iberoamericana* No. 134, enero-marzo 1986, p. 139.

Este fenómeno, el amplísimo espectro temporal del Modernismo boliviano, movimiento iniciado por Jaimes Freyre junto a Darío y Lugones en la década de 1890, y que se extiende hasta 1945, en que Franz Tamayo publica sus *Epigramas griegos*, la tardía iniciación de las Vanguardias aún vigentes y la escasa atención prestada a la poética del Realismo Socialista, que se hace presente recién en la década del sesenta con la obra poética de Pedro Shimose, parece indicar un desarrollo literario anacrónico, fuera de tiempo con otras manifestaciones literarias del mismo tipo en México, Perú y Argentina, por ejemplo. Este hecho pone, no ya a la literatura boliviana, sino a nuestra capacidad de explicarla y comprenderla, en aprietos. Sanjinés interpreta estos desfases histórico-literarios, en el estudio citado sobre la novela posterior a la revolución de 1952, que él considera literariamente regresiva, como resultado de la fragilidad de las instituciones culturales y sociales que median entre el Estado y la sociedad civil y alteran la capacidad de la conciencia pública; el resultado es la representación fragmentaria y distorsionada, la esterilidad temática y la falta de imaginación (p. 18). Cachín Antezana en "La novela boliviana en el último cuarto de siglo" dice que el discurso literario boliviano "vive en una típica contradicción pragmática" en que, a pesar de que sus inscripciones tienden a incidir en lo real, "las mediaciones sociales las limitan a un orbe ideológico marcadamente discursivo y cerrado".[7]

Estos críticos tienden a interpretar las paradojas de la cultura boliviana como resultado de una sociedad civil débil y aislada, de un Estado autoritario que reprime la circulación de los discursos. Estos factores, sin embargo, si bien seguramente han incidido, no constituyen una explicación concluyente. Otros países, como Perú, presentan una situación cultural que tiene paralelos con la de Bolivia (que Antezana describe como "plurilingualismo no mediatizado, analfabetismo elevadísimo, nivel de vida apenas de subsistencia para las mayorías" p. 28) y sin embargo muestra manifestaciones pioneras de vanguardia, como lo es la obra de Vallejo.

En esto lo que falla, creo, no es la literatura sino nuestros parámetros de interpretación. Cuando hablamos de movimientos poéticos internacionales de vanguardia, o del realismo socialista, nos estamos refiriendo a procesos culturales externos que persiguen un criterio de *modernización*. Una de las razones de un poeta local para acercarse a una poética como la vanguardista o el realismo socialista es crear una poesía moderna, revolucionaria, considerando que el cambio, y que la ideología del desarrollo y del progreso, son buenas. Impera sobre este criterio el convencimiento de que estas ideas son las mejores y deben necesariamente imponerse. Esta cultura moderna es creada en La Paz y en otras áreas urbanas, por sectores cultos que son adalides de las ideas de la modernización y del progreso. Aquí la cultura moderna se

[7] En Javier Sanjinés (ed.). *Tendencias actuales*, p. 28.

encuentra con otra realidad que no existe en otros países y que justifica en parte la *diferencia* de la literatura boliviana: la realidad de la cultura *tradicional* autóctona, de las varias culturas indias con las que el sector modernizador tiene escaso diálogo, y que mantienen una actitud defensiva de *conservación*. (Esto no se da de la misma manera en Perú, sociedad fragmentada entre el mundo de la Costa, moderno, y el mundo de la Sierra, más tradicional, pero con asentamientos urbanos importantes; es el mundo de la Costa el que permitió el desarrollo de la sociedad civil peruana y el ascenso social y cultural de sectores intermedios "cholos". En La Paz, como ciudad andina, hay en cambio un caso de coexistencia y de convivencia virtual entre una fuerte cultura aymara y la cultura moderna, que aparece casi como un enclave frente a la cultura tradicional). Las culturas autóctonas tienen su propia forma de expresión como la fiesta comunal, la danza, los rituales, las literaturas orales.

Creo que el desarrollo de la literatura boliviana *moderna* (con la excepción del Modernismo, importado por Jaimes Freyre de Argentina, que llegó tempranamente) a destiempo en el resto de la literatura continental se debe más que nada a las tensiones generadas en la sociedad boliviana entre la sociedad moderna o modernizadora y la sociedad tradicional autóctona. La sociedad moderna está imperfectamente preparada para entender a la sociedad tradicional: la juzga desde su lógica dialéctica, en que el criterio es el avance y el movimiento, y en apariencia la sociedad indígena tradicional es una sociedad inmóvil, que repite sus rituales y sus costumbres y se resiste al cambio. En Bolivia la sociedad moderna no representa sino a una parte de la sociedad boliviana: frente a ella está la sociedad indígena que se resiste a la transculturación que le exige el progreso. Como me dijo en una conversación Jesús Urzagasti, tenemos que comprender que Bolivia no es un país totalmente occidental. Las culturas tradicionales son culturas de resistencia que han sobrevivido quinientos años de relación de conflicto y explotación con una cultura para ellos extraña que persigue como criterio la utilidad, el desarrollo tecnológico y la modernización. Lo que falla entonces es la ortodoxia ideológica de la modernidad y su incapacidad para comprender y explicar una sociedad heterogénea y "abigarrada" como la boliviana.

Es evidente en el trabajo de los intelectuales y los escritores de Bolivia el esfuerzo que hacen, a través de la crítica, la narrativa —indigenista, realista, minera, experimental— y la poesía para comprender su realidad social y esta articulación entre el mundo tradicional indígena y los sectores modernos desarrollistas. Es esta situación conflictiva frente a la modernidad, a la autenticidad de sus recursos y soluciones, lo que ha creado en la poesía boliviana su propio tiempo artístico: un largo período de "retención" de la estética exuberante y poéticamente recargada del Modernismo, una aproximación tardía a las Vanguardias y un "movimiento", el de Gesta Bárbara, mucho menos ortodoxo y militante que el que se diera con el Ultraísmo, el Estridentismo, el Surrealismo en otros países hispanos. También fue tardía la aparición del Realismo Socialista. El artista boliviano tiene motivos para ser prisionero de la duda y la reflexión, es un artista que, ante el ejemplo y la experiencia junto a las sociedades tradicionales de su patria, tiene que desconfiar de las ventajas de la modernidad, que a un escritor de Buenos Aires, por ejemplo, se le pueden aparecer como solución única a su dilema cultural (a esto se debe el fervor modernizador y vanguardista de los artistas de Buenos Aires, que no ponen en duda la necesidad de pertenecer a un mundo moderno a ultranza, aunque el criterio de esta modernidad sea el patrón intelectual y artístico impuesto por el mundo desarrollado europeo y norteamericano).

Esta aparente asincronía de la literatura boliviana demuestra la voluntad de un diálogo virtual, de un esfuerzo de identificación y acercamiento de la cultura moderna a la sociedad tradicional (el otro esfuerzo, el de acercamiento de la sociedad tradicional a la moderna, se ha hecho siempre, como resultado de presiones y violencias, y con un comprensible escepticismo y resentimiento de parte de la sociedad tradicional). En este proceso ha sido fundamental la revolución de 1952 para crear las necesarias formas de mediación social e institucional. El sentido defensivo de la sociedad tradicional ha provocado una reacción refleja en la sociedad moderna: un sentido de protección y un deseo de conservación de los valores de su cultura autóctona.

Volviendo ahora a la cuestión de la poesía en Latinoamérica y en Bolivia que tratamos previamente, habíamos hecho referencia a la gran heterogeneidad poética del presente, a la coexistencia de varias poéticas, al creciente escepticismo sobre la posibilidad de liderazgo estético de la poesía contemporánea, a las expectativas de una pos-modernidad que pone en duda los logros y las utopías de la modernidad y descubre los "agujeros", la falta de explicación de muchos fenómenos y diferencias que dejó fuera el pensamiento logocéntrico moderno, o trató de asimilarlos a su propia lógica sin indagar acerca de la legitimidad y necesidad del proceso. Lo que parece haber sido el desconcierto de muchos artistas bolivianos frente a su compleja realidad, tiene paralelos ahora con el desconcierto que muestran artistas de otros países frente a fenómenos mundiales, como la crisis del campo socialista, y la gradual desaceleración de los cambios poéticos y artísticos, así como la duda frente al poder regenerador de los mismos. Dada esta situación, puede ser éste un momento en que todas las sociedades de Latinoamérica comprendan la importancia de reconocer al otro y explicar y aceptar la diversidad. Y un buen momento para el autoconocimiento de la cultura boliviana. [...]

Tomado del artículo "La poesía de Eduardo Mitre en el contexto de la poesía latinoamericana contemporánea", en *Signo*, núm. 36-37, 1992, pp. 23-42 (texto citado 23-31); publicado nuevamente en Alberto Julián Pérez. *Modernismo, Vanguardismo, Posmodernismo*. Buenos Aires: Corregidor, 1995, pp. 137-158 (137-146); el autor, profesor de la Texas Tech University, eligió el nuevo título y propuso algunas correcciones (JULIAN.PEREZ@ttu.edu).

Óscar Rivera-Rodas

La modernidad y sus hermenéuticas poéticas. Poesía boliviana del siglo XX

La escritura de la modernidad

Entre el modernismo y el vanguardismo no cabe ninguna ruptura negativa. El vanguardismo no es contradicción del modernismo; su espíritu renovado es producto de su vinculación a la estética modernista que ha tratado de mantener su escritura en la fidelidad al mundo natural y, sin embargo, descubrir y conocer en ella lo que las convenciones desconocen. Fiel a los objetivos de la creatividad del modernismo, el vanguardismo continúa el esfuerzo de la creación poética, aunque descubre que para cumplir ese objetivo debe modificar los códigos culturales que el modernismo había heredado de las convenciones tradicionales. Concebir rupturas en la historia de ambos períodos es concebir esa historia como sucesión de períodos en yuxtaposición discontinua. La historia es articulación diacrónica de similitudes y diferencias, convergencias y divergencias en continuidad. Las rupturas implicarían yuxtaposición de dispersiones y vacíos, que no caben en la historia de la lengua. [...]

Escritura de la supresión

El suspenso a que es sometido el tiempo histórico por el tiempo de la guerra, en los términos que acabo de describir, da lugar, en la evolución de la poesía boliviana de este siglo, a la tercera fase de la modernidad, que se caracteriza por la descripción de una realidad deshabitada. Representa una nueva versión del mundo. El diferimiento que implica la suspensión de la actividad diaria por el evento de la guerra no propuso ningún sentido histórico en el desarrollo del proyecto nacional. La interferencia del acontecer nacional por ese suceso no hizo más que abrir para la percepción un vacío tanto espacial como temporal.

Ese vacío, por otra parte, como producto de una situación nacional, corresponde al proceso de desmantelamiento de las descripciones tradicionales de la realidad que caracteriza también al vanguardismo. Ese proceso es sobre todo desmantelamiento del lenguaje de sus significados tradicionales, sostenidos por una metafísica cuyos esquemas mentales habían sido impuestos arbitraria y coercitivamente por el pensamiento hegemónico; y, desde una perspectiva nacional, que aquí nos interesa más, este proceso es la supresión de los referentes, la puesta entre paréntesis de las descripciones tradicionales de la realidad nacional que ya no se podían sostener después de la experiencia de la guerra. Todos los criterios que sostenían el mundo natural hasta las primeras décadas del siglo XX debían ser desactivados, a fin de lograr la reducción de toda forma a través de la cual la imaginación tradicional describía y representaba el mundo. Todo el positivismo con que se hablaba y se poetizaba la patria debía de ser puesto en suspenso, a fin de descubrir la nueva imagen del país, su sociedad y su individuo. Detrás de la limitación natural y de las concepciones idealistas con que se hablaba de la patria, que habían dominado la imaginación hasta entonces, se escondía un conocimiento limitado y basado en lo meramente aparencial o utópico de la misma realidad que pretendía ser verdad. Por eso surgía un nuevo criterio en la descripción del mundo que sometía los referentes del lenguaje ordinario a un vaciamiento de contenido, para aprender a ver las cosas de otra manera e intentar re-describirlas sin prejuicios ni presuposiciones, al margen de principios y órdenes presupuestos. Tal es el modo de someter la representación del universo significante a un proceso del que se puede obtener otra representación de la realidad, como producto nuevo de la construcción cultural. Porque los criterios que regían estas construcciones obedecían a la expansión de nociones e ideologías modernas sobre la cultura. El discurso poético de la modernidad es a un tiempo tentativa y descripción de ese despoblamiento. Los objetos son reducidos a sus elementos esenciales y son descritos en procesos de anulación. La escritura de esos textos poéticos articula esa reducción de la realidad mediante dos vías: reduce el referente de la realidad y al hacerlo así abrevia y fragmenta su discurso; el texto, por otra parte, para ratificar y reflejar semejante reducción adquiere asimismo una estructura de abreviación y fragmentación. Tal es el proceso de despoblamiento del discurso y del texto, realizado por la escritura de la supresión.

En la poesía boliviana semejante reducción aparece, además, como consecuencia de su realidad histórica. Este sentido será ratificado por la intencionalidad que mostrará la poesía de las etapas subsiguientes y que se verá más adelante. Además, no es más que una consecuencia de la guerra del Chaco, calificada ya de "una guerra insensata, una guerra sin parangón posible".[1] Durante tres años, los ejércitos de dos países pobres se aniquilaron y aniquilaron a sus respectivos países. "Además de ser única, sin comparación posible con otras guerras, esta del Chaco presenta, en la obra de sus cronistas, el carácter de un acontecimiento inexplicable, absurdo, incoherente", afirma Siles Salinas (25). Entre las dificultades mayores que las tropas bolivianas debían superar antes de llegar al lugar de los combates estaban las grandes extensiones del territorio nacional que debían atravesar. Esa experiencia da a los

[1] Éste es precisamente el título de uno de los capítulos del libro de Siles Salinas sobre la literatura boliviana inspirada en ese conflicto bélico.

bolivianos una nueva imagen conmovedora de su patria: país de grandes territorios despoblados, vacíos y en silencio. País propio e ignorado. Inmenso como el desconocimiento. Entrañable territorio, pero casi ajeno. Era necesario suprimir los preconceptos con que se lo describía para mirarlo de un modo diferente que permitiera su conocimiento efectivo.

Supresión de los referentes

Estudiaré el reflejo de esa realidad en la escritura de Antonio Ávila Jiménez (1898-1965)[2], uno de los poetas que ha cultivado la escritura del silencio en los términos que ahora discuto. Su escritura retiene el espacio en blanco como un elemento fundamental de su discurso y con una evidente función significante del silencio que manifiesta. El enunciador de este discurso produce silencios y vacíos tanto en los espacios en blanco de la página como en la significación de los signos lingüísticos de sus enunciados. De ahí que los espacios en blancos devienen en un tipo de enunciado, cuyo estudio como manifestación propia de la poesía vanguardista y de la modernidad hispánica en general no ha sido realizado aún. El espacio en blanco como manifestación del silencio en la poesía de Ávila Jiménez puede ser estudiado a través de una doble vertiente. Como característica del nuevo orden que implica la modernidad y con lo cual refleja el vacío de sentido de la metafísica tradicional; y como característica de la poesía boliviana de este período que en los límites de su propia historia ha descubierto el sin-sentido después de la experiencia político-social de la guerra del Chaco.

Muy poco se ha escrito sobre la poesía de Ávila Jiménez. Sin embargo, Quirós ha afirmado que "su poesía está hecha, entre elementos inasibles, de soledad; de la visión crepuscular de las cosas [...] Entre brumas azules y penumbras, el silencio le muestra sus misterios" (*Índice* 149).[3] La valoración de Quirós es producto de una lectura certera de los segmentos lingüísticos del enunciado de Ávila. Sin embargo, puede abarcar además al espacio en blanco que los completa. Porque, evidentemente, este discurso poético está hecho también de la soledad de los espacios en blanco. En este sentido se puede inscribir el discurso de Ávila en las definiciones del discurso paradigmático vanguardista: un discurso integrado por dos tipos de enunciados semióticos: los textos del espacio en blanco, del vacío, del silencio y de la sole-

---

[2] Voy a contrariar al poeta que siempre escribió con minúscula su nombre y sus textos poéticos. Este aspecto consideraré también oportunamente desde una perspectiva semiológica. Ávila Jiménez ha publicado tres volúmenes: *cronos* (1939), *signo* (1942) y *las almas* (1950). La edición de la antología, *Poemas* (1957) no es muy digna de crédito debido a las alteraciones que registra, voluntarias o involuntarias, de las personas a cargo de la edición.

[3] Véase asimismo las notas de Quirós y Beltrán [...].

dad; y los textos escritos que, en general, refieren significantes de vacío, del silencio y de la soledad del medio ambiente.

En ese juego de la semiótica discursiva la interrupción del enunciado presupone en el nivel de la enunciación el silencio del enunciador; y la ausencia de la escritura presupone, en el nivel del propio enunciado, la presencia del espacio en blanco (la no escritura). Esta misma articulación semiótica puede ser vista a través de la elipsis: la supresión de la escritura en el plano de la manifestación del discurso implica en su estructura profunda la presencia del silencio y del vacío contextual y referencial que, por otra parte, son explicitadas por la lectura del enunciatario. La enunciación produce una operación de transformación mediante la cual la escritura o su interrupción corresponden, respectivamente, a la implicación recíproca del expresar o callar.

La escritura de Ávila Jiménez, como manifestación propia del período vanguardista en general, se caracteriza también por la fragmentación y la yuxtaposición de enunciados diversos. El espacio en blanco tiene la función de separar las unidades textuales, recorta los enunciados o el discurso a su expresión mínima y abreviada. La fragmentación de los enunciados implica asimismo la multiplicación de los mismos en magnitudes mínimas y aisladas, provistas sin embargo de un sentido dependiente de la cadena del texto escrito. Señalaré estas características en textos de *cronos* (1939). Tomaré el siguiente poema (que no lleva ningún título):[4]

oh! paz de la aldea:
campanas del alba,
clarines de gallos
y alas de palomas.
claridad difusa
vertida en vitrales.
espirales de incienso
que perfuma el alma.
oh! paz luminosa
del viejo organista
que toca preludios
y fugas de bach.

Los aspectos que se deben subrayar en este texto son los siguientes. En primer lugar, la fragmentación del discurso y su pluralidad puede ser reconocida por la yuxtaposición de un conjunto de enunciados (cuatro en total), cada uno de los cuales posee su propio sujeto. Así, en la primera estrofa, los cuatro sujetos de enunciados

[4] Recuerdo una vez más que la escritura de Ávila Jiménez ha prescindido de las mayúsculas, incluso para su nombre.

son: paz, campanas, gallos y palomas. En la segunda estrofa, de dos enunciados, los sujetos también son dos: claridad e incienso. En la tercera son también dos: paz y viejo organista. Ocho sujetos (que bien pueden ser vistos en su papel de actores) participan en el texto, aunque, uno sólo de ellos es referido dos veces: paz, cuya función es *anaforizar* a los demás, relacionándose semánticamente con ellos. El reconocimiento de sujetos propios y diferentes en cada uno de los enunciados del texto permite comprobar la fragmentación del mismo (en magnitudes abreviadas y breves) y su disposición yuxtapuesta en la estructura textual. (El término de yuxtaposición es usado aquí provisionalmente).

En segundo lugar, aunque el texto carece de título, el primer verso cumple con esa función que, como veremos más adelante, es de importancia fundamental para el texto vanguardista. El título o el primer verso en este tipo de discurso tiene la función de articular el procedimiento de la *anaforización*, para establecer y mantener la *isotopía* discursiva, en el sentido de Greimas, que garantiza las relaciones (la homogeneidad semántica) entre los enunciados múltiples y fragmentados. Es decir, ponen en funcionamiento la *anáfora*, como "relación de identidad parcial que se establece en el eje sintagmático del discurso" (Greimas y Courtés, 33). La anaforización en estos casos une el enunciado del primer verso con cada uno de los enunciados restantes del *corpus*. Llevada esta descripción al plano semántico, se puede decir que el título, o en este caso el primer verso cuya significación es la 'paz de la aldea', son términos *anaforizados* en la expansión y multiplicidad realizada por los demás enunciados *anaforizantes*.

En tercer lugar, la relación de yuxtaposición señalada provisionalmente arriba para definir la disposición de los enunciados en la cadena sintagmática, puede ser definida con mayor precisión ahora. La relación existente entre el enunciado básico (del título o del primer verso) y el resto de los enunciados es *hipotáctica* puesto que vincula términos situados en dos niveles de derivación, según los cuales el *corpus* tiene su origen en el campo semántico del enunciado primero o básico; aquellos son términos subordinados de éste principal. Como se observa, cabe también en esta relación una presuposición unilateral, puesto que los segundos presuponen al primero, pero no a la inversa. Es decir, las campanas del alba, el canto de los gallos, el vuelo de las palomas, la claridad en los vitrales, el aroma del incienso, la música que interpreta el organista presuponen la paz de aldea. Sin embargo, la paz de la aldea, semánticamente, no podría suponer a los enunciados presuponientes.

En cuarto lugar, la fragmentación del discurso elude las posiciones temporales y espaciales de la enunciación. No obstante, es posible reconocer cierta deixis referencial de lugar y tiempo que prefigura el enunciado: el enunciador produce su discurso en el interior de un templo aldeano en una madrugada. El recinto referido por la enunciación puede ser reconocido en la luz difusa que se vierte sobre los vitrales, la espiral del humo de incienso y la música de Bach interpretada en órgano. Desde ese recinto, el enunciador puede oír las campanas, el canto de los gallos y oír el vuelo de las palomas. Merced a la elipsis, los elementos ausentes en la superficie sometidos al silencio de la escritura, pueden ser identificados mediante la red relacional en que se inscribe.[5] La escritura omite una serie amplia de elementos de la situación referida, pero no los acalla completamente. Pues éstos se expresan a través de la no-escritura, están presentes paradójicamente en el vacío de su ausencia.

En quinto lugar y, finalmente, se puede observar la índole de los objetos referidos por el texto y obtener una prueba más de que son realidades que no ocupan usualmente lugar en el espacio. Son realidades inmateriales, fenómenos puramente perceptuales, sin extensión ni volumen concretos. Son sólo sensaciones y percepciones. Sensaciones de paz; sonidos de campanas en el alba, de canto de gallos y del volar de palomas; imágenes visuales de claridad y de humo; percepciones olfativas de incienso y fragancias; música. Estas realidades, aunque presentes para las percepciones, son también de algún modo ausencias de materialidad en el espacio. Es otro modo de despoblar de volumen y materia el mundo.

El espacio blanco interviene en la escritura de Ávila de un modo más directo y explícito. Dos recursos gráficos de su escritura están vinculados con esos espacios: la escritura exclusivamente con minúsculas y los puntos suspensivos. La ausencia de mayúsculas en los enunciados, así como la presencia frecuente de puntos suspensivos, modelan su condición fragmentada de un texto mucho más amplio que no aparece explícitamente en la escritura. Ese texto mayor subyace en lo *no-dicho* por la escritura, en lo no-escrito. Esto quiere decir que su significante, su expresión, es —otra paradoja— el *no ser dicho*. Los enunciados escritos se expresan así como segmentos extraídos de un macro-discurso (o archi-discurso), a la manera de citas o transcripciones exentas de su contexto inmediato que existe, pero permanece ausente: no dicho.

El espacio en blanco, en su significación de silencio (callar, no escribir), pero enunciado al fin y al cabo en su ausencia, es materializado por una sucesión de puntos, como en el siguiente texto integrado por un título que el enunciador calla, y el texto, conformado a su vez por solamente tres versos:

> ¿..................?
> violines del crepúsculo
> en un silencio
> musical.

El recurso de la elisión del título, aunque registrado en su ausencia, es un recurso que ya había sido empleado por el discurso hispanoamericano y referido sin embargo por signos: ya sean signos interrogativos, como en este caso; ya sean sig-

[5] Con el término "silencio de la escritura" refiero la elipsis de enunciados no escritos por presentes *in absentia*.

nos admirativos o simplemente por una sucesión de puntos sucesivos. Sin embargo, existe otro texto de Ávila, en que el espacio en blanco, manifestado también con una sucesión de puntos, goza de expresión y sentido evidente en la escritura. Más aún, es posible describir ese texto del siguiente modo: su motivo es un retrato y su estructura está integrada por cuatro versos no escritos (no dichos) y tres escritos:

> retrato
> ....
> ....
> ......
> ....
> tus pupilas absortas
> y tu frente trigueña
> que tiene olor de campo.

Este texto permite observar que los enunciados segmentados se manifiestan como magnitudes discontinuas que se proyectan de un discurso continuo que no se calla y no escribe, pero que está presupuesto en el espacio en blanco. El sentido del texto, por otra parte, es hacer el retrato de una persona, actualizarlo por la escritura a tiempo de no hablar o escribir de la misma persona por cualquier razón que las interpretaciones puedan argumentar. La persona retratada está presente y ausente a la vez, puesto que no se descubre completamente. La escritura y el espacio en blanco de este modo corresponden también a la categoría *continua / discontinuo* en que se integran y se complementan.

Los enunciados no escritos

Por lo dicho hasta aquí, puedo afirmar ahora que la abreviación es una de las principales características de la escritura vanguardista. Su producto es asimismo el texto abreviado. A diferencia de la *escritura analítica* que caracterizó a la poesía hasta el modernismo, cuyos textos muestran obviamente el fenómeno de la expansión, los inicios vanguardistas buscan la *escritura sintética* caracterizada por la condensación. En el primer caso, la escritura analítica, el discurso tradicional expande sus unidades sintácticas, mediante recursos amplificatorios o iterativos; en el segundo caso, la escritura sintética del discurso de la modernidad se condensa en enunciados elementales.

La irrupción del texto breve y sintético es concomitante al incremento del espacio blanco en la página. En esa condensación del texto y expansión del espacio blanco se puede tener el primer acceso para también reconocer mediante la mera percepción óptica el despoblamiento de la página. Los libros vanguardistas traen páginas apenas pobladas por los rasgos de una escritura limitada en su síntesis. Para una perspectiva tradicional, el discurso vanguardista se manifiesta por la *abreviatio*.

Entre el enunciado condensado y el espacio blanco expandido existe una relación semiótica innegable de doble presuposición. La abreviación del enunciado es lo que dice y lo que deja de decir; la expansión del espacio blanco representa al silencio que, por otra parte, tampoco calla. El silencio espacializado (un silencio que se expresa como espacio en el texto) es concomitante al enunciado sintético visualizado (que se expresa por las letras y los rasgos materiales de la escritura). Espacio blanco (silencio) y letras escritas (enunciado) son dos magnitudes copresentes en el discurso vanguardista. En este sentido el silencio es un modo de despoblar el discurso de enunciados analíticos y descriptivos a que la poesía había acostumbrado al lector, de acuerdo con los códigos tradicionales del discurso naturalista. ¿Qué podría describir esta escritura si la percepción descubre el vacío del sin-sentido, tanto en la realidad social debido a los acontecimientos histórico-políticos de su tiempo señalados en el anterior capítulo? ¿Qué podría descubrir la escritura si el lenguaje, por ser producto de una imposición metafísica tradicional ya sin vigencia ni poder persuasivo, tampoco articula sentidos? La escritura de la modernidad, cuya única fuerza radica en su intención crítica, poco tiene que describir las concepciones o construcciones respecto a las que difiere, sin embargo, no puede tampoco ni desconocerlas ni evadirlas. Escribir o d-escribir es de algún modo, si no se critica y niega lo que se escribe o describe, ratificar lo establecido por la tradición. Y la única opción que queda es el silencio o el despoblamiento de los referentes del enunciado que escribiendo calla.

El silencio del discurso vanguardista significa el rechazo de los códigos tradicionales, su anulación y una tentativa de producir un enunciado sin precedentes (sin historia y sin pasado), lo que no quiere decir que no presuponga el conocimiento del código que rechaza. Para rechazarlo debe conocerlo. Ese silencio del texto es tematizado ampliamente por el contenido de los enunciados vanguardistas ya como referencia al silencio, a la nada o al caos. Para la enunciación de ese discurso que pretende ser auténtico en lo originario —expresión original— sólo el silencio del espacio en blanco es la deixis referencial adecuada del vacío o de la nada con los cuales se rodea para producir un enunciado nuevo. El espacio en blanco es la *ocurrencia* —o manifestación— de una magnitud semiótica en el plano de la expresión de la cadena sintagmática del discurso. En términos sausurrianos, puede definirse también como el significante de un signo cuyo significado es el silencio y la soledad de un nuevo orden no aceptado aún y al margen de la tradición a la que critica. El silencio del discurso vanguardista es la supresión, la elipsis, del código tradicional y la institución de un código nuevo a partir de una variante del grado cero de la escritura que refiere Barthes, "una escritura libre de toda sujeción con respecto a un orden ya marcado del lenguaje" (*Grado* 78).

Las corrientes actuales de la filosofía del lenguaje coinciden en llamar la atención sobre la excesiva atención que se ha dado a la relación indudablemente arbitraria entre la sustancia del lenguaje y su fonética. Hjelmslev ha sido uno de los primeros en denunciar que "se ha supuesto que la sustancia de la expresión de un lenguaje hablado consta exclusivamente de 'sonidos'" (*Prolegómenos* 146). Agrega que en el caso de la escritura "tenemos una 'sustancia' gráfica dirigida exclusivamente a la vista y que no es necesario convertir en 'sustancia' fonética para comprenderla. Y esa 'sustancia' gráfica, precisamente desde el punto de vista de la sustancia, puede ser de tipos muy diversos" (*Prolegómenos* 147). De este modo, Hjelmslev ha abierto una perspectiva amplia para el análisis, desde la cual se puede observar la variedad de sistemas de expresión y prever los posibles sistemas expresivos por los que se explicitan los contenidos. Más aún, manifiesta categóricamente que "es un hecho experimentalmente demostrable que cualquier sistema de expresión lingüística puede manifestarse en sustancias de expresión muy diferentes" (148). Postular el espacio en blanco del discurso vanguardista como forma de un sentido implícito no es aventurado, pues la sustancia no es, como afirma también Hjelmslev, "un supuesto necesario de la forma lingüística, pero la forma lingüística sí es un supuesto necesario de la sustancia" (150). Frente al espacio en blanco del texto vanguardista estamos pues ante una estructura semiótica análoga a la escritura de la lengua natural.

A partir del grado cero, el discurso vanguardista renuncia al análisis de los significantes del mundo natural y al universo semántico tradicional de la cultura vigente de fines del siglo XIX y principios del siglo XX. He afirmado que los espacios en blanco y su expansión en el discurso vanguardista conforman un tipo de enunciado, cuya significación es la renuncia al discurso de las ideas vigentes o de las descripciones vigentes de la realidad hasta ese momento. Los espacios en blanco son la expresión inmaterial del silencio del nuevo discurso (vanguardista) y de la ausencia de la tradición del discurso al cual modificaba (modernismo). El vanguardismo se independiza de la estructura semántica que permanecía subyacente en el plano profundo del lenguaje poético hispánico hasta el modernismo. Y la expresión de esa renuncia y de su independencia es el espacio en blanco enunciado y el texto abreviado.

Silenciamiento del discurso

Ávila Jiménez es, sin duda, uno de los poetas que mejor expresa el fenómeno de la desrealización iniciada por el vanguardismo, esto es el desmantelamiento y elisión de los referentes de la realidad a fin de crear un sentido de ausencia y despoblamiento en la misma; pero sobre todo la ausencia de sentido en un mundo vacío. Asimismo, a través de la abreviación, opera con acierto el silenciamiento de su escritura. Los textos que publica en periódicos y revistas testimonian esos procesos. Su primer libro, *cronos*, reúne de modo excepcional esa experiencia. El volumen está conformado por tres partes: "cronos", "azulejos" y "pirografías a la mujer imaginaria". Inicia sus páginas con un epígrafe breve, cuyo texto dice:

> arpegian los dedos del silencio
> en las cuerdas del tiempo

En el acto de enunciación de este texto sólo dos elementos pueblan el simulacro de la realidad, el tiempo y el silencio: el primero como agente del segundo que asume la función de objeto. La realidad que exhibe objetos carentes de formas y volúmenes con los que podría poblar el espacio es un silencio sonoro del tiempo, que en definitiva es el único poblador del mundo. Llama la atención este vacío de referentes materiales, pero sobre todo histórico-sociales. Sin embargo, si se considera que esta poesía surge en un período en que la conciencia boliviana se enfrenta al sin-sentido de los últimos acontecimientos históricos, no es difícil comprender que el vacío prefigurado en el espacio poético de este discurso refleja el vacío de sentido que domina el proyecto nacional de la sociedad boliviana.

El primer poema del libro, "noviembre", no sólo está producido por un acto de enunciación con las características señaladas, sino que en su texto refleja la abreviación y fragmentación de los referentes. El texto es el siguiente:

> el frío y yo
> llenamos la quietud del parque...
> el último crisantemo
> se marchita bajo la lluvia...
> las campanas amigas han callado
> y ni siquiera ruedan las hojas secas...

La modalidad *performativa*[6] del enunciado de los dos primeros versos llama la atención sobre las condiciones en que se realiza el acto de la enunciación. Prevalece el acto al enunciado: el acto de tomar posesión de esa carencia que implica la quietud: carencia de movimiento, carencia de actividad en el espacio inmediato. La última flor se marchita, las campanas callan, cesa todo movimiento. El espacio se despuebla y se reduce a temperatura ("frío"), alcanza su condición primera (o última) de ser simplemente atmósfera. El "yo" participa de esa condición atmosférica: ser

[6] Esta expresión deriva de los verbos *performativos* y corresponden a la terminología de J. L. Austin. Se trata de verbos que no sólo describen la acción sino que también implican esa acción. Por ejemplo "*te pido que*...", "*te ordeno que*..." que a un tiempo refieren la acción y la ejecutan.

vapor, aire, esfera. El único indicio que queda en esta instancia es cronológico y está referido por el título: noviembre. Como en el epígrafe de todo el libro la sola referencia de este espacio despoblado es *cronos*.

La representación de la realidad en semejante condición atmosférica es para Ávila Jiménez un modo de mostrarla en su propio proceso de desrealización. Los objetos se miran a través de la nebulosidad que sólo permite reconocer cierto difuso despoblamiento del mundo. Las cosas desaparecen detrás de la bruma. Este vaciamiento está ligado íntimamente al sentido de la vista; más aún, su identificación se realiza principalmente por la visión. Para este discurso, el vacío es el resultado de un reconocimiento ocular propio de la lectura. El siguiente poema ("tinta china") examina el proceso de esa observación ocular de un dibujo (un texto pictórico):

> la casita polvorienta
> que se ha quedado olvidada
> junto a un sendero del valle
> —para sus ojos cansados
> de mirar los caminantes—
> tiene el colirio brumoso
> de los montes que se alejan
> en el confín de los campos...

El acto de enunciación es una visión brumosa de las cosas (casa, montes, campos). Se puede afirmar inclusive que los objetos inmediatos de la observación no son las cosas sino el "colirio brumoso" que se interpone entre el cuadro y la visión. El objeto contemplado no es ese cuadro sino la interferencia de la propia contemplación. La visión examina las condiciones en que se realiza ella misma, en una modalidad reflexiva. Las cosas están inmersas en un mismo estado atmosférico de nebulosidad, detrás del cual también desaparecen. Por otra parte, el enunciado referido a los montes ("que se alejan en el confín de los campos") está describiendo el despoblamiento del espacio. Los objetos se retiran hacia el último término que alcanza la mirada: el confín del espacio. Los objetos se marginan del espacio del enunciador. Concluida esa operación, el texto describe otra versión de la "paz de la aldea" —ya discutida en páginas anteriores— como "claridad difusa / vertida en vitrales. / espiral de incienso". El texto "tinta china" es pues una descripción del propio acto de la enunciación en que se produce. El análisis de ese acto permite reconocer las características siguientes de los elementos que lo componen:

a) El enunciador se caracteriza por una visión (o percepción) 'brumosa' del espacio (u objeto) que contempla.
b) Los objetos son percibidos en una condición atmosférica de nebulosidad.

c) El aspecto expresivo de la enunciación emplea sintagmas de significación centrífuga, para describir cierto desplazamiento y marginación de los objetos desde el foco del espacio a sus orillas o más allá de sus límites.
d) El sentido de la comunicación es dar un testimonio sobre el despoblamiento, desrealización o vacío espacial.

Estos aspectos se hallan en el siguiente texto cuyo título dice "es la lluvia...". A través de ese otro elemento atmosférico (la lluvia) es descrita la realidad en su estado de 'desrealización', vaciamiento o aniquilamiento. El fenómeno atmosférico de la lluvia es reducido a elemento o principio cronológico. La lluvia es *cronos* porque participa de una misma circunstancia con las horas:

> es la lluvia infinita de la montaña... [...]
> y pone celosías a la ventana...
> es la lluvia que tañe
> como las horas...
> y ese llanto tan largo
> de las goteras [...]
> y las horas que pasan... [...]
> en medio de las casas
> que trepan como cabras a la montaña... [...]
> y el viejo campanario
> con su cencerro
> perdido entre las brumas de la montaña...

La lluvia es, por una parte, meramente temporal ('infinita') y, por otra, cronológica ('como las horas' y de duración larga: como 'llanto tan largo'). Sin embargo, lo que destaca el enunciador es la función de la lluvia de 'poner celosías a la ventana' desde la cual se observa el espacio: cubrir la ventana, poner un velo delante de ella. Con ese enunciado, además, interioriza el espacio detrás de las celosías, lo oculta tras un enrejado desde el cual se puede ver sin ser visto; implica una interferencia para la visión desde afuera, una marginación, un aislamiento. Se observa asimismo, en este texto, la fuga de los objetos ('las casas trepan como cabras a la montaña') y su percepción en condiciones atmosféricas de nebulosidad (el campanario 'perdido entre la bruma'). La intención final del texto ratifica el ambiente de abandono y despoblamiento espacial. Este sentido del aislamiento debe llevar pues a encontrar el referente esencial en el contexto de la situación político-social de su tiempo: el aislamiento del ser boliviano en su propio medio geográfico y su propia sociedad. El texto que sigue en el volumen reafirma ese carácter de abandono y contemplación en el aislamiento. Sin título, muestra un pequeño paisaje retirado y abandonado donde "la iglesia se arrodilla / sobre el aburrimiento del pueblo gris. / se ha ido el alma del lugar / junto con los pastores a la colina". Sus versos finales son más explícitos aún respecto a la inutilidad del tiempo cronológico e histórico, cuyo transcurso vano remite inevitablemente a los signos del vacío (el vacío del crepúsculo) y del olvido (por las cartas que no reciben):

> ha pasado el cartero del crepúsculo
> con las manos vacías y los ojos de olvido...

La atmósfera brumosa de una realidad donde las cosas están ausentes es propia de este discurso que hace lo posible por eludir sus referentes, y muestra su afán de reducir el mundo objetivo a una condición imperceptible o de mero fenómeno perceptual. Aun la descripción del cuerpo humano y de las personas se realiza bajo esas circunstancias. El texto a la "labriega" difumina el cuerpo físico de la persona, a la que describe en su relación con la luz, la sombra y el sufrimiento: "labriega de la luz, / labriega de la sombra y de la pena", afirman los dos primeros versos; aunque los siguientes contrastan con la condición de sometimiento y explotación a que la mujer labradora es subyugada. Los cuatro últimos versos describen explícitamente el ultraje a que es sometida ("labriega bajo el látigo, / coronada de insultos") y agregan una exhortación a la protesta y reacción en la que se destacan las manos de la misma persona: "levanta tus dos puños / para imprecar a dios". Los puños levantados en señal de protesta es lo único material y visible de la persona.

No sería correcto, sin embargo, afirmar que esta percepción de Ávila Jiménez es consecuencia exclusiva de la situación específicamente boliviana de esos años. Otros textos, que remiten a referentes extranjeros, al menos en apariencia, muestran similares características. Así por ejemplo "skazki", que evoca los ojos de una mujer a través de la bruma de París y del horizonte marino:

> rusa fue la de los ojos de bruma
> que ponía tristeza
> bajo el sol de París;
> vera
> su nombre;
> sus ojos
> horizonte
> donde el ensueño
> en barcos que se ausentan
> nos llevaba
> a países
> de tardes infinitas,
> de montañas rosadas
> y de canciones tristes.

Este texto articula, por un lado, la disolución de elementos físicos. El empleo del recurso metonímico que toma la mirada por los ojos permite al enunciador eludir a éstos y describir la mirada como bruma y horizonte, con lo cual logra referir el simulacro de la disolución de los elementos físicos, que son los sujetos gramaticales del enunciado. Destaca, por otro lado, el aspecto expresivo, pues los verbos ('se ausentan', 'nos llevan') significan la desocupación de un espacio concreto (París) y el desplazamiento hacia el retiro en espacios alejados y marginados de la experiencia cotidiana ("países de tardes infinitas, / de montañas rosadas"). Esta acción de retirarse en un desplazamiento hacia la ausencia y la desaparición.

Este movimiento, sin embargo, está simbolizado por el texto "los caminos" (cuyo referente espacial es menos específico que el del anterior). Allí los caminos son referidos por un desplazamiento unidireccional: irse. No son caminos que aceptan la posibilidad de la llegada o el retorno: "los caminos del llano se van continuamente, / se van desesperados bajo la noche". El desalojo y vaciedad del espacio inmediato del enunciador es constante afirmación de la ausencia, como lo confirman los versos finales del mismo texto: "vagabundos caminos / que del silencio llegan / y al silencio se ausentan / seguidos de inquietudes y miradas tristes". [...]

La obra de Ávila Jiménez es, pues, la búsqueda constante de sentido desde la perspectiva de la modernidad que desconoce las significaciones tradicionales del lenguaje y la cultura tradicional. Sin embargo, es posible afirmar también que esa búsqueda de sentido se realiza desde el momento histórico de la escritura. La escritura de la modernidad boliviana, producida a partir de la década de 1930 es también reflejo de la crisis del pensamiento boliviano debida a sus propias condiciones históricas. El despoblamiento o vaciamiento del espacio que articula este discurso, mediante las varias operaciones que he señalado, puede ser visto, dentro del contexto de la realidad boliviana, como una de las consecuencias de la guerra del Chaco. El esfuerzo de las tropas bolivianas en sus largos desplazamientos hacia el lugar de los combates, que en ciertas ocasiones atentaban contra la eficacia de las estrategias, hizo comprender desde una perspectiva nueva la realidad física del país: extensos territorios despoblados tan desconocidos como ajenos. [...] Esa visión de la época parece incorporarse en la poesía con las representaciones de territorios extensos y desolados, o con una escritura que suprime los referentes. Territorios de vacío y silencio. Espacios en blanco. Escritura de referentes suprimidos. Anulado en sus determinaciones, este espacio deshabitado se llena de un tiempo inidentificable que permanece al margen de la historia. La escritura poética es un pensamiento que delata su extravío en la ausencia de referentes que refleja la ausencia de condiciones político-sociales capaz de afectar al proyecto de la nación. La poesía que aparecerá en los años posteriores mostrará con más claridad esa crisis, como trataré de señalarlo en la obra de Óscar Cerruto.

Bibliografía

Beltrán, Luis Ramiro (1982): *Panorama de la poesía boliviana. Reseña y antología*. Bogotá: Convenio Andrés Bello.

Greimas, Algirdas Julián y Joseph Courtés (1990): *Semiótica. Diccionario razonado de las teorías del lenguaje*. Madrid: Gredos.

Hjelmslev, Louis (1971): *Prolegómenos a una teoría del lenguaje*. Madrid: Gredos.

Quirós, Juan (1983): *Índice de la poesía boliviana contemporánea*. La Paz: Gisbert.

Siles Salinas, Jorge (sin fecha): *La literatura boliviana de la Guerra del Chaco*. La Paz: Universidad Católica Boliviana.

Tomado de Óscar Rivera Rodas. *La modernidad y sus hermenéuticas poéticas. Poesía boliviana del siglo XX*. La Paz: Signo, 1991, pp. 1, 85-105, 115-117. El autor es profesor de la University of Tennessee, Knoxville (orivera@utk.edu).

Armando Romero

Ausencia y presencia de las vanguardias en Colombia

Introducción

No es posible realizar un análisis del acontecer literario colombiano actual sin antes emprender una valoración o revaloración de los movimientos de vanguardia en el país en la primera mitad de este siglo, señalando en ellos lo que se ha venido a denominar como *vanguardia*, o sea, los postulados que vieron amanecer a comienzos del siglo impulsados por el vuelo sugerente del simbolismo, las superficies pulidas del parnaso, la luz difusa del impresionismo y el hálito siempre vivo del romanticismo, para llegar al cubismo, dadaísmo, surrealismo, creacionismo, ultraísmo, etc. Pero esto presupone una búsqueda casi a nivel individual y un recuento de islas e islotes que manchan esa cara de país católico y conservador por excelencia. No podría entenderse de otra manera la floración, si la hubo, de las vanguardias en Colombia si antes no revisamos (como *mea culpa* y catarsis), aunque sea rápidamente, el panorama político y social en que se inscriben.

La historia de Colombia, que señala su independencia dinámica a manos de Bolívar a principios del siglo XIX, no será de allí en adelante más que la sucesión de políticos siguiendo las líneas económicas de turno, en labor de vigilancia de sus propios intereses y el de sus patrones. Con ligeros rasgos de liberalismo en algunos momentos, no hay nada de mención en este viaje al fondo de la noche, y los nombres será mejor no recordarlos. Las guerras civiles vienen a matizar el cuadro con sus muertos sin justicia ni razón.

Parecerá crudo, ligero, despiadado o parcializado este análisis expresionista de la situación colombiana, pero no hay otra verdad a mano que sirva para revelar lo que realmente es este país, que por años se ha ufanado de estar poblado de humanistas, poetas e intelectuales del más alto coturno y prosapia; lo único cierto es que, amparándose en el nombre de unos cuantos científicos, dramáticos y poetas del siglo pasado, la burguesía nacional —semifeudal y reaccionaria hasta decir Jesús— ha vendido internacionalmente un cuadro publicitario que le sirve sólo para ampararse frente a una realidad de analfabetos miserables, de niños tirados en la calle, de prostitutas a dos por cinco y viciosos de toda calaña y efecto. Y nada ha cambiado, con más extraña y comprensible razón para los entendidos si pensamos que entre los presidentes de este siglo figuran hombres que fueron activos integrantes de los movimientos culturales de principios de siglo (véase el caso de Laureano Gómez, que perteneció al grupo de "El Centenario", y el de Alberto Lleras, fundador del grupo de “Los Nuevos”). Hoy como ayer, al escritor colombiano sólo le queda tiempo para el exilio, un puesto en la empresa privada y la renuncia a toda posibilidad de influir en su país.

Ahora bien: es necesario volver a repetir aquí que la hipocresía de la clase dominante colombiana siempre presentó una imagen de maravillas, ayudada por una intelectualidad que de una u otra manera le era fiel; pero la realidad es distinta. De las excepciones oscuras en cuanto a influencias y presencias y de los exilios internos o externos sacaremos entonces la vanguardia colombiana y sus postulados de lucha y cambio.

Antecedentes

En un ensayo publicado recientemente, Fernando Charry Lara anotaba que toda revisión de la poesía colombiana en lo que va de este siglo no podría prescindir de José Asunción Silva, aunque este poeta vivió y murió en el siglo pasado:

> Habría un motivo, en realidad bastante simple, para justificarla. Los versos de Silva, que en vida del poeta permanecieron más o menos ocultos, vinieron a ser difundidos apenas en los primeros años del novecientos. Pero es indudable también la existencia de un argumento más poderoso. Y es el de que los poemas significativos de Silva, como los de ningún otro poeta colombiano del pasado siglo, están más cerca de la sensibilidad poética contemporánea.[1]

Es así claro que con Silva los colombianos despiertan a una realidad más amplia y abren puertas entonces cerradas por la mediocridad reinante, que con las excepciones probables de José E. Caro y Rafael Pombo se mantendrán hasta la generación de “El Centenario”, donde se reunieron varios de los más pulcros cavernícolas que país alguno haya ofrecido jamás, extrayendo de este apelativo a José Eustasio Rivera y a Eduardo Castillo. Silva, a pesar de su corta vida, entró en contacto con los más importantes espíritus simbolistas que ya aleteaban por debajo de las futuras vanguardias. Su predilección por Baudelaire, Verlaine, Mallarmé y su reconocimiento profundo de la obra de Poe, maestro de todos ellos, lo sitúan en la encrucijada precisa, a nivel de lucha con el lenguaje y disparo de la sensibilidad, que produciría todos los movimientos artísticos del siglo XX. Silva era demasiado para esa pacata Colombia de políticos ambiciosos y señoras encorsetadas, y por eso se suicidó, dejando la alternativa a futuros trabajadores de la belleza y el arte, que no vinieron fácilmente, que necesitaron la vuelta del siglo y casi la vuelta del otro siglo para emerger.

[1] Fernando Charry Lara, “Poesía colombiana del siglo XX”, *Eco*, agosto 1979, núm. 214, p. 337.

El preciosismo formal de Guillermo Valencia, su rigidez mental de camello enredado en las puertas de un templo griego y su actividad parlamentaria de corroboración y apoyo a las fuerzas más oscuras de la política colombiana, lo colocan en los antípodas de lo que podría representar un precursor de la vanguardia colombiana. Pero si José A. Silva representa un padre espiritual del nuevo quehacer literario, y por eso lo consideramos importante, Valencia cobra valor en ser lo opuesto, en permitir que su obra se convierta en blanco de tiro para los movimientos que vendrán después, incluido el nadaísmo y excluido "El Centenario", sobre el cual influyó decisivamente.

Este grupo de "El Centenario" debe su nombre a que sus integrantes comenzaron a publicar hacia 1910, fecha del centenario de la independencia. No tenemos noticia de que formaran un grupo abanderado bajo una consigna o búsqueda particular, sino más bien que representaban la *inteligencia* colombiana del momento. Influidos por el peor modernismo, agruparon a un poderoso tanque intelectual y político, entre quienes destacan los liberales Alfonso López y Eduardo Santos y el conservador Laureano Gómez, todos ellos posteriormente gloriosos presidentes de la inmortal República. Salvo Eduardo Castillo, poeta de rara sensibilidad, mezcla de simbolista y romántico, y hombre de gran cultura, quien dejó una obra de delicado sabor y luz tenue, para decirlo a la manera de la crítica colombiana, y José E. Rivera, quien se derramó poéticamente en *La vorágine*, pero que como poeta fue formal y descriptivo, sin verdadera garra vital; poetas estos dos que aunque conocían la obra de Baudelaire, Verlaine, Rimbaud o Mallarmé y, presumiblemente, la de algunos poetas europeos y americanos contemporáneos a ellos, no lograron reconocer la profundidad inherente a una nueva expresión poética, y así, en momentos en que Huidobro ya enterraba en las flores sus lanzas creacionistas, estos amables bardos colombianos cantaban a "la lejana novia de blanca túnica ceñida" (Eduardo Castillo, soneto "Ella") o a la "brisa de inefable ruido" (José E. Rivera, soneto "Hay una brisa...");[2] pero de todas maneras, ellos estaban entre los primeros en respirar o en hacer respirar unas pocas partículas de polución vanguardista, ya fuera en el ensayo de Castillo o en la prosa de Rivera.

Ahora bien: si es cierto que poca escritura de creación propiamente dicha revela la presencia de la vanguardia durante estos años de comienzos de siglo, no sucede así con el ensayo crítico, que sí nos da una imagen en movimiento del pensamiento colombiano en esta época. Tal vez esto se deba a esa particularidad colombiana de criticar y señalar a otros lo que hay que hacer en vez de hacerlo nosotros mismos, pero de todas maneras el hecho es que desde finales del siglo pasado una voz como la de Baldomero Sanín Cano ya había estado indicando la necesidad de cambio o

---

[2] Eduardo Castillo, "Ella", y José E. Rivera, "Hay una brisa...", en Andrés Holguín, *Antología crítica de la poesía colombiana* (1874-1974). Bogotá: Biblioteca del Banco de Colombia, 1974, pp. 178 y 186.

liberación de los moldes conservadores. Su valiente posición política, que lo llevó a retratar fielmente a Colombia, a la que describió acremente como una república fósil, y su acerada pasión por renovar el fondo de la cultura nacional, lo hacen quizá el más lúcido e interesante crítico colombiano de este siglo. Sanín Cano se enfrentó contra los regionalismos, contra los falsos nacionalismos y contra aquellos que, detentando el poder, continuaban un estado lamentable de cosas.

Las dos primeras islas

Metidos por estos años de transición y cambio dentro de lo mismo, encontramos a Porfirio Barba Jacob y a Luis Carlos López, poetas distantes geográfica y mentalmente, pero que empiezan a enviar sus luces fuera de los grupos habituales capitalinos, que tradicionalmente habían acaparado la mayor parte de la producción (entiéndase difusión) literaria en el país.

Barba Jacob, romántico de piel umbrosa y modernista extravagante, va a alimentar con su poesía andariega el alma en penumbra de los colombianos. Odiado y amado con igual vehemencia, su poesía, que no presenta, a nuestro juicio, un verdadero fondo vanguardista, continúa acelerando debates y divergencias. Pero tal vez el problema sea exterior a su lirismo y sí relacionado con esa práctica vital de precursor tropical de los *beatnicks*, que lo distancia del poeta típico colombiano, el cual se apoltrona para alcanzar el secreto de la existencia. Y en esto estaría su aporte vanguardista, más en su actitud poética que en la realización del poema mismo.

Pero mientras Barba Jacob arde en el fuego de su satanismo centroamericano, en la cálida Cartagena de Indias Luis Carlos López disecará fríamente la estupidez provinciana nacional. Desde su primer libro, publicado en 1906, este costumbrista rabioso va a comenzar una fiesta de juegos y travesuras dentro del poema, y todo como pretexto para aplastar la cursilería reinante, producto del trasnochado modernismo de cisnes almibarados. "Los modernistas estaban dominados por el sueño de la unidad del símbolo: para ellos, el mundo se unía con una totalidad verbal. Con Luis C. López —amargo y lúcido— en Colombia, Manuel Bandeira en el Brasil y César Vallejo en el Perú, la historia pulverizada, multiplicidad de lo humano en trance de expresión, hace su entrada al poema", escribe Jorge Gaitán Durán.[3]

El humorismo de López, su desenfado al meter en el poema al vecino o a las púdicas muchachas de provincia, a sus zapatos viejos o a sus novias de ocasión, lo aproximan a algunos postulados de la vanguardia (recordemos a la distancia, y con el debido respeto, el poema vibrante y directo de Blaise Cendrars o la ironía veloz de Prévert), pero su reticencia a salir de los moldes de la rima, del soneto o de las

[3] Jorge Gaitán Durán, *Obra literaria*. Bogotá: Instituto Colombiano de Cultura, 1975, p. 446.

formas más bien clásicas de la poesía, contrariando en esto los buenos consejos de su maestro Unamuno, hace que su obra sólo llegue hasta la efervescencia de sus fronteras de isla y no se entronque más adentro del continente de la poesía nacional. Influiría, sí, al torcerle la cerviz a unos no tan elásticos camellos.

"Los Nuevos"

Ya en 1918, Eduardo Castillo, en una conferencia sobre los jóvenes poetas colombianos dictada en Bogotá, señalaba entre otros a León de Greiff y a Rafael Maya, quienes vendrían a constituirse, al correr de los años, en entidades opuestas en la poesía colombiana. Las ideas para el cambio, propicias a los aires de vanguardia, estaban comenzando a rebotar por las montañas del país: en 1915 León de Greiff publica en Medellín la revista *Pánida*, y el viento nórdico, extranjero y vernáculo, de una poesía irreverente, irónica, suelta y golpeante, se siente en toda Colombia. Al hablar del poeta, Castillo decía en ese entonces que "se trata, pues, de un artista contradictorio, paradójico y a veces extravagante y absurdo que escapa a todo ensayo de captación crítica, a toda tentativa para abarcar los diversos aspectos y modalidades de su talento"[4], y hasta hoy día los críticos no irán más lejos con sus asertos.

En su libro *Tergiversaciones*, publicado en 1925, De Greiff atiende al llamado de González Martínez de mirar "al sapiente búho":

> Místicos, tétricos, los hondos
> búhos señeros, funeral
> treno balbucen, y redondos
> flechan sus ojos luz mental.[5]

Pero ya De Greiff no le estaba torciendo el cuello al cisne ni al camello; se los estaba comiendo vivos con sus canciones y relatos trovadorescos, de juglar muy antiguo y muy moderno. El modernismo alimentaba su mundo de imágenes rutilantes y saltarinas, pero no condicionaba su música, propia, particular y abscóndita, ni su ritmo burlón y barroco. En él todas las presencias son alas: Laforgue, Banville, Verlaine, Poe, Mallarmé, Lautréamont, Rimbaud y el empuje de las vanguardias en acción. Palabras en desuso, olvidadas y antiguas o neologismos estallantes de actualidad, formas estructurales barrocas, culteranistas, filiaciones oscuras con la Edad Media y las culturas nórdicas primitivas, pasión por personajes comunes que saltan

---

[4] Eduardo Castillo, *Tinta perdida*. Bogotá: Ediciones del Ministerio de Educación, 1965, pp. 121-122.

[5] León de Greiff, *Tergiversaciones de Leo Legris, Aldecoa* y *Gaspar. Primer mamotreto*. Bogotá: Tip. Augusta, 1925.

líricamente dentro de sus poemas, retruécanos, metáforas insólitas, humor zumbón de sacabuche irónico, adjetivaciones bruscas, sonoras y un mundo alucinante: Bolombolo, El Cauca, Antioquia, Colombia, Escandinavia... León de Greiff va a ser inscrito oficialmente en la literatura colombiana como integrante del grupo de "Los Nuevos".

Pero antes de detallar este grupo, receptor y amplificador en cierta forma de las ideas de vanguardia, valga la pena entrar, de la mano de Luis Tejada, hombre de corta y lúcida vida, quien influyó decisivamente en el pensamiento literario del país en esa turbulenta década del 20:

> Este país es esencialmente conservador en todos los aspectos de su vida —escribía en 1922—, pero singularmente en lo que se refiere a la literatura. Nadie experimenta aquí la inquietud del porvenir, ni siquiera del presente. Todos son inmunes a los gérmenes de renovación, y preferimos encerrarnos en la contemplación del pasado antes de adoptar una actitud de simpatía activa, incorporándonos a la agitada vida que transcurre fuera, uniéndonos por algún hilo vital al mundo conmovido y maravilloso que va en marcha hacia adelante.[6]

Sin embargo, el hecho de que él lo pensara así era intuición y piedra para el cambio, el cual, si bien no se produjo en la escala necesaria, por lo menos permitió que durante este período nuevas ideas y acciones se ventilaran en el país. El grupo de "Los Nuevos" debe su nombre a la revista homónima que fundaron los hermanos Felipe y Alberto Lleras Camargo. Alrededor de esta publicación estuvieron Jorge Zalamea, Jorge Eliécer Gaitán, Gabriel Turbay, Otto y León de Greiff, Germán Arciniegas, Ricardo Rendón, Luis Tejada, Rafael Maya, Silvio Villegas, Luis Vidales, José Mar, Octavio Amortegui, Germán Pardo García, Augusto Ramírez Moreno, Carlos y Juan Lozano, José Umaña Bernal. Alberto Lleras escribía en 1926:

> Hemos sostenido desde hace mucho tiempo la tesis de que "Los Nuevos" tienen una psicología diametralmente opuesta, no sólo contraria, sino contradictoria, a la de las generaciones que los precedieron. Una sensibilidad más exquisita a los motivos universales y una más fácil adaptación a la idea, todo lo cual les da una apreciación distinta, más global, más de conjunto sobre las cosas y los hombres.[7]

Y más adelante:

---

[6] Luis Tejada, artículo en el diario *El Espectador*, 1922. Reproducido en Luis Vidales, *Suenan timbres*. Bogotá: Instituto Colombiano de Cultura, 1976, p. 13.

[7] Alberto Lleras, en un artículo publicado a raíz de la primera edición de *Suenan timbres*, 1926. Reproducido en Luis Vidales, *Suenan timbres*, *op. cit*., p. 203.

> Ese es el defecto de nuestra literatura. No vemos por ninguna parte el poeta. Vemos apenas el improvisador de banquete, el que celebra siempre con una elegía enternecida un duelo social, el que canta los esplendores de una fiesta, o el que, desde un salón alfombrado, siguiendo la misma parábola sentimental que se sigue en el Trianón, en el Imperio, busca sus motivos en un campo ficticio, en labriegos imaginarios y pulidos, en eruditas campesinas que todas tienen invariablemente "las mejillas rosadas". La vida verdadera, que no depende de la concepción que de ella pueda tener la novia del poeta, desaparece casi totalmente de nuestra poesía.[8]

Lleras defendía el humor como insurrección y nuevo estilo, amparado por el éxito en cuanto a rechazo, agravio, desconcierto y burla que el libro *Suenan timbres*, de Luis Vidales, había causado entre la sociedad bogotana. ¡Qué lejos y qué cerca estaba Lleras del arrogante y despótico presidente colombiano de finales de la década del 50!

Pero quedémonos con Luis Vidales. Es cierto que Colombia es conservadora, clerical y atrasada, siempre lo ha sido, por lo demás; sin embargo, en esta década del 20 las ideas de renovación hacen su aparición turbulentamente en el país. La influencia política de la Revolución rusa y de Lenin se hace sentir y algunos de "Los Nuevos" siguen fielmente estos postulados: Tejada, Vidales, Mar, Zalamea, De Greiff, entre otros. Se discuten las proposiciones surrealistas, dadaístas, futuristas. Sanín Cano, en uno de sus escritos, señala las contradicciones de Marinetti y defiende el despertar de una nueva conciencia y el cambio. El liberalismo, que había estado fuera del poder por más de cuarenta años, empieza a coger fuerza nacional. El general Benjamín Herrera, caudillo liberal, logra un acuerdo entre las ideas del socialismo naciente y las liberales, a la vez que patrocina grupos y movimientos que empujan hacia nuevos derroteros. Pero esta apertura hacia el socialismo se vería frustrada por el pacto con el conservadurismo auspiciado por el liberal Olaya Herrera, precursor inmarcesible del Frente Nacional. Durante estos años la burguesía emergente ha creado la línea de ferrocarriles, que moverá económicamente al país; estallan los conflictos laborales: 1924, huelga en Barrancabermeja contra la Tropical Oil, subsidiaria norteamericana: son despedidos 1.200 obreros; 1926, se reúne el Tercer Congreso Obrero en Bogotá con multitudinaria asistencia; 1927, surge el Partido Socialista Revolucionario y son sus líderes Tomás Uribe Márquez, Ignacio Torres Giraldo y María Cano, llamada "La flor del trabajo"; 1928, masacre en las bananeras; 1930, el liberalismo toma el poder.

Suenan timbres es quizá la obra más importante, a nivel de choque social y cultural con la sociedad, que se produce en Colombia hasta el advenimiento apocalíptico del nadaísmo, a finales de la década del 50. El mismo Vidales lo recuerda así al prologar la segunda edición de su obra en 1976:

---

[8] *Ibíd.*, p. 205.

> *Suenan timbres* es un libro de demolición. Había que destruirlo todo: lo respetable, establecido o comúnmente aceptado, la moral y las buenas costumbres, sin descartar la poesía manida. La rima debía saltar en pedazos. La solemnidad social fue el blanco obligado del humorismo mezclado de ternura de un espíritu de la Colombia profunda, para el cual eran transparentes la falsedad y la majadería del comportamiento social, que aún hoy la retrae y causa leve sonrisa.[9]

Y Eduardo Carranza lo corrobora:

> Es necesario decir que Luis Vidales fue, entre sus contemporáneos, el único que se plantó con un libro extraordinario en la *vanguardia*, el único que incorporó a su poesía las nuevas criaturas lucientes de la técnica, la inquietud revolucionaria que insurgía con las primeras victorias del socialismo, y los tesoros oníricos que venían de la inmersión freudiana en el subconsciente. Y no se trataba tan sólo de piruetas metafóricas ni del baile de la cuerda floja de la retórica descoyuntada. La obra primigenia de Vidales, aunque menor en influjo y extensión, equivale dentro de los límites colombianos a la del gran Vicente Huidobro en Chile.[10]

Vidales niega, sin embargo, toda asociación con grupo conocido, dadaísta, surrealista, ultraísta o seguidor de las greguerías de Ramón Gómez de la Serna; pero es obvio que en él hay de todo eso, y de menos, ya que su poesía posterior desdice mucho de su avanzada vanguardista, refugiándose ella en la consignería política y el soneto de encargo social.

En balance, el grupo de "Los Nuevos" sólo presenta hombres que, como Tejada, De Greiff o Vidales, pusieron su nombre en la encrucijada vanguardista; los demás, como Arciniegas, Juan Lozano, Zalamea, etc., se refugiaron en sus ficheros de reconocida pesadez intelectual, así que no podemos afirmar bajo ningún motivo que este grupo, como tal, hubiera ejercido una actividad de verdadera vanguardia; su heterogeneidad así lo indica.

"Piedra y cielo"

Como dejamos anotado antes, en 1930 el gobierno conservador, cariado por la corrupción, el mal manejo y sus contradicciones internas, se viene a tierra, dando paso al Partido Liberal, que con Olaya Herrera, líder del bipartidismo hegemónico, consuma la entrega del petróleo a los consorcios extranjeros y soluciona la crisis a que estaba enfrentada la burguesía nacional. La mayoría de los historiadores señala

---

[9] Luis Vidales, *Suenan timbres*, *op. cit.*, p. 20.
[10] Eduardo Carranza, en *El Tiempo*, Bogotá, 1979.

estos años como los germinales de la violencia que se desatará con todo su vigor dieciséis años después. Pero veamos lo que estaba sucediendo en el campo de la literatura. El maestro Sanín Cano, siempre lúcido y oportuno, advertía a mediados de la década del 30:

> Es miseria intelectual esta a que nos condenan los que suponen que los suramericanos tenemos que vivir exclusivamente de España en materia de filosofía y letras. Las gentes nuevas del Nuevo Mundo tienen derecho a toda la vida del pensamiento.[11]

Pero volvimos a caer de bruces en la madre patria, y esta vez más patriotas que nunca. Un título de Juan Ramón Jiménez sirve de arrancada a la publicación de los cuadernos de poesía "Piedra y cielo", y de allí se deriva el movimiento que encabezó Eduardo Carranza, poeta este continuador de la lírica española, es decir, que retoma como fuente la tradición peninsular y sigue a los grupos de poetas que allí, hasta 1927, redescubrían a Góngora y al Siglo de Oro.

Los poetas que conformaban el grupo, fuera del ya citado Carranza, eran Jorge Rojas, Arturo Camacho Ramírez, Antonio Llanos, Tomás Vargas Osorio. Aurelio Arturo, a quien algunas veces se lo incluye entre los integrantes de este grupo, realmente no perteneció a él ni a grupo conocido. Arturo hizo de su ínsula un faro de vigía y una avanzada secreta de vanguardia.

Imposible encontrar, fuera de la influencia americanista de Neruda en Camacho Ramírez y de algunos acentos lorquianos en Rojas y Carranza, algo que sustente el cacareado vanguardismo o revolucionarismo de este movimiento, ya que el redescubrimiento de Góngora se hubiera podido hacer sin tener que retroceder a sometimientos formales. Pero sacarle el soneto de la cabeza a los colombianos ha sido una tarea ardua y poco fructífera.

"Cántico"

En 1944, y en el pleno oscurantismo que la Segunda Guerra Mundial había lanzado sobre las ideas y el pensamiento, el poeta Jaime Ibáñez inicia la publicación de una serie de cuadernos de poesía con el nombre de "Cántico". Y como ha sucedido regularmente en la historia de las letras colombianas en este siglo, el nombre de una revista o colección de cuadernos de poesía determina el nombre de un grupo literario, donde, por supuesto, confluyen las personalidades más heterogéneas y dispares. Se forma de esta manera el grupo de "Cántico", al que, debido a los cuadernos de poesía, también se le denominó "Cuadernícolas".

---

[11] Baldomero Sanín Cano, *Escritos*. Bogotá: Instituto Colombiano de Cultura, 1977, p. 345.

"Cántico" es una apertura con respecto a "Piedra y cielo", si bien porque cambiaron la influencia de Juan Ramón Jiménez por la de Jorge Guillén y la de Vicente Aleixandre, también porque a través de este poeta el aliento del surrealismo y de algunas corrientes de vanguardia en Europa se trasvasaron al mundo bogotano. Sin embargo, "Cántico" no representa una alborada de la vanguardia, sino más bien un punto de apoyo para la nueva generación del 50, la que se denomina con el nombre de la revista *Mito*.

El poeta verdaderamente representativo y valioso del grupo "Cántico" sería Fernando Charry Lara, quien es fuerza dinámica en el entrelazamiento de mundos que originarían los pasos posteriores de la literatura colombiana, no sólo porque su obra, de implacable y ensoñadora surrealidad en sus esencias, supone un quiebre con una tradición signada por la ñoñería y el mal gusto, sino porque su presencia en el plano activo de la cultura colombiana ha desempeñado un papel dominante y esclarecedor desde entonces.

El grupo "Mito"

La creación de la revista *Mito* es el hecho más importante en las letras colombianas en la década del 50. Valiente enfrentamiento contra la mordaza que los distintos gobiernos habían puesto al juego de las ideas, "Mito" salta en medio de este festín de lo horroroso abriendo las puertas al pensamiento latinoamericano y europeo. Es ésta, entonces, la primera manifestación, a nivel participativo directo, de las vanguardias en Colombia, y aunque el grupo era bastante heterogéneo y no respondía a una consigna definida, la voluntad de otorgarle al público colombiano una ventana para observar lo que desde tantos años atrás venía sucediendo en el mundo lo coloca de pleno en la vanguardia, tal vez por reflejo creativo. Pero veamos lo que dice Rafael Gutiérrez Girardot, un observador cercano de la realidad "Mito":

> La fundación de la revista *Mito* en 1955 significó un salto en la historia cultural de Colombia. Desde el nivel y la perspectiva de sus artículos, los poetas y escritores oficiales, los académicos de una novela, las "glorias locales" aparecían como lo que en realidad siempre habían sido: restos rezagados menores de su siglo XIX de campanario. *Mito* desenmascaró indirectamente a los figurones intelectuales de la política, al historiador de legajos canónicos y jurídicos, al ensayista "florido", a los poetas para veladas escolares, a los sociólogos predicadores de encíclicas, a los críticos lacrimosos; en suma, a la poderosa "infraestructura" cultural que satisfacía las necesidades ornamentales del retroprogresismo y que a su vez, complementariamente, tenía al país atado a concepciones de la vida y de la cultura en nada diferentes de las que dominaban entonces cualquier villorrio carpetovetónico. La revista *Mito* desmitificó la vida cultural colombiana y reveló, con publicaciones documentales, las deformaciones de la vida cotidiana debidas al imperio señorial. No fue una revista de "capillas" porque

> en ella colaboraron autores de tendencias y militancias políticas opuestas (Gerardo Molina y Eduardo Cote Lamus, por ejemplo). Su principio y su medida fueron el rigor de un trabajo intelectual, una sinceridad robesperriana, una voluntad insobornable de claridad; en suma, crítica y conciencia de la función del intelectual. Demostró que en Colombia era posible romper el cerco de la mediocridad y que, consiguientemente, ésta no es falsamente constitutiva del país.[12]

Es muy cierto lo que dice Gutiérrez Girardot; sin embargo, hay dos aspectos que sería válido considerar, porque ellos son explicación de por qué pudo un grupo como el de "Mito" penetrar las redes de represión que por estas fechas el gobierno ejercía. Es necesario que no se olvide que la revista era dirigida principalmente por personas como Jorge Gaitán Durán y Eduardo Cote Lamus, magníficos poetas y escritores, que estaban en contacto con lo más renovador del pensamiento mundial, pero que en el plano colombiano pertenecían a las clases altas de sus respectivas comarcas, eran jóvenes y reformistas y poetas, con aficiones por la política, pero hasta ese entonces sin una militancia activa: el uno liberal y el otro conservador; y que al fundar una revista como *Mito* llevan su mensaje, sin más vueltas, a los lectores de su misma clase social, ya que un pueblo estupidizado, analfabeto e ignorante como el colombiano no tenía el más mínimo acceso a tan sofisticados medios de información.

Pero cuando las ideas tienen vida no se quedan quietas en los anaqueles, y *Mito* cumplió con la alta misión de desacralizar la cultura colombiana, de pervertirla. Podríamos decir que *Mito* fue el orden estructurador de una rebelión de la conciencia que posibilitó el desorden romántico vanguardista del nadaísmo. *Mito* parte en dos a Colombia, deja atrás un mundo de gramáticos casposos y académicos artríticos y empieza a hablar con la voz tronante de poetas como Álvaro Mutis, Gaitán Durán, Cote Lamus; novelistas como Gabriel García Márquez y Álvaro Cepeda Samudio; ensayistas como Hernando Valencia Goelkel, Pedro Gómez Valderrama y Hernando Téllez.

Tomado de *Revista Iberoamericana*, núms. 118-119, 1982, pp. 275-287. Armando Romero es profesor de la University of Cincinnati (Armando.Romero@UC.Edu).

[12] Rafael Gutiérrez Girardot, "La literatura colombiana, 1925-1950", *Eco*, agosto 1979, núm. 214, p. 423.

Álvaro Medina

López, De Greiff, Vinyes, Vidales y el vanguardismo en Colombia

En los años anteriores a la consolidación de los movimientos literarios vanguardistas latinoamericanos, en algunos países se dieron floraciones de importancia —de tipo individual y no de grupo—, tales como los ensayos creacionistas del chileno Vicente Huidobro en 1913, la fundación de la revista brasileña *Orfeo* en 1917 (dirigida por Luis de Moltalvor y Ronald de Carvalho), la publicación en 1920 de *Li-Po y otros poemas* del mexicano José Juan Tablada y la actividad divulgadora del movimiento ultraísta español que Jorge Luis Borges adelantó en 1921 a través de la revista bonaerense *Nosotros*. Fue en 1922 cuando tan significativos antecedentes se plasmaron en los siguientes acontecimientos, que los historiadores reconocen como definitivos: se realizó la Semana de Arte Moderno en San Pablo, Brasil; Borges y Macedonio Fernández lanzaron la revista *Proa* en Buenos Aires y Manuel Maples Arce empezó a editar la revista *Actual* en México. Estas tres empresas intelectuales prendieron los motores del fugaz pero decisivo movimiento vanguardista latinoamericano, activo hasta 1930.[1]

Las características fundamentales del vanguardismo fueron su ímpetu renovador y su decidido rechazo al pasado. El rechazo al pasado cristalizó, lo mismo en la Argentina que en México, en la negación de una gran figura literaria: la de Rubén Darío. Jorge Luis Borges lo expresó con absoluta claridad en un artículo de 1921 en el que afirmó, con la agresividad y el desenfado propio de los textos vanguardistas: "el rubenismo se halla a las once y tres cuartos de su vida, con las pruebas terminadas para esqueleto".[2]

En Colombia, el movimiento vanguardista no fue propiamente un movimiento sino una serie de manifestaciones esporádicas que rubricaron personalidades aisladas y carece por lo mismo de fecha de nacimiento. Un antirubenismo de toque cuasi vanguardista encontramos en época temprana en la obra del cartagenero Luis Carlos López, "el Tuerto", comenzando en *De mi villorrio* (1906), fina parodia de las altisonancias que con mucha solemnidad y sin el menor sentido del humor distinguían al poeta nicaragüense. En su obra, el Tuerto López trocó los personajes divinos y principescos de Darío en caracteres populares y cambió el Olimpo modernista por

[1] Varios autores, *Recopilación de textos sobre los vanguardismos en la América Latina*. La Habana: Casa de las Américas, 1970, pp. 206-207.

[2] Jorge Luis Borges, "Ultraísmo", en *Recopilación*, *ob. cit.*, p. 193.

la provincia, contraponiendo la chata realidad del trópico caribeño que respiraba en Cartagena de Indias a los mitos griegos y la risotada cómplice a la adusta grandilocuencia de Rubén. En resumidas cuentas, lo que en Darío era culto y sofisticado, en el Tuerto López se volvía vulgar y ramplón aunque hiciera uso de ritmos musicales modernistas. Apoyarse en la admirada, imitada y ya desvirtuada estructura sonora para introducir elementos reales por oposición a los evanescentes y etéreos de Rubén Darío, fue la proeza de Luis Carlos López. En su empeño, el poeta colombiano logró ser tan concreto que la manera tan particular como insistió en el alcalde y el cura pueblerinos anunciaba, con medio siglo de anticipación, el interés que por los mismos personajes desarrolló Gabriel García Márquez en las narraciones previas a *Cien años de soledad*.

Pero el antirrubenismo del Tuerto López no se limitó a la parodia. El poeta lo expresó abiertamente en el poema titulado "Nota de viaje", que, luego de describir un lento y dificultoso viaje en bus, expresaba:

> ... (Ya no me río
> de ti, Rubén Darío...[3]

Para comprender la intención de Luis Carlos López, basta transcribir el epígrafe del poema antes citado, uno de los desconcertantes epígrafes que solía inventar a menudo y que dice así: "Una vieja con los brazos suplicantes, reza para que no haya temblor". El antirrubenismo, que a la larga iba contra el modernismo en su totalidad, fue una actitud que en Colombia se volvió antivalencismo y por lo tanto antiparnasianismo. La negación de la poesía de Guillermo Valencia ya estaba presente en el primer libro del Tuerto López. "En la penumbra" describe precisamente el reverso de la situación que Valencia había narrado en "Palemón el Estilita" y es de esta inversión temática, por cierto, que surge la ironía que rara vez se ausenta de la obra del cartagenero. "En la penumbra" concluye así:

> en la nave de la ermita,
> donde tú, Hermana Carmelita,
> me hacías bueno, extrañamente bueno...[4]

Lo que entre los modernistas era fantasía exuberante y exótica, en el Tuerto López era la urticante descripción de una realidad carente de sorpresas porque era la vivida por él y sus lectores. Es de anotar que tanto el título del soneto, "En la penumbra", como sus cuartetos son lo suficientemente ambiguos como para crear la expectativa de una relación erótica inminente que en Valencia sí se llegaba a concretar.

[3] Luis C. López, *Sus versos*. Medellín: Bolsilibros, 1960, p. 19.
[4] *Ibíd.*, p. 28.

Para poder encontrar nuevas voces de inconformidad y rebeldía, hay que dar un salto de 1906, el año de *De mi villorrio*, a 1915, cuando se publicó en Medellín el primer número de *Panida*, revista que tenía en el comité de redacción a León de Greiff. Lo acompañaron Teodomiro Isaza, Rafael Jaramillo A., Bernardo Martínez, Félix Mejía (más conocido como Pepe Mexía), Libardo Parra, Ricardo Rendón, J. Restrepo Olarte, Eduardo Vasco G. y Jorge Villa. A los redactores fundadores se sumaron más adelante Fernando González, José María Mora Vásquez y José Gaviria Toro. *Panida* aglutinó el primer núcleo intelectual de tipo beligerante que podemos asociar a la historia de nuestra incipiente vanguardia, pero sus miembros no lograron nunca ser coherentes ni en sus propósitos ni en sus realizaciones, ya que fueron gaseosos tanto en los temas o puntos de rebeldía frente a la tradición como en las metas estéticas y literarias que aspiraban alcanzar. Los panidas fueron ante todo un grupo de raros. Sus miembros prefirieron el gesto a la pluma y el desplante al discurso. Actuaron marcados por el vitalismo nietzscheano y de allí que (y paso en seguida a citar versos de León de Greiff), en manos de estos "melenudos de líneas netas / líricos de aires anarquistas" que eran "fumíferos y cafeístas / y bebedores musegetas" además de "grandilocuentes, camorristas, / Crispines de elásticas tretas"[5], la revista de Medellín resultara en su época algo insólita y hasta escandalosa, mientras que a nosotros hoy nos puede parecer bastante gris e indefinida.

Es poco lo que se puede destacar del contenido de *Panida*. Uno de sus artículos más notables es precisamente el que contra Rubén Darío se publicó en tres entregas de la revista, tomado de *La Revista de América*, que Francisco García Calderón dirigía en París. El hecho de que ese artículo se hubiera reproducido en Medellín da una idea del espíritu que animaba al grupo o al menos a algunos de sus miembros, entre ellos, sin duda, León de Greiff. Firmado por Andrés González Blanco, el artículo decía en un aparte: "Cuando he divagado prolijamente sobre la poesía modernista de Rubén Darío, he procurado advertir que la poesía del poeta de *Azul* era todo menos floración espontánea y autóctona de la virgen América". El autor citaba el memorable ensayo en que Rufino Blanco Fombona había criticado el carácter extranjerizante del modernismo hispanoamericano y acusaba a la literatura continental de haber "creado un ambiente literario artificial de París, de Madrid, de Grecia, y una familia de sombras".[6]

El antirrubenismo se había estado manifestando desde antes de la muerte de Darío en 1916, pero las observaciones que se hacían no rebasaban el nivel de la crítica académica ni sugerían nuevas alternativas poéticas concretas. La excepción, al menos en Colombia, fue Luis Carlos López, cuya poesía era precisamente una "floración espontánea y autóctona de la virgen América". En el mismo número en que

[5] León de Greiff, "Balada de los 13 panidas", en *Obra completa*. Medellín: Aguirre, 1960, p. 32.
[6] *Panida*, No. 7, Medellín, V-XX-915, p. 97.

Panida publicó el artículo de González Blanco, apareció en sus páginas lo más cercano (¡y cuán lejano!) a un manifiesto vanguardista. Bajo el título de "Nosotros", los panidas de Medellín confesaron:

> Los que como nosotros han vivido siempre aparte del lado práctico de la vida, de seguro conocen y experimentan el sumo placer que ese alejamiento proporciona.
> El fastidio ha presidido nuestros actos. Jamás en el ocaso de ningún día nos hemos sentido satisfechos, que siempre bajo la aparente superficialidad que nos decora, corre un líquido amargo y nos rodea un halo de desdén. A veces trocamos en lucha de primitivos ese marasmo, y ya es el delirio el que rige nuestra voluntad, quien fecundiza el pensamiento, y entonces no es la esterilidad contemplativa de antes, sino una ubérrima floración de lyses monstruosos; manifestaciones enfermizas, degeneradas, pero más bellas; y es su cortejo obligado la grotesca grey de los zaheridores impotentes; y la grita de los ignaros es como un lejano acompañamiento de tambores y trompas para una sinfonía beethoveniana.
> Consideramos la vida como una eterna espera, como un aguardar impaciente, y para que no se haga tan larga entretenemos las horas que son los años, forjándonos ilusiones, los unos, o viviendo locuras los demás, que somos nosotros.[7]

En la entrega siguiente, los panidas fueron explícitos al afirmar: "Locos se nos llama porque hemos conocido el delito de ser poetas, porque a veces odiamos la realidad, porque siempre queremos apartarnos de ella".[8] Lo que se acogía de González Blanco para invalidar a Darío era exactamente lo que el grupo medellinense consideraba norma de poesía: la evasión. No sobra señalar que en De Greiff el odio a la realidad era un infundio, una delirante *boutade* dirigida a romper con el pragmatismo de un medio social como el de Medellín, dominado por industriales y comerciantes, o sea por "gente necia, / local y chata y roma" de una "total inopia en los cerebros [...] / cual / si todo / se fincara en la riqueza, / en los menjurjes bursátiles / y en el mayor volumen de la panza".[9] La admiración de De Greiff por Nietzsche prolongaba la fingida o real (no importa) que le profesara igualmente Guillermo Valencia. En De Greiff, el vitalismo no era sino el gesto intranquilo de una generación que se había visto rebasada por la dinámica social ligada al auge del capitalismo en Antioquia.

La revista *Cultura* de Bogotá, a la que sin el menor recato calificó *Panida* de exponente de la Atenas Suramericana, se aventuró posteriormente en la crítica de las contradicciones que tuvo el grupo medellinense y afirmó que sus desplantes en la concepción de la poesía no se originaban en Nietzsche (de nuevo la discusión se centraba en si la relación con el filósofo era real o fingida) ya que más bien "fue el resul-

---

[7] *Ibíd.*, p. 111.

[8] *Panida*, No. 8, V-XX-915, p. 128.

[9] León de Greiff, "Villa de la Candelaria", *ob. cit.*, p. 14.

tado de un movimiento literario importado de Francia, frívolo y pasajero. Ella [*Panida*], si renovó nuestro ambiente, no fue debido al deseo de originalidad e imposición de la personalidad, sino al espíritu imitativo de nuestros *nastés* antioqueños que brotan a la vida de cuando en cuando y son síntomas de un alarmante snobismo".[10]

Si se trataba de snobismo, la verdad es que no era muy acentuado. Un rápido vistazo a los escritores extranjeros que *Panida* incluyó en sus páginas revela que si bien se publicaron textos de Francis Jammes, Paul Fort, Manuel Machado y Juan Ramón Jiménez, junto a ellos se apelmazaron Gustavo Adolfo Bécquer, Anatole France y —aunque parezca mentira— el Rubén Darío de "Margarita". No es de extrañar entonces que en el número de *Panida* en que aparece la mil veces publicada "Margarita" se incluyera la página de Azorín sobre la visita que el escritor español le hiciera al poeta nicaragüense y un comentario sin firma, insertado en la sección "*Panida*", con el título de "La nueva edición de las obras de Rubén Darío". De ese comentario es esta perla de cursilería: "La tela de la pasta y la alegoría de reversos merecen especial atención. Al mirar la tela se figura uno que la Marquesa Eulalia debió llevar un traje parecido en la fiesta aquella de 'Era un aire suave'; la alegoría de reversos es exquisita; todo Versalles palpita allí bajo el cielo de oro; la fuente desgrana un chorro de pedrería, la pareja amorosa se desliza suavemente por una avenida de rosales", etc.[11]

El anterior es un ejemplo de prosa superficial y al tiempo significativa ya que permite ver que cuando la poesía hispanoamericana se comenzaba a deslindar de Darío, estos abanderados del cambio eran tímidos y pacatos a la hora de criticar la obra del nicaragüense en las ridiculeces de sus malos imitadores.

Si *Panida* es una leyenda en la historia de la literatura colombiana, ello se debe a la presencia entre sus colaboradores de León de Greiff, presencia casi marginal cuando el lector encuentra en casi todos los números las malas composiciones de C. R. Pino, de Althy Cavatini, y, a partir del número 4, las notas filosofantes de Fernando González, mientras que los poemas de De Greiff son más bien pocos. La sinrazón de esta leyenda se puede comprobar con la lectura de un poema que con el elocuente título "Panida", publicado en *Panida*, tenía que ser la señal más reveladora del programa poético del alborotoso grupo de Medellín. Firmado por Xavier de Lys, el rubendaríaco y lánguido poema concluía así:

> Llora en la noche callada
> la dulce flauta de pan ...

[10] C. A. T. P. [Carlos A. Torres Pinzón], "Revista de revistas: *Voces*", *Cultura*, Bogotá, Nos. 29-30, mayo-junio de 1918.

[11] *Panida*, No. 10, VI-XX-915, p. 159.

¡Es que las notas dolidas
son canciones ya no oídas
por las ninfas que se van!

Lloran las flautas panidas ...
las ninfas no volverán...[12]

La carátula de *Panida* fue diseñada por el caricaturista Ricardo Rendón y presentaba una peculiaridad que nos da la clave de algunos poemas de De Greiff. Posados en una columna, dos panes tocan sus pífanos. La columna es un cruce de los órdenes jónico y corintio con la particularidad de que las hojas de acanto forman un triángulo con el vértice hacia abajo, triángulo que está situado entre las volutas. El resultado es que el curioso capitel se asemeja a un búho. No me parece casual que De Greiff publicara en el primer número de la revista "La balada de los búhos estáticos".[13] De Greiff menciona el búho en siete poemas de su primer libro, convirtiéndolo en todo un símbolo de su mundo imaginario. El búho es "signo de la sapiencia" y "hermano de la locura gélida"[14], o sea de la locura controlada con lucidez. De la lectura de esos poemas se desprende que basándose en un sistema de elementos opuestos y aun contrapuestos que constituyen una constante poética, el búho habita en compañía de "las brujas del aquelarre" un jardín francés de ordenamientos estrictos y geométricos que dan lugar a sueños "neuróticos" y "macabros".[15] Esta especie de afinidad-rechazo, que da lugar a que convivan lo ordenado y lo macabro, confirma el acierto de Jaime Mejía Duque cuando afirma que De Greiff es anticlásico pero "no, no es indiferente al clasicismo, lo odia cordialmente cuando escribe"[16]. Ese odio cordial, inherente a los elementos que el poeta maneja, resulta notorio en el cuarto segmento de *Tergiversaciones*:

Los búhos que me inician
en sistemas abstractos
que conciben un mundo
[...]
matemático y recto
limitado y exacto
como un fúnebre túmulo,
o cual una avenida

[12] *Panida*, No. 4, III-XXVIII-915, p. 58. El poema tiene fecha "Medellín 1915".
[13] León de Greiff, *ob. cit.*, p. 27/29.
[14] León de Greiff, "Facecia", *ob. cit.*, p. 23.
[15] León de Greiff, "Balada de los búhos estáticos", *ob. cit.*, p. 28.
[16] Jaime Mejía Duque, "La poesía de León de Greiff", en *Recopilación*, *ob. cit.*, pp. 239-240. Me permito anotar que el artículo tiene la errata de aparecer firmado por Jaime Duque Duque.

correcta, calculada
según el plano insulso.[17]

El sabio búho es el catalizador de un espacio geometrizado que sugestiona al poeta a pesar de lo "fúnebre" e "insulso". De Greiff se deja llevar de una imagen visual de reminiscencia constructivista que su verbo describe con el uso particular y muy expresivo de la aliteración rayando la cacofonía. Logra así, literariamente, lo que en algunos vanguardistas europeos equivale a la palabra que designa un objeto, palabra dispuesta en trazo que dibuja y parodia a ese mismo objeto. Es de recalcar la importancia de la palabra en la obra poética de De Greiff y como esa palabra es el trazo sonoro que le permite ritmar y parodiar la música en lugar de suplantarla a la manera modernista. La poesía greiffiana guarda cierto parentesco con la de Luis Carlos López, ya que la musicalidad es la base de la pirueta humorística. Es la originalidad de esta concepción, única en el panorama latinoamericano de 1915, la que sitúa a León de Greiff —y no a *Panida*— en la historia de la literatura.

Para que no quede disminuido lo que con evidente timidez acontecía en Medellín, me parece oportuno citar la idea más audaz y avanzada que se publicó en la revista, que no por casualidad se relaciona con las artes plásticas:

> Mañana, la caricatura será más que un arte, la línea estará dominada, el ojo y la mano desentrañarán el alma más escondida, una línea les será necesaria, un punto, una de esas flechas que emplean en los textos de térmica para indicar las corrientes caloríficas.[18]

El dibujante, caricaturista, pintor, publicista y arquitecto Pepe Mexía fue el autor de estas líneas, que hubiera podido suscribir Francis Picabia. De Pepe Mexía se conocen dibujos de la figura humana que son notables por su factura sintética. Si su teoría es claramente vanguardista, sus dibujos de la época no lo eran plenamente, o sea que el programa de ruptura que intuyeron los redactores de la revista no se concretó sino en la obra de De Greiff. Contradiciendo una afirmación de Mejía Duque, se concluye que el poeta no tuvo nunca "un par entre los de su grupo".[19]

Panida fue de corta vida. La reemplazó *Voces*, lanzada en Barranquilla el 20 de agosto de 1917. Alrededor de *Voces* se reunió, bajo la dirección magistral de Ramón Vinyes, el que algunos han llamado "primer grupo de Barranquilla" (que en realidad fue el segundo, si recordamos el que a comienzos de siglo acogió en la ciudad a Porfirio Barba-Jacob). Gracias a las orientaciones de Vinyes, el sabio catalán de *Cien años de soledad*, *Voces* resultó ser una publicación que sin proclamarse de van-

---

[17] León de Greiff, *ob. cit.*, p. 6.
[18] *Panida*, No. 8, IV-XXV-915, p. 95.
[19] Jaime Mejía Duque, *ob. cit.*, p. 254.

guardia se ha convertido, hasta que no se revele una fecha más temprana, la primera revista en divulgar en lengua castellana las nuevas tendencias vanguardistas. A diferencia de *Panida*, la revista *Voces* fue agresiva y polémica, dentro del eclecticismo que Vinyes juzgaba conveniente en todo aquel que aspirara a ser un buen crítico.

En un momento en que la poesía de Luis Carlos López era tenida por chabacana y vulgar, *Voces* fue pionera a la hora de reconocer el talento y los méritos del poeta de Cartagena. También fue pionera en rendirle homenaje a León de Greiff, a quien le dedicó la totalidad de la revista número 56, del 20 de febrero de 1920. De Greiff colaboró en 4 de los 60 números de la publicación barranquillera, dando a conocer más de 20 poemas. Junto a De Greiff y el Tuerto López colaboraron la chilena Gabriela Mistral, el peruano Alberto Hidalgo y los mexicanos Carlos Pellicer y José Juan Tablada. Cabe recordar que Alberto Hidalgo prologó, junto a Vicente Huidobro y Jorge Luis Borges, la antología vanguardista titulada *Índice de la nueva poesía americana*, editada en Buenos Aires en 1926.

En el número 2, del 30 de agosto de 1917, *Voces* transcribió algunos apartes de una entrevista a Guillaume Apollinaire y tradujo un fragmento del *Narciso* de André Gide. En junio de 1918 publicó una nota de Ramón Vinyes sobre los movimientos vanguardistas europeos. Lo hizo bajo el título genérico (y equivocado) de "Poetas futuristas". La nota de Vinyes fue complementada con la publicación de cuatro poemas de Paul Dermée y dos de Apollinaire. Uno de los poemas de Apollinaire fue "Llueve" que el traductor prefirió titular "Lluvia".[20] La aparición de esos poemas originó una interesante polémica con un columnista del periódico barranquillero *El Día*, que quiso contrarrestar con la obra de Rubén Darío la "moda fracasada" del futurismo.[21] A manera de respuesta, meses después le dedicó Vinyes una entrega de *Voces* al "Cubismo, Nunismo, Vibrismo". Se incluyeron textos de Guillaume Apollinaire, Pierre-Albert Birot, Paul Dermée, Luciano Folgore, Pierre Reverdy, Max Jacob, Lino Cantarelli y, sin mencionar en ninguna parte su nacionalidad chilena, Vicente Huidobro.[22] *Voces* se adelantó en varios meses a la revista española *Grecia*, la de Rafael Cansino Assens y Guillermo de Torre, y en varios años a la revista argentina *Martín Fierro*, la de Evar Méndez y Oliverio Girondo, en verter al castellano textos y poemas de la rebelión que recorría a las letras europeas. Más adelante publicó dos caligramas y doce *hai-kai* de José Juan Tablada.

En el grupo de *Voces* hubo entusiasmo por la poesía de vanguardia. Se manifestó en las notas que publicaron Bruno A. Lavalle e Hipólito Pereyra, este último el director nominal de la revista ya que el director real era Ramón Vinyes. El sabio

[20] *Voces*, Barranquilla, No. 27, junio 30 de 1918, pp. 257-274.

[21] Coloquio, "Futurismo", *El Día*, Barranquilla, junio 23 de 1918, pp. 1 y 5.

[22] *Voces*, No. 42, noviembre 30 de 1918.

catalán estaba impedido de figurar oficialmente como director de la revista por no ser ciudadano colombiano, pero era él quien la animaba y orientaba.

Voces había criticado y reducido a nada la poesía de Rafael Núñez. A raíz de la muerte de Amado Nervo, confesó no sentir la menor admiración por su obra y de manera implacable arremetió contra las posiciones críticas del ensayista y académico Antonio Gómez Restrepo. Su irreverencia llegó al punto de lanzar la audaz afirmación de que era "más difícil levantar un poema cubista, si el poema ha de sostenerse por sus propios elementos, que combinar un poema según las teorías consagradas por la tradición".[23] El desafío de poner a prueba la atrevida afirmación lo asumió Hipólito Pereyra, poeta de prosa mediocre y sin talento, capaz de escribir sin que le temblara el pulso una idiotez como ésta: "Amor, es el vocablo más dulce del idioma; aquel que se dice siempre quedo, bajo, suavemente, al oído de la amada entre suspiros... [¿]Lo has oído? ¡Amor!".[24] Imitando los caligramas de Apollinaire y Tablada que ya *Voces* había publicado en sus páginas, Pereyra escribió un poema notable entre los que se concibieron en Colombia dentro de lineamientos vanguardistas. Lo tituló "Araña de mis deseos" y apareció en la entrega número 43-44-45, de diciembre de 1918. El de Pereyra es un caligrama que no deja de tener importancia a pesar de corresponder a un gesto mimético. Pero la aventura del barranquillero comenzó y concluyó allí. Al autor le bajó la fiebre y volvió a su prosa tradicional. El solitario poema de Pereyra y la treintena de otros poemas y textos de los vanguardistas europeos que tradujo Vinyes tuvieron repercusiones en Bogotá, donde se empezó a reconocer la autoridad del escritor catalán.

Los brotes de inconformidad literaria que habían tenido lugar en Medellín y Barranquilla llegaron a Bogotá cuando León de Greiff y el también antioqueño Luis Tejada establecieron su residencia en la capital de Colombia. El cronista y polemista Tejada había trabajado en Barranquilla de 1918 a 1920, o sea que conoció de cerca la labor de Vinyes. A Bogotá llegó en febrero de 1922 y fue el alma del grupo de vanguardia de los arquilóquidas, al que de manera indirecta le debe mucho Luis Vidales.

A los arquilóquidas pertenecieron, entre otros, Luis Tejada, León de Greiff, Ricardo Rendón, Rafael Maya, Silvio Villegas, José Umaña Bernal, José Camacho Carreño y Juan Lozano y Lozano. Los acogió en sus páginas *La República*, diario de vida efímera que dirigió Alfonso Villegas Restrepo. El grupo derivó su nombre del poeta griego Arquíloco, "quien limpió de escitas la isla de Paros con libellos [...] que ocasionaron el ahorcamiento de varios y el asesinato final de su autor". Agregaron: "Por eso los Arquilóquidas no analizan ante la muchedumbre: castigan

[23] J. Pérez Jorba, "Pierre Reverdy, poeta y novelista de vanguardia", *Voces*, No. 48, julio 30 de 1919, p. 320.

[24] Hipólito Pereyra, "Amor", *Voces*, Nos. 34-35, septiembre 20 de 1918.

sencillamente". Y unas líneas más abajo agregaban: "no portan incensario; traen solamente un martillo para quebrantar abalorios".[25] En las irreverentes notas editoriales que redactaron en junio y julio de 1922, publicada siempre en primera plana, los arquilóquidas dieron a conocer su rechazo a ciertos políticos y literatos, dos actividades que en la época solían confundirse casi. El rechazo incluyó al director del diario que les daba cabida en sus páginas, cuyo estilo consideraron "descalabrado y truculento".[26] Del poeta Ricardo Nieto, "ganapán de las letras", aseguraron que era un "sensiblero y cargante" que escribía para "deleite de señoritas menopáusicas".[27] El estilo punzante recordaba el de Ramón Vinyes cuando en *Voces* opinó de un drama de Álvarez Lleras y dijo: "las palabras son vagas, sin médula [...]. Álvarez Lleras? ¡Nada!".[28]

El 26 de junio de 1922 dieron a conocer los arquilóquidas una lista de personalidades que en festín querían guillotinar. En ella figuraban Marco Fidel Suárez, Carlos E. Restrepo, José Vicente Concha, Miguel Abadía Méndez, Eduardo Santos, Laureano Gómez, Luis Cano, Armando Solano, Tomás Rueda Vargas, Luis López de Mesa, Ricardo Nieto, Aurelio Martínez Mutis, José Eustasio Rivera, Miguel Rasch Isla, Eduardo Castillo, Gustavo Santos, Ismael Enrique Arciniegas, Tomás Carrasquilla, Antonio José Restrepo, Max Grillo, Samuel Velásquez, Julio Flórez, Alfonso Villegas Restrepo (una vez más el director del diario que publicaba la atrevida lista de guillotinables), J. M. Rivas Groot, Rafael María Carrasquilla, Julio H. Palacio, Tomás Márquez y otros más, fuera de las siguientes publicaciones: *Universidad* (primera época), *Sábados*, *Cromos*, *Colombia*, y *Domingos* de *El Espectador*. Dirigentes políticos que ya habían sido o serían Presidentes de la República se confundían con periodistas, cronistas, ensayistas, críticos, poetas y novelistas de todas las tendencias y horizontes. Tenían ellos en común, a ojos de los arquilóquidas, el ser "ancianos austeros pero miopes" que habían llegado a "académicos tan sólo por su edad bíblica".[29] No sobra precisar que no todos, por la edad, eran ancianos, mucho menos miembros de academias pero sí academizantes, gramatiqueros y retóricos.

---

[25] "La segunda salida de Archíloko", *La República*, Bogotá, 12 de julio de 1922. En vista de la cambiante ortografía que utilizaban en su designación, en las que la *ch*, la *k* y la *q* se intercambiaban caprichosamente, he optado por la castellanización de la palabra y escribir *arquíloco*, según su fonética. Sobre el papel de Luis Tejada en el grupo es de consultar el excelente trabajo que con el título de *Luis Tejada y la lucha por una nueva cultura* escribió el historiador Gilberto Loaiza Cano, Premio Nacional de Cultura 1994 (Bogotá: Colcultura, 1995).

[26] "Arkilokias-(Villegas Restrepo)", *La República*, 23 de junio de 1922.

[27] "Arkilokias-Ricardo Nieto", *La República*, 27 de junio de 1922.

[28] Ramón Vinyes, "Todo llega: conversemos", en *Voces, 1917-1920. Selección de textos*, selección y prólogo de Germán Vargas. Bogotá: Instituto Colombiano de Cultura, 1977, p. 398.

[29] "El festín de los arquilókidas", *La República*, 26 de junio de 1922.

Todo hace pensar que el autor de estos libelos era Luis Tejada, amigo inseparable de Luis Vidales. Con los dos Luises, el vanguardismo colombiano adquirió entidad, ya que se puso en juego un aparato publicitario de desplantes y espectáculos teñidos de irreverencia para mejor captar la atención del público. En sus recorridos callejeros, Luis Vidales solía llevar "un sobrero negro de alas enormes, una pipa de medio metro, unos zapatos puntiagudos hasta lo inverosímil, unos bellísimos trajes ingleses con los bolsillos atiborrados de libros, un manojo de violetas escondido bajo la manga de la chaqueta y unos spats lilas, de Piccadilly".[30] Con Vidales nos hallamos ante una poesía que por su libertad en el uso de las imágenes y metáforas está mucho más cerca de los movimientos europeos. Su antirrubenismo es tácito y se plasma en una concepción poética que irrumpe con todo un sistema de referencias al mundo contemporáneo, en especial las alusiones a la máquina y a los aparatos eléctricos.

Pero Vidales no asumió este repertorio de modo apoteósico como los estridentistas mexicanos, influenciados por el futurismo. El del colombiano es un tono menor condicionado por una Bogotá pequeña y de alma provinciana. La poesía que escribió y publicó Vidales entre 1922 y 1925 tenía un sello distintivo especial que la hizo insólita a los ojos de sus contemporáneos. Destaco, entre otras muchas características, su inmediatez cotidiana y su apariencia anticulta. Además, tenía sabor urbano y se identificaba con la ciudad donde vivía. Dos buenos ejemplos de esta actitud son los poemas titulados "Visioncillas en la carrera séptima"[31] y "Cinematografía nacional".[32]

El único antecedente al tratamiento que le daba Vidales a las imágenes relacionadas con artefactos eléctricos lo encontramos en Luis Carlos López, el poeta cartagenero que vuelve y aparece como un olvidado antecesor de las vanguardias. Su poema "Cinematográfica"[33] presenta cortes como los del montaje fílmico, cortes que presentan seis "tomas" en sus cuartetos, a dos por cuarteto, anticipándose a la "Cinematografía nacional" de Vidales con sus coincidenciales seis tomas en las seis primeras estrofas. El del Tuerto López es uno de sus contados poemas sin humor. "Cinematográfica" se reduce a la escueta descripción de cada toma, la primera de encuadre fijo ("Todo verde, de un verde / que maltrata los ojos") y las demás móviles, en *travelling* ("Vertiginosamente / se aleja el mar, un trozo de camino / y el precipicio que atraviesa un puente"). En contraste tenemos que Vidales (ese Vidales que junto al Tuerto López y De Greiff conforma el trío de nuestros grandes humoristas en un panorama poético en el que estos son escasos), compone "Cinematografía nacional" con su sonrisa habitual:

---

[30] Luis Vidales, "Ya había nadaístas en 1922", *Encuentro Liberal*, Bogotá, No. 14, julio 29 de 1967, p. 26.

[31] Luis Vidales, *Suenan timbres*. Bogotá: Editorial Minerva, 1926, pp. 17-19.

[32] *Ibíd.*, p. 20-22.

[33] Luis C. López, *ob. cit.*, p. 34.

Por el cielo amarilloso
de linterna
pasan las nubes colombianas.
Y cómo se las nota que no habían ensayado antes.[34]

A De Greiff, en cambio, no le resultaba simpática la máquina. El único poema en que se aventura a considerarla nos permite confirmar que era un hombre al que había dejado atrás el inicio de la era industrial en Colombia. Por supuesto, no se puede ignorar el humor que respira su "Facecia" y especialmente eso de la "juvenil pose trivial" que se menciona de sesgo como para que el poeta quede a salvo. Así juzgó De Greiff la máquina, en poema de 1920:

Oh tropical
ferrocarril,
fruto del mal
ingenieril!

A mi senil
gusto ancestral,
(o juvenil
"pose" trivial)

aporta tedio
y atroz neurosis
tu maquinaria!

[34] Si se comparan Vidales y el Tuerto López, es de subrayar una característica que no ha sido considerada por los analistas y es el desenfado y audacia de algunas de las metáforas del cartagenero. Desde "La noche se avecina / bostezando" de "Tierra caliente", incluido en *De mi villorio*, 1906 (*ob. cit*., p. 15), hasta "llora una nube de latón" de "Misantrópica tarde", incluido en *Por el atajo*, 1924 (*ob. cit*., p. 126), el humor que se desprende de tales asociaciones se emparenta con las greguerías de Ramón Gómez de la Serna, adelantándose el colombiano en varios años al español. En el libro de 1924 mencionado antes, conociendo López las licencias de los vanguardistas europeos que publicaba *Voces*, época en que nuestro autor estaba residenciado en Barranquilla, encontramos versos como estos: "una brutal motocicleta / y un H.P. 57" o "lo da por 5$" (*ob. cit*., p. 109-110). A estos dos ejemplos cabe agregar "mi diestra / cabalísticamente / pondrá en el aire así como una &..." que hallamos en "Salutación" (*ob. cit*., p. 132). Dejo a los greiffólogos la correspondencia que puede haber entre el poeta cartagenero y el poeta antioqueño en "Para Vuesa Merced", incluido en *Por el atajo*, cuyo primer cuarteto dice: "Pesia mí que non porto sino dieta / para Vuesa Merced. Alguien me fizo / bachiller, zascandil, anacoreta, / dándole y mí yantar poco chorizo" (*ob. cit*., p. 122).

Un buen remedio!
La ferroviaria
descarrilosis![35]

Como visión de la contemporaneidad, esta "Facecia" no superaba la "Canción moderna" de Luis Tablanca, en la que el poeta santandereano cantó con candidez:

Negra y potente locomotora
que rauda vuelas, dominadora
de monte y valles, roturadora
de las entrañas del porvenir,
pronto, despierta mi pobre aldea
que al pie del alto monte blanquea
en un letargo que ya es morir.[36]

Tablanca sí asumía el cambio que la máquina podía introducir, pero lo celebraba con un lenguaje tradicional y rezagado.

De Greiff compiló y publicó sus primeros poemas en el libro *Tergiversaciones. Primer Mamotreto*, que vio la luz en 1925. Vidales hizo otro tanto y publicó *Suenan Timbres* en 1926. Ambos poetas le dedicaron sendos poemas a Ramón Vinyes en reconocimiento a su labor de crítico, traductor y divulgador. En 1925, estos tres escritores —que de una u otra manera podemos asociar a las vanguardias literarias— confluyeron en la revista que los hermanos Lleras Camargo lanzaron en Bogotá con el nombre de *Los Nuevos*. De Greiff y Vidales figuraron entre los miembros de la directiva y Vinyes como simple colaborador ya que vivía en Barranquilla. *Los Nuevos* no pasó de la quinta entrega y, sin embargo, le dio su nombre al grupo que reunieron sus páginas, entre los que cabe destacar los nombres de Manuel García Herreros, Jorge Zalamea y Rafael Maya.

Con excepción de Rafael Maya, los nuevos simpatizaban con las tesis socialistas revolucionarias. El impacto mundial de la revolución rusa de 1917 estaba intacto aún. A esto se agregaron acontecimientos internos tales como las primeras agitaciones obreras en la lucha por conquistar el derecho no reconocido a la organización sindical, la apertura al socialismo que en 1922 encarnó Benjamín Herrera como candidato a la presidencia del partido liberal y la publicación en 1924 de *Las ideas socialistas en Colombia* de Jorge Eliécer Gaitán. El primer editorial de *Los Nuevos* es claro al respecto: "podemos decir que hay pensamiento nuevo cuando las fórmulas buscadas para el bienestar social o político de una nación no llenan todas las aspi-

[35] León de Greiff, *ob. cit*., p. 18.

[36] Luis Tablanca, "Canción moderna", *Correo del Cauca. Suplemento Literario*, Cali, tomo I, No. 39-1445, mayo 17 de 1914, p. 310.

raciones colectivas y cuando el sentimiento nacional empieza a orientarse hacia otros rumbos".[37] Los otros rumbos eran los del socialismo revolucionario.

El sentimiento de los jóvenes escritores no estaba divorciado de la realidad que vivían y por eso trataron de encontrarle alternativas al trabajo literario, que aspiraban a deslindar de la acuciosa vigilancia que ejercía la Academia Colombiana de la Lengua. "La Revista, por si misma, no tendrá orientación ni carácter alguno", continuaba diciendo contradictoriamente el editorial de *Los Nuevos*, para señalar al final que se quería "contribuir a desatar una gran corriente de carácter netamente ideológico en el país". Cabe destacar aquí la gran influencia que en su generación llegó a tener Luis Tejada, muerto en 1924 a los 26 años de edad, a quien el partido comunista colombiano ha exaltado siempre como "el primero de los intelectuales colombianos que se hizo comunista y que consecuentemente con ello, supo servir abnegadamente al movimiento obrero"[38]. Luis Vidales reconoció que Tejada lo llevó a concebir de otro modo la poesía porque Tejada, al tiempo que se declaraba leninista, "alzó cátedra contra la poesía vieja, la rima, la retórica e incitó al mundo de la sorpresa y el misterio". Agrega Vidales: "Yo no necesitaba más. Arrojé el utillaje poético que me aprisionaba y solté la vena espontánea, a todo cuanto diera la libertad creadora. Ello ocurrió en 1921-22".[39] Nunca antes, en Colombia, un cambio de lenguaje en la literatura había estado tan a tono con la causa popular. La corrección lingüística que distinguía a los dirigentes políticos al escribir en los periódicos y al hablar en la plaza pública era una virtud de estirpe académica que le inspiró, a los osados arquilóquidas, la carta dirigida al Secretario de la Academia Colombiana de la Lengua que decía:

> Habiendo emprendido este grupo la grata labor de limpiar el agro intelectual de amorreos, cananeos y filisteos, y sabiendo, por referencias, que ese cuerpo conserva los más célebres fósiles, agradeceríamos a usted nos enviara una lista de tan 'ilustres desconocidos'. Tiene esta solicitud el objeto de conocer los nombres de los individuos que componen ese asilo de inválidos mentales, muchos de los cuales serán empalados y estrangulados sin misericordia.[40]

Rafael Maya (futuro académico) publicó en 1926 *La vida en la sombra*, una colección de poemas novedosos en cuanto a la forma pero sumamente tradicionales en el contenido, de corte conservador y católico. Maya era el polo opuesto de Vidales y del grupo que impulsaba la revista *Los Nuevos*, aunque por una cuestión

---

[37] *Los Nuevos*, Bogotá, No. 1, junio 6 de 1925, p. 1.

[38] *Treinta años de lucha del partido comunista de Colombia*. [Bogotá]: Ediciones Los Comuneros, s. d. [1960], p. 12.

[39] Luis Vidales, "Ya había nadaístas en 1922", *ob. cit.*, p. 26.

[40] "Los Arquilókidas a la Academia", *La República*, 26 de junio de 1922.

generacional más que de ideas figurara en una directiva que carecía de homogeneidad y que por lo mismo era propicia a la contradicción y a cambios de opinión que los años acentuaron. "Ser iconoclasta en 1926, tras la época más revolucionaria que haya vivido en su lenta evolución el planeta, es una pose inofensiva que a lo más sorprende a los pobres de espíritu e inquieta epidérmicamente a los respetables miembros de las asociaciones agrícolas e industriales que empiezan a surgir", escribió el director de *Los Nuevos*, Felipe Lleras Camargo,[41] reclamando tomas de posición partidaria en consonancia con el momento político. Pero ¿qué partido tomar si los llamados nuevos no coincidían ni en su concepción de la literatura?

Si Alberto Lleras Camargo llegó a asegurar que Guillermo Valencia era "la más bella sorpresa de nuestro paisaje intelectual",[42] al mismo tiempo reconoció con entusiasmo que *Suenan timbres* de Vidales era un libro extraordinario, cuyo contenido supo analizar con innegable agudeza en función de su correspondencia con las vivencias del autor: "Vidales ve una por una, como en un desfile cinematográfico, las caras de todos los que tienen algo que ver con él, en el Banco, en la calle, en la vida de café".[43] Si Jorge Zalamea apreció el libro de Vidales por ser el "que más hace pensar de los publicados en el último lustro",[44] por otra parte juzgó que "los poemas de Rafael Maya indican la ruta que se debe seguir para lograr la purificación en el seno de las formas".[45] Zalamea coincidía en líneas generales con Silvio Villegas, jefe político conservador que definió a Rafael Maya como un escritor que se oponía a "la estética nueva, [esa] que afirma una libertad silvestre en el arte" e incluso explicó que el joven poeta de Popayán entendía "la poesía como un desenvolvimiento del orden".[46] Villegas hacía suya la más desaforada y agresiva de las críticas que se le hicieron a Vidales, debida a Antonio José Restrepo, para quien *Suenan timbres* era el ripio clásico, "es decir, ausencia total de rima", particularidad que el escritor y académico consideró como "la nada emborronando en negro hojas blancas".[47] Desde el principio, Maya encarnó la respuesta que el orden tradicional le oponía al supuesto caos vanguardista, de donde se deduce que, a

---

[41] Felipe Lleras Camargo, "La generación precentenaria", *Lecturas Dominicales*, Bogotá, No. 158, julio 18 de 1926, p. 119.

[42] "Una hora con Alberto Lleras Camargo", *Lecturas Dominicales*, No. 164, agosto 29 de 1926, p. 211.

[43] Alberto Lleras Camargo, "*Suenan timbres* y las distinciones específicas de una generación", *Lecturas Dominicales*, No. 149, abril 11 de 1926, pp. 75-76.

[44] Jorge Zalamea, "*Suenan timbres*, poemas de Luis Vidales", *Lecturas Dominicales*, No. 160, agosto 1 de 1926, p. 155.

[45] Jorge Zalamea, "La literatura colombiana contemporánea", *Lecturas Dominicales*, No. 164, agosto 29 de 1926, p. 214.

[46] Silvio Villegas, *Ejercicios espirituales*. Bogotá: Publicaciones de la Revista Universidad, MCMXXIX, p. 145.

[47] "Una hora con Antonio Gómez Restrepo", *Lecturas Dominicales*, No. 131, noviembre 15 de 1925, p. 82.

pesar de haber sido llamado a colaborar en *Los Nuevos*, el autor de *La vida en la sombra* aborrecía los cambios que el siglo XX estaba introduciendo. La "Rosa Mecánica"[48] de Maya, incluida en la compilación *Después del silencio* (1930-1936), prueba que si el poeta no aceptaba las consecuencias de la industrialización y consiguiente proletarización del país, al menos sí comprendía lo que significaba. Su rosa poseía un mecanismo tal que hacía, del autor, un reaccionario.

La oposición a las concepciones de vanguardia estuvo latente en la revista *Los Nuevos*, así que no hubo que esperar el surgimiento de los piedracielistas, una década después, para que se materializara el retorno a la compostura poética.[49] Ese retorno se logró a pesar de la agresividad mal educada, típica de los desplantes de Vidales, que empleó Alberto Lleras Camargo en su polémica con Armando Solano, a quien le espetó, enjuiciando con severidad a los escritores de la generación del centenario, lo siguiente:

> entre toda su obra encontramos cosas eminentemente deplorables y desgraciadamente no deploradas por ustedes. Y por eso hemos resuelto hablar claro [...]. Han perdonado todo, y han aplaudido cualquier acto de un miembro de su generación *con una lascivia que nos escandaliza*! Por todas partes el ditirambo hiperbólico, hinchado, sin respetar nada. Y para eso, desgraciadamente se han servido ustedes de las prensas que tienen a su disposición. Desgraciadamente porque esas prensas son hábilmente dirigidas y porque hábilmente dirigen la opinión del país.[50]

El ímpetu juvenil de quien fue Presidente de Colombia en dos ocasiones, de 1945 a 1946 y de 1958 a 1962, concluyó con esta afiebrada frase de corte nadaísta: "Seríamos incapaces, y así lo confesamos, de hablar en un veinte de julio" (fecha en que se conmemora la Independencia nacional). Con el pretexto de la literatura se libraban escaramuzas que reflejaban el dilema interno del partido liberal, abocado a escoger entre el tradicionalismo y el socialismo en la conducción de su partido. La suerte de los vanguardistas estaba echada porque iba a triunfar el tradicionalismo. En una manifestación como la literatura, que no está al margen de los avatares ideológicos, los brotes de insurgencia no alcanzaron a llegar lejos.

Cuando Felipe Lleras Camargo explicó las razones por las cuales su revista había desaparecido, la comparó con revistas colombianas tales como *Revista Contemporánea*, *Revista Moderna* y *Cultura*, y expresó con elocuencia:

---

[48] Rafael Maya, *Obra poética*. Bogotá: Ediciones de la Revista Ximénez de Quesada, 1972, pp. 201-216.

[49] Al respecto consideró Luis Vidales: "Juan Lozano [y Lozano] es muy claro: saludó a Piedra y Cielo como una restitución de la decencia poética de la patria". Véase Álvaro Medina, "De nuevo Luis Vidales", *Punto Rojo*, Bogotá, No. 2, febrero-marzo de 1975, p. 11.

[50] Alberto Lleras Camargo, "Epístola alrededor de una polémica de generaciones", *Los Nuevos*, No. 4, julio de 1925, pp. 131-135.

> *Los Nuevos* tuvo una vida mucho más corta, dado el carácter revolucionario que la definió desde el primer momento. Porque ha de saber usted que este medio es absolutamente impropicio para el revolucionarismo, aunque se presente con caracteres eminentemente líricos y tan inofensivos como los que ofreció el combativo grupo que integraba.[51]

La idea de que la literatura no es tan inofensiva como podría creerse la compartía Armando Solano, el antagonista del grupo, al decir: "Solamente nuestra raza, que conserva la idea religiosa del amor, [...] no transigiría nunca con el liviano amor del 'cabaret', ni cambiará el claro de luna por el resplandor de los reflectores eléctricos".[52] Solano era apenas siete años mayor que De Greiff. El poeta Rafael Maya, que era dos años menor que el mismo De Greiff, respaldó el argumento de Solano dos décadas después, al enfatizar: "hay un buen sentido nacional que rechaza lo extravagante y arbitrario, y en cambio acepta lo que es producto de una sensata evolución".[53] En este caso era igualmente extravagante y arbitraria la tesis socialista que la nueva generación venía impulsando.

Para Maya, las nuevas estéticas que surgieron con el siglo, tratándose de las artes visuales, no eran sino "torpeza plástica, hasta llegar a la creación de figuras embotadas, con evidente expresión animal", definición que desautorizaba de plano el trabajo que desde mucho antes adelantaban pintores negados al realismo retinal como Andrés de Santa María, Roberto Páramo y Alfonso González Camargo, pero sobre todo el trabajo de los artistas que en los años veinte estaban apenas surgiendo, pioneros en su campo de la tímida modernidad colombiana, entre los que cabe mencionar a Pepe Mexía, Pedro Nel Gómez, Rómulo Rozo y Jorge Franklin.[54] Con tales criterios, en el caso de la literatura vanguardista, Rafael Maya veía "incongruencia subjetiva y predominio de la metáfora por sí misma, como juego de analogías sin ninguna correspondencia con el mundo real", actitud que terminó resumiendo en una sola palabra: "deshumanización".[55]

---

[51] Noel Amacorva, "Una hora con Felipe Lleras Camargo", *Lecturas Dominicales*, No. 160, agosto 11 de 1926, p. 146.

[52] Armando Solano, *Sus mejores prosas*. Bogotá: Selección Samper Ortega de Literatura Colombiana/Editorial Minerva, 1935, pp. 40-41.

[53] Rafael Maya, *Consideraciones críticas sobre la literatura colombiana*. Bogotá: Editorial de la Librería Voluntad, MCMLIV, p. 52.

[54] *Ibíd.*, p. 120. Francisco A. Cano, el pintor colombiano de más prestigio en la época, decía tener una "gran confianza en Gonzalo Camargo" porque era "de una modestia enorme, era tenaz, y aunque al público no le gustaba lo que él producía, seguía trabajando". De Pepe Mexía confesó Cano: "No lo entiendo. Soy capaz muchas veces de entender sus dibujos. Unos sí, pero otros no. El dadaísmo, el cubismo, me los explico, y no me gustan. Pepe Mexía no me lo explico". (Véase "Una hora con Francisco A. Cano", *Lecturas Dominicales*, No. 135, diciembre 13 de 1925, pp. 147-148). Pepe Mexía es uno de los contados amigos a los que Luis Vidales les dedica poemas en *Suenan timbres*.

[55] Rafael Maya, *Ibíd.*, pp. 120-121.

La reacción de Maya era el reflejo de un medio social que se opuso a la aventura vanguardista. Luis Vidales fue claro, aunque exagerado y vengativo, al recordar que "Bogotá no llegaba a los 300 mil habitantes, no había teatro, no había cine, no había fútbol, no había servicio de noticias al exterior, no había autos, los transportes eran el tren, el tranvía de mulas, la parihuela, los guandos; y la tapicería eran esteras de esparto".[56] Aunque el crecimiento industrial de los años veinte fue el segundo impulso notable que en su desarrollo conoció Colombia, el país no dejó de ser agrario. En 1944 se discutía aún la influencia que la infraestructura industrial podía ejercer en la cultura colombiana. Juan Friede criticó una pintura de Carlos Correa titulada "Maquinismo" en estos términos: "Una obra de arte cristaliza la conciencia social y no existe esta conciencia referente a la máquina en Colombia. Esta no juega un papel importante en la vida del pueblo. El proletariado manufacturero es apenas naciente; la industria es rudimentaria". Friede llegó a la conclusión de que el maquinismo no podía "inspirar aquí, en Colombia, una verdadera obra de arte".[57]

Manuel García Herreros, a quien hay que rescatar y poner en la lista de nuestros críticos literarios importantes junto a Eduardo Castillo, Ramón Vinyes, Enrique Restrepo, Luis Alzate Noreña y Hernando Téllez, tuvo el acierto de saber definir el freno que contuvo a los vanguardistas colombianos. En lúcida nota, después de hacer un recuento de los movimientos poéticos que habían tenido lugar desde Baudelaire hasta el surrealismo, García Herreros recordó que en el sur del continente sí habían prendido las nuevas concepciones estéticas. "Esos países", dijo, "si no han creado escuelas, han seguido casi paralelamente los movimientos artísticos de Europa, han procurado tener al día su cultura". Explicó más adelante: "No simple traslación, artificio, pastiche. La poesía maquinista o mecánica, p. ej., tuvo devotos numerosos en Argentina. No por necia imitación, sino por emociones directamente recibidas". García Herreros concluyó con un toque ingenuo y angustioso —inevitable en quien era partidario de un vanguardismo ya definitivamente frustrado—, formulando esta pregunta: "Es que allí no hay aeroplanos, radios, motores?".[58]

El golpe de gracia a la rebelión que se intentó, truncada en cuanto no maduró en obras definitivas, lo dio el propio Luis Vidales, el vanguardista colombiano por excelencia, al declarar a su regreso de Francia en 1929: "Después de los movimientos *tendenciosos* de los primeros años de la postguerra, que hoy sólo en Suramérica subsisten, las nuevas generaciones se han enquistado por completo y en todas partes de Europa se advierte un retorno al clasicismo".[59] La nueva y sorprendente actitud de Vidales tenía un asidero en el llamado al orden que formuló André Gide en el

---

[56] Álvaro Medina, *ob. cit.*, p. 9.

[57] Juan Friede, *El pintor Carlos Correa*. Bogotá: Ediciones Espiral, 1945, p. 41.

[58] Manuel García Herreros, "La letras en Colombia", *Los Nuevos*, No. 4, julio de 1925, p. 118.

[59] "Los conceptos de Luis Vidales sobre la actual cultura de Europa", *8 de Junio*, Bogotá, No. 5, julio 26 de 1929, p. 179. El subrayado es mío: A. M.

París de 1926, pero el calificativo de tendencioso que le endilgó a un movimiento en el que había participado activamente gracias a los consejos de Luis Tejada no era nada feliz. Como los ultraístas españoles y argentinos, como los estridentistas mexicanos, como Nicolás Guillén en Cuba y como el vanguardista tránsfuga Hipólito Pereyra, Luis Vidales abjuró públicamente de su pasado poético a pesar de haber sido el único colombiano incluido en el notable *Índice de la nueva poesía americana* de Huidobro, Borges e Hidalgo. La neutralización de las vanguardias fue un fenómeno que abarcó a toda América Latina y se expresó en la manera acelerada como la casi totalidad de los poetas del período se replantearon estética y temáticamente. De los surgidos en la década de los años diez, los únicos en seguir siendo fieles a sí mismos fueron Vicente Huidobro y León de Greiff.[60]

René Uribe Ferrer ha afirmado que De Greiff no fue vanguardista ya que escribió una poesía sentimental cuya oscuridad no parte de lo onírico como en los surrealistas ni participa del "atrevimiento y dislocación metafóricas del ultraísmo o creacionismo". Las "metáforas e imágenes" de De Greiff, subraya el autor, "no se apartan fundamentalmente de la tradición inmediata".[61] Uribe Ferrer define el vanguardismo que se intentó en nuestro medio, por la manera como éste se manifestó en Europa o entre sus repetidores en América Latina. Me parece que su definición es mimetizante. Si volvemos al debate ideológico que tuvo lugar en los campos del arte y la literatura durante los años veinte, no es difícil ver que el lenguaje se usaba y vigilaba con celo por ser un instrumento al servicio de las clases dominantes, aspecto que entendieron bien los arquilóquidas. Al violarlo en todas sus formas y someterlo a las fiebres de su imaginación y no al revés, es indudable que León de Greiff puede ser considerado —desde cierto ángulo— como un vanguardista único y solitario, aunque no amara la máquina ni sorprendiera con metáforas insólitas. Prueba de ello es su libro grandioso, de prosa joyceana antes de la publicación del *Ulises*, que León de Greiff escribió entre 1918 y 1925 y publicó en 1936 con el título de *Prosas de Gaspar. Tercer mamotreto*, que Uribe Ferrer considera obra menor.

El antimodernismo que practicó De Greiff (particularidad vanguardista), mezclando ritmos simbolistas y fantasía seudo modernista, es bastante claro en *Libro de Signos. Segundo mamotreto* (1928). En un poema de este volumen, "Farsa de los pingüinos peripatéticos",[62] De Greiff logró describir irónicamente la situación general de una poesía que, según García Herreros, era "tan atrasada, tan abiertamente

---

[60] A pesar de las declaraciones de 1929, Luis Vidales ha permanecido en las filas vanguardistas como pudimos comprobarlo en la lectura que hizo en un Lunes Poético organizado por *Punto Rojo*, pero desde *Suenan timbres* no ha vuelto a publicar un libro de poemas. Consigno este dato para hacerle justicia. (Nota de 1975.)

[61] René Uribe Ferrer, *Modernismo y poesía contemporánea*. Medellín: Ediciones La Tertulia, 1962, pp. 142-143.

[62] León de Greiff, *ob. cit.*, pp. 103-124.

reñida con la época, como la poesía colombiana".[63] El greiffiano y largo poema se inicia en el Polo Norte, "monótona planicie / suavemente convexa / monótona, y vestida / de un blanco sucio, de una gris hopalanda" (p. 105 de *Obras completas*). En el remoto paraje aparece una "caravana / de pingüinos poetas / peripatéticos, / de pingüinos poetas / peripatéticos, / de pingüinos burgueses, filisteos, / filistinos, / de pingüinos Orfeos / superfinos, / de pingüinos solemnes y letales, / de pingüinos filósofos pollinos / —con perdón de tan sabios animales, / de pingüinos ascetas, / de pingüinos estetas / explinépticos, / y de pingüinos críticos sintéticos, / críticos analíticos, / paralíticos / críticos" (p. 106). De la tal caravana de "pájaros bobos! (con excepciones)" (p. 108) surgen "los siete / poetas, panidas / pingüinos, / (que andan mal de fondos / pero van orondos / sin dárseles nada", que van "modulando trenos / o trinos, / sin Rey, sin banderas y sin Capitán!" (p. 112). Y se inicia la "Diatriba imprecante" en la que un pingüino panida le pide a sus compañeros: "Digamos un verso / para el Búho Sabio, Silente y Abstruso, / Cifra Solitaria / de Muda Plegaria, / Lucífago Búho de mirar inverso, / de exótica risa, de canto confuso" (p. 113). Sigue a continuación una serie de rondas que interrumpe "un magro pingüino / frenético / que profesaba ideas de rutina. / Y desátase / —en oratoria asmática— / con un luengo discurso anodino" (p. 114). Intervienen varios de los pingüinos poetas tradicionales hasta que aparecen "El Cuervo de Poe" y "El Búho", se produce un "Silencio" y "todo se ilumina / de luz azulina" (p. 116) para que comience la gran marcha de pingüinos que "abandona la selva de los pinos / y sigue hacia los trópicos. / (En el itinerario / trátase de alguna incursión por Ecbatana / —a lomo de dromedario—; / pero de aqueste viaje y otros tópicos / no me dijeron nada los pingüinos)" (p. 117). Es bastante claro que la aludida migración al trópico es un símbolo de la búsqueda de un lenguaje y de una identidad nacional, pero la discusión continúa en la ruta y nos enteramos que "doctorales ergotan los pingüinos: / con acopio de citas en Latín, Griego, / Siro-Caldáico, / [...] / y según el difuso / sutilizar arcaico, / sutilizar profuso / el uso prosaico / y en desuso" (p. 122). La farsa concluye narrando que "ante la kilométrica / perspectiva filosófica" los pingüinos poetas "huyeron hacia el Polo / —Norte o Sur, yo no sé— / y huyeron hacia el polo / [...] Y yo me quedé solo" (p. 124).

"Farsa de los pingüinos peripatéticos" está fechada de la siguiente manera: Medellín-1915, Bogotá-1923 y Bolombolo-1926. Doy por sentado que en las correcciones y posibles adiciones de 1923 y 1926 involucró De Greiff el debate que se estaba dando y el fracaso de *Los Nuevos*. En fecha temprana intuyó De Greiff que era un solitario, que su programa poético era rechazado por los intelectuales pingüínicos que no comprendían su concepción porque ésta se nutría de sus vivencias y rechazaba una tradición que oscilaba entre lo seudo helenístico y lo seudo hispáni-

[63] Manuel García Herreros, *Ibíd.*, p. 119.

co. Es de destacar que los símbolos y el ritmo de la farsa parodian al Guillermo Valencia de "Palemón el Estilita", con la caravana, el desierto-Polo, la referencia a Ecbatana y la seducción final, seducción que incita a nuestros poetas a abandonar la ardua disciplina de la autenticidad (el ascetismo de Palemón el Estilita) y a preferir "el paisaje ahusado de los pinos". No solamente por lo que significa como testimonio de un debate intelectual sino por su estructura imaginativa y versátil, el de De Greiff es uno de los poemas grandiosos que se han escrito en Colombia.

La estampida de pingüinos que concibió De Greiff no niega que el movimiento vanguardista dejara huella. Con el programa de cambio que intentaron y parcialmente lograron los jóvenes, la poesía no pudo seguir añorando la pegajosa rítmica de Rubén Darío. En cuanto a Colombia, sometida a la agitación de los movimientos obreros y estudiantiles que tuvieron lugar a fines de los años veinte, en 1930 se puso fin a la hegemonía política del partido conservador, en el poder desde 1885. No es de ningún modo casual que la de los vanguardistas hubiera sido la primera generación que en contingentes importantes se unió a la lucha política que encarnaron socialistas revolucionarias como Ángel María Cano, Ignacio Torres Giraldo y María Cano, dirigentes sindicales que se destacaron en las huelgas que a finales de los años veinte y comienzos de los treinta protagonizaron los ferroviarios, los trabajadores del petróleo y los campesinos proletarizados de la zona bananera.

En la ya citada entrevista de Noel Amarcova a Felipe Lleras Camargo, el director de *Los Nuevos* fue enfático al afirmar que "un partido de izquierda, ideológicamente revolucionario y esencialmente popular, es una necesidad inaplazable". Su hermano Alberto le escribió una carta abierta a una amiga burguesa en la que declaraba: "para mis ideas revolucionarias, que califica usted de repugnantes, usted no es más que lo que llaman los franceses un 'bien inútil', un elemento decorativo, un artículo de lujo, que merece, dentro de mi filosofía económica, el castigo de un impuesto prohibitivo".[64] Los hermanos Lleras Camargo y casi todos los miembros del grupo, se entregaron después al más tibio conformismo liberal. Otros, como Luis Vidales, permanecieron incólumes en sus posiciones políticas. En el flujo y reflujo de las contradicciones dialécticas, no es que estuvieran tan verdes las uvas aunque los poetas no hubieran podido comérselas todas.

Este estudio fue publicado originalmente en la revista *Punto Rojo*, Bogotá, No. 4, junio-julio de 1975. La presente es una versión corregida y aumentada por el autor en enero de 1998.
Álvaro Medina es profesor de la Universidad Nacional de Colombia, Bogotá (almedina@cable.net.co).

[64] Alberto Lleras Camargo, "Epistolario frívolo. La inmoralidad del invierno", *Universidad*, Bogotá, No. 42, 13 de agosto de 1927.

Gilberto Loaiza Cano

Los Arquilókidas (1922)

Hasta ahora no ha sido afortunado reducir el fenómeno cultural en que intervino el grupo o generación de Los Nuevos a los días de aparición de la revista del mismo nombre en junio de 1925. Eso solamente logró estrechar la perspectiva para comprender un proceso cultural rico en matices y que cubrió un periodo histórico más o menos preciso. El desconocimiento de ese proceso ha conducido al lamentable equívoco de considerar las palabras editoriales del primer número de la mencionada revista como una declaración fundacional. Pero, precisamente, para 1925 el proceso protagonizado por Los Nuevos estaba expresando su agonía y ya conocía, en voz de algunos miembros de ese grupo, el acta de defunción histórica. De tal modo que circunscribirnos a los cuatro números de la revista, sólo serviría para culminar en los lánguidos juicios acerca de lo que fue la vanguardia en Colombia: "Los Nuevos fueron simplemente un fenómeno de la vida literaria";[1] su aporte intelectual estuvo "reducido a la lírica".[2]

No se nos ocurre pensar que nuestros críticos desconozcan la existencia de, por ejemplo, las revistas *Panida* y *Voces*; pero quizás poca importancia le han concedido a la efímera pero significativa escritura crítica que se aglutinó en el periódico *El Sol* de Bogotá o a momentos de activismo iconoclasta, como el de Los Arquilókidas en 1922. Y más posible aún es que no hayan encontrado relación alguna en cada uno de estos instantes de manifestación de una tendencia cultural no ajena a las expresiones típicas de las vanguardias.

Aunque no tuvo el vigor ni las dimensiones de la vanguardia en Europa o en otros países de América Latina, aunque careció de figuras cosmopolitas semejantes

---

[1] Rafael Gutiérrez Girardot dice: "Los Nuevos fueron simplemente un fenómeno de la vida literaria (el de los grupos de escritores) semejante al de El Mosaico en el siglo pasado y al de la Gruta Simbólica en los comienzos del presente". Más adelante afirma: "Los Nuevos no lograron demoler esa sociedad. Pero algunos de ellos la pusieron en tela de juicio: León de Greiff, Luis Vidales y Luis Tejada [...] Lo hicieron como hacia 1900 lo habían practicado los últimos bohemios en Europa: con la desafiante intención de *épater le bourgeois*". En su colaboración al tomo III del *Manual de historia de Colombia*. Bogotá: Procultura-Colcultura, 1984, pp. 488-494.

[2] Diógenes Fajardo, estudiando la obra poética de Los Nuevos y refiriéndose a las obras de León de Greiff y Luis Vidales, además asegura: "En síntesis, no hay grupo vanguardista en Colombia, como sí lo hubo en otros países latinoamericanos. Pero sí hay obras que representan la vanguardia silvestremente, sin influencia directa de las vanguardias europeas". En *Historia de la poesía colombiana*. Bogotá: Fundación Casa de Poesía Silva, 1991, pp. 268-275.

a un Oliverio Girondo en Argentina o un Oswald de Andrade en Brasil y aunque, seguramente, tampoco corresponda a plenitud con las teorías que han sido construidas a partir de movimientos considerados paradigmáticos, nuestro movimiento no fue tan *sui generis* como para no compartir muchos de los rasgos que suelen identificar a las vanguardias. Por eso encontramos en el vanguardismo colombiano el antagonismo generacional que desemboca en el nihilismo; el rechazo a la tradición y la consecuente exaltación de lo original y lo nuevo; la oposición a la institución arte como signo de normatividad y autoritarismo.[3] También vivió estados de enunciación de proyectos ético-estéticos, a través de profesiones de fe individuales o de manifiestos colectivos, como el del grupo Los Arquilókidas.

Fue, tal vez, el grupo de Los Arquilókidas el primer intento colectivo de ejercicio pleno del libre examen y, seguramente, el más vigoroso rechazo ético y estético al universo intelectual que precedía a la generación nueva. Fue el punto de congregación de los jóvenes vanguardistas, sobre todo de aquellos que compartían un antipasatismo a ultranza y que individualmente ya venían formulando su propósito de edificar una nueva actitud intelectual. De esa manera se llegó a esta heterogénea mezcla: León de Greiff, Luis Tejada, Silvio Villegas, Hernando de la Calle, Ricardo Rendón, Rafael Maya, José Umaña Bernal, José Camacho Carreño, Juan Lozano y Lozano, entre otros.

Sí, ideológicamente heterogénea, puesto que reunía a un futuro líder del nacionalismo de derecha, Silvio Villegas, y a quien sería el momentáneo jefe de la nueva intelectualidad socialista, Luis Tejada. Sin compartir la misma audacia, todos tenían en común el hecho de haber iniciado un camino de renovación crítica y literaria. Villegas había dado sus primeros pasos en el periodismo saludando la desconcertante obra poética de León de Greiff.[4] Muchos de ellos ofrecían una obra que había madurado en la misma medida en que el país adquiría una fisonomía más moderna y tomaba consistencia una clase media urbana ávida de participación en los asuntos de la política y la cultura. Era el caso, por ejemplo, de la obra del caricaturista Ricardo Rendón, quien al lado de Tejada estaba recogiendo las palpitaciones de la opinión pública, hiriendo prejuicios y creencias tradicionales, traduciendo en risa y en burla la irreverencia con que empezaba a ser vista la hegemonía conservadora.

---

[3] Entre los tantos libros que pueden ayudar a tener una idea amplia del vanguardismo, insinuamos éstos: *La Estética de la Cultura Moderna* de Simón Marchán Fiz, Barcelona: Editorial Gustavo Gili, 1982; Peter Bürger, *Teoría de la vanguardia*. Barcelona: Ediciones Península, 1987; Renato Poggioli, *Teoría del arte de vanguardia*. Madrid: Revista de Occidente, 1964; Rafael Gutiérrez Girardot, *Modernismo, supuestos históricos y culturales*. México, D. F.: Fondo de Cultura Económica, 1988.

[4] "Siento una inquietud al iniciarme en esta página, no por los que hayan de leerme, la mayoría de los cuales desconoce o desdeña la obra artística de León de Greiff", decía el joven Silvio Villegas en sus primeros apuntes de crítica literaria en *El Correo Liberal*, septiembre 15 de 1921.

Los Arquilókidas fueron una neta y transitoria unidad generacional que se dispuso a atacar sin misericordia a la generación centenarista. Pero unidad débil y fugaz que, en los momentos de más agudo enfrentamiento, se sumió en silencios y vacilaciones hasta permitir el triunfo de la censura.

A propósito de la censura, Los Arquilókidas disfrutaron de la generosa recepción en las páginas del diario *La República* y sus "Archilokias" fueron publicadas allí desde junio 23 hasta julio 19 de 1922. No era la primera ni la última vez que este periódico difundía textos ignorados por los más influyentes diarios liberales. En *La República* aparecieron manifiestos de la juventud liberal independiente que se sentía insatisfecha con los rumbos ideológicos de su partido. Justamente, uno de esos manifiestos había circulado como hoja suelta firmada por Germán Arciniegas, Luis Tejada, Clemente Manuel Zabala y otros nombres inconformes con los preparativos de la Convención de lbagué. Cuando *La República* decidió publicar esa hoja suelta, la presentó precedida del siguiente interrogante: "¿Por qué no se publicó ni ha sido comentada en los diarios de su propio partido?"[5] También aparecieron en el mencionado diario discursos de dirigentes socialistas que no encontraban eco en otras publicaciones. Uno de esos dirigentes, Francisco de Heredia, reconocería que, aparte de la tolerancia habitual de *El Espectador*, las ideas socialistas contaron con la hospitalidad de *La República*. En lo que concierne a la aparición de las atrevidas "Archilokias", la hospitalidad del diario surgido del espíritu republicano de las primeras décadas del siglo contrastó con el silencio de *El Espectador* y con la agresividad que asumió la impugnada generación del Centenario desde las páginas de *El Tiempo*.[6]

Los Arquilókidas desearon destruir el pasado a base de insultos y señalamientos, porque no creían posible "tratar a nuestra barbarie literaria con vocablos cariciosos".[7] Hablaron en contra del filisteísmo, desdeñaron el "ajeno sentir", "la opinión pública" y "las normas estéticas". En sus "comprimidos de revaluación crítica" dijeron del poeta Ricardo Nieto que era "deleite de señoritas menopáusicas". Al cronista Quijano Mantilla le adjudicaron la conquista de "un público de ganaderos". El escritor Tomás Rueda Vargas fue tratado así por uno de sus discípulos: "las gentes le diagnostican talentos ante tres síntomas inequívocos: las gafas, la calvicie y la joroba".[8] Fue esta última agresión la que desató la agria reacción de los centenaristas, a través del maestro Agustín Nieto Caballero, uno de los pioneros en la implantación de la Escuela Activa en Colombia. En carta dirigida al director de *La*

[5] *La República*, Bogotá, junio 19 de 1922.

[6] Según Germán Arciniegas, por entonces dirigente universitario. "La acogida de *La República* se debía a la excentricidad del director". Entrevista anexa a la inédita *Obra completa de Luis Tejada*.

[7] "Carta de Los Arquilókidas", *La República*, julio 4 de 1922.

[8] *La República*, junio 26 de 1922.

República, Nieto Caballero exigía: "¿No convendría, mi querido amigo, que para estas audacias menores de veinte años fijaras en tus columnas ciertos límites?" "No será permitido a ningún Arquilókida o Archiloco", dirías por ejemplo, "atacar aquí a su padre o a su maestro". Esto sería ya un primer paso moralizador.[9]

Transformado en crítica intransigente de aquellos "muchachos blasfemos", el maestro Agustín Nieto Caballero no les perdonó a los jóvenes arquilókidas que comenzaran sus carreras "irrespetándolo todo" y, para descalificar aún más los propósitos desmitificadores de los autores de las "Archilokias", afirmó lo siguiente en un artículo titulado *La juventud extraviada*: "Varios jóvenes inteligentes todos ellos, pero extraviados en su criterio moral por lecturas desordenadas y demasiado copiosas para sus cortos años, pretendieron desde las columnas de *La República* derribar todos nuestros valores espirituales".[10] Por supuesto, hablaba de los valores que distinguían a la generación centenarista.

Estas acerbas críticas crearon desacuerdos entre los seguidores del poeta Archíloko. Después de guardar algunos días de silencio reaparecieron con una frondosa carta muy al estilo de Silvio Villegas, en ella reconocieron su antipasatismo estimulado por escritores como Giovanni Papini. En "La segunda salida de Archíloko", el grupo alcanzó a responder con cierta vitalidad a los cuestionamientos contra su labor trasgresora y definieron el sentido de su crítica revaluadora:

> Los Arquilókidas derivan su nombre del poeta griego Archíloko, inventor del yambo reformador de la métrica clásica, quien limpió de escitas la isla de Paros con libelos enherbolados que ocasionaron el ahorcamiento de varios y el asesinato de su autor. Los trabajos de Archíloko fueron el fruto completo de un juicio previo. El poeta razonaba interiormente; al público le daba la sentencia definitiva; por eso los Arquilókidas no analizan ante la muchedumbre: castigan sencillamente [...] Los Arquilókidas constituyen un grupo de individuos perfectamente responsables de sus juicios y de cada una de sus palabras.[11]

Tenían, pues, un fuerte sustento inspirador de su actividad iconoclasta. Sin embargo, a pesar de haber alcanzado a enunciar el rechazo ético y estético al mundo de sus padres y maestros, la pausa silenciosa que debió sufrir su festín crítico y la efímera permanencia del grupo, terminaron por desnudar las debilidades de nuestra vanguardia para expresarse como generación radicalmente opuesta en valores y en conceptos a la que le precedía.

[9] "En defensa de Tomás Rueda", *La República*, junio 29 de 1922.

[10] *El Tiempo*, Bogotá, julio 9 de 1922.

[11] "La segunda salida de Archíloko", manifiesto que anunció la reaparición del grupo. *La República*, julio 12 de 1922.

Quizás por lo anterior es que valdría la pena destacar ahora el aporte intelectual del escritor Enrique Restrepo a la crítica vanguardista de Luis Tejada y sus coetáneos. Todavía una figura oscura en el panorama de la literatura colombiana, ya había expuesto en la revista *Voces* de Barranquilla la exigencia de una crítica racional y alejada de la superficial idolatría de nombres; también influyó en que se recurriera a la independencia de criterio para hacer el examen de una obra ideológica o literaria. Según él, debía ejercitarse el discernimiento con base en estudios comparativos de la literatura universal. Esta petición de análisis, de riesgo en las ideas lo hace muy cercano a la actitud de un Luis Tejada. Mas para hallar mayor densidad en sus postulados sería necesario acudir a su libro *El tonel de Diógenes o Manual del cínico perfecto* (1925).[12] Si para el ejercicio de la crítica era preciso invocar cierto positivismo o determinado afán racionalista, para la creación artística lo más aconsejable era zafarse de las cadenas de la razón y la ciencia. El dogmatismo de la razón y la ciencia había sido el pilar de la concepción conservadora del arte en Colombia, de ahí que sus voceros más representativos miraran con hostilidad y desprecio cualquier desviación del camino del orden o cualquier extravío “por tendencias nacidas de teorías extrañas al verdadero sentido del arte”.[13] Toda iniciativa individual estaba condenada, cualquier aproximación a las escisiones fecundas del arte moderno trastornaba la visión timorata de los críticos oficiales. Y en pugna con esa visión, Enrique Restrepo formulaba en su libro las tesis que abogaban por amplia libertad en la creación artística:

> Reproducir no es crear: la reproducción mata el espíritu como la creación lo exalta. La reproducción excluye la iniciativa y el temperamento; con ella, la visión y la interpretación de las cosas se extinguen, y la visión y la interpretación son factores esencialísimos del arte.[14]

El tonel de Diógenes también se encargó de reivindicar el cinismo como valor —¿o antivalor?— moral entre la joven vanguardia. Al fin y al cabo, para conquistar

---

[12] Enrique Restrepo (1884-1947) es un escritor que merece un estudio detallado. En medio de la penumbra se logra entrever una familiaridad con el pensamiento de Nietzsche y con el intuicionismo bergsoniano. En uno de los varios ensayos que escribió para la revista *Voces* de Barranquilla, analizó el aporte del filósofo alemán a la juventud intelectual antioqueña. Llama la atención cómo se autodefinió en 1938: “El autor no es centenarista. Pero a medida del andar del tiempo se va haciendo medio centenario y confiesa que no sin repugnancia”. En su libro *Con razón o sin ella*. Bogotá: Editorial La Razón, 1938; p. 38.

[13] Lo decía un crítico conservador que tenía el prejuicio de una belleza tan objetiva como la ciencia: “No hay belleza si no hay armonía, orden y verdad ¿Por qué el arte modernista ha de tener el privilegio de trastocar la razón natural y la ciencia no?”. Rafael Tavera en sus “Notas de arte” para la revista *Cromos*, Bogotá, enero 29 de 1921.

[14] Enrique Restrepo, *El tonel de Diógenes*. Bogotá: Ediciones Colombia, 1925, p. 29.

la originalidad en la expresión artística resultaba necesario ser cínico, provocar y desafiar la moralidad de la institución Arte, atentar contra un universo intelectual sacralizado. El cinismo divulgado por Restrepo era "escepticismo con respecto a cuanto se considera honorífico, a cuanto convencionalmente se poetiza y embellece".[15] Además de tal exaltación, a este escritor y otros promotores del movimiento vanguardista colombiano les correspondió construir valores que sustentaran los cambios en la práctica artística y se opusieran a los valores morales difundidos por la generación del Centenario. Para los jóvenes de vanguardia, y para el propio Restrepo, fue vital el intento de desplazar la poética normativa y autoritaria que hizo equivaler una "escritura correcta" al ascenso en el poder político: ahí estaban vigentes los ejemplos de los presidentes letrados Núñez, Caro y Suárez. Y cuando se concentró, en 1922, un esfuerzo colectivo de la generación nueva por impugnar a la república autoritaria responsable de la esclerosis cultural del país, Restrepo fue tal vez la única voz estimulante que se dejó escuchar para aprobar la corrosiva campaña iconoclasta de los Arquilókidas:

> [E]s tiempo de desengañarnos. Ha llegado el momento de medir y pesar. Cuando la época de la siembra se avecina, y antes de esparcir simiente nueva, urge limpiar el campo de malezas. El que precisa derribar aquí no es, ciertamente, un bosque de árboles caudales: es apenas el matorral espeso de preocupaciones e infundados prestigios.[16]

Los violentos juicios de Los Arquilókidas tuvieron para ellos mismos un efecto depurador. No era tanto lo que lograban destruir exteriormente, era más lo que derrumbaban en sí mismos con tal de librarse de cualquier nexo con un mundo intelectual que estimaban caduco. Necesitaban desembarazarse "de un lastre infecundo" y dejar el espíritu dispuesto "para las germinaciones desconocidas".[17] Con esa intención revaluaron obras individuales, enjuiciando en ellas el defecto esencial del centenarismo, su ánimo imitador que lo arrastraba a una inmensa pobreza de ideas propias.

La misma intención que amparó el enjuiciamiento de obras individuales se extendió a los símbolos institucionales del conservadurismo cultural del país. La Academia Colombiana de la Lengua y su hirsuto hispanismo debieron soportar estas vindicativas palabras de Los Arquilókidas:

---

[15] *Ibíd.*, p. 47.

[16] "Apuntes sobre la crítica nacional". Enrique Restrepo en *La República*, julio 18 de 1922.

[17] "Suárez o el falso estilista", Archiloquia de junio 24 de 1922.

Los Arquilókidas a la Academia

Bogotá, junio de 1922
Señor Secretario de la Academia Colombiana de la Lengua.
Presente.
Habiendo emprendido este grupo la grata labor de limpiar el agro intelectual de amorreos, cananeos y filisteos, y sabiendo, por referencias, que ese cuerpo conserva los más célebres fósiles, agradeceríamos a usted nos enviara una lista de tan "ilustres desconocidos". Tiene esta solicitud el objeto de conocer los nombres de los individuos que componen ese asilo de inválidos mentales, muchos de los cuales serán empalados y estrangulados sin misericordia.
Tenemos noticia de que todos estos señores, ancianos austeros pero miopes, cuya labor literaria ignora el país, son académicos tan sólo por su edad bíblica. Ya lo había dicho Anatole France, en una célebre isla se mata a los ancianos, nosotros los hacemos académicos.
De Usted respectuosamente,
Los Arquilókidas.[18]

Las "Archilokias" no se estancaron en un nihilismo exacerbado ni en un radicalismo generacional, trascendieron hacia la enunciación del ideal de intelectual a que aspiró esa vanguardia y que en la obra individual de Luis Tejada ya se había insinuado. Está claro que ese ideal surgió de la previa condena del legado centenarista, porque de él la nueva intelectualidad pequeñoburguesa no deseaba adoptar nada. A la normatividad retórica del clasicismo conservador, a los valores de una sociedad asentada en la institucionalidad y la simbología religiosas, se le oponía una propuesta secularizadora: la idea de un intelectual independiente de las convenciones dictadas por las academias y de la influencia de la Iglesia en los asuntos del Estado y la cultura. Un intelectual de ruptura con los hábitos que hicieron de la vida artística y política algo carente de inquietud. Utilizando palabras afortunadas de Ángel Rama, se experimentaba una "descentralización de la inteligencia". Por eso el primer atributo del nuevo intelectual debía ser, según Los Arquilókidas, la posesión de "un sistema de ideas, absurdo o razonable, profundo o trivial, pero ordenado hasta el fin en lógico proceso".[19] Ahora nos resulta más comprensible la insistencia con que Luis Tejada reclamó en sus crónicas un "regreso a las ideas" y se nos hace menos extraña esta pretensión consignada posteriormente por la revista *Los Nuevos*: "Es preciso desatar una fuerte corriente de ideas que nos salve de esta anemia espiritual en que estamos viviendo".[20]

---

[18] *La República*, junio 26 de 1922.
[19] Archilokia dedicada a Guillermo Camacho, julio 22 de 1922.
[20] *Los Nuevos*, julio 27 de 1925; p. 111.

Las demás cualidades serían el complemento lógico de aquella ruptura: urgía que cada cual definiera su propia personalidad creando un estilo que lo identificara, que lo hiciera singular:

> [U]n estilo, claro o confuso, ligero o macizo, pero lleno de esa indefinible personalidad, que no está propiamente en la mayor o menor extensión de los párrafos, ni en la manera atrabiliaria de puntuar, ni en la técnica más o menos sabia de la frase, sino en el color propio y en la vida íntima de todas y cada una de las palabras en cualquiera forma en que estén dispuestas.[21]

De otro modo se había hecho la misma exigencia en la crítica a *Suárez, o el falso estilista,* un texto que guarda el sabor cuestionador de Luis Tejada. Allí se sostenía que "sólo tiene estilo verdadero el escritor que no se asemeja a ninguno". Acaso se le concedía demasiada importancia al determinismo según el cual la fisiología y el temperamento influyen en la definición del estilo, sin embargo ello no impedía afirmar que "Es raro que los escépticos y los amorales puedan llegar a crear estilo; porque el estilo, es más que todo una cuestión de ética".[22] Poco o nada faltaba para decir que la generación centenarista fue una generación sin estilo.

Por último, se pedía "una intachable probidad intelectual", lo que para ellos equivalía a "la más completa sinceridad en la expresión de lo que se piensa y de lo que se siente".[23] Esa era la petición de abandono del espíritu de moderación y transacción que alimentó el ideal republicano de muchos representantes de la generación del Centenario: búsqueda del punto medio, el acuerdo pragmático a costa de cualquier principio. Ese rechazo ético a tal generación pareció ser el preludio de igual rechazo a las organizaciones e ideas políticas tradicionales. Pero, con algunas excepciones, todo aquello fue una obsesión transitoria por cuestionar un orden moral que asfixiaba su también pasajero afán de innovación. Después vendría la claudicación, es decir, la aceptación del mundo ético que habían rechazado.

Tomado de *Universidad de Antioquia* (Medellín), núm. 233, 1993, pp. 72-78; publicación ampliada en Gilberto Loaiza Cano: *Luis Tejada y la lucha por una nueva cultura*. Bogotá: Premios Nacionales de Cultura, 1995, pp. 133-150. El autor es profesor de la Universidad del Valle, Cali (juegomivida1@yahoo.es).

[21] Archilokia sobre Guillermo Camacho.

[22] *Ibíd.*

[23] *Ibíd.*

Humberto E. Robles

La noción de vanguardia en el Ecuador. Recepción y trayectoria (1918-1934)

La literatura ecuatoriana de los años veinte y treinta del presente siglo ha sido, por lo general, encasillada sin reparos, y no siempre con las mejores intenciones, dentro de una línea de protesta social. Ni en manuales ni en historias de la literatura se tiene suficientemente en cuenta la presencia, recepción y controversias que la noción de vanguardia ocasionó en el país. Y ello a pesar de que entre 1918 y 1934 el reto de esa noción fue motivo de agitadas polémicas.

El porqué la crítica ha escamoteado este aspecto de la historia literaria del Ecuador habría que rastrearlo, acaso, en el hecho de que en el fondo no era la noción de vanguardia lo único y lo que en realidad se disputaba, sino la reubicación del poder político y cultural.[1] Desde la perspectiva ideológica que dominó el horizonte cultural ecuatoriano entre 1930 y 1960, poco más o menos, era oportuno poner a un lado esa confrontación. Lo que se legitimaba y promovía era una literatura de orientación social, entendida ésta como instrumento para propagar un nuevo orden. En los últimos años, sin embargo, se ha emprendido un rescate selecto de la vanguardia literaria, al menos en lo que atañe a la reivindicación de escritores que, aunque convenientemente no olvidados, habían quedado al margen del sistema literario imperante. Ése es el caso de las producciones de Pablo Palacio, Hugo Mayo y Alfredo Gangotena, entre los iconoclastas más prominentes. Piénsese, por ejemplo, que la resonancia y el vigor de la obra de Palacio sólo en tiempos recientes ha adquirido plena y auténtica actualidad.

Al discurrir sobre los avatares semánticos e ideológicos de la noción de vanguardia en el Ecuador, no nos guía el ciego anhelo de demostrar, contrario a lo que se supone, que el ámbito ecuatoriano estuvo al día en lo que toca al particular.[2] Nuestro criterio es, llanamente, el de tratar de rectificar la parcialidad y el aparente equívoco con que se ha leído la historia literaria de toda esa época, siempre con miras a entender por qué se impuso un gusto y otros quedaron rezagados.[3] Interesa

---

[1] Agustín Cueva, *El proceso de dominación política en Ecuador*. Quito: Editorial América, s. a.; y del mismo Cueva, "El método materialista histórico aplicado a la periodización de la literatura ecuatoriana: algunas consideraciones teóricas", en *Cultura* 9 (Quito, 1981), pp. 19-44.

[2] Óscar Collazos (ed.), *Los vanguardismos en América Latina*. La Habana: Casa de las Américas, 1970, p. 13.

[3] Uno de los pocos que desde un principio se ocupó de las manifestaciones de vanguardia fue Hugo Alemán, *Presencia del pasado*. Quito: Casa de la Cultura Ecuatoriana, 1949. Sobre la cuestión

establecer, además, que en el Ecuador no es siempre lícito hablar de Vanguardia, sino de noción de vanguardia. Aquélla, así, con mayúscula, se referiría a la Vanguardia histórica, europea o europeizante; ésta remite al fenómeno ecuatoriano y, por contigüidad, al hispanoamericano. Ese deslinde, estimamos, no ha sido lo suficientemente subrayado.[4] Nuestro propósito es, en síntesis, llegar a un mayor entendimiento histórico sobre la recepción de las corrientes literarias innovadoras y sobre el consiguiente emerger de una orientación de alegato social en literatura.

De fiarnos de las opiniones críticas más difundidas, no sería arriesgado afirmar que en las letras no se dio un agudo sentido de crisis y confrontación equivalente al que se observa en el contorno sociopolítico y económico de las primeras décadas del siglo en el Ecuador. Sería de suponer, en efecto, que la promoción nativista en sus variados matices —indigenismo, literatura del cholo y del montuvio— se instituyó sin más ni más.

Los documentos de esos años, sin embargo, no sostienen esa opinión y determinan que la turbulencia política sí que halló correspondencia sincrónica en la contienda igualmente recia que se entabló entre instituciones y "formaciones" literarias ilustradas.[5] La manera en que éstas y aquéllas manipularon, apropiaron o rechazaron la noción de vanguardia apunta a una radical oposición con no pocas ramificaciones ideológicas.

1918-1924

En un artículo titulado "Picasso y Apollinaire", incluido en la entrega inicial de la revista literaria *Frivolidades* (Quito, agosto 1919: 27), se recoge esta consigna:

> Para nosotros que andamos todavía con romanticismos extravagantes, que aún pensamos en Pierrot y Rosalinda, y que evocamos Trianones lejanos, residuos artificiales que nos dejaron José Asunción Silva y Darío; esto del *Cubismo* resulta un fuerte temblor de tierra, o una catástrofe ignota. No quiero decir que no nos toque ya con sus vientos revolucionarios —es decir, saludables—; sino que, hablar de Picasso, corifeo del *Cubismo*, y su aliado el poeta Apollinaire viene a ser un tanto extemporáneo.[6]

---

de recepción y gusto literario, véase Robert C. Holub, *Reception Theory. A Critical Introduction*. New York: Methuen, 1984. También, Leonard B. Meyer, *Music, the Arts and Ideas. Patterns and Predictions in Twentieth-Century Culture*. Chicago: University of Chicago Press, 1976, pp. 104-133.

[4] Excepciones notorias son: H. A. Murena, *El pecado original de América*. Buenos Aires: Editorial Sudamericana, 1965, pp. 60-70, y Nelson Osorio, "Para una caracterización del vanguardismo literario hispanoamericano", en *Revista Iberoamericana*, núms. 114-115 (1981), pp. 227-254.

[5] Seguimos las definiciones de Raymond Williams, *Marxism and Literature*. Oxford: Oxford University Press, 1977, pp. 115-120.

[6] El texto aparece firmado por "C". Jorge Carrera Andrade fue colaborador de la revista. Bien podría ser de él.

Todo lo cual nos impone inquirir hasta qué punto el cubismo y, por extensión, los movimientos de Vanguardia europeos representaban una "catástrofe ignota" en el Ecuador. El nombrado texto de *Frivolidades* contiene en embrión algunos de los criterios y convenciones que se asocian con la Vanguardia histórica: ataque al *statu quo*, rechazo del pasado, llamada a la innovación técnica, crítica de la cultura literaria en vigencia, afán de actualidad y, como dice Combalía,[7] "un proyecto activista, transformador, frente a" la sociedad. El escrito también rezuma una autovisión elitista, excéntrica y autoritaria del escritor frente a instituciones y academias y frente a un público no informado.[8]

Publicaciones de prestigio intelectual que antedatan *Frivolidades* nos informan, sin embargo, que ni Picasso ni Apollinaire (ni tampoco el adelantado Lautréamont, ni el Futurismo) eran tan desconocidos en el Ecuador como proponía el artículo consignado. En el número 10 de *Letras* (Quito, 1913) —órgano máximo del así llamado tardío modernismo ecuatoriano— se publican, en traducción del malogrado poeta modernista Arturo Borja, selecciones de *Les Chants de Maldoror*. El siguiente año, la misma gaceta imprimió la versión en español del prefacio que L. Genonceaux puso a la edición francesa de 1890 del mencionado libro de Lautréamont (20, 1914). *Letras* también reprodujo, en 1917, una nota de Gaston Picard titulada "Guillaume Apollinaire y la nueva escuela literaria", en que, como se podía esperar, Picasso y el cubismo figuran prominentemente (48: 380-83). Se trata de una suerte de entrevista en la que se anticipan las ideas que expuso Apollinaire en su manifiesto póstumo *L'Esprit Nouveau* (1918). ¡*Letras* estaba al día![9]

¿Ha de concluirse, entonces, que la consigna de *Frivolidades* era infundada? En un sentido literal, histórico, sí. Antes de 1919, Lautréamont, el Futurismo, Picasso y Apollinaire ya habían sido enunciados en el Ecuador. Pero lo que distingue a la proclama de *Frivolidades* es la presencia de una consciente voluntad de renovación y desavenencia con las normas estéticas establecidas. *Letras*, en cambio, cuestión de época y de visión de mundo, no publicó los escritos sobre Lautréamont y Apollinaire motivada por un espíritu de rebeldía. Lo hizo, más bien, impulsada por la no muy disfrazada novelería de difundir lo que estaba de moda en París. El oficioso tono con que Isaac J. Barrera —director de la revista, crítico e historiador de renombre y de

[7] Victoria Combalía (ed.), *El descrédito de las vanguardias artísticas*. Barcelona: Editorial Blume, 1980, p. 116.

[8] Francine Masiello ha discernido una actitud similar en las revistas argentinas de vanguardia de los años veinte, en "Argentine Literary Journalism: The Production of a Critical Discourse", publicado en *Latin American Research Review*, 1 (1985), pp. 31-32.

[9] Por otro lado, en 1916, tropezamos en la revista *Renacimiento*, de Guayaquil (1, 35), con lo que podría ser la primera mención pública, si bien tardía y de paso, del Futurismo en el Ecuador. Osorio nos hace ver lo tardío de esa fecha en *El Futurismo y la vanguardia literaria en América Latina*. Caracas: Centro de Estudios Latinoamericanos Rómulo Gallegos, 1982.

reconocida solvencia en la academia— justificó la reimpresión del texto de Genonceaux respalda esa opinión (20, 1914: 236).

¿Estamos aquí, acaso, ante una suerte de dependencia cultural, desprovista de un verdadero sentido crítico? Quizás. En todo caso, Lautréamont halló cabida en *Letras* no en calidad de precursor de nuevas tendencias ni tampoco debido a su fundamental anticonvencionalismo, sino porque estaba en boga en París. Y esto a pesar de que Darío ya lo había colocado en el panteón de *Los raros* (1896), algo que *Letras* conocía perfectamente bien. La continuidad, que no la subversión, es lo que prevalece en *Letras*. Téngase presente, al respecto, que ya en el primer número de esta publicación (1912: 6) el crítico quiteño Francisco Guarderas se refiere a las nuevas orientaciones literarias como producto de jóvenes irrespetuosos que tienen afán de deshacer. La nueva poesía, dice, se convierte en "pesadilla de retóricos".

Hacia 1918, sin embargo, a raíz de la Primera Guerra Mundial, se divisa de manera más precisa un sentido de agitación y cambio en las promociones literarias y políticas del Ecuador. Semanarios como *Caricatura* (Quito, 1918-21) acogen y promulgan las novedades de allende el mar.[10] Simultáneamente, e incluso en esta misma publicación, surgieron también sus detractores. En un escrito del 7 de enero de 1919, Barrera juzgó con irónica condescendencia la nueva modalidad literaria que el verso del autor de *Calligrammes* (1918) representaba, anticipando así querellas y sectarismos que no cuajarían hasta años más tarde, pero que desde ya no ocultaban la amenaza que el espíritu de innovación vanguardista representaba frente al código modernista en declive y frente a la autoridad crítica dominante (7: 4).

No obstante, las modernas tendencias se divulgan y cobran discreto vigor, atizadas, sin duda, por la más o menos amplia circulación que en los medios de la alta cultura disfrutaron revistas como *Cervantes*, *Grecia*, *Littérature*, *Cosmópolis*, *Mercure de France*, *Nouvelle Revue Française*, *Ultra*, *Tableros* y *Creación*, que desde Europa difundían y sancionaban la literatura de avanzada. Pero las puertas no se abren sin reparos. En primer término, porque en ese momento se da, como era de esperar, en los círculos ilustrados del Ecuador, una maraña de discursos literarios que confluyen en desacuerdo y que se disputan la preeminencia y la legitimidad cultural: modernismo, mundonovismo, modalidad galante y rosa, vanguardismo formalista y, también, las primeras irrupciones de una literatura de denuncia social.[11]

---

[10] Entre los colaboradores de *Caricatura* figuran escritores que ejercerán influencia en el Ecuador: Gonzalo Escudero, Jorge Carrera Andrade, Isaac J. Barrera, Enrique Terán, Benjamín Carrión.

[11] En el campo sociológico, en 1921 apareció el influyente libro de Pío Jaramillo Alvarado *El indio ecuatoriano*. Por otra parte, en 1923 José de la Cuadra ya estaba sondeando el mundo del montuvio con intenciones de hacer literatura de denuncia y protesta. En el primer número, correspondiente a febrero, de la revista *Germinal*, de Guayaquil, apareció su cuento "El desertor". Esa fecha de publicación, hasta ahora inadvertida, habría que tenerla en cuenta en futuros estudios sobre Cuadra y el Grupo de Guayaquil.

Por otra parte, no es sólo en lo literario donde se forja un paulatino afán de cambio y ruptura, sino también en el orden público. Ese afán ejercerá su impacto e informará la noción de vanguardia.

Así, en junio de 1919, *Caricatura*, que por entonces se autodefine como "órgano oficial de personas de gran talento" que "defiende lo indefendible", lanza una desafiante proclama titulada "Viva el Bolshevikismo!!!". Se trata de una arenga de inspiración nihilista que exhorta a una radical barrida del orden institucionalizado, inclusive el Arte: "OBREROS del Ecuador: de pie! La hora de las grandes reivindicaciones y del degüello universal ha sonado. El momento de nadar en sangre de burgueses y ricos llegó!!!". Esa arenga suena hoy más a jocoso desplante juvenil y a alarde de estudiada provocación gratuita (futurista/dadaísta) que a verdadera convicción, especialmente en vista de que provenía de "personas de gran talento" (25: l). Personas que formaban parte, seguramente, de la misma burguesía o pequeña burguesía contra la que presuntamente arremetían.

El escándalo y alarma posibles que el insólito desafío de *Caricatura* produjo en el "buen gusto" de los círculos afectados cae dentro de lo imaginable. Lo cierto es que el lema ("defiende lo indefendible") que ostentosamente pregonaba la portada del semanario desapareció en corto plazo, sugiriendo así que "algún interesado" tomó a pecho la "broma" sobre el bolcheviquismo.

En cualquier caso, un somero repaso de *Caricatura*, entre 1920-21, advierte que el interés en los movimientos de Vanguardia europeos se acentúa en correspondencia con la oposición a los mismos. Se reseñan revistas, *Cervantes* en particular. Al respecto, suele desconocerse que la sección americana de ésta estuvo a cargo del ecuatoriano César E. Arroyo. El estrecho vínculo de éste con *Caricatura* es incontrovertible hasta el punto de que la sección literaria de la publicación quiteña resulta, a menudo, si no un remedo, sí un eco casi inmediato de la madrileña. Ya en el número 47 de *Caricatura* (1919), por ejemplo, se comenta la lírica del Ultra.

De igual modo, los nombres y escritos de Apollinaire, Max Jacob, Huidobro, Cansinos-Assens, Proust, Rimbaud y Lautréamont, entre otros muchos, también hallan acogida en *Caricatura*. A los dos últimos se los enarbola en calidad de precursores, si bien con medida cautela y distancia. Sobre el "desorbitado" Rimbaud, Barrera informa que "es objeto de culto esotérico" y "que el grupo Dadá acaba de publicar un poema nuevo de Rimbaud encontrado, entre papeles viejos: 'Las manos de Juana María', como quien publicara las bases de la estética nueva" (91, 1921).[12] Y en cuanto a Lautréamont, Barrera sigue viéndolo como una curiosidad y no puede menos de juzgarlo desde la perspectiva de un modernismo en retirada, que no del innovador. Así, del hecho que *Littérature* —la antes aludida publicación francesa del

[12] Para más reciente y detallada información sobre el asunto, véase G. Durozoi y B. Lecherbannier, *El surrealismo*. Madrid: Guadarrama, 1974, p. 29.

grupo dadaísta/presurrealista— incluyera en uno de sus números de 1919 las *Poésies* de Lautréamont, Barrera avanza la conclusión de que "cuando una revista exhuma nombres y obras pasadas es que trata de pedir una enseñanza y de provocar un culto" (92, 1921). Lo cual muy bien puede ser; mas lo que se entrevé de los juicios de Barrera es un no muy bien encubierto propósito de descrédito en lo que atañe a la *originalidad* de las últimas tendencias de Vanguardia.

Lo singular del número de *Caricatura* en que figuran esas opiniones sobre Lautréamont es que simultáneamente se confiere espacio al consabido mensaje que Henri Barbusse y Anatole France —corifeos del grupo *Clarté* (órgano de los intelectuales comunistas)— dirigieron "A los intelectuales y estudiantes de la América Latina". Mensaje que, como bien se sabe, constituía una llamada a efectuar una revolución de los espíritus y a que —aunque se desmienta cualquier asociación con partidos políticos y con capillas artísticas— el arte se ponga al servicio de la revolución, de la política. Se proyecta el arte como un instrumento de reforma y cambio social.

Lo que más sobresale durante los años de 1918 a 1924 es la conjunción de una pléyade de estilos, de promociones literarias, de intereses y opiniones disputándose la preeminencia cultural y económica del país. Resulta claro que el Ecuador se halla en un precario estado de crisis e inquietud. Ese sentido de crisis e inquietud se precisa no sólo en las gacetas literarias capitalinas, sino también en las de Guayaquil y aun en las de urbes más de provincia, como Loja. En esta ciudad, en la entrega del número 4 de *Nuevos Perfiles* (1920), un anónimo comentarista reflexiona sobre cuál debe ser el verdadero nombre que se ha de dar a las flamantes corrientes literarias que predominan en el mundo artístico. Esa pregunta es un indicio de la vacilación que se barrunta en el horizonte cultural: "Si no es modernismo lo que hay, será un decadentismo o, acaso, un futurismo cuyo representante, Marinetti, explicaba con sus *forts* manifiestos, haciéndolo consistir en cantar el triunfo de la civilización, o es que estamos asistiendo *sans vouloir* a la proclamación de la escuela creacionista de Vicente Huidobro, o al ultraísmo de Cansinos-Assens?" ("La nueva poesía lojana", 68).

No es lícito, por tanto, desplazar consciente o inconscientemente la presencia de la Vanguardia, insistiendo, como es lugar común hacerlo, en que el modernismo ecuatoriano es tardío o que se prolonga en la escena. Lo que ocurre es que, históricamente, ni los cambios en los gustos literarios ni los cambios políticos se producen de un momento a otro, ni debido a una causa específica, sea social, económica o literaria. Peor aún en el Ecuador, donde, como estamos constatando, un repaso de los órganos ilustrados de difusión cultural, no obstante el acceso que otorgan a las nuevas tendencias, advierte que la convención y la norma portaban atributos de dictamen.

La disonancia de intereses se la evidencia de manera ejemplar en las revistas de limitado tiraje y parca duración que se asocian con el poeta Hugo Mayo. Dadaísta declarado en su día, colaborador de *Cervantes* y *Grecia*, y después de *Amauta*, Hugo Mayo es considerado hoy por hoy —razones de interés, de público y de época— como uno de los más auténticos baluartes de la Vanguardia histórica en el Ecuador. Desde la perspectiva actual, las revistas que él agitó —*Síngulus* (1921), *Proteo* (1922) y *Motocicleta* (1924?) (de ésta no parece sobrevivir un solo ejemplar)— ya no alarman ni estremecen. Llama la atención, más bien, la exagerada reputación de audaces y rebeldes que han venido adquiriendo. ¡Que causaron desconcierto en su día, no hay por qué dudarlo! Mas el caso es que se trata de publicaciones-puente en que proclamas trilladas aparecen matizadas por textos vanguardistas y viceversa.

El número inicial de *Síngulus*, por ejemplo, no sorprende por su manifiesto, que es de marcado corte arielista. Y en cuanto al contenido de sus páginas, no provocan extrañeza alguna los versos de Delmira Agustini, Pedro Prado y ni aun los de Luis Carlos López. Sí, en cambio, los de Juan José Tablada y los del mismo Hugo Mayo.

El montaje y estilo de los poemas de estos últimos no permite duda sobre el espíritu de innovación formal que los alienta. Tanto el mexicano como el ecuatoriano recurren a un arte sin transiciones, revelan una clara preocupación por la disposición visual, espacial, del mensaje poético; acusan un culto de la imagen, de la ausencia de rimas y conexiones, de una nueva sintaxis, de una tendencia hacia la fragmentación y la sugerencia. Menester es la participación del lector. Se rompe con el molde clásico de unidad. El uso de guarismos y neologismos, en el caso de Hugo Mayo, colma la impresión de novedad, desafío y alternativa frente al gusto estético en vigencia.[13]

El carácter polifacético y ambivalente de *Proteo* es aún más ilustrativo. El "Pórtico" de su primer número ya anuncia conformismo e innovación: "No concedemos superioridad a ninguna de las ESCUELAS LITERARIAS [*Proteo*] reflejará en sus páginas los variados experimentos del Arte" (Guayaquil, 1922: II). Así, entre poemas que van de Gabriela Mistral a Cansinos-Assens, resaltan los de inspiración futurista (¿estridentista?) de Hugo Mayo.[14] La presencia de motivos y recursos como la velocidad, la gasolina, la locomoción, la electricidad, el cine, el maquinismo, la nueva industria, los giros extranjeros, la disposición tipográfica, la ausencia de puntuación y de estrofas y el empleo efectista de mayúsculas confieren a esos textos un cariz vanguardista. Los versos de Hugo Mayo nos advierten una nueva retórica, al igual que una voluntad de renovación técnica. Voluntad que será de inmediato des-

[13] El mismo Hugo Mayo ha reconocido que hubo otras voces que impulsaron la Vanguardia, diciendo del poeta José Antonio Falconí Villagómez que "publicó [en 1921] una composición titulada 'Arte poético No. 2', que bien podría considerarse como el Manifiesto Dadaísta para los poetas del Ecuador". *Cfr*. Hernán Rodríguez Castelo, *Los otros postmodernistas*. Guayaquil/Quito: Ariel, s. a., pp. 23 y 27.

[14] La relación estridentismo/futurismo ha sido anotada por Luis Leal (véase Collazos, *op. cit*., p. 157).

virtuada por sus anatemas, y quizás no siempre sin razón, como inspirada en la novelería y el remedo formalista; y que será, a su vez, duramente criticada también por su presunto desfase con el medio, por su descastamiento. He ahí otro de los despectivos *slogans* con que se va a desacreditar a la Vanguardia.

Proteo tenía plena conciencia de ese proceso de marginación, y para contrarrestarlo recurrió a vínculos con publicaciones partidarios del Continente como, v. gr., *Los Nuevos*, de Montevideo, cuya renovadora proclama reimprimió. En la práctica, sin embargo, *Proteo* se quedó en un punto intermedio, fiel a eso de no conceder "superioridad a ninguna de las ESCUELAS LITERARIAS". Por qué ocurrió así habría que rastrearlo, probablemente, en el hecho de que ninguna de las revistas "agitadas" por el vanguardista Hugo Mayo estuvieron enteramente bajo su tutela. Por eso mismo cabe especular sobre *Motocicleta*, publicación que él sí controló y que, según comentarios de los que presumen haberla ojeado, sí que hacía honor al reto que contenía el subtítulo de la misma: "Índice de poesía vanguardista. Aparece cada 360 horas".[15]

A pesar de los tropiezos de recepción que encontró Hugo Mayo, y en tanto no logró conseguir adeptos, ni convertirse él, gracias a su estro poético, en un auténtico escritor-faro de las nuevas corrientes, la Vanguardia histórica insistía en abrirse brecha. Dos escritos de consecuencia aparecieron entre los últimos meses de 1922 y principios de 1923. Su autor es el ya mencionado César E. Arroyo. La revista *Quito* (octubre 1922) reprodujo "La nueva poesía de América. La evolución de un gran poeta", que había aparecido originalmente en *Cervantes* (agosto 1919). Se trata de una de las primeras síntesis rigurosas que se divulgan en el Ecuador sobre la renovación poética que estaba ocurriendo en castellano.

Ese artículo es, sin embargo, apenas un anticipo o preámbulo de un extenso estudio, de mayor penetración y envergadura, que el mismo Arroyo publicó en el órgano de máximo prestigio del Ecuador ilustrado de ese entonces —*Revista de la Sociedad Jurídico-Literaria* (Quito, enero-junio 1923). "La nueva poesía: el creacionismo y el ultraísmo" es el título del ensayo. Éste venía acompañado, además, de la siguiente advertencia: "Conferencia dada por César E. Arroyo en el Teatro Royal Edén". Y a ese detalle se impone añadirle: noviembre de 1922. Se trata de uno de los textos críticos de mayor alcance que se han dado en el Ecuador sobre el tema, texto digno de figurar entre los más rigurosos e informados que en torno al asunto se habían producido en el mundo hispánico hasta ese momento. Por cierto que Arroyo, en más de uno de sus comentarios, se sirve de opiniones expuestas por Cansinos-Assens.[16]

---

[15] Rodrigo Pesántez Rodas (ed.), *Poemas de Hugo Mayo*. Guayaquil: Casa de la Cultura Ecuatoriana, 1976, p. 16, informa haberla visto en la Biblioteca de la Ciudad de Nueva York. Nuestra experiencia ha contado con menor fortuna.

[16] Los escritos pertinentes de Rafael Cansinos-Assens se pueden consultar en Paul Ilie (ed.), *Documents of the Spanish Vanguard*. Chapel Hill: The University of North Carolina Press, 1969, pp. 172-190.

En cualquier caso, en las postrimerías de 1922, antes de volver a España donde se desempeñaba como diplomático, Arroyo pronunció su lección, la misma que, según el crítico y poeta Hugo Alemán, fue objeto de numerosas acusaciones: "Al anunciar Arroyo su conferencia [...] no [pudo] escapar a la insensata acometividad de ciertos corifeos del clasicismo que, dueños de la esperanzada satisfacción de que la conferencia fracasara, osaron decir que Arroyo venía de propagandista de 'exóticas' escuelas literarias, del 'bolchevismo' en arte, y algunas otras intemperantes necedades".[17]

La en ocasiones encomiástica presentación de Arroyo no es de orden interpretativo. Carece de verdadero sentido crítico. Peca por exceso de afán proselitista. Secuaz y epígono de Cansinos-Assens, Arroyo repite e informa, mas no parece haber entendido a fondo el alcance de lo que divulgaba. Más que el porqué, le interesan el cómo y el cuándo de las cosas. Con ese cometido, Arroyo organizó su discurso en torno de varios apartados que aquí nos limitamos a resumir: medios de producción, problemas de recepción, precursores, características de lo nuevo, conexiones con manifestaciones literarias de antaño y hogaño (de Europa y Oriente), inventario de los escritores que hacen legión, y discusión de la poesía de Huidobro.

En el fondo, sin embargo, los particulares que le interesaba inculcar a Arroyo eran, primero, la superioridad de lo último europeo y, luego, el hecho de que los novísimos movimientos literarios conquistaban acólitos. Sugería así, sin preocuparse por la validez o conveniencia de su adaptación en el contexto ecuatoriano, que se trataba de un imperativo a seguir, so riesgo de quedar a la zaga de lo que estaba pasando en un presunto epicentro cultural. Ser actual era su afán y su lema.

Desde la perspectiva de hoy, mucho de lo que propagaba Arroyo es ya lugar trillado, y sus juicios no trascienden el canon de atributos que se asocia con el creacionismo en casi todos los manuales y estudios literarios. Cabe imaginar, no obstante, que cuando Arroyo presentó sus comentarios sí que debieron de sorprender e instruir, especialmente por la labor de síntesis que suponían. De ahí que no esté demás apuntar que el escrito de Arroyo es ejemplar como práctica crítica: aborda problemas de recepción y de historia literaria, al igual que deslinda e ilustra recursos poéticos específicos. De lo que carece, sin embargo, es de contexto histórico. Por lo mismo, no es ocioso insistir en el afán de actualidad que impelía a Arroyo. Precisamente por eso, a la luz de hoy, lo que más sorprende del artículo en cuestión es el apolitismo que trasunta. Al menos sorprende la precaución y el distanciamiento de su autor, que raya en la ambigüedad, cuando no en la negación, frente a la circunstancia histórica europea, amén de la ecuatoriana.

¿Es que insistía así Arroyo en la autonomía del arte, en la separación de función artística y función social? ¿O es que el hecho de centrar su atención en la renova-

---

[17] Alemán, *op. cit.*, p. 121.

ción formal, en la imagen, era su manera de mitigar la angustia ideológica a que había aludido tangencialmente en su conferencia (57, 64)? Por cierto, Arroyo no reconoció el abismo que lo separaba del gran público ecuatoriano. Sometemos estas reflexiones porque el tipo de disyuntiva entre arte y sociedad que rezuma el discurso de Arroyo vaticina, en parte, el por qué cobró impulso en el Ecuador la oposición y rechazo de una Vanguardia presentida en términos puramente formalistas y europeos.

A la postre, si Arroyo tenía aspiraciones de magisterio, no lo consiguió. El impacto que tuvo su conferencia fue, en realidad, muy limitado, por no decir nulo. A la vez que él pronunciaba su entusiasmo por las últimas novedades de Italia, España y Francia, esas novedades, irónicamente, habían quedado a la retaguardia en el contexto histórico, carecían de corroboración en el horizonte ecuatoriano de la época, adolecían de una falta de conexión con los sentimientos que agitaban la vida de las multitudes. Téngase en cuenta, a manera de ejemplo, que casi al mismo tiempo que Arroyo se dirigía a una selecta concurrencia en el Teatro Royal Edén de Quito, en el orden público bullía la insurrección y la desavenencia, y ya no frente a sistemas poéticos imperantes, sino frente al orden socio-político y económico en vigencia. Orden del cual, en calidad de uno de sus representantes, formaba parte, quiéralo o no, el mismo Arroyo.

Precisamente en noviembre de 1922 estalló en Guayaquil un levantamiento popular, que culminó en una horrenda matanza, que habría de dejar una profunda huella en la vida nacional. Millares de obreros se lanzaron a las calles reclamando justicia. La reacción oficial castrense acabó en una masacre insulsa. Si los brotes de una Vanguardia literaria le parecían a Arroyo estar entrando en un período de consolidación y hegemonía, la realidad no lo respaldó. Pronto irrumpieron y se escucharon nuevas voces en el contexto cultural exigiendo una literatura que respondiera a los problemas populares, que expresara las necesidades y expectativas espirituales de las mayorías y que informara la idiosincrasia propia.

Ese cambio de orientación será gradual pero insistente, y responderá en gran medida a las demandas planteadas por las intermitentes agitaciones de índole sociopolítica. En Leyto, en 1923, se produjo un levantamiento de indígenas que fue brutalmente reprimido; en 1925, a su vez, se declaró una huelga nacional que fraguó aún más el estado de crisis.[18] La lucha por el poder, la necesidad de renovación, la compulsiva necesidad de cambio se agudizó. Hacia 1926 se funda el Partido Socialista Ecuatoriano, afiliado, dicho sea de paso, a la Internacional Comunista. La confusión persevera y se ahonda en los cenáculos literarios. Las letras se interrogan sobre la pauta a seguir. Las revistas y periódicos de la época sondean respuestas.

[18] Cueva, *El proceso de dominación política en Ecuador*, *op. cit.*, pp. 23-33.

1925-1929

Los hechos históricos reseñados resultan indispensables para entender la encrucijada a que hace frente el intelectual ecuatoriano. La bancarrota en la situación socio-política y económica recalca lo consabido, que los ideales del liberalismo promulgados por la Revolución de 1895, acaudillada por Eloy Alfaro (1842-1912), no se habían realizado, que la política del Partido Liberal institucionalizado no iba a resolver los problemas del país. Las agrupaciones emergentes, ávidas de cambio y ya impulsadas por otra sensibilidad, se inclinaban hacia soluciones más radicales, equitativas, que cumplieran con desintegrar las jerarquías de una burguesía satisfecha en el *statu quo*. Irrumpe y se ahonda la preocupación por el terruño, por lo autóctono.

No hay que olvidar que durante el lapso de 1925-29, el literato es sacudido también por el espíritu que impele a Occidente. De España ahora llegan *Revista de Occidente* (1923-1936) y *La Gaceta Literaria* (1927-1932). Ambas publicaciones abundan en testimonios acerca de que en Francia cobraba ímpetu la modalidad surrealista. El intelectual ecuatoriano se enfrenta, pues, con la consigna de escarbar y entender lo propio por un lado y con la atracción de la actualidad cosmopolita por el otro.

De inmediato, Freud y Marx están por doquier. Se los lee y se los asimila. Surgen preguntas. ¿Es que lo que hay que liberar y revolucionar es el espíritu individual, subjetivo, del ser humano, como propone, por ejemplo, el proyecto surrealista con todo su lastre freudiano; o es que la solución está en la colectividad, en la necesidad de transformar la organización económica para transformar así el individuo y el arte, como promete y profetiza el marxismo? El consenso se inclinará más y más hacia esto último. No poco influyeron en ello *Amauta* (1926-30) y las ideas de José Carlos Mariátegui, que llegaban desde el Perú y que contribuirán a orientar la cultura ecuatoriana por el derrotero de las preocupaciones populares. El imperativo de crear una literatura que abogue por un nuevo orden se afianzará en consonancia con las aspiraciones colectivas y con la incorporación oficial en la vida pública del Partido Socialista Ecuatoriano, percibido éste como más a temple con las expectativas de las mayorías.

Las publicaciones literarias ilustradas de estos años —*Esfinge*, *Llamarada*, *Hélice*, *Savia*, *Renacimiento*, *Voluntad*, *América*, *Ideal*— al igual que los periódicos de mayor tiraje —*El Telégrafo*, *El Comercio*, *El Día*— advierten la persistencia de la pugna sobre la dirección que la política y la cultura deben seguir. Todo parece tentativo. En *Esfinge* (2, Quito, 1926: l), dirigida por Hugo Alemán, se emiten comentarios denunciando la bancarrota de valores y la crisis del espíritu nacional: "La crisis del espíritu se filtra [...] por todos los estratos de la vida nacional y llega hasta el dominio de las letras".

Por cierto que ese espíritu de profecía apocalíptica aparece contrarestado en el mismo escrito por una fe implícita en un futuro "superior" que habrá de realizarse si el país se atiene a valores "verdaderos". El carácter y naturaleza de ese proyecto no se lo define y tampoco se lo configura en términos de una respuesta concreta a la querella planteada. Lo que sí pretende adjudicarse *Esfinge* es el patrimonio y la prerrogativa de acceso a "la verdad". La verdad y la justicia como instrumentos de poder entran en la contienda y en el juego. Se entrevé desde ya el cauce que la lucha por la producción de "la verdad" va a tomar. A cual más agrupación pronuncia su decir y promueve sus intereses. En lo literario se imbrican y se apartan una tendencia formalista, egregia y cosmopolita, y una de temática social, centrada ésta en los problemas colectivos inmediatos. Correspondientemente, en abril de 1926, el joven poeta Gonzalo Escudero definió así el lema estético de la revista *Hélice*, de Quito:

> Estética de movilidad, expansión, de dinamia. Nunca la naturaleza en nosotros, sino nosotros en la naturaleza... Comprendemos que el Arte es la alquimia de la inverosimilitud, porque si el Arte fuera la verdad, la expresión artística no existiría... Sólo el artista crea, multiplica, destruye... Cosmopolitismo, audacia, autenticidad. [...] universalizar el arte de la tierra autóctona, porque la creación criolla no exhuma las creaciones extrañas, antes bien, las asimila, las agrega, las identifica bajo el cielo solariego... Nihilistas, sin maestros, ni semidioses, proclamamos la destrucción de la naturaleza para crearla de nuevo (n°. 1).

Referencias hay en esas sentencias que remiten a lo propio y nativo, pero, pose aparte, el énfasis recae incontrovertiblemente en el arte como creación autónoma, independiente de la verdad histórica, en el rechazo de la mimesis, en la importancia de las formas. La raigambre ultraísta-creacionista de esas declaraciones, al igual que la identificación con el arte deshumanizado de que hablara Ortega y Gasset en 1925, no podría ser más contundente.

Si bien *Hélice* se adhiere a la renovación del creacionismo asociado con la Vanguardia histórica, no ocurre igual en otras latitudes. *Revista de la Sociedad Jurídico-Literaria*, por ejemplo, reimprimió en septiembre de 1927 un estudio de Félix del Valle ("La revolución en el arte") que desde Madrid denunciaba la petulancia de un "arte nuevo [que] no ambiciona transformar los temas eternos, los medios eternos, sino destruirlos" (117). Está claro que en los cenáculos oficiales empieza a blandirse "la tradición" como arma de ataque contra cualquier aberración del gusto y del canon establecidos, aberración que las últimas directrices literarias representaban.

La oposición vendrá también de parte de formaciones jóvenes que abogan por un arte propio, entendido éste, correcta o incorrectamente, en términos de contenido y temas nacionales. Así, en *Llamarada*, de Quito (1, 1926: 1), se declara la necesidad de elaborar con "barro de América [...] una cultura autóctona". El nativismo como preocupación clave arraiga más cada día e incorpora aun a los escritores que también se habían adherido a la proclama de *Hélice* en cuanto a que "el Arte es la alquimia de la inverosimilitud". Sólo así se entiende que las mismas firmas aparezcan colaborando en una y otra publicación y que las páginas de *Llamarada*, no obstante su manifiesto nativista, revelen más que un pasajero conocimiento del surrealismo, póngase por caso.

Las revistas *América* (Quito) y *Mañana* (Cuenca) también dieron cabida a las novísimas tendencias literarias y a las correspondientes disputas, pero fue *Savia*, de Guayaquil, dirigida por Gerardo Gallego, donde mejor se actualizó la divergencia entre una Vanguardia artística, formalista, y la avanzada literaria de preocupación social. *Savia*, que tiene no poco de *Vanity Fair*, se anuncia como un periscopio enfocado sobre los baluartes de la juventud rebelde del mundo hispánico. El número de "rebeldes" que llena las páginas de la revista es largo y representativo. Tampoco escasean comentarios sobre las más recientes publicaciones hispánicas de aquí y allá. El canje es patente. Hay fervor de actualidad y un claro anhelo por estar al día.

A más de dar una idea del amplio conocimiento que existía en el medio sobre lo que se divulgaba dentro y fuera del mundo de habla española, *Savia* resulta ejemplar porque en sus páginas se da acogida a escritos que meditan el concepto de vanguardia. Se sobreentiende que conjuntamente con las aspiraciones de llegar a una comprensión y de precisar el significado del término, *Savia* estaba ensayando una respuesta a la relación literatura/sociedad con miras a elaborar, y de eso se trataba, una política literaria consonante no sólo con la realidad contemporánea del Ecuador, sino con el hecho de que en el contexto económico y político mundial se había efectuado un desplazamiento del poder de Francia y Europa occidental a Estados Unidos y la Unión Soviética. Se buscaba, pues, una pauta a seguir para las letras, una pauta que hiciera frente a los problemas nacionales. Con ese cometido, Gerardo Gallegos pronunció, a primera instancia, que:

> Una fuerte ideología hace causa común con la nueva estética de contornos cada vez más claros y definidos que sucede a los anteriores avances esporádicos y ya desmoronados del dadaísmo, futurismo y más ensayos. [...] de un lado la *vanguardia* literaria: entre sus facetas nuevas muestra la de una *síntesis panorámica* muy de acuerdo con el siglo de los aviones; del otro, la avanzada revolucionaria socialista que conecta sus mejores golpes al imperialismo capitalista de Yanquilandia y define su actitud rotunda contra el fetichismo nacionalista (31, 1927: 1).

En poco tiempo, sin embargo, el mismo Gallegos empezó a matizar sus juicios, no fuera que hubiera algún malentendido en cuanto a eso de "causa común", "*vanguardia* literaria" y "avanzada revolucionaria". La escisión entre vanguardia formalista y "verdadera vanguardia", la de preocupación social, ha entrado en proceso. Con ese cometido, Gallegos observó que hasta hacía poco "los mismos rebeldes de la poesía evitaban llamarse futuristas, cubistas, dadaístas". Advertía así la imposibilidad de aplicar los códigos de la Vanguardia europeizante a la realidad ecuatoriana. Como consecuencia, surgió la necesidad de redefinir la noción de vanguardia, de verla dentro del contorno ecuatoriano. Gallegos no formuló la cuestión en esos términos, pero en el fondo eso era lo que se proponía: "La literatura VANGUARDISTA —audacias de retórica, más o menos afortunadas— va cediendo el paso a la verdadera literatura de vanguardia, que recoge sus vibraciones inéditas del caudal de la Vida —real, humana, palpitante" (33, 1927: l).

Esa afirmación de *Savia* llevaba implícito, sin embargo, uno de los mayores reproches que se esgrimió contra la Vanguardia histórica: su desfase con el medio. La literatura, se insistió, debía ser un reflejo de la idiosincrasia propia. El referente del escritor debía ser la autóctona realidad ecuatoriana.

Un segundo frente de ataque se apoyó en el concepto de norma estética que promulgaba la "tradición literaria". Muchas de las invectivas que se emitieron contra la Vanguardia se propusieron en nombre de esas normas, normas que los baluartes de las mismas —la academia, las instituciones, la crítica establecida, los residuos del gusto modernista en pleno desgaste y retirada— se encargaron de defender y perdurar en el Ecuador. Finalmente, como derivación de lo anterior, los varios grupos polemizaron sobre la noción de vanguardia —la apropiaron, la socavaron— confiriéndole múltiples sentidos en conveniencia con sus propios fines e intereses.

La noción de vanguardia empieza a cobrar (¡recuperar!) por estos años un giro político.[19] Ya se vio que *Savia* propuso un desplazamiento de la acepción del término al hablar de "verdadera literatura de vanguardia". De por medio estaba, en apariencia, el cetro y la función de la literatura en la sociedad al igual que la ruta que debían seguir las letras. En el fondo, sin embargo, lo que más bien se disputaba era el poder.

En lo que toca al asunto del referente y el nativismo, resultan aleccionadores los comentarios que ofreció Gonzalo Zaldumbide en una entrevista publicada el 30 de octubre de 1927 en *El Telégrafo*, de Guayaquil. El afamado caudillo intelectual se declaró allí en contra de lo que él denominó "americanismo literario". En su lugar ofrecía una visión cultural del Ecuador y Latinoamérica como una mera continuidad de Europa:

> El americanismo literario tiene algo de ridículo. Se quiere a todo trance vestirnos de plumas y taparrabos, queriendo con eso hacernos aparecer más originales [...] Dígase lo que se quiera, nosotros tenemos más de europeos que de los indios [...] Todo lo que somos, malo o bueno, lo hemos recibido de Europa, estamos atados a nuestros orígenes europeos por mil lazos indestructibles (6).

[19] Renato Poggioli informa ampliamente sobre la rancia confusión de vanguardia artística/política (*The Theory of the Avant-Garde*. Traducción de Gerald Fitzgerald. Cambridge: Harvard University Press, 1968, pp. 5-12).

No incumbe entrar aquí en mayores detalles sobre ese texto, salvo para preguntar, por un lado, a quién se refiere el "nosotros" de Zaldumbide; y, por el otro, consecuencia de lo anterior, y a riesgo de atraernos la acusación de tendenciosos, reconvenir la visión histórica allí expuesta, visión decididamente inspirada en una ideología clasista, europeizante, culturalmente dependiente y hasta racista, si se la mira bien. Por lo demás, ese texto, amén de llamar la atención a la discordia que se libra entre nativismo y cosmopolitismo y de descartar la cuestión de identidad cultural, no disimula la lucha de clases que de hecho también estaba presente en la discusión sobre la noción de vanguardia, como ya se lo anotó.

Según se verá oportunamente, no todos los sectores de la cultura oficial acataron la posición de Zaldumbide en lo que toca al nativismo. En lo que sí coincidieron con él —y sobre ello se pronunció Zaldumbide— fue en la defensa de las tradicionales normas clásicas de belleza. Presintiéndose amenazadas por las últimas corrientes literarias, la academia y la crítica dominante contrarrestaron esa "amenaza", armándose de un vasto y escogido léxico que exponía su displicencia con las tendencias insurgentes: armonía, unidad, serenidad, recato, gracia, música, estrofa, naturalidad, emoción, delicadeza, belleza. El presunto objetivo al recurrir a ese léxico era defender la tradición literaria. Menos evidente, sin embargo, era el principio de autoridad y arbitraje que la academia y la crítica establecida se adjudicaban con miras a sancionar e inhibir las nuevas corrientes literarias. De igual modo, la crítica imperante adoptó también un vocabulario que atizaba el desdén y descrédito de la Vanguardia por medio de la irónica mofa paternalista y de la denigración sin más. Las nuevas orientaciones aparecieron asociadas con un alud de atributos negativos como, v. gr., algarabía, clownesco, gracioso, desplantes, equívoco, falsificación, pirueta desorbitado ("Lecturas literarias", *El Comercio*, Quito, 6 febrero 1927: 3).

En cada caso, la crítica hegemónica se situó como legítima defensora de "la" verdad artística contra aquellos que pretendían atropellarla. Que se escamoteó la verdad, no cabe duda; que lo que en realidad estaba de por medio era la certificación del gusto literario, de las instituciones y del orden establecido, tampoco. La interpelación fue empecinada y agresiva. La discrepancia se intensificó. Se defendió y reclamó la continuidad. Se recurrió al pasado para oponerse a las avanzadas del presente y para ratificar la imperante noción de arte como práctica literaria e institución ("El verso actual en América", *El Comercio*, 20 noviembre 1927: 3).

La reacción de los propaladores de la Vanguardia histórica fue igualmente dogmática e intransigente. En el "Periscopio Literario" de *Savia* (40, 1928: s. p.), Hugo Mayo fustigó sin escatimos el artículo "El verso actual en América", que Augusto Arias, su autor, había reimpreso, ahora con firma, en la revista *América*, de Quito (26-27, 1927). Mayo acusó a Arias de ignorancia, de confusión, de no saber entender cabalmente "el verso de vanguardia". Lo acusó de retraso. El no estar al día es la divisa con que los vanguardistas se atrincheran. ¡Nadie cede!

Si algo, se intensifica aún más la discordia, especialmente cuando entran en la disputa las publicaciones decididamente izquierdistas de esos años. En ellas el tono se vuelve más reacio y se insiste en reconvenir a la Vanguardia formalista despiadadamente, especialmente por su desfase con el medio. La oposición de los grupos de izquierda suscribe preocupaciones de índole ideológica. La revista *Claridad*, de Quito (13-14, 1929: 19), v. gr., profiere en grandes titulares que "el vanguardismo es una cosa vieja", al menos el vanguardismo entendido como un superficial amaneramiento formal. También advierte ese escrito, indicando aún más el viraje interpretativo que se consolida sobre la noción de vanguardia, que la verdadera fuente de la vanguardia, después de la guerra, ya no es Francia, sino Rusia, y que hacia "allí tendrá que dirigir la mirada el que quisiera ser vanguardista" (20).[20]

En síntesis, entre 1925-1929 se clarifica por qué la Vanguardia histórica no logró adaptarse en el Ecuador. Tres son los principales argumentos que se distinguen y que dieron lugar a la discusión: 1) ¿Cuál debe ser el referente de una literatura?; 2) la noción de norma literaria en cuanto a la cuestión de tradición y cambio; 3) la función de la literatura en la sociedad.

En lo que toca al primero, la polémica versaba sobre la idea de si la literatura debía ser nativista y si lo importante era el contenido. Ese desacuerdo, al igual que el cauce que debían seguir las letras del país, se ahondará y se constituirá en punto clave en los años subsiguientes. Respecto al segundo, las censuras y requisitorias se respaldaron en los principios tradicionales de la unidad artística y de las reglas clásicas; se condenaba así la ruptura y rechazo de esas reglas por parte de la literatura de Vanguardia: obra orgánica, basada en el tradicional sentido de unidad, frente a obra inorgánica, fragmentada, apoyada en el principio de montaje, diría Peter Bürger.[21]

Sobre los dos apartados anteriores, cabe observar que tanto la crítica tradicional como la orientación izquierdista coincidieron, en principio, en su disconformidad con las nuevas tendencias. Ambas actitudes críticas exigieron la necesidad de un referente nacional; ambas también se mantuvieron firmes en su defensa de las normas tradicionales del arte. Ni el principio de unidad artística ni las reglas convencionales en cuanto a lo que determina la calidad de una obra literaria serán socavados por una u otra postura. La izquierda insistía en que los tiempos no estaban para amaneramientos poéticos de difícil acceso a las grandes mayorías. Uno y otro bando apoyaron la permanencia del arte como institución. ¿Y no eran, acaso, las instituciones en existencia lo que también pretendía cambiar la izquierda?

---

[20] Sintomático del giro que ha venido operando respecto a la noción de vanguardia es que en 1927 empieza a publicarse en Quito un periódico quincenal —órgano del Partido Socialista Ecuatoriano— que lleva por título *La Vanguardia*. Antes (1916, 1920, 1921) hubo periódicos con ese nombre. Lo importante en este caso es la fecha y afiliación de la publicación.

[21] Peter Bürger, *The Theory of the Avant-Garde*. Traducción de Michael Shaw. Minneapolis: University of Minnesota Press, 1984, pp. 68-82.

Finalmente, en lo que concierne a la función de la literatura en la sociedad, resulta evidente que la crítica tradicional vio la literatura como la expresión de un mítico principio de belleza, de valores eternos, máxima expresión, dicha sea de paso, al que aspiraba el orden social burgués en vigencia. La izquierda, por otra parte, entendió la literatura como un instrumento en la lucha de clases: las letras debían promulgar las aspiraciones y preocupaciones colectivas.

Viene a colación un comentario final sobre los años 1925-1929, y es que la inclinación de la literatura ecuatoriana hacia temas nativistas y problemas sociales no pasó inadvertida por los escritores de la Vanguardia tradicional (¡qué contradicción de términos!). Tan es así, que, por ejemplo, Hugo Mayo, quien en un comienzo había puesto el énfasis y sus energías en la renovación poética formal, ya para 1930, e incluso antes, si consideramos su poema "Canto al montuvio" (1927), se identificará sin reservas con la transformación semántica que ha sufrido la noción de vanguardia, si bien provisionalmente, en el Ecuador. Hacia 1930, la izquierda ha adoptado el vocablo con la intención de propiciar una literatura de protesta social. Cabe anticipar, sin embargo, que aquélla se desentenderá e incluso renegará del término vanguardia.

1930-1934

El 18 de noviembre de 1930, en plena crisis económica mundial, el mismo Hugo Mayo, que había sido blanco de reproches por sus presuntos malabarismos formales, lanzó en el diario *El Espectador*, de Guayaquil, un "Cartel" que, aunque careció de mayor repercusión, ilustra el cambio que se ha venido gestando sobre la noción de vanguardia y literatura en el país. En ese escrito, la nueva consigna artística de problemática social está claramente expuesta hasta en la burda ortografía, intencionalmente cargada de errores (¡Imposible achacársela al cajista!) para así identificarse con la sensibilidad de las clases desposeídas, mayormente incultas, cuando no analfabetas. El propósito era integrar arte y praxis: "el arte cuando enveiece i no satisface a nuastra sensibilidad, hai que arrinconarlo [...] los hombres actuales [...] desgajan, desprenden, hechan a rodar, pendiente abajo, leyes, dogmas y crisoles que constituía la realidad adiposa de la otra familia" (10, s. p.).

El vuelco hacia una literatura que exprese los intereses y aspiraciones de la colectividad cobra terreno. Ese mismo año de 1930 se publicó en Guayaquil *Los que se van*, en que colaboraban Demetrio Aguilera Malta, Enrique Gil Gilbert y Joaquín Gallegos Lara, tres de los escritores que, junto con José de la Cuadra y Alfredo Pareja Diezcanseco, conformarían el conocido Grupo de Guayaquil. Esa colección de relatos sobre el cholo y el montuvio —habitantes de las tierras calientes del Ecuador— constituye el toque que anuncia y cimenta la orientación social de las letras ecuatorianas.

Gallegos Lara será quien más anima y polemiza la visión de una literatura funcionalista que sirva como instrumento de denuncia y protesta social. Será él quien anticipará también el descrédito de la noción de vanguardia. Lo hará, primero, sin rehusar totalmente al término; luego, con más convicción e intransigencia, identificará la tendencia vanguardista, según se verá, como la más reciente manifestación artística del espíritu burgués.

En mayo de 1931, en *El Clamor*, de Guayaquil, Gallegos Lara exaltó "La nueva novela rusa". En un artículo que llevaba ese mismo nombre, distinguió como singular en la novelística soviética: la recusación del arte burgués que se esteriliza a sí mismo en abstracciones como la del *arte por el arte*, el repudio del individualismo y la renovación de los contenidos (mayo 16: 9). Gallegos Lara volverá en más de una ocasión sobre el asunto del contenido. Contenido y forma se constituirán en sus varios ensayos en instrumentos de lucha dentro del horizonte político e ideológico. Más aún: esos dos vocablos cobrarán tales significados en su vocabulario crítico hasta llegar a convertirse en verdaderas normas para legitimar o rechazar la calidad de una obra literaria.

Con esas premisas, en junio de 1931, Gallegos Lara juzgó severamente *En la ciudad he perdido una novela* (1931), el libro de Humberto Salvador, compañero suyo de generación y, además, de lucha. El escrito, publicado en el segundo número de *Semana Gráfica*, de Guayaquil, era más que una reseña de la obra de Salvador, era, en efecto, una declaración en contra de una literatura cosmopolita, desasida, que ama los refinamientos y los esnobismos. La querella se concentraba en el formalismo asociado con la Vanguardia: "Renovaciones o revoluciones literarias puramente formales a ningún lado conducen. ¿Si el fondo no se renueva, a qué cambiar la forma? La tendencia deshumanizada de hacer arte caducó y caducó" (6).

Decíamos antes que Gallegos Lara anticipó y adelantó argumentos. Y ése fue el caso. Sus dos artículos antes señalados bien podrían haber constituido respuestas, más o menos *a priori*, a una "Encuesta de Vanguardia" que en abril de 1931 lanzó la sonada revista quiteña *Lampadario*, revista cuyo nombre cambiaría, en su segunda época, al de *élan*. Allí se preguntaba: 1) ¿Qué es la Vanguardia?, y 2) ¿Importancia del Nativismo en la Vanguardia Mundial?[22]

Las respuestas no se hicieron esperar y se las halla esparcidas en los manifiestos, artículos y editoriales que fueron apareciendo en las publicaciones que aunaban a la joven intelectualidad ecuatoriana de esos años: *élan* (Quito), *América* (Quito), *Revista Universitaria* (Loja), *Hontanar* (Loja), *Nervio* (Quito). Publicaciones en las

[22] Algo similar había hecho *La Gaceta Literaria*, de Madrid, en 1930 por medio del conocido cuestionario de Miguel Pérez Ferrero, que "planteaba a numerosos intelectuales españoles [...] una indagación sobre el concepto mismo de vanguardia y sus implicaciones en la vida social". Véase Jaime Brihuega, *Las vanguardias artísticas en España. 1909-1936*. Madrid: Istmo, 1981, pp. 16-17.

que germinaba, importa decirlo, un fervor y conciencia socialista que plasmaba la política cultural de las mismas.

Es con ese trasfondo cultural que habría que ver las respuestas a la encuesta de *Lampadario*. Baste aquí la que formuló Jorge Carrera Andrade y que fue publicada simultáneamente en *élan* (3, 1932?) y *Hontanar* (7, 1931). A más de ofrecer un juicio y una descripción de las "escuelas" de vanguardia americanas, entre las cuales incluyó el nativismo (Uruguay, Argentina), el estridentismo (México), el runrunismo (Chile), el titanismo (Brasil) y el indigenismo o andinismo (Perú, Ecuador), Carrera Andrade se proponía superar una definición exclusivamente europea del fenómeno vanguardista. De ese modo, en 1931 adelantaba, con hondura y perspicacia, una noción de vanguardia latinoamericana con distintivas propias. Hoy por hoy, la crítica apunta hacia este tipo de postura.[23]

Tres son los apartados que se perfilan en el texto de Carrera Andrade. Primero, una noción de vanguardia que no se limita ni a lo puramente formal ni a lo puramente europeo y que constituye, en el sentido genérico, una rebeldía fundamental contra "la dominación de una clase" y contra "dictaduras estéticas" (*Hontanar*, 163). De tal manera, Carrera Andrade adjudicaba a la noción de vanguardia un sentido de expresión directamente relacionado a la lucha contra el orden social establecido. Vanguardia representaba para él, pues, un cuestionar no sólo de valores estéticos, sino también de la estructura del poder.

Una segunda propuesta se centraba en la misma noción de vanguardia. Sin olvidar los principios retóricos aportados por la Vanguardia histórica, las conquistas formales de la misma, Carrera Andrade apropió el término para identificarlo con una "milicia de poetas nuevos" conscientes de la vida moderna y, de manera especial, del fervor social que se gestaba en el medio ambiente (*Hontanar*, 60). Vanguardia llega a ser así también una manera más de decir literatura de orientación social. (Juicio que buena parte de la crítica de hoy quizá no compartiría.) En todo caso, ese sentido del término, y su consiguiente adaptación por la izquierda literaria, es el que predomina en 1932 en el contorno ecuatoriano.[24]

La tercera idea sobre la noción de vanguardia que se deriva del texto de Carrera Andrade tiene que ver con el sentimiento colectivista que éste ve como característico de las nuevas tendencias literarias. Es precisamente acerca de la ausencia o presencia de un sentimiento colectivo (entiéndase proletario) sobre lo que va a insistir

---

[23] Nelson Osorio, en *Revista Iberoamericana*, núms. 114-115 (1981), *passim*.

[24] Dos artículos de estos años así lo atestiguan. Enrique Terán, en su "El arte de vanguardia" (*élan*, marzo 1932), afirma que el arte llamado vanguardista es el arte ruso y no otro: "El arte ruso cumple con su finalidad. Es arte de vanguardia" (128). Humberto Mata formula algo parecido en su "Definición de la palabra 'Vanguardia'", al equiparar el espíritu social emergente con la noción de vanguardia: "Este nuevo espíritu en estado naciente, [...] que va hacia la redención de la humanidad, es lo que se llama espíritu de vanguardia" (*América*, 50, 1932: 506).

Gallegos Lara —desde otra perspectiva— en más de uno de los escritos que publica en los próximos dos años.

La actitud de Gallegos Lara es sectarista y, ex profeso, polemizante en su objetivo de "dirigir" la expresión literaria, de convertirla en un instrumento tendencioso al servicio de la lucha de clases. En un ensayo apropiadamente titulado "Vanguardismo y comunismo en literatura" (*Hontanar*, 20, 1932), Gallegos Lara descartó el "vanguardismo" como la última de las manifestaciones literarias del espíritu burgués. Más aún, rezagó la novedad de esta tendencia, aseverando que:

> El vanguardismo no es literatura nueva, representativa de nuestra época y con proyecciones futuras. El vanguardismo literario, en Europa como en América, es únicamente la más de moda de las escuelas de arte burgués en disputa [...] Una literatura realmente nueva no lo es sólo por la novedad de la forma [...] Una literatura nueva no se produce sino como expresión en la arena de la cultura de una nueva clase social, en el caso actual del mundo, el proletariado internacional (91).

Y en otro texto, "Fisonomía de 6 poetas ecuatorianos del momento", Gallego Lara precisó sus juicios y fue aún más lejos en su descrédito de la noción de vanguardia. Insistía una vez más en la relación vanguardia/arte burgués, con la diferencia de que ahora alistó "el nativismo" como un derivado de la tendencia vanguardista. En la opinión de Gallegos Lara, aquél representaba la dirección hacia la cual se desplazó el vanguardismo, luego de hacer pausa en "ultraísmos y dadaísmos": "El nativismo, la bandera criollista más moderna [...] es el resultado de la dirección de la pequeña burguesía en el movimiento cultural-revolucionario [...] Estamos asistiendo a un nuevo desplazamiento de la dirección de ese movimiento. La pequeña burguesía desplazó a la burguesía cobarde vendida al imperialismo. La clase obrera y las masas populares marchan velozmente a desplazar a la pequeña burguesía" (182).

Dentro de ese esquema materialista en que nativismo/vanguardismo se confunden y la noción de vanguardia pierde sentido, el criterio para juzgar la vigencia de un escritor es su incuestionable adhesión a la causa revolucionaria. Lo que preconizaba y apresuraba Gallegos Lara era una literatura proletaria, consonante con su visión histórica del mundo, visión que ni aún hoy se entrevé en el Ecuador. De ahí que ninguno de los seis poetas reseñados en el artículo citado se salvara. La gran mayoría incumbía, a juicio de Gallegos Lara, en no poder superar su sino de clase.

Que la voz de Gallegos Lara no era la única que propulsaba una literatura proletaria resulta evidente en el artículo "El culto de lo novísimo y los de vanguardia" que el narrador Sergio Núñez publicó en la revista *Nervio*, Órgano de la Asociación Nacional de Escritores Socialistas. Podría decirse que este texto viene a ser algo así como el último golpe de gracia que recibieran la tendencia vanguardista y la misma noción de vanguardia en el Ecuador. Núñez rechazó y amonestó tanto a la una como a la otra: "La poesía vanguardista es antisocial, siendo como es, antirrítmica, bárbara" (3, 1934: 132). En su lugar, Núñez propuso una "Poesía de los humildes, sin adjetivos, sin metaforismos ni espirales verbosas" (152). Era en esos términos que él entendía la dirección que debía seguir la literatura del momento. Y es por eso mismo que, con evidentes deudas intelectuales procedentes del materialismo histórico, se sublevó frente al hecho de que los medios de producción literaria estuvieran en las manos contraproducentes de los vanguardistas, anatemas, según Núñez, de los intereses de las grandes multitudes:

> Y lo peor —porque así se componen las épocas en plena decadencia— que los mesiánicos estafadores de metáforas se han apropiado de empresas editoriales, periódicos de gran formato, y de la complicidad estúpida de los viejos escritores de muchas metrópolis, que labran o dicen labrar la renegrida nombradía de tales genios con afirmar que vale mucho, muy mucho su novísima manera de hablar y versificar en jerigonza (135).

Después de 1934, la noción de vanguardia deja de interesar, es historia, se ha diluido en la correntada de una literatura que, sin llegar a ser lo que patrocinaba Gallegos Lara, enrumbó con características de norma y de movimiento literario hacia la preocupación social, hacia la revelación de una realidad desquiciada e injusta. Esta tendencia se convierte en academia y se constituye en canon: de 1934 es *Huasipungo* de Jorge Icaza; en 1938 se funda el Sindicato Socialista de Escritores, al que se asocia la "intelligentsia" más prestigiosa e influyente del país; en 1944 se crea la Casa de la Cultura Ecuatoriana, cuyo programa cultural mayormente nativista hará huella en los años subsiguientes. El paradigma de una literatura de alegato social, consonante con los nuevos intereses intelectuales, sociales, políticos y económicos, se ha impuesto e institucionalizado y dominará los círculos ilustrados hasta comienzos de los años sesenta, cuando empieza a afirmarse el rescate de escritores vanguardistas marginados como, v. gr., Pablo Palacio.

La noción de vanguardia en el Ecuador ha pasado por varios momentos deslindables: la polémica presencia y recepción de la vanguardia histórica. El descrédito de ésta, en vista de su formalismo y su desfase con el medio y con las normas clásicas. Ello trajo como consecuencia, a su vez, el desplazamiento del término hacia una noción de vanguardia que se confundió e identificó con derroteros de preocupación social. Se dio el caso luego de que se descartó y rezagó cualquier referencia a la noción o al vocablo en tanto la una como el otro representaban manifestaciones del espíritu burgués o pequeño burgués.

Tomado de *Revista Iberoamericana*, núms. 144-145, 1988, pp. 649-673. Humberto E. Robles es profesor emérito de la Northwestern University (h-robles@northwestern.edu).

María del Carmen Fernández

La vanguardia literaria y Pablo Palacio en *Hélice*, *Llamarada* y *Savia*

La revista *Hélice*

La primera publicación quiteña de este período que nació como expresión de las generaciones jóvenes y de un arte nuevo, adoptó el símbolo futurista de la hélice. *Hélice* apareció en el mes de abril de 1926, bajo la dirección del pintor Camilo Egas, recién llegado de París, y con Raúl Andrade como secretario. Su proclama resulta la más revolucionaria de la época en lo que se refiere a la concepción del arte, al que no se identifica ya con la "Belleza" ni con la "Verdad", sino que, con un trasfondo de índole creacionista-ultraísta, se lo define como "la alquimia de la inverosimilitud" y como "la fluida pirotecnia de la sinrazón".[1]

Con el arma de la intuición, los colaboradores de *Hélice* se proclamaban iconoclastas, "nihilistas, sin maestros ni semidioses", a diferencia de los "Amigos de Montalvo", que habían asignado tales atributos al Cosmopolita y al Libertador, entre otros políticos y pensadores hispanoamericanos. La combatividad de la nueva publicación se dirigía contra "el arte de los más [...], el arte del gregarismo de la emoción, de la uniformidad inexorable".[2] Pero terminar con este tipo de arte significaba acabar también con la concepción tradicional del artista. En un mundo cambiante, protagonista de nuevos procesos sociales, en el que ya no cabían perspectivas eternas posibles, el artista moderno había perdido, según Escudero, "su indumentaria mesiánica, para convertirse en un atorrante maravillado que no sabe decir nada, sino morder las piedras preciosas de su hambre espiritual". Unos años más tarde, Raúl Andrade ratificaba el sentimiento de desintegración artística que se desprende de estas palabras, y lo ponía en relación con el proceso de crisis general que para 1926 estaban experimentando los valores dominantes de la sociedad ecuatoriana.[3]

En un proceso de búsqueda de nuevos caminos estéticos frente a un arte que las nuevas promociones artísticas consideraban caduco, *Hélice* se constituyó, al decir de Andrade, en "la primera cabaña independiente" del entorno cultural ecuatoriano. En

---

[1] Escudero, Gonzalo: "Hélice", *Hélice* nº 1, Quito, abril 26, 1926, p. 1.

[2] Escudero, Gonzalo: "Pirotecnia", *op. cit.* nº 2, mayo 9, 1926, p. 1.

[3] Andrade, Raúl: "Una exposición sub-pictórica" (13 de diciembre, 1934), en *Cocktail's Crónicas*. Quito: Talleres Gráficos de Educación, 1934-1935, p. 131.

contraste con los cálidos cenáculos de élite, este círculo estaba formado por "un grupo de pintores y humoristas" que se reunían en "una fría covacha de la plaza de la Alameda". Los colaboradores de la revista subrayaron su mencionada independencia con el estandarte de "el arte por el arte", en el intento de definir, según Andrade, a un "movimiento invertebrado y puro". Pero la pureza artística que proponían estos creadores no tenía nada que ver con la que proclamaban revistas como *América* o *Esfinge*. Si en estas publicaciones se identificaba el arte puro con "los amables jardines del lirismo", con la "lozanía de la flor verdadera" y con el "puro matiz de la imagen delicada",[4] en la revista dirigida por Egas, cultivar el "arte por el arte" remitía a la provocadora definición de Tristan Tzara: "L'Art c'est une merde".[5]

Consciente de que el cosmopolitismo y el afán de dedicación exclusiva al arte que animaban a *Hélice* podían confundirse con un deseo de evasión de la realidad ecuatoriana, Gonzalo Escudero puntualizó que uno de los objetivos principales de la revista consistía en "universalizar el arte de la tierra autóctona, porque la creación criolla no exhuma las creaciones extrañas, antes bien, las asimila, las agrega, las identifica bajo el techo solariego".[6] En correspondencia con estas palabras, en *Hélice* se reprodujeron varias obras pictóricas y escultóricas de ciertos artistas europeos que ensayaban técnicas novedosas en estos campos, así como estudios y reflexiones sobre las mismas. Es el caso de las producciones de André Derain, Alexandre Archipenko, Boris Grigoriew, Ossip Zadkine o Chana Orlowa. En el terreno literario, más restringido, encontramos algún poema de Oliverio Girondo y de Max Jacob.

Pero son las colaboraciones de los artistas nacionales que publicaron en *Hélice* las que ilustran a cabalidad la propuesta citada más arriba. La renovación poética llevada a cabo por las avanzadas ultraístas, creacionistas y surrealistas fundamentalmente, no sólo es perceptible en los versos del poeta surrealista Alfredo Gangotena, sino también en los de Escudero, en las producciones de los riobambeños Miguel Ángel Zambrano y Miguel Ángel León y en "Calle", del poeta de Quito Jorge Reyes. Raúl Andrade, por su parte, publicó sus "greguerías" con una clara influencia de Gómez de la Serna, conocido en el Ecuador de estos años gracias a la divulgación de la *Revista de Occidente*. Y Pablo Palacio, el único narrador del grupo, dio a conocer los primeros cinco relatos de la colección *Un hombre muerto a puntapiés* en cada uno de los cinco únicos números que —que sepamos— alcanzó a sacar la revista. Se trata de "Un nombre muerto a puntapiés", "El antropófago", "Brujería primera", "Brujería segunda" y "Las mujeres miran a las estrellas".[7]

---

[4] Leal, Alfonso: "La crisis del espíritu nacional", *Esfinge* nº 2, febrero, 1926, p. 1.

[5] Andrade, Raúl: *op. cit.*, p. 131. Andrade volvió a expresar estos conceptos en "Esquema de Camilo Egas en cuatro tiempos", *Trópico* nº 2, Quito, mayo-julio, 1938, p. 14.

[6] Escudero, Gonzalo: *Hélice* nº 1, p. 1.

[7] Estos relatos fueron publicados, respectivamente, en el nº 1, abril, 1926, pp. 16-19 y 22; en el nº 2, mayo, 1926, pp. 20-21; en el nº 3, junio, 1926, p. 11; en el nº 4, julio, 1926, p. 12; y en el nº 5, septiembre, 1926, pp. 13 y 14, de *Hélice*.

El enraizamiento en el medio sin subordinarse a la copia fotográfica del mismo, sino manteniendo la autonomía de la obra artística como tal, que era el novedoso planteamiento de *Hélice*, encontró su mejor ejemplificación en los relatos de Palacio y en la producción de los dibujantes y pintores del grupo. Estos últimos elaboraron un manifiesto harto ilustrativo con motivo de la primera exposición que presentaron en la Galería Egas, en mayo de 1926. En dicho manifiesto Egas, Latorre, Kanela, Pavel, Díez, Guarderas y Pedro León expresaron las directrices de su estética con las siguientes palabras:

> No vamos a usar la corbata roja ni la bomba de dinamita del bolchevismo artístico [...]. Queremos marchar por los senderos que nuestro espíritu inquieto nos descubre. Hasta aquí, nuestros ojos tuvieron la exactitud de cámaras fotográficas. Hoy tratamos de ver a través de nuestra sinceridad, de nuestra sensibilidad y de nuestra personalidad.[8]

Estos principios, que renegaban del bolchevismo, tanto como del realismo tradicional en arte, no implicaban, sin embargo, la reclusión del artista en una torre de marfil, sino que expresaban la voluntad de ver la realidad circundante desde una perspectiva genuina, tanto personal como nacional. Camilo Egas, el pintor de la raza india, de quien Gonzalo Escudero señalara que "ha pasado del arte imitativo al arte intuitivo. Pasa de copiar a la raza indígena, a adivinar la morfología zoológica de ella",[9] logró, con los procedimientos apuntados, un mayor acercamiento a su objeto artístico y se apartó, de este modo, de la consideración de la raza india como "barbarie" o de la mitificación en ambientes idílicos de la que había sido víctima hasta entonces. El pintor consiguió, en cambio, según Escudero, reflejar "su alma de barro, sólida, voluminosa y plúmbea: una psicología patética".

Los cuentos de *Un hombre muerto a puntapiés* de Pablo Palacio constituyen una buena muestra de la aplicación de los principios de *Hélice* al terreno de la creación narrativa. El relato que da título a la colección implica toda una poética orientada a negar los esquemas de pensamiento al uso y los patrones tradicionales de la creación literaria. El narrador se propone averiguar la causa y reconstruir la muerte a puntapiés de un "vicioso", anunciada de forma enigmática en el periódico. Pero para ello reniega del método deductivo y opta por la intuición. Ésta le conduce a unas conclusiones que no pueden demostrarse lógicamente, no obstante haber llegado a ellas mediante un impecable encadenamiento causa-efecto basado en el capricho del narrador, en asociaciones mentales de carácter diverso. Palacio marcaba, así, una separación clara entre la verdad y la creación artística, elaborada ésta según una lógica autónoma que no se identifica con la que rige a aquélla. Esta concepción del

---

[8] "Manifiesto", *op. cit.* nº 1, p. 7.

[9] Escudero, Gonzalo: "Camilo Egas", *op. cit.* nº 3, p. 10.

arte subyace en toda la producción literaria del narrador lojano, pero no determina su extrañamiento respecto de la realidad nacional, sino que se presenta como una crítica a la misma. La narrativa de Palacio reduce al ridículo a la cultura de élite que dominaba en el Ecuador de los últimos años 20. Una cultura cuyas características hemos esbozado en estas páginas y a la que los propios redactores de *Hélice* calificaron como una "cultura hecha de retazos librescos, de novelas de Ricardo León y poesías del panadero Carrère, de oleografías de revistas españolas y cuadritos *pompier*".[10]

Las obras de Palacio expresan, en este contexto, una crítica a la intelectualidad orgánica ecuatoriana, pero suponen también el señalamiento de una paradoja que era necesario destruir en el Ecuador de la época: la de una cultura ajena y galante injertada en unos contenidos nacionales marcados por la pobreza y por la frustración. Esta disociación resulta clara en *Débora*, novela en que su protagonista, un teniente, imbuido de unas formas culturales ingeridas en novelas del estilo de las de Ricardo León y en las tramas cinematográficas, espera que su vida vulgar le depare un destino salvador y romántico. Un destino que el golpe del 25, efectuado por los tenientes, esto es, un hecho político real del que él mismo habría formado parte, no había podido brindarle. Pero los tópicos literarios de índole romántica y galante se probarían infructuosos y sólo conducirían al protagonista a imitar unos gestos estereotipados característicos de los héroes novelescos y cinematográficos, es decir, ajenos a su realidad vulgar. En esta obra, Palacio proponía otras formas de elaborar una novela, al tiempo que se burlaba de dichos tópicos, ineficaces para expresar la realidad de los contenidos nacionales, del mismo modo que lo hicieran, con cierta mordacidad, Raúl Andrade y Carlos Riga, desde las páginas de *Hélice*.[11].

Los colaboradores de la revista dirigida por Camilo Egas no dejaron de manifestar, por lo tanto, la marcada oposición que separaba sus criterios artísticos de aquéllos que informaban a las asociaciones culturales de élite. Por eso, no resulta extraño que en las páginas de *Hélice* apareciesen alusiones burlescas a la Sociedad Jurídico-Literaria y a la Sociedad de Amigos de Montalvo,[12] ni que se reseñara, con una buena dosis de ironía, el escándalo que produjo en estos medios el anuncio de la visita de Marinetti al Ecuador.[13] En contrapartida, las voces que expresaron su rechazo ante la nueva publicación no tardaron en hacerse oír. Así, desde la revista *Atlántida* se acusaba a *Hélice* de "autolata", y de demostrar "doméstica comodidad", "una falsa adaptación de las últimas doctrinas y un absoluto cinismo por *épater les*

[10] "Marinetti y la pazguatería", *op. cit.* nº 4, p. 22.

[11] Andrade, Raúl: "Literatura y astronomía", *op. cit.* nº 3, p. 7 y Riga, Carlos: "Enfermedades románticas" en *op. cit.* nº 1, p. 4.

[12] Estas alusiones negativas aparecen en los comentarios de Jaime Rival titulados "Medio Ambiente" en *op. cit.* nº 1, p. 7 y nº 2, p. 8.

[13] "Marinetti y la pazguatería", *op. cit.* nº 4, p. 22.

bourgeois". En cuanto a sus colaboradores, se les tildaba de "analfabetos", de "estetas incomprendidos por demasiado vulgares" y de "jóvenes envenenados por la envidia y sedientos de coger la manzana hesperidiana del triunfo".[14]

Pero el contraste entre *Hélice* y los demás grupos culturales quiteños no se limitaba al terreno de los intereses artísticos, sino que se extendía a la asunción de concepciones políticas encontradas. Así, esta publicación, que declaraba haber nacido con motivaciones exclusivamente artísticas, no dejó de expresar, sin embargo, su filiación socialista, en unos meses en que la mayoría de sus colaboradores trabajaba en la próxima fundación del Partido Socialista.[15]

Hélice se presentaba, de este modo, como la primera publicación quiteña que agrupó a las nuevas promociones artísticas y políticas capitalinas. Supuso una alternativa frente a la cultura de élite, cultivada por las clases detentadoras del poder político y alimentada por una serie de tópicos que no podían expresar el ser de la mayoría de la población ecuatoriana. Por otra parte, influidos por los aportes de la Vanguardia histórica, sus colaboradores propusieron la mediación del sistema artístico en el conocimiento de la realidad y la crítica del principio romántico de la inmediatez. Estos planteamientos novedosos reunieron en las páginas de *Hélice* a los artistas jóvenes que residían en Quito y que comenzaron a insurgir con sus obras a partir de 1925.

Una buena muestra de la función catalizadora de la revista viene dada por la trayectoria de las publicaciones de Pablo Palacio quien, antes de la creación de *Hélice*, dio a conocer sus primeros relatos, "Un nuevo caso de *Mariage en Trois*" y "Gente de provincias", en la revista *América*, y su breve pieza de teatro "Comedia inmortal", en *Esfinge*.[16] La aparición de las colaboraciones de Palacio en estas publicaciones se justifica por la ausencia de otro tipo de revistas en el panorama cultural quiteño inmediatamente posterior a la Revolución de Julio; pero se debe, además, a la influencia de Carrera Andrade, a quien Palacio conoció en la Facultad de Jurisprudencia. Este poeta, que pronto iniciaría su carrera diplomática, introdujo a Palacio en los órganos literarios quiteños recién nacidos en estos años a través de su compañero de grupo, Hugo Alemán, vinculado a dicho poeta y director de *Esfinge*,

---

[14] "*Hélice*, Revista de Arte", *Atlántida* nº 9, Quito, 1926, pp. 169-170. Respecto de las críticas negativas que *Hélice* recibió, contamos, además, con el siguiente testimonio de Raúl Andrade: "los eternos farsantes, propietarios del buen decir y del buen gusto, aquellos que nunca supieron realizar la más mínima obra de creación, pero supieron simularla, se levantaron como un colmenar. Contaban para ello con la aquiescencia del diarismo ventrudo y con la indiferencia del medio". Vid. "Esquema de Camilo Egas" *op. cit.*, p. 14.

[15] Rival, Jaime: "Se anuncia la instalación de la Primera Asamblea Socialista", *op. cit.* nº 2, pp. 8-9.

[16] "Un nuevo caso de *Mariage en Trois*" y "Gente de provincia" aparecieron en *América* nº 5, diciembre 1925, pp. 146-148 y nºs 6-7, enero 1926, pp. 220-223, respectivamente. "Comedia Inmortal" se publicó en *Esfinge* nº 2, febrero 1926, pp. 24-26.

además de asiduo colaborador de *América*.[17] No obstante, cuando apareció *Hélice*, en abril de 1926, Palacio decidió publicar sus relatos de *Un hombre muerto a puntapiés* en esta revista y ya no volvió a colaborar ni en *América* ni en *Esfinge*, sino que en adelante lo haría en las publicaciones de nuevo cuño, que expresaban las inquietudes de las nuevas promociones literarias. De hecho, Palacio rehusó a formar parte de la "Sociedad de Amigos de Montalvo", lo que seguramente se le propuso a raíz de sus colaboraciones en *América*, con una carta en la cual, según testimonio de Alejandro Carrión, expresaba la razón de su renuncia con las palabras: "sucede que en realidad, no soy amigo de ese señor".[18]

Pero *Hélice* tuvo una vida muy corta, pues desapareció a los pocos meses de su nacimiento, al tiempo que se fundaba el Partido Socialista, del que formaban parte la mayoría de sus colaboradores. A partir de entonces, las preocupaciones de los artistas jóvenes radicarían en elaborar un arte que estuviera de acuerdo con las premisas de su pensamiento político, en el seno de un partido que en un principio distaba de ser radical al respecto. La falta de una burguesía con propósitos nacionales y con un discurso propio explica, en buena medida, el carácter heterogéneo del Partido Socialista, que aglutinó inicialmente a muchas de las voces que estaban en desacuerdo con el resultado de la transformación juliana. De este modo, dicha formación política integró en sus filas a grupos progresistas del liberalismo, a tendencias de derecha latifundista con planteamientos de corte utópico, y a grupos de orientación marxista[19] o, según Emilio Uzcátegui, a "todos los que dijeron que les gustaba el socialismo".[20] En esta crítica etapa inicial el lenguaje de los socialistas fue de índole idealista y su carácter fue esencialmente utópico, propio de esa etapa de su desarrollo que J. A. Llerena denominó "romántica" y que, a su juicio, se caracterizó por

> Reducir su actividad a la difusión de los principios puros de la doctrina y por transparentar una suerte de nueva ética [...]. Esta etapa del socialismo tiene algo de heroico, de sentimental y, por tanto, mucho de literatura [...]. Etapa intelectualista, etapa de teoría, de discurso, etapa grandilocuente.[21]

---

[17] Así se infiere de los comentarios de Alemán sobre Carrera Andrade, Palacio y él mismo expresados entre otros capítulos, en "César E. Arroyo" y "Pablo Palacio" de *Presencia del pasado*, ed. cit., pp. 119-125 y 214-238.

[18] Carrión, Alejandro: "Pablo Palacio: El fulminado por el rayo", *Galería de Retratos*. Quito: Banco Central, 1981, p. 81. (Reproducción del Prólogo a las *Obras completas de P. Palacio*. Quito: C. C. E., 1964, pp. VI-XXXII).

[19] Ayala Mora, Enrique: *Los partidos políticos en el Ecuador*. Quito: Ed. La Tierra, 1986, p. 25.

[20] Uzcátegui, Emilio: *La visión nacional en los fundadores del socialismo en el Ecuador*, *Cartillas de Divulgación Ecuatoriana* n° 48. Quito: C. C. E., 1986, p. 7.

[21] Llerena, José Alfredo: "La crisis del socialismo en el Ecuador", *Bloque* nº 5, Loja, mayo-septiembre 1936, p. 12.

La heterogeneidad de las fuerzas que integraban el partido fue denunciada, ya antes de su formación, por los propios colaboradores de *Hélice*,[22] y determinó una serie de luchas internas que no sólo se plasmaron en las tribunas políticas, sino también en el terreno artístico. Los jóvenes escritores socialistas comprendieron la necesidad de clarificar sus posturas y de no caer, tanto en los terrenos doctrinarios como en los literarios, en los discursos utópicos, por los que se filtraban cierta ambigüedad y, como veremos, propuestas de tipo espiritualista que escamoteaban la consideración del verdadero ser de las clases oprimidas de la nación.

Llamarada y la orientación nativista

La coexistencia de un pensamiento sociológico espiritualista-vitalista y de una creación artística que había optado por enraizarse en los aspectos caracterizadores de la realidad del país, se hace patente en la revista universitaria *Llamarada*, cuyo primer número apareció en diciembre de 1926. *Llamarada* nació con unas aspiraciones nativistas que se resumen en el proyecto de "contribuir a la modelación de la nueva etapa de la humanidad elaborada con barro de América, a la formación de una cultura autóctona, en la que las diferentes direcciones del pensamiento y del esfuerzo esplendan con la sencillez de nuestro criollismo".[23] En estas declaraciones se perciben ciertas referencias bastante reveladoras acerca del talante de los estudios sociológicos que la revista albergaría en sus páginas.

Efectivamente, la propuesta de "estimular todo lo que es de la tierra y de la sangre americana arraigadas en nosotros por vigorosos vínculos",[24] con vistas a modelar "la nueva etapa de la humanidad", vehiculizó cierto pensamiento sociológico cuyo origen se encuentra en *La decadencia de occidente* de Spengler y en la esperanza de *El mundo que nace* del conde Hermann de Keyserling. Como bien se sabe, según estos pensadores, el mundo se encontraba en una etapa terminal, que Keyserling denominó la etapa de la "civilización", marcada por el materialismo, frente a las etapas de "cultura", en que dominaban los valores trascendentes. La época actual estaba representada por los burgueses, los fascistas y los bolcheviques, quienes configuraban una sociedad cuyo tipo más característico venía dado, según el fundador de la "Escuela de la Sabiduría", por el *chauffeur*.[25]

---

[22] Rival, Jaime: "Se anuncia la instalación de la Primera Asamblea Socialista", *op. cit.* nº 2, pp. 8-9

[23] "Editorial", *Llamarada* n° 1, Quito, Diciembre 1926, p. 1.

[24] Bossano, Luis: "Hacia la conquista de la norma", *op. cit.* nº 1, p. 6.

[25] García, Aurelio: "Cultura y civilización (El *chauffeur*, prototipo humano actual)", *Llamarada* nº 5, 28 de febrero 1927, p. 7. Para una mayor información sobre la influencia de Keyserling en el Ecuador de los años 20 y 30, véanse las pp. 104-114 de este capítulo.

Hispanoamérica, que también vivía esta etapa decadente, participaba así de los atributos de la modernidad. Atributos que consistían, al decir de Aurelio García, en un anhelo de universalismo y en una perspectiva orientada hacia el futuro, patentes ambos en los diferentes "ismos" artísticos cuya existencia se reconocía en Ecuador. Las teorías vitalistas reseñadas remitían, de este modo, a la defensa de la modernidad frente al pensamiento de "los viejos".[26] Este espíritu de modernidad, sentido y vivido por los jóvenes, debía superar su etapa actual para emprender el proceso de creación de una nueva cultura, cuyo alumbramiento le estaba reservado a América del Sur. En consecuencia, los pueblos hispanoamericanos habrían de adoptar comportamientos iconoclastas: "ir contra lo pasado, contra el anhelo imitativo en lo social, en lo artístico, el imperialismo y la superación religiosa [...] para que la raza americana se disperse sobre la tierra [...] para mantener en alto su blasón de Verdad, de Justicia, de Solidaridad".[27]

Naturalmente, estas propuestas resultaban seductoras para la juventud socialista, al tiempo que podían ser asumidas sin problemas por los eventuales sectores del partido que no comulgaban con los planteamientos marxistas. Cada sector concretó estos pensamientos, que invitaban a un nativismo de objetivos un tanto indeterminados, según sus intereses políticos, Así, en el ámbito del pensamiento sociológico, cultivado por los profesores de Sociología de la Universidad Central, se tendió a disolver todo tipo de reivindicaciones de mejoras sociales o de independencia política en el ambiguo proyecto de conseguir una "soberanía espiritual", basada en "los ideales éticos, científicos, genuinamente religiosos y artísticos".[28]

Por otra parte, los jóvenes literatos cuyas colaboraciones comenzaron a aparecer en el primer número de *Llamarada*, recogieron de su proclama nativista la intención de reflejar la especificidad del ser ecuatoriano, en un anhelo de crear un arte propio y de conocerse a sí mismos, así como de afirmar una postura realista, frente a las utopías de los sociólogos. Así, Humberto Salvador anunció sus intenciones de cultivar un arte criollo, "donde los personajes ya no sean Pierrot o Colombina, Polichinela a Arlequín, sino nuestros personajes, los que hemos vivido, los que nos rodean, aquellos que son de nuestra raza y de nuestra sangre".[29]

Jorge Reyes, por su parte, publicó un artículo en el que subrayaba la necesidad de observar Quito, pero no con objeto de exaltar las adjetivaciones de "selecto y genial", de "relicario del arte" o "de valor moral axiomático", con que se solía calificar a la ciudad,[30]

---

[26] García, Aurelio: "El sentido de las cosas en lo moderno", *Claridad* nos 7-8, Quito, 1 de junio 1927, pp. 178-180 y "El problema de la cultura ecuatoriana", *Entelequia* nº 1, Quito, abril-mayo 1927, pp. 23-26.

[27] Gangotena, Emilio: "La nueva cultura", *Llamarada* nº 3, enero 28, 1927, p. 5.

[28] Cueva, Agustín: "Soberanía espiritual", *op. cit.* nº 2, enero 15, 1927, p. 4.

[29] Salvador, Humberto: "La emoción del paisaje", *op. cit.* nº 1, p. 8.

[30] Andrade Coello, Alejandro: "La tradición artística del pueblo de Quito", *América* nº 25, noviembre 1927, pp. 57-58.

sino para reconocer a un Quito que era "la verdad y la afirmación de nuestra verdad de hombres pequeños, acoquinados de religiosidad y de una ancestral pereza asiática, de nuestra moral de hombres hipócritas, perpetuos falseadores".[31] Sólo una mirada desprovista de prejuicios podía contribuir al conocimiento del quiteño pues, según Reyes, "nos desconocemos como el que no se ha atrevido a mirarse nunca a sí mismo y tiene una falsa idea de su yo".

Palacio, entonces secretario de la Sociedad de Estudios Sociológicos de la Universidad Central,[32] realizó esta labor de mirar a su entorno, para descubrir las distancias que separaban a cierta reflexión intelectual del ámbito de la vida. En "Las mujeres miran a las estrellas", relato de *Un hombre muerto a puntapiés* publicado en el n° 1 de *Llamarada*, el devoto historiador Juan Gual, seguramente participante de los principios de "soberanía espiritual" defendidos por los sociólogos universitarios, quedaba burlado y desarmado ante los amores de su joven esposa con su escribiente. Frente a esta afirmación de la vida, ratificada con el nacimiento de dos hijos que no eran suyos, el intelectual quedaba ridiculizado, recluido a una existencia limitada a la actividad de "escarbar en las narices del tiempo la porquería de una fecha".

Las propuestas nativistas, que iban ganando terreno en el campo literario, no anularon, sin embargo, a las tendencias cosmopolitas que admitieron la influencia del cubismo, del creacionismo, del surrealismo y de las teorías de la deshumanización del arte, a las que no eran ajenos los colaboradores de *Llamarada*. De hecho, en 1929, Palacio publicó en esta misma revista "Una mujer y luego pollo frito", relato que se desarrolla entre la realidad y el sueño, narrado en una primera persona desequilibrada, que le plantea al lector múltiples incógnitas. En esta ficción de introspección psicológica el autor anticipaba la angustia existencial característica de *Vida del ahorcado*.

Por otra parte, Humberto Salvador, el narrador en quien las teorías de Freud ejercieron una mayor influencia, indagó en los aspectos subconscientes de las clases dominantes en *Ajedrez* (1929). En esta colección de relatos, Salvador nos presenta una serie de casos clínicos, obsesionados por diferentes desviaciones sexuales, en el afán de aplicar las teorías freudianas al estudio de personajes pertenecientes a la alta sociedad quiteña. Pero en el mencionado volumen también hubo lugar para la inmersión en los ambientes suburbanos citadinos, con intenciones de delatar sus lacras y deficiencias, caso, por ejemplo, de "Mama Rosa". La preocupación social y la introspección psicológica de personajes urbanos, cuya combinación caracterizaría a la obra posterior de Salvador, aparecen ya perfectamente conjugados en "La navaja". En este relato, el más difundido de la colección por haber ganado varios premios en Colombia y en Argentina, se narran en primera persona y en presente de indica-

[31] Reyes, Jorge: "San Francisco de Quito en el arte", *Llamarada* nº 1, p. 12.

[32] Así se reseña en *op. cit.* nº 1, p. 16.

tivo las reacciones de un personaje de clase media ante la navaja de un barbero que le refiere su miseria y su odio al burgués. Dichas reacciones resultan sumamente ilustrativas, pues van desde la compasión hasta un no disimulado temor frente a la navaja amenazadora. Pero al salir de la barbería y reincorporarse a las calles de la "muy noble ciudad de Quito", el narrador se dirige al lector (burgués), calificando a la tragedia del barbero de "vulgar" y a su alucinante experiencia de "tontería" e invitándole a comprobar su veracidad. Salvador ponía así el acento sobre una cuestión que después iban a tratar, de diversos modos, Palacio y Rojas: la posición del intelectual de clase media, entre las masas trabajadoras y la burguesía a la que provocaba, pero a la que aspiraba a pertenecer.

Esta misma problemática reaparece en *En la ciudad he perdido una novela* (1929), de técnica pirandelliana. En esta obra el narrador ensaya varios proyectos de novela "a la vista", con la intención inicial de contar "lo que es y no lo que puede ser". En consecuencia, el autor-narrador recorre la ciudad en busca de personajes y de argumentos, ofreciéndonos una interesante visión de los contrastes de un Quito que se modernizaba frente a la miseria de los barrios coloniales. Pero "lo que es" no puede ser aprehendido por una obra de ficción que se perfila como una actividad lúdica y autónoma. Así, la novela se desarrolla entre estas contradicciones, discutidas con los personajes, y las ocultas aspiraciones del narrador de adquirir cierto prestigio en la alta sociedad. Mediante el procedimiento de la deshumanización, aquél pasa a introducirse en la trama de la novela como personaje y a atribuirse características que no le corresponden, en un mundo de ficción donde todo es lícito.

En Guayaquil, Alfredo Pareja, que había entrado en el mundo literario como codirector de la revista *Voluntad* (julio, 1927-enero, 1928),[33] dio a conocer su primera novela, *La casa de los locos*, también en 1929. Esta obra primeriza y olvidada del fecundo narrador guayaquileño ha sido considerada por dos prestigiosos historiadores de la literatura ecuatoriana, Hernán Rodríguez y Juan Valdano, como una de las ficciones que inauguran la producción novelística de la "Generación del 30", al lado de *Débora*, de *Ajedrez* y de *En la ciudad he perdido una novela*.[34] Sin embargo, ninguno de estos investigadores ha precisado el carácter novedoso de las nove-

[33] Esta revista surgió con un programa de repulsa al imperialismo norteamericano. Buena indicadora de los tanteos literarios de la época, fue esencialmente polifacética, ya que acogió en sus páginas, tanto notas sociales, siluetas aristocráticas o poemas postmodernistas de José María Egas, como numerosos relatos de José de la Cuadra y colaboraciones de Leopoldo Benites, de Miguel Ángel León, o de Hugo Mayo.

[34] Rodríguez Castelo, H.: "Generaciones y novela ecuatoriana", en Pareja, Alfredo: *Las pequeñas estaturas I*. Guayaquil/Quito: Publicaciones Educativas Ariel, Col. Clásicos Ariel nº 47, s. a., p. 36; y Valdano, Juan: *Ecuador: cultura y generaciones*. Quito: Ed. Planeta del Ecuador, Col. País de la Mitad nº 1, 1985, p. 117. En estos estudios ambos investigadores coinciden en reseñar dos datos erróneos: considerar la colección de cuentos *Ajedrez* como una novela y señalar el año de 1929 como fecha de publicación de *Débora*, que fue publicada en 1927.

las mencionadas. Rodríguez señala la innegable excepcionalidad de Palacio y ambos investigadores mencionan la obra de Pareja y las de Salvador por ser las primeras de quienes derivaron hacia el mejor realismo social (*El muelle*, 1933) y hacia el realismo socialista más ortodoxo (*Trabajadores*, 1934), respectivamente. Fue Adolfo Simmonds quien, con palabras desmesuradamente elogiosas y con el objeto de revalorizar una novela desconocida, se refirió a *La casa de los locos* como al "más valioso ensayo de novela moderna hecho en el Ecuador", en la temprana fecha de 1930. El periodista guayaquileño especificó dicha modernidad en

> esa nueva manera de mirar la vida, esa aceptación torturadora que posee el autor, ese desaliño en las frases e incoherencia en las ideas que estereotipan el mecanismo especial del pensamiento moderno, esa brevedad rauda que limpia la expresión de inútiles adornos.[35]

Por otra parte, Simmonds relacionaba la novela de Pareja con las colecciones de relatos *Ajedrez* y *Un hombre muerto a puntapiés*, por compartir algunas de las características reseñadas y por coincidir en la línea abierta por las obras "oscuras e inquietantes" de Proust y de Gide. Ciertamente, en *La casa de los locos* Pareja rompe con los modos habituales de elaborar una novela. Narrada en primera persona, el protagonista se confiesa perturbado por la lectura de un libro hindú y nos cuenta, con vacíos informativos deliberados y constantes saltos temporales, la historia de una conspiración política. Con declarados fines de criticar la ineficacia de los "viejos" y de reivindicar un nuevo discurso político, Pareja se presentaba "ignorante del idioma de Cervantes y Montalvo, desdeñoso de la señora retórica",[36] y arremetía contra las instituciones democráticas ecuatorianas, legitimadas por la flamante Constitución progresista, recién aprobada en 1929. Novela en clave política, esta obra inmadura del novelista guayaquileño reducía a lo grotesco la vaciedad del discurso político liberal, el proceder de los políticos contemporáneos y toda una serie de leyes democráticas cuya validez quedaba limitada a su existencia en el papel. De este modo se expresaba el desengaño de un narrador declaradamente influido por las teorías de la *raza cósmica* de Vasconcelos ante el medio que no facilitaba en la práctica la realización de dichas utopías. Así, no resulta extraño que esta novela, que Pareja declaró "ilógica" y "absurda", alejada de la "literatura" ajustada a los cánones comúnmente admitidos,[37] sufriera la conspiración del silencio por parte de los muchos políticos ofendidos en ella, lo que impidió su circulación.[38]

---

[35] Simmonds, Adolfo: "Prólogo" a Pareja, Alfredo: *La señorita Ecuador*. Guayaquil: Ed. Jouvin, "La Reforma", 1930, p. V.

[36] Pareja, Alfredo: "Prólogo" a *La casa de los locos*. Guayaquil, 1929, p. II.

[37] *Ibíd*., p. II.

[38] Así lo manifiesta Adolfo Simmonds en *op. cit*., p. III.

Como podemos observar, en estas obras conviven el interés por los problemas intrínsecos al arte, con unas claras intenciones nativistas, de arraigo en el medio. Pero al lado de estas producciones y a las de Escudero, Carrera Andrade y Gangotena, entre otros poetas cuya obra se enraíza fuertemente en la tierra, al tiempo que se vincula, por su experimentación formal, con los hallazgos de las vanguardias europeas de posguerra, en el Ecuador se estaba gestando un tipo de literatura cuya máxima preocupación consistía en reflejar los aspectos definidores de las masas oprimidas, del indio y del montuvio. Así, en 1927, el mismo año en que se publicó el volumen *Un hombre muerto a puntapiés*, Fernando Chaves dio a conocer *Plata y bronce*. Esta novela constituye un antecedente del indigenismo ecuatoriano por su voluntad contraideológica, no plenamente formulada en el discurso literario, orientada a la defensa del indígena. En las mismas fechas, Leopoldo Benites publicó "La mala hora" en la revista *Voluntad* de Guayaquil. En este relato, al que su autor adjudicó el título alternativo de "El derecho de matar" y calificó de "cuento amoral", se intentaba reflejar el carácter del montuvio en la misma línea que seguiría el Grupo de Guayaquil unos años más tarde, con claras intenciones de denuncia y protesta social[39]. Por otra parte, también en 1927, nació en Loja la revista *Loxa*, en la que Eduardo Mora Moreno dio a conocer sus relatos indigenistas de *Humo en las eras*.

La revista *Savia*, de Guayaquil

Se iniciaba, así, en 1927 un lento proceso de decantación literaria que comenzaría a culminar a partir de la publicación de *Los que se van* (1930). Esta evolución que experimentaron los diversos tanteos literarios de los años 20, se refleja en la trayectoria de la revista *Savia* (1925-1929) de Guayaquil, así como en la evolución poética del máximo representante del dadaísmo y del ultraísmo poéticos ecuatorianos, Hugo Mayo.

Savia surgió unos días antes del golpe de 1925 con la propuesta de cultivar la belleza y el arte, que se identificaban con la "Verdad". Sin embargo, no permaneció ajena a los candentes problemas económicos, sociales y políticos, ni se limitó al terreno de la producción poética, pues "en literatura hay el cuento, la novela, el drama, algo más que sólo los versos tristes a la luna".[40] Así, apenas un mes después

[39] Al respecto resulta oportuno señalar que, como ha precisado Humberto Robles, en 1923 De la Cuadra ya estaba sondeando el mundo del montuvio con intenciones de hacer literatura de denuncia y protesta. A estas intenciones correspondería, según el mencionado crítico, su cuento "El desertor", publicado en *Germinal*, de Guayaquil en 1923. Vid. Robles, H.: "La noción de vanguardia", *op. cit.*, p. 653.

[40] "¡Juventud! Es hora de hacer vivir los ideales", *Savia* nº 1, Guayaquil, julio 9, 1925, (s. p.).

de la Revolución de Julio, *Savia* se pronunciaba a favor de los ideales que habían informado a la transformación política y proclamaba una "revisión de valores" en los dominios del arte y de la literatura.[41]

Consecuentemente, *Savia* agrupó a un buen número de "rebeldes" que, encabezados por Hugo Mayo, dieron a conocer sus poemas dadaístas y ultraístas en sus páginas. Es el caso de Camilo E. Andrade, María Luisa Lecaro (Tata), Enrique Avellán Ferrés, Alberto Andrade y Arízaga, o Rafael Vallejo Larrea. Pero además, la revista guayaquileña acogió las colaboraciones de los no menos rebeldes Jorge Reyes, Raúl Andrade y Pablo Palacio, quien publicó en ella los relatos "Señora", de *Un hombre muerto a puntapiés*, y "Novela guillotinada",[42] que había aparecido unos meses antes en la *Revista de Avance* de La Habana. Anteriormente, esta última revista había publicado "Las mujeres miran a las estrellas", acompañado de un elogioso comentario.[43] Esta proyección internacional de Pablo Palacio se debe, sin duda, a su vinculación con Hugo Mayo y con la misma revista *Savia*, en la que el canje, seguramente estimulado por el poeta ultraísta, resulta evidente. Así, en la sección titulada "Periscopio Literario" se daba cumplida noticia de algunas revistas literarias de avanzada, como *Ulisses*, *Carátula*, *Martín Fierro*, *Amauta*, *Revista de Avance* o *Poliedros*, y se publicaban producciones de Oliverio Girondo, César Alfredo Miró Quesada, Vicente Mestri, Edgarda Cardenazzi, o Alfredo M. Ferreira.

El conocimiento de las últimas tendencias poéticas hispanoamericanas, así como el rechazo a la poesía galante que imperaba en los cenáculos quiteños, explica el comentario crítico que se realizó desde el "Periscopio Literario" al ensayo "El verso actual en América", publicado en *América* por Augusto Arias, el poeta "enfermo de rimas y de ensueños". En dicho comentario se acusaba al poeta quiteño de no estar al día y de no haber comprendido el verdadero significado de la nueva poesía. Significado que, según el articulista de *Savia*, había precisado Agustín Acosta en una difundida carta dirigida a Jorge Mañach.[44] Esta referencia resulta bastante significativa, por cuanto que en dicha carta el poeta cubano identificaba al arte nuevo con la sinceridad, con "el dejar correr, sencillamente" y calificaba a los procedimientos "vanguardistas" como a una "retórica contradictoria con el arte".[45]

En 1927-28, Hugo Mayo mostraba una evolución similar a la expresada por Acosta, pues iba abandonando su primera etapa netamente dadaísta y formalista,

[41] "Nuestro deber", *op. cit.* nº 3, 5 de agosto de 1925, (s. p.).

[42] Estos relatos fueron publicados en *Savia* nº 20, enero 1927 y nº 36, diciembre 1927, respectivamente.

[43] "Las mujeres miran a las estrellas" y "Novela guillotinada" se publicaron, respectivamente, en *Revista de Avance* nº 3, 15 de abril 1927, pp. 61-63, y nº 11, 15 de septiembre de 1927, p. 286.

[44] "Periscopio Literario", *Savia* nº 40, 18 de febrero, 1928, (s. p.).

[45] Acosta, Agustín: "Agustín Acosta y el 'vanguardismo'. Una carta desde Jagüey Grande", *Revista de Avance* nº 17, La Habana, diciembre 15, 1927, p. 124.

para humanizar su poesía. En un contexto en el que predominaban las inquietudes sociales y políticas, el poeta manabita incorporó a sus producciones motivos de reivindicación social.[46] De este modo, en 1927, los ganadores del concurso de poesía organizado en Guayaquil con ocasión de la Fiesta del Montuvio fueron Hugo Mayo y dos poetas más que habían seguido un proceso evolutivo semejante: Enrique Avellán Ferrés y María Luisa Lecaro.

Es en correspondencia con esta evolución como deben entenderse las dos reflexiones que sobre el concepto de "vanguardia" publicó el director de *Savia*, Gerardo Gallegos, en su revista. Coetáneamente a la celebración de la "Fiesta del Montuvio" de 1927, Gallegos había manifestado que

> Una fuerte ideología hace causa común con la nueva estética de contornos cada vez más claros y definidos que sucede a los anteriores avances esporádicos y ya desmoronados del dadaísmo, futurismo y más ensayos [...] de un lado la vanguardia literaria: síntesis panorámica muy de acuerdo con el siglo de los aviones; del otro, la avanzada revolucionaria socialista que conecta sus mejores golpes al imperialismo capitalista de yanquilandia.[47]

Con estas palabras, el comentarista señalaba la mencionada trayectoria de la poética de vanguardia, desde su primera etapa, marcada por el formalismo y la iconoclastia, hasta convertirse en una "síntesis literaria", en consonancia con las inquietudes revolucionarias. Unas semanas más tarde, el director de *Savia* puntualizaba el carácter de esta "síntesis" clarificando el viraje semántico que había experimentado la palabra "vanguardia". Con claras referencias al reciente poema de Hugo Mayo sobre el montuvio, Gallegos separaba la "vanguardia formal", "audacias de retórica más o menos afortunadas", de la "vanguardia social", que era la verdadera vanguardia, "la que recoge sus vibraciones inéditas del caudal de la vida —real, humana, palpitante": una vanguardia que, además, se identificaba con la Belleza y con el Arte.[48]

En el fondo lo que se trataba de preservar, al identificar la "vanguardia social" con la Belleza y el Arte, era la filiación nacional de la nueva poética y, por extensión, del arte nuevo. De un arte cuya originalidad sólo podía suministrársela, al decir

[46] Fue entonces cuando los comentaristas de la época consideraron que Hugo Mayo había encontrado "su verdadera orientación, es decir, cantar lo objetivo sin abandonar lo subjetivo", en tanto que en sus primeros años sólo era "una antena receptora de los mensajes de Rivière, Beaudin y Tzara". Vid. Egas Orellana, Miguel A.: "La poética ecuatoriana del 900 hasta nuestros días", *Revista del Colegio Vicente Rocafuerte* n° 54, Guayaquil, junio 1942, p. 188; y Lavayén Flores, L. A.: "Hugo Mayo" en *op. cit.* nº 63, abril-mayo 1930, (s. p.).

[47] Gallegos, Gerardo: "El pensamiento latino americano", *Savia* nº 31, septiembre 1927, (s. p.).

[48] Gallegos, Gerardo: "Vanguardia literaria", *op. cit.* nº 33, 30 de octubre 1927, (s. p.).

de un crítico de la época, la copia de la realidad.[49] De ahí que se insistiera en subrayar las diferencias entre la vanguardia americana y la europea con los siguientes argumentos:

> Este psiquismo americano no debe confundirse con el europeo, que le llevó a Apollinaire a burlarse del "arte serio", ni con el otro empeñado en formarse una "realidad irreal", ilógico, superrealista; Europa cayó en ello a fuerza de caducidad y cansancio. América, si busca sendas nuevas en el arte, es porque aún cree en él y siente su imperativo categórico: lo único que ansía es un vaso nuevo y propio para beber en él el vino esprimido de "sus" lagares.[50]

En una época en que el principal objeto de los artistas revolucionarios ecuatorianos consistía en afirmar los contenidos de la nación dominada, la "vanguardia formal" empezó a ser considerada ajena e inadecuada para expresar el ser nacional. Ante la incapacidad de los estudios sociológicos para aproximarse a esos contenidos (ya que habían adoptado una terminología científica importada), se recurrió al terreno del arte con el fin de formular, con formas de expresión propias, la "conciencia del ser negado", es decir, la existencia de una cultura nacional popular que, afirmándose, negara la idea de nación deseada por las clases dominantes. En este contexto, los escritores realistas consideraron que había que recuperar el prestigio de la institución "Arte" que había sido parcialmente amenazada, para legitimar en ella todo un intento de explicarse los aspectos caracterizadores de la nación. Por otra parte, este procedimiento constituyó, para los artistas revolucionarios de clase media, un modo de afirmarse en tanto que intelectuales.

Pero, como hemos visto, la segunda mitad de la década de los 20 recibió la influencia de las ideas del vitalismo espiritualista alemán, muy cercanas a las de Vasconcelos, y continuó acogiendo las aportaciones del creacionismo y de los "ismos" europeos, que dieron lugar a la mejor producción poética del período. Estas tendencias, junto con los proyectos definidos más arriba, generaron una transformación del cosmos literario que el poeta (entonces seguidor de Hugo Mayo) Alberto Andrade calificó de "grandiosa, radical e indefinida, sobre todo in-de-fi-ni-da"[51]. Indefinición que pronto sería resuelta, pero que aún prevalecería en los primeros años 30. En el intento común de definición del arte nuevo y de la ecuatorianidad, esos años no sólo contaron con manifestaciones literarias centradas en las masas

---

[49] Oleas Zambrano, Nicolás: "Ensayo histórico-crítico de la novela ecuatoriana", *Claridad* n°s 9-10, Quito, enero 1928, p. 333.

[50] Moreno Mora, Vicente: "El movimiento estridentista, por Germán List Arzubide", *Mañana* nº 1, Cuenca, mayo de 1928, p. 125.

[51] Andrade y Arízaga, Alberto: "El vanguardismo y su significación en la historia literaria", *Mañana* nº 1, Cuenca, mayo 1928, p. 71.

explotadas, sino también con una producción narrativa de crítica al burgués, en la línea de Palacio, y atenta a las contradicciones de los intelectuales de clase media.

Tomado de María del Carmen Fernández: *El realismo abierto de Pablo Palacio en la encrucijada de los 30*. Quito: Libri Mundi, 1991, pp. 55-77. La autora es doctora en Filología Hispánica y profesora en el Instituto de Educación Secundaria León Felipe (Torrejón de Ardoz, Madrid) (carmls@terra.es).

Mirko Lauer

Poesía vanguardista peruana 1916-1930

Y al abrirse las puertas de la mansión eterna
saldrá un viejo caduco con ojos de linterna,
y en una celda antigua pondrá mi alma moderna

Alberto Hidalgo 1918

En los albores de este siglo hubo preocupados vaticinios de algunos poetas modernistas acerca del advenimiento de una nueva era en que triunfarían las tecnologías del norte sobre la espiritualidad del sur. Los anuncios no eran nuevos. En verdad coincidían con casi dos siglos de opiniones, algunas fundadas y otras estereotipadas, de los latinoamericanos sobre los estadounidenses.[1] En la resaca de la guerra hispano-norteamericana de 1898, el nicaragüense Rubén Darío (1867-1916) había escrito en Málaga, en 1904, "Eres los Estados Unidos, / eres el futuro invasor / de la América ingenua que tiene sangre indígena, / que aún reza a Jesucristo y aún habla en español".[2] Dos años después, en su prefacio a *Cantos de vida y esperanza*,[3] Darío dijo "Mañana podremos ser yanquis (y es lo más probable)". Ocho años más tarde precisó en otro poema, escrito en Nueva York,[4] que "el yanqui ama sus hierros". Más adelante llama a los estadounidenses "Búfalos de dientes de plata [que] en el arte, en la ciencia, todo lo imitan y lo contrahacen". El choque del espíritu con la técnica fue un tema frecuente en los medios culturales entre los que se movía el modernismo, y las máquinas fueron vistas como uno de los elementos que hacían la diferencia, no sólo en la guerra y la economía, sino en la vida cotidiana. Las ideas más difundidas sobre la máquina desde el s. XVII establecían una división tajante entre lo mecánico y lo espiritual,[5] un corte que terminaba comprometiendo otras categorías, como la dignidad intelectual. Esto último a partir de una visión de lo ideal/espiritual como concepción/creación y de lo mecánico como ejecución, y con la implícita sub-

[1] Véase Richard Morse, *El espejo de próspero. Un estudio de la dialéctica del nuevo mundo*. México, D. F.: Siglo Veintiuno Editores, 1982; Aníbal Quijano, *Identidad, modernidad y utopía en América Latina*. Lima: Sociedad y Política Ediciones, 1988; Mirko Lauer, "Lo yanqui, revés de lo latino", *Debate*, Lima, N° 67: 41-46, 1991.

[2] Rubén Darío, *Poesía*. Caracas: Biblioteca Ayacucho, 1977, p. 255.

[3] Darío, *Op. Cit.* p. 244.

[4] Darío, *Op. Cit.* p. 471.

[5] Véase Annie Becq, "La métaphore de la machine dans le discours esthétique de l'age classique", *Revue des Sciences Humaines*, Paris, abr-oct 1982, Vol. LVIII, N° 186-187: 269-278.

ordinación de lo segundo ante lo primero.[6] Los Estados Unidos como espacio privilegiado de lo mecánico fueron referencia obligada en las miradas sobre lo latinoamericano que lanzaba el modernismo. El modernismo se concebía a sí mismo decididamente del lado del espíritu, y a menudo encarnó en la cultura la reacción antimoderna de los intereses terratenientes frente a lo urbano-industrial. Pero si las posturas de Darío y José Santos Chocano (1875-1934) reaccionaban contra las tendencias centrales del desarrollo capitalista, sus vaticinios resultaron exactos, y a bastante corto plazo. Pues fue a la sombra de las máquinas y en la línea de estos anuncios y prevenciones contra el avance de lo anti-espiritual que la poesía latinoamericana dejó atrás el modernismo y el espiritualismo, y puso en marcha su primera transformación de este siglo, con los poemas del chileno Vicente Huidobro (1893-1948) y del peruano Alberto Hidalgo (1897-1967), que se adelantaron en casi diez años al cuerpo central de lo que luego sería llamado el vanguardismo. Aquí en Perú, en 1906, Chocano escribió en "El canto del porvenir (palabras internacionales)" que "los Estados Unidos con su mano de atleta / realizaron, entonces, la visión del poeta; / y midieron con rieles las inéditas zonas / que hay de Paita a una margen del paterno Amazonas".[7]

El modernismo había impuesto en la poesía del continente una sensibilidad latina —melodiosa, resonante, tropical— que la separó de la española, acaso para siempre. El sesgo radical que el modernismo le había dado al romanticismo europeo del siglo anterior empezó a ser cuestionado por otra poética de origen europeo. En el segundo decenio del siglo ya habían aparecido en más de media docena de países seguidores de Filippo Tommaso Marinetti (1876-1944), el profeta italiano de la modernidad entendida como subversión de la sensibilidad, y de las máquinas como enterradoras del pasado. Su propuesta de un *futurismo*, en un manifiesto de 1909, fue una genial intuición acerca de hacia dónde inclinarían el mundo la revolución científica, la revolución tecnológica y la revolución socio-política de los primeros dos decenios del siglo. Esta nueva poética futurista también tuvo elementos de réplica local de intereses y prosodias europeas, pero ya no bajo el signo del hispanismo cultural, ni a la sombra de una tradicional discrepancia entre lo latino y lo anglosajón, sino con una intención deliberada y enfáticamente experimental y cosmopolita.[8]

[6] "El discurso de las doctrinas del gran Bello (Bella Naturaleza, Bello esencial, el Bello ideal...), que es el discurso dominante sobre las artes del siglo XVIII, hace la distinción general de lo mecánico y lo espiritual", Becq, *Op. Cit.*, p. 271.

[7] José Santos Chocano, *Obras escogidas*. Lima: Occidental Petroleum, 1987, pp. 130-132.

[8] Véase Merlin Forster, *Essays on Twentieth-Century Latin American Literature and Culture*. Urbana: University of Illinois Press, 1975 (el ensayo del propio Forster sobre "Latin American *vanguardismo*, Chronology and Terminology", pp. 13-50).

Para América Latina vale lo que Marjorie Perloff[9] dice para Europa: "Seguir el curso de los llamados movimientos de vanguardia de los primeros tres decenios del siglo es volverse cada vez más consciente de profundas diferencias, incluidas las diferencias entre el *ethos* de la *avant guerre* y el de la postguerra". La nueva poesía latinoamericana que reemplazó al modernismo, y que fue un reflejo de los ismos europeos con nombres como futurismo (Italia, Rusia), vorticismo (Estados Unidos, Inglaterra), dadaísmo (Suiza, Francia) o ultraísmo (España), se puso en marcha apenas las intelectualidades urbanas terminaron de asimilar el impacto cultural de la lejana Primera Guerra Mundial en el medio local, lo cual sucedió recién entrados los años 20.[10] El nuevo fenómeno poético se expresó primero a través de una fragmentación de iniciativas nacionales, conocidas a partir de títulos de libros o revistas o nombres de cenáculos. *Estridentismo* en México, *creacionismo* en Chile, *martínfierrismo* en Buenos Aires, *modernismo* en São Paulo, y a veces varios ismos por país, como en Puerto Rico, donde entre 1921 y 1935 se pasan una vertiginosa posta entre otros, el *diepalismo*, el *euforismo*, el *noísmo* y el *atalayismo*.[11] Por sobre toda esa variedad se terminó imponiendo *vanguardismo*, expresión con resonancias militares, compartida por todos los géneros de las artes y las letras, que en 1925 el español Guillermo de Torre (1900-1971) terminó de consagrar con su breve guía crítica sobre *Las literaturas europeas de vanguardia*, obra que hacia 1965 ya se había convertido en un grueso tomo, con amplia representación latinoamericana. Consecuentes con sus impulsos cosmopolitas, los nuevos grupos poéticos locales operaron como una internacional de intercambios, sobre todo entre latinoamericanos. Una matriz ideológica común de origen europeo y la mutua frecuentación contribuyó a dar a los poetas vanguardistas y a sus efímeras revistas un tono parejo, y un fuerte aire de familia. Unruh ha organizado las ideas de la crítica de los últimos dos decenios en torno a espacios nacionales,[12] y muestra que hay coincidencia en atribuir cuatro rasgos básicos: a. fue continental y debe ser estudiada comparativamente entre países; b. desafió la forma establecida y la división entre los géneros literarios; c. pivotó en torno a manifiestos y textos afines; d. su orientación fue a la vez internacional y local. Los puntos primero y cuarto, en buena medida el mismo, hasta ahora no han sido cuestionados, si bien ha resultado más atractivo para la crítica yuxtaponer las experiencias nacionales que agrupar textos vanguardistas sobre

---

[9] Véase Marjorie Perloff, *The Futurist Moment. Avant-Garde, Avant Guerre and the Language of Rupture*. Chicago/London: The University of Chicago Press, 1986.

[10] Manifiestos de la vanguardia europea en Umbro Apollonio (ed.), *Futurist Manifestos*. New York: Viking, 1973; e Ida Rodríguez Prampolini y Rita Eder (eds.), *Dadá documentos*. México, D. F.: UNAM, 1977.

[11] Forster, *Op. Cit.*; Vicky Unruh, *Latin American Vanguards. The Art of Contentious Encounters*. Berkeley: University of California Press, 1994.

[12] Unruh *Op. Cit.*, pp. 9-10.

la base de otros criterios.[13] En cambio las visiones del vanguardismo anglosajón, llamado *Modernism*, que coincide en el tiempo y la intención con el de América Latina, suelen ser temático-analíticas antes que nacional-taxonómicas, en la búsqueda de afinidades. Escribiendo en 1942, Randall Jarrell[14] hace una lista de rasgos del *Modernism* que también son válidos para América Latina: experimentalismo y búsqueda de lo nuevo; lenguaje desarraigado, en el sentido de irregular; intensidad emocional vinculada a la violencia; cierto desdén por la claridad de la lógica lineal; deseo de llevar todas las cosas a sus extremos; insistencia en los detalles; una "típica preocupación romántica por las sensaciones, los matices perceptuales", más una preocupación por lo inconsciente y lo irracional.[15] Quizás la mejor mirada de conjunto sobre el vanguardismo poético latinoamericano sean las notas de Noe Jitrik,[16] para quien coexisten una influencia europea, una influencia norteamericana, y un impulso nacionalista continental, y pide "desprenderse del prejuicio de que la vanguardia es en América Latina puro europeísmo". Para Jitrik la actitud de ruptura no es lo que define al vanguardismo en América Latina, lo cual podría estar relacionado con su percepción de que un rasgo común del movimiento es una imparcial desconfianza vanguardista frente a la izquierda y a la derecha, receta clásica para el eclecticismo en la creación y en la crítica. Alfredo Bosi (en la recopilación de Schwartz) hace hincapié en el aspecto contradictorio del vanguardismo en el continente, con "demasías de imitación y demasías de originalidad", cosmopolitismo y nacionalismo. A pesar del consenso sobre el carácter pan-continental del vanguardismo poético latinoamericano, la crítica mantiene algunas diferencias a la hora de establecer su mapa. Forster se guía por el criterio de la presencia o no de autores de primera línea, e incluye (en este orden) a Chile, Brasil, Argentina, Perú, México y Cuba. Unruh hace una lista de los mismos cinco países en que "la actividad literaria

[13] Véase Óscar Collazos (comp.), *Recopilación de textos sobre los vanguardismos en América Latina*. La Habana: Casa de las Américas, Serie Valoración Múltiple, 1970; *Revista de Crítica Literaria Latinoamericana,* Lima, 1982, N° 15; Ana María de Moraes Belluzo (ed.), *Modernidade: vanguardas artísticas na América Latina*. São Paulo: Memorial-Unesp, 1990; Jorge Schwartz, *Las vanguardias latinoamericanas. Textos programáticos y críticos*. Madrid: Cátedra, 1991; además véase las bibliografías en la serie de Bibliografías críticas de las vanguardias literarias en el mundo ibérico. Los tomos I (Brasil) y II (países andinos) ya han aparecido, y el proyecto consta de nueve.

[14] "The End of the Line", *The Nation*, Washington, Vol. CLIV, 1942.

[15] Sobre *Modernism*, véase: Malcolm Bradbury y James McFarlane (eds.), *Modernism*. London: Penguin, 1976; Daniel Joseph Singal, "Towards a Definition of American Modernism", *American Quarterly* N° 39: 1, 1987: 7-26; Sastradur Eysteinsson, *The Concept of Modernism*. Ithaca: Cornell University Press, 1990; William R. Everdell, *The First Moderns*. Chicago: University of Chicago Press, 1997; Michael Levenson (ed.), *The Cambridge Companion to Modernism*. Cambridge: Cambridge University Press 1999.

[16] "Papeles de trabajo: notas sobre vanguardismo latinoamericano", *Revista de Crítica Literaria Latinoamericana,* Lima, 1982, N° 15: 13-24.

de vanguardia estuvo más extendida" y coloca a Chile en una categoría aparte, por estimar que hubo allí un impacto de figuras antes que de grupos. Luego añade una segunda relación de países con actividad menor pero significativa: Ecuador, Nicaragua, Puerto Rico, Uruguay y Venezuela. En esto último Unruh está siguiendo el criterio de Schwartz en su volumen sobre manifiestos vanguardistas latinoamericanos.

Si alguna particularidad saltante tuvo el vanguardismo peruano, es que fue casi exclusivamente literario, y dentro de ello, poético.[17] Su otro rasgo particular fue la parquedad en manifiestos propiamente dichos, aunque más adelante argumentaremos que sí rodeó al movimiento una discernible polémica de ideas. La falta de manifiestos ha sido subsanada, con cierta manga ancha, recurriendo a los textos de José Carlos Mariátegui (1895-1930) sobre el tema, como hacen Belluzo, Schwartz y Hugo Verani.[18] Unruh lleva esto al extremo de llamar a Mariátegui "la principal figura vanguardista residente en el Perú", en su condición de activista cultural y crítico literario (17). Debemos suponer que lo de residente es para beneficio de César Vallejo (1892-1938), quien desde París hubiera podido aspirar al título con igual o mayor derecho. Yazmín López Lenzi ha tomado la idea de *texto manifestario* para poder establecer un corpus de 36 manifiestos, en el sentido amplio de que son textos que buscan "imponer una verdad presentada como inédita e inaugural".[19] Los textos más beneficiados por este criterio son los artículos de revistas. Una particularidad adicional de la poesía vanguardista peruana fue que incluyó a autores indigenistas-2.[20] Para Jorge Basadre esto expresa "la tendencia de un grupo a unir el vanguardismo poético con el vanguardismo social",[21] aunque para Vallejo fue el intento de un arte forzadamente indigenista de conciliar con fines cosmopolitas.[22] En lo demás, los poemas vanguardistas peruanos tienen rasgos intercambiables con

[17] Aunque una antología, de Jorge Kishimoto (ed.), *Narrativa peruana de vanguardia*, (Documentos de Literatura, 2-3). Lima: Masideas, 1993, argumenta bien la existencia de una narrativa vanguardista. Ya Antonio Cornejo Polar (1936-1997), en la *Historia de la literatura del Perú republicano* (Vol. 8 de la *Historia del Perú*, Lima: Juan Mejía Baca, 1980), había reconocido la existencia de una prosa de vanguardia, pensando sobre todo en *La casa de cartón* (1928) de Martín Adán. En la plástica lo más próximo al vanguardismo fue el conjunto de primeros óleos y dibujos de César Moro (1904-1956) quien más tarde pasó al surrealismo y que muy a comienzos de los años 20 todavía mantenía claras deudas plásticas frente al *art nouveau*.

[18] *Las vanguardias literarias en Hispanoamérica*. México, D. F.: FCE, 1994, 3ª. edición.

[19] *El laboratorio de la vanguardia literaria en el Perú Trayectoria de una génesis a través de las revistas culturales de los años 20*. Lima: Editorial Horizonte, 1999.

[20] Véase Mirko Lauer, *Andes imaginarios. Discursos del indigenismo-2*. Lima/Cuzco: Sur/CBC, 1997.

[21] "La estética de la superstición", *Jarana*, Lima, oct., Nº 1: 2.

[22] "Los escollos de siempre" (1927), en: *Crónicas*. México, D. F.: UNAM, dos volúmenes. Hay una selección de los textos dedicados a Perú: *La cultura peruana*. Lima: Mosca Azul Editores, 1987, Vallejo 1984, II, pp. 191-192.

autores de muchos otros países de América Latina. La idea de Luis Monguió sobre que el vanguardismo llegó al Perú a la vez como insurgencia local y como importación, como un "eco tardío" de lo que había sonado en otras latitudes, podría aplicarse en otros puntos del continente.[23] Cuando Alberto Hidalgo publica "Arenga lírica al emperador de Alemania" (1916) y *Panoplia lírica* (1917), ya en el hemisferio norte había pasado la parte más importante del impulso.[24] Schwartz ubica el *annus mirabilis* del vanguardismo latinoamericano en 1922, y el volumen mayor y más significativo de la producción se concentra en la segunda mitad de los años 20. Pero esas primeras aproximaciones de Hidalgo al cosmopolitismo, todavía con rima y melopea modernista, fueron percibidas por críticos en Arequipa y Lima como excentricidad convencional, pues el autor se queja:

> yo, preso en las volutas de una capa española, / transito por las calles de mi astrosa ciudad. A mirarme las gentes detienense, asombradas, / i despectivamente ríen a carcajadas.[25]

A pesar de que la opinión predominante considera al vanguardismo poético local una importación que a su vez fue producto de un corte tajante en la sensibilidad poética, también hay quienes ubican su origen en una evolución del modernismo. Hay argumentos en el sentido de que el paso de modernismo a vanguardismo no fue realmente un cataclismo, sino una transición.[26] Esto es probablemente parte del proceso por el cual Monguió llega a incluir a los vanguardistas en un *postmodernismo*.

En su comentario sobre la llegada del futurismo a América Latina, Nelson Osorio considera al Perú entre los países donde la literatura modernista generó sus propios elementos de disidencia interna, y menciona a Clemente Palma (1872-1946) entre quienes dieron ese paso.[27] Kishimoto no incluye a Palma entre los prosistas de la vanguardia, aunque sí a Abraham Valdelomar (1888-1919). El primer libro de Hidalgo, todavía con claras deudas formales con el modernismo, puede ser incluido dentro de lo que para Forster es un "decenio de transición" de 1910 a 1920. Basadre hace notar que si bien en *Trilce* (Vallejo 1922) ya se desarticulan rima, métrica y lógica, todavía quedan "reminiscencias típicamente románticas (el hogar, la madre, el terruño, el dolor cotidiano)".[28] A pesar de que Vallejo fue particularmente duro

---

[23] *La poesía postmodernista del Perú*. México, D. F.: FCE, 1954.

[24] Alberto Hidalgo, *Arenga lírica al emperador de Alemania y otros poemas*. Arequipa: Tipografía Quiroz Hnos, 1916; *Panoplia Lírica*. Lima: Imprenta Víctor Fajardo, 1917.

[25] Hidalgo, *Panoplia lírica*, p. 8.

[26] Véase Forster *Op. Cit*.; Cathy L. Jrade, *Modernismo, Modernity and the Development of Spanish American Literature*. Austin: University of Texas Press, 1998.

[27] "Sobre la recepción del futurismo en América Latina", *Revista de Crítica Literaria Latinoamericama*, Lima, N° 15, pp. 25-38.

[28] Jorge Basadre, "La estética de la superstición", *Jarana*, Lima, 1927, oct., N° 1, p. 2.

con sus colegas vanguardistas, Monguió lo considera un poeta paralelo a ellos y a *Trilce* la obra más lograda de la corriente. Unruh lo considera directamente el principal poeta vanguardista.[29] Así, el vanguardismo peruano se inicia dentro de lo que Ana Pizarro denomina los "antecedentes del vanguardismo de la primera hora", 1920-1930, lo que Forster llama el "período iconoclasta".[30] Unruh considera a todo el período que va de mediados de los años 10 hasta 1930 como un tiempo de "encuentros contenciosos".[31]

Las vanguardias, incluida la peruana, no penetran sus medios culturales solo con los manifiestos (o *textos manifestarios*) aislados o con los libros individuales, sino sobre todo con revistas que expresan a sendos cenáculos poéticos. En el Perú las revistas aparecen a mediados de los años 20, y a partir de allí las cosas suceden muy rápido, casi demasiado rápido, y por momentos da la impresión de que aquí el vanguardismo terminó a los pocos instantes de haber comenzado. Estuardo Núñez considera a 1927 el año de crisis de la vanguardia local, con lo cual le da unos diez años de vigencia efectiva.[32] Ya en 1929 Xavier Abril deslinda entre surrealistas y vanguardistas, y se refiere, con un algo de desdén, a uno de estos últimos como "el poeta del electrón", por afinidad con Marinetti.[33] Pero aún si se asume alguna medida cronológica menos estricta que la de Núñez (Monguió prefiere pensar en una suerte de proceso de cambio terminal entre 1926 y 1930), es claro que el movimiento fue muy breve, con pocos exponentes y obras, si bien muchas de ellas con evidente calidad literaria.[34] Al asunto de la duración subyace el problema de la implantación, que se reflejó más adelante en la incapacidad de la crítica literaria para hacer entrar al vanguardismo en foco. Una explicación de esto último es que el fenómeno vanguardista se confundió con la explosión de deseos de cambio y de modernidad de aquel tiem-

---

[29] Jorge Cornejo Polar, "Vallejo y la vanguardia, una relación problemática", *Apuntes*, Lima, Nº 28, 1991 (reproducido en su *Estudios de literatura peruana*. Lima: Banco Central de Reserva/Universidad de Lima, 1998), ha explorado si Vallejo "leyó con cierta amplitud textos de las escuelas de vanguardia anteriores a *Trilce*, es decir el futurismo (1909), el dadaísmo (1916), el ultraísmo y el creacionismo (1919)" y si "tales lecturas produjeron en el ánimo de Vallejo un impacto suficientemente grande como para producir su transformación poética". Los resultados de Cornejo no son concluyentes, pero se hace notar el exceso en el intento de Juan José Lora ("El dadaísmo. Sus representantes en el Perú", *La Crónica*, Lima, junio 20, 1921), de considerar a Vallejo iniciador del dadaísmo en América Latina. Aunque Cornejo también hace notar que Mariátegui vincula a Vallejo con dadá y el surrealismo.

[30] "Sobre la vanguardia en América Latina. Vicente Huidobro", *Revista de Crítica Literaria Latinoamericana,* Lima, 1982, Nº 15, pp. 109-122.

[31] Unruh, *Op. Cit.*, p. 4.

[32] *Panorama actual de la poesía peruana*. Lima: Ediciones Antena, 1938.

[33] Xavier Abril, "Estética del sentido en la crítica nueva", *Amauta,* 1929, Nº 24, pp. 49-52.

[34] Matei Calinescu, "Avant-Garde, Neo-Avant-Garde, Postmodernism: The Culture of Crisis", *Clio*, Vol. IV, Nº 3, p. 320, sostiene que "[t]odo movimiento cabalmente vanguardista tiene una profunda tendencia a negarse a sí mismo y a suicidarse".

po de estallido cultural atado a factores políticos y literarios que lo trascendieron, y en cierta medida lo desdibujaron. En casi todos los casos los vanguardistas fueron vanguardistas y algo más, y su vanguardismo fue, más que una filiación, una etapa. Pero si los contornos de la corriente no eran nítidos, su atractivo sí lo era: los mejores poetas de aquel momento pasaron a través del vanguardismo, o se mantuvieron cercanos a él, si bien ninguno permaneció. Por su parte la realidad social peruana no entregó —como sí ocurrió en Brasil a partir de la célebre Semana del 22 en São Paulo[35]— elementos para que la vanguardia se prolongara e hiciera de sí misma una tradición.[36] Hubo elementos sociales y literarios letales para la continuidad del vanguardismo en varios países.[37] En el Perú, esos rasgos sociales y culturales retardatarios se acusaron al grado que visto desde el final del siglo, esa experiencia parece apenas una pátina, un fugaz espectáculo de fuegos artificiales algo irreverentes y cosmopolitas en medio de una larga noche hispánica y solemne. Quizás la sensación de fugacidad tiene mucho que ver con la poca familiaridad del público con las obras, con la ya mencionada brevedad del fenómeno, y con cierta distracción de la crítica que recién empieza a cambiar hacia mediados de los años 80.

Así como las estructuras coloniales básicas sobrevivieron largo tiempo a la proclamación de la Independencia del Perú en Huaura, del mismo modo el s. XIX continuó influyendo hasta mucho después de las crisis del modernismo en las letras y del academicismo en la plástica. Sin restarle mérito, puede decirse que la imagen más nítida del vanguardismo es la de signo de los tiempos: hay transportadas a sus versos tantas realidades materiales de la época, que por momentos podría hablarse de una crónica poética. Signo de los tiempos o insistente espejo cóncavo que acerca y agranda las imágenes de una modernidad lejana, deformándolas en los bordes. En cambio, como corriente literaria, al vanguardismo le faltó densidad, es decir compromiso por parte de los poetas. Tan veloz fue el paso de los poetas por esta forma de sentir y de escribir, que su mejor imagen es la de un conjunto de precursores. Con el fin del ciclo vanguardista desapareció también la actitud abierta, optimista, y hasta contestataria de los medios intelectuales del país frente a la llegada de lo nuevo.[38] La percepción de una relación positiva de modernidad y extranjero entró en crisis hacia 1930 debido a un recrudecimiento de problemas sociales postergados. Teorías dinámicas sobre el imperialismo como las de Víctor Raúl Haya de la Torre o José Carlos Mariátegui reemplazaron a las teorías del progreso acumulativo, lineal e infinito, con lo cual para los más jóvenes y vinculados a ideologías políticas, el mundo exterior pasó de fuen-

[35] Véase *El modernismo en el Brasil*. Lima: Centro de Estudios Brasileños, 1977; Aracy Amaral, *Projeto construtivo brasilero na arte*. Rio de Janeiro/São Paulo: Funarte, 1977.

[36] "El vanguardismo brasileño", en *Collazos*, *Op. Cit.*, 1970, pp. 259-278.

[37] "La poesía vanguardista en Cuba", en *Collazos*, *Op. Cit.*, 1970, pp. 311-326.

[38] Desde el golpe del general Manuel María Ponce, en 1930, hasta la partida del general Manuel A. Odría, en 1956, son 26 años casi ininterrumpidos de oscurantismo de derecha.

te de posibles soluciones a origen de nuevas amenazas. La poesía vanguardista peruana se ubica de ambos lados de ese proceso. De una parte constituye la más intensa expresión literaria del culto local a los beneficios de la modernidad internacional, y de otra se encuentra al centro mismo del desengaño frente a lo de fuera (de allí también la veloz y temprana disidencia). Por eso fueron intermitentemente cosmopolitas, militantes, nacionalistas e izquierdistas. Es desde esa polivalencia que el vanguardismo contribuyó a definir los rasgos de la creación poética local para el resto del siglo. Lo cual en el plano de las ideas también significó participar en la postergación de los problemas irresueltos en la relación entre el Perú y la modernidad internacional.

Más que confrontar al modernismo mediante un corte brusco ante el pasado, como habían hecho los futuristas italianos, el vanguardismo local simplemente se instaló en el medio literario con una actitud afirmativa, la de considerarse un relevo natural. Si bien el impulso tomó elementos de diversos ismos europeos, en muchas cosas estuvo en las antípodas de ellos. Los peruanos nunca se acercaron al intenso racionalismo o a la deliberada irracionalidad, a la anarquía, o al cinismo, o al radicalismo revolucionario y al rechazo a las leyes de la belleza convencional y de la organización social mostrados por sus precursores o contrapartes de Europa. Aunque así como todavía no hay un estudio que compare a los diversos grupos vanguardistas nacionales de América Latina, tampoco hay uno que compare los vanguardismos latinoamericanos con los del hemisferio norte. Los de Lima y otras ciudades peruanas fueron "grupos experimentales y cosmopolitas", en la expresión de Forster. Pueden ser vistos como un conjunto nacional o como una constelación de impulsos simultáneos en el país. Los comentarios de la crítica suelen calzar mejor a quienes se mantuvieron en Lima, que es el fulcro más visible de la relación modernidad-tradición en el Perú. Pero no hay manera de pasar por alto el entusiasmo por el vanguardismo en otras ciudades del país —Arequipa, Chiclayo, Huancayo, Puno, Trujillo—, de donde procede bastante más de la mitad de los jóvenes poetas y de donde surgieron los textos fundacionales de Hidalgo y Vallejo. Ambos autores dan testimonio de que antes de la crisis del capitalismo de 1929-1930 las principales capitales del interior eran fecundos viveros culturales. Muchos de los jóvenes atraídos por las luces de Lima terminaron utilizando la capital peruana como escala en el viaje a la metrópoli internacional. Aunque el contingente mayor, y el que define el tempo y los alcances del vanguardismo, lo forman quienes se agruparon en Lima y compartieron ese destino.

Sin embargo, no puede decirse que el tono de los poemarios vanguardistas escritos y publicados fuera del país sea distinto del local, o que algún rasgo sustantivo ponga en evidencia una común condición de obras y ediciones de una diáspora literaria. Lo cual podría estar hablando a favor de una suerte de estándar internacional en el tono vanguardista de filo más duro. Son asaltos a la modernidad desde lugares que suelen ser descritos, en el caso peruano al menos, como una total negación de lo moderno, y sin embargo pensar en ejes como Puno-Nueva York, Trujillo-París o

Arequipa-Berlín no resulta tan fuera de lugar. Franco Moretti concibe el *Modernism* como una "constelación de metrópolis" y el "primer verdadero sistema mundial de la literatura".[39] Parte de esta condición mundial le fue dada por su capacidad de articularse con personas y realidades de periferias remotas con mensajes, sensibilidades y bagajes culturales radicalmente renovadores. Aun así, la jornada imaginaria hacia el centro de la modernidad tuvo que ser para los peruanos un doble viaje: de la provincia a la capital dos veces, lo cual supone cruzar por lo menos tres registros culturales, y para el cual no siempre fue necesario el desplazamiento geográfico. Alguna vez he sugerido[40] que es la migración la que convierte una previa centralidad cultural propia en lo que luego termina siendo llamado un espacio provinciano. En el remolino de entrada al sistema capitalista mundial, la provincia no es sino la palabra que se usa para describir lo que se ha dejado atrás. Como en estos versos de Alejandro Peralta: "Solías quedarte pastoreando celajes / i yo / carretera adentro / EN EL HURACÁN DE LOS AUTOMÓVILES".[41] El viajero termina, por decirlo de alguna manera, repartido por entre varios husos horarios diferentes, y en muchos poemas el *pathos* que vibra allí es precisamente el intento de articularlos. Así, en el primer tercio del siglo peruano es posible identificar: a. un ánimo de afirmación regional que se expresa en el anti-centralismo y en un vivo interés por la escena cultural internacional; b. un localismo capaz de concebirse a sí mismo articulado a proyectos alternativos de Estado; y c. la migración a las ciudades y a la capital, realizada como una dispersión de proyectos individuales y familiares.

La articulación de espacios disímiles (lo que en estos días se llama heterogeneidad) se advierte de manera especial en *Cinco metros de poemas* (1927), acaso el texto más celebre de la vanguardia, donde coexisten de la mano el elan cosmopolita y la dulzura provinciana. Una buena muestra de esta coexistencia en el texto es el poema "n e w y o r k" (1925), donde al pie de la celebración de rascacielos, avisos luminosos y bullicio urbano, Carlos Oquendo de Amat (1905-1936) nos dice que "[...] la mañana / se va como una muchacha cualquiera / en las trenzas / lleva prendido un letrero SE ALQUILA ESTA MAÑANA".

Luego de *Panoplia lírica* de Hidalgo y *Trilce* (1922) de Vallejo, la vanguardia pasó a intentos más institucionales, con revistas de formato y duración ínfimos, aunque influencia decisiva. Además de *Flechas* (1924) dirigida por Magda Portal (Barranco 1901-1989) y de la acogida que da *Amauta* (1926-1930) al vanguardismo,[42] está la

[39] "El momento de la verdad", *Hueso Húmero* Lima, N° 22. Traducción de "The Moment of Truth", *New Left Review*, London, N° 159, 1986.

[40] Mirko Lauer, *El sitio de la literatura. Escritores y política en el Perú del siglo XX*. Lima: Mosca Azul, 1989.

[41] Alejandro Peralta, "Poema", *Chirapu*, Arequipa, 1928, N° 2: 2.

[42] Mirla Alcibíades, "Mariátegui, Amauta y la vanguardia literaria", *Revista de Crítica Literaria Latinoamericana*, N° 15, 1982: 123-139 nos recuerda que antes de fundar *Amauta*, Mariátegui quiso

secuencia *Trampolín-Hangar-Rascacielos-Timonel* (1926-1927), una publicación que se fue radicalizando más y cambiando de nombre y de director con cada entrega, y que en sus tres reapariciones sucesivamente fue "Revista supra-cosmopolita", "Revista de arte internacional" y revista de "arte y doctrina". También aparecieron en Lima en ese bienio *Poliedro*, dirigida por Armando Bazán (Cajamarca 1902-1962); *Guerrilla*, dirigida por la poeta uruguaya Blanca Luz Brum; *Hurra*, y *Jarana*, dirigida por Adalberto Varallanos (1905-1929); y *Abcdario*, dirigida por José Varallanos (1908-1997). En Arequipa apareció *Aquelarre*; en Huancayo *Hélice*, dirigida por Julián Petrovick (Óscar Bolaños, 1903-1978). En 1926 salió en París *Favorables-Paris-Poema*, dirigida por Vallejo y el español Juan Larrea (1895-1980). En Puno apareció el *Boletín Titikaka*, promovido por el grupo Orkopata. A esta lista Monguió pide añadir *magazines* de la época como *Variedades* (1908-1932) y *Mundial* (1920-1931), orientados al gran público y con páginas dedicadas a la escena cultural en el hemisferio norte.[43] Además de textos vanguardistas, todas estas publicaciones difundían un arte gráfico y una tipografía característicos. Todas estas revistas, salvo *Amauta*, revelan hoy un claro sabor transitorio, y si duraron poco fue porque las figuras centrales que las animaron ya se movían, algunas todavía sin saberlo, en espacios ambivalentes: entre el vanguardismo y la vuelta a las formas de expresión convencionales, entre la creación literaria y la militancia política, entre la lírica y el prosaísmo. Aunque quizás más exacto sería decir que el vanguardismo en esas personas fue una forma de militancia en la novedad, hasta que aparecieron los partidos izquierdistas y populares a reclamar esa representación, entre 1929 y 1931. Esta condición transitoria y de permanente movimiento, fue la de la mayoría de los poetas vanguardistas. Petrovick fue uno de los fundadores del Apra en 1931, y su hermano Serafín Delmar (Reynaldo Bolaños, Huancayo 1901-Lima 1980) militó en ese partido, al igual que César Miró (César Alfredo Miró Quesada, Lima 1907-1999) y Magda Portal. Delmar y Portal fueron presos políticos a comienzos de los años 30; ella fue desterrada hacia 1936 y rompió con el Apra en 1949. Oquendo de Amat fue militante del Partido Comunista. Federico Bolaños (Huancayo 1896-?), Alberto Hidalgo (Arequipa 1897-Buenos Aires 1967), Juan Parra del Riego (Huancayo 1894-Montevideo 1925), también tuvieron participación activa en la política. Juan Luis Velázquez (Lima 1903-México 1970) se mantuvo siempre cerca del trotskismo. Por último Vallejo, también miembro del Partido Comunista, suele ser visto como paradigma de poeta-militante.

Hubo un momento de clímax vanguardista en que la corriente fue la catalizadora de toda la creación poética en el país. Entre 1924 y 1928 son pocos los esfuerzos

---

hacer otra que se hubiera llamado *Vanguardia* y sido la "revista de los escritores y artistas de vanguardia del Perú y de Hispano-América". Eso lo declara Mariátegui en *Variedades*, Lima, en junio de 1925.

[43] A estas 14 revistas López Lenzi, *Op. Cit*., pp. 172-173, añade más de 30, lista que incluye publicaciones prácticamente desconocidas y también algunas de dudosa condición vanguardista.

editoriales o literarios, o las obras personales de los poetas jóvenes de más talento que no participaron de una u otra manera en el impulso vanguardista. Aunque los nombres más ilustres no necesariamente son los que mejor encajan en la corriente: en Vallejo o Martín Adán (Lima 1908-1985) la vanguardia es un momento, una faceta; Oquendo de Amat falleció luego de un único libro; Hidalgo se dedicó a experimentar por su cuenta: mantuvo la concepción vanguardista del proceso creativo, pero se alejó rápido del tono y el lenguaje originales del vanguardismo, y terminó regresionando hacia una versión política radical del semi-modernismo poético que lo vio nacer;[44] Abril se deslizó con elegancia de vuelta a lo hispánico (en eso se asemeja a Adán); Alejandro Peralta (Puno 1899-1973) perfiló el componente indigenista-2 de su vanguardismo; Portal se desplazó hacia la poesía política, que iba mejor con su militancia. Pocos de los poetas que habían aparecido en las revistas de vanguardia publicaron algo memorable luego de 1931: Delmar y Petrovick tuvieron efímeros retornos a mediados de los años 40; de la poesía vanguardista de Miró no hablaban ya las revistas en los años 30.

En 1928 Federico Bolaños hizo una suerte de "índice cronológico" de la vanguardia poética, en la que distinguió una "Primera hora de precursores, inauguradores o aclimatadores", con Parra del Riego, Vallejo, Portal, Velázquez, Mario Chabes (Mario J. Chávez, Arequipa 1903-1981), Juan José Lora (Chiclayo 1902-1961), Delmar, Francis Xandoval (Ascope 1902-Piura 1960), y el propio Federico Bolaños. Luego una segunda hora de "creadores netos de vanguardia y afiliados", con César Atahualpa Rodríguez (Arequipa 1889-1971), Peralta, Rafael Méndez Dorich (Mollendo 1903-Lima 1973), Gamaliel Churata (1897-1969), Emilio Armaza (Puno 1902-1980), Alberto Guillén (Arequipa 1897-1935), Armando Bazán, Abril, Oquendo de Amat, Guillermo Mercado (Arequipa 1904-1984), los dos Peña Barrenechea (Ricardo: Lima 1893-1939, Enrique: Lima 1905-1988), Esteban Pavletich (1906-1981), Alcides Spelucín (Trujillo 1897-1976), Ramiro Pérez Reinoso (1900-?) y Enrique Bustamante y Ballivián (Arequipa 1883-1937). Por último una tercera hora de "nuevos continuadores" que incluía a Petrovick, Carlos Alberto González (1900-?), Nicanor de la Fuente (Chiclayo 1904), Miró Quesada, Adán, José Varallanos, y Luis de Rodrigo. Tras agruparlos cronológicamente, Bolaños pasa a hacerlo "por características de espíritu, de raza y de geografía": los "Creadores Humanos Poetas hombres Arte-vital", que incluye a Hidalgo, Vallejo, Parra del Riego, Rodríguez, Portal, Lora, Chabes, González, y Bolaños. Luego vienen los "Poetas Deshumanizados. Poesía-voluntad estética. Arte imaginativo", entre los cuales Oquendo, Abril, de la Fuente, Velázquez, Delmar, Adán, Méndez Dorich. Los "Poetas Nacionalistas. Indianismo o vernaculismo. Arte autóctono": Peralta,

[44] Véase Edgar O'Hara, "Alberto Hidalgo, hijo del arrebato", *Revista de Crítica Literaria Latinoamericana*, Lima, 1987, N° 26, pp. 97-114.

Vallejo, J. Varallanos, Armaza, Mercado y Churata. Los "Poetas internacionales. Arte americano-cósmico, cosmopolitismo", con Hidalgo, Guillén, Bolaños, González, Abril, Oquendo, Lora, R. Peña, y Velázquez. Por último está el "Arte proletario Poetas políticos, literatura de trascendencia social": Portal, Petrovick, Mercado, Churata, Pavletich, Miró Quesada, Delmar.

El texto de Federico Bolaños habla de un proyecto literario ambicioso, con elementos de colonización de toda la época, puesto que casi nadie quedó fuera de la lista.[45] Aunque luego la realidad redujo la relación a términos mucho más modestos. ¿Es pertinente hablar del fracaso de un proyecto vanguardista? Quizás habría que preguntar antes si tiene sentido hablar de proyecto vanguardista. A pesar del entusiasmo de un crítico promotor como Bolaños: "Quiera Dios que el movimiento crezca como una mañana de abril". En términos de su implantación y duración, sus límites estaban dados por su propia naturaleza, igual que en muchos otros lugares del mundo. En términos de su influencia, las limitaciones específicas son reales: poca masa crítica de textos y propuestas, bajo nivel de elaboración teórica, poca depuración frente a lo convencional-tradicional, o déficit de radicalismo. A pesar de que le augura grandes destinos al movimiento, Bolaños afirma en su clasificación que los vanguardistas detestan la vejez al grado de haberse impuesto una obligación: "un poeta de vanguardia debe morir cuando más a los 40 años", otra idea tomada del primer manifiesto de Marinetti.[46] Por su brevedad, o por haber tenido que compartir la filiación de los autores con otras corrientes, o aun por la falta de un perfil nítido, producto a su vez de la debilidad del debate, de la pobreza de manifiestos, de la escasa resonancia en el medio cultural, el vanguardismo como corriente ha tenido hasta hace poco un estatuto ambiguo. Sólo Monguió le confiere existencia plenamente autónoma respecto del modernismo que la precedió y de las corrientes que le siguieron. Núñez reconoce una autonomía del vanguardismo, aunque lo diluye en una secuencia de etapas que hablan todas de una esencial inestabilidad: "emergencia de la inquietud/ clímax de la inquietud estridentista/ crisis de la vanguardia/ retorno del orden poético", periplo que en realidad podría tomarse prestado para definir más de una sístole y diástole en el resto de la poesía peruana del siglo. Luis Alberto Sánchez (1900-1994) no creyó demasiado en el nuevo fenómeno, al cual califica de "neorromanticismo ecuestre" y "retórico aprendizaje expresivo". "A nadie engañan", afirma, "los esguinces ultraístas de Oquendo de Amat, Peralta, Lora, Delmar, Petrovick, Velázquez". Alberto Escobar subsume la vanguardia dentro de su idea de una tradición poética peruana de este siglo, y la

---

[45] "Inventario de vanguardia", *La Revista Semanal*, Lima, año 2, Nº 53: 38, agosto; Nº 55, pp. 42-43, agosto.

[46] Y quizás también de Manuel González Prada y su famosa frase de 1913 "Los jóvenes a la obra, los viejos a la tumba".

concibe sobre todo como un momento de transición en algunas obras individuales llamadas a desarrollarse bajo otros estilos.[47]

José Carlos Mariátegui intentó, con bastante éxito, enfrentar el momento vanguardista en su dinámica, y fue uno de sus principales difusores.[48] Pero en verdad sus aproximaciones críticas fueron sobre todo una suerte de crónica anticipada de su disolución. Fue quien mejor ubicó el fenómeno en un contexto social e histórico, mostró las facetas de la nueva modernidad que ayudaron a constituir el vanguardismo a partir del decadentismo de la *belle époque*, así como los diversos intereses de clase activos en el tablero nacional que contribuyeron a deshacerlo. Es por ello tal vez que pese a estar dispersos por entre opiniones sobre muchas otras cosas, los juicios de Mariátegui sobre el vanguardismo han influido más que los de Monguió, crítico más documentado y con el beneficio de la mirada retrospectiva. Un motivo de esto es que los planteamientos posteriores a los de Mariátegui luego ya no han sido percibidos como parte de un debate sobre la cultura nacional. Luego de haber seguido y teorizado la vanguardia un lustro, en el colofón de *La casa de cartón*, Mariátegui concluye que Adán "no es propiamente vanguardista", y que recorre el libro un escepticismo demo-burgués. La única concesión que hace a la presencia de la modernidad es que se trata de una obra que no hubiera sido posible antes de la llegada de la Foundation Company, una empresa constructora norteamericana responsable de las más conspicuas obras, públicas y privadas, de la primera post-guerra. Pero hasta hace poco las antologías de dentro y de fuera ignoraban tanto los criterios de Mariátegui como los de Monguió, y no le reconocían al vanguardismo una especificidad, ni existe aún una antología dedicada a rescatar y ordenar lo mejor de esa producción en el Perú.

El proceso social y político de los años 20 puso al alcance del vanguardismo la posibilidad de sentar las primeras bases poéticas de un intento de cultura propia de los sectores modernizantes socialmente medios y burgueses en el país. Sería una exageración decir que el vanguardismo aprovechó bien esa oportunidad. El lenguaje del telegrama, de la proyección cinematográfica, de la electricidad apareció, sin que nadie llegara a tener mucha conciencia de ello, como una salida para ir más allá de las matrices andina e hispánica que atenazaban la conciencia cultural de aquellos sectores. Lo andino se ofrecía a los sectores progresistas con el peso de una tarea nacional irrealizada y como un espacio compuesto de carencias; la matriz hispánica existía como un pecado original de lo republicano. Frente a la dialéctica culposa y estéril del rescate asistencialista incumplido y el pasado explotador superstite, cada

---

[47] Alberto Escobar, *Antología de la poesía peruana contemporánea*. Lima: Ediciones Nuevo Mundo, 1965.

[48] José Carlos Mariátegui, *7 ensayos de interpretación de la realidad peruana*. Lima: Editorial Minerva, 1928, pp. 204-264.

una de estas dinámicas sobreviviéndose a sí misma, el vanguardismo poético fue una de las formas creativas que en esos años tácitamente postularon a lo cultural como un punto de partida nuevo en el Perú, sin raíces en el pasado ni responsabilidades frente a él. El símbolo de esta ubicación en un punto virginal de partida, preámbulo de la que luego toman para sí los partidos políticos populistas o revolucionarios, es el internacionalismo entendido como sintonía con los grandes cambios de la era. Esta salida demostró ser particularmente atractiva entre las capas medias y altas del interior andino, de donde provino buena parte de los creadores vanguardistas. Guillén, Hidalgo y Rodríguez eran de Arequipa; Delmar, Petrovick, Bolaños, Parra del Riego, José y Adalberto Varallanos, de Huancayo; Oquendo de Amat, Peralta y Churata, de Puno; Vallejo, de La Libertad; Nazario Chávez Aliaga (1891-1978), de Cajamarca. Todas plazas donde había por esos años una gran actividad cultural, truncada por la crisis de 1930. "La aparición de varias revistas literarias de marcado carácter anti-limeño", escribe Sánchez "reveló el vigor de este movimiento que era la respuesta a la anterior expansión capitalina".[49]

Pero si las fuentes juveniles venían del interior, el vórtice de la modernidad se encontraba en Lima, como ya lo había percibido Valdelomar al anunciar en su sorites que el Perú era Lima era el Jirón de la Unión era el Palais Concert era a la postre su persona. El nombre político de esa modernidad limeña fue la "Patria Nueva", decretada en 1919 por el presidente Augusto B. Leguía (otra víctima de la crisis de 1930); era el auge de una "nueva oligarquía" formalmente anti-civilista; era la solvencia que enmascaraba la crisis en gestación, y que fue macerando el humus de una nueva modernización frustrada. Sobre aquellos años, dice que "entre 1925 y comienzos de 1930 los acontecimientos de la vida peruana no fueron los de carácter político sino los de orden hacendario, los relacionados con las obras públicas y los que pertenecieron al plano internacional".[50] Probablemente por acontecimientos Basadre entiende un tipo específico de noticia, pues pocas páginas más adelante menciona que 1922, 1923, 1925, 1926 y 1927 fueron años de rebeliones campesinas; la más importante de todas las que Alberto Flores Galindo llama "una sublevación general del campesinado del sur en 1920-1923".[51] En cambio al sector orientado hacia el exterior le fue muy bien, por un momento. Sobre el papel de la inversión extranjera en esos tiempos, Rosemary Thorp y Geoffrey Bertram llegan a dos conclusiones: 1. Que "*céteris paribus* (es decir preguntándonos qué hubiera pasado si las demás circunstancias externas hubieran permanecido inalteradas pero no hubie-

[49] Luis Alberto Sánchez, *La literatura peruana*. Lima: Ediciones Ediventas, seis volúmenes, 1965, pp. 1303-1304.

[50] Jorge Basadre, *Historia de la República del Perú*. Lima: Ediciones Historia, diez volúmenes, 1963, p. 4051.

[51] Alberto Flores Galindo, *Obras completas*, Vol. II (*Apogeo y crisis de la república aristocrática*, publicado en 1980). Lima: Sur-Fundación Andina, 1994, II, p. 185.

ra habido inversión extranjera) el impacto neto del capital sobre el crecimiento del Perú hasta 1930 fue negativo", y 2. Que la inversión extranjera sirvió para "reintegrar al Perú a la economía capitalista mundial luego del colapso de la era del guano" (el penúltimo decenio del s. XIX). Las cifras recogidas por Thorp y Bertram son elocuentes respecto de cuánto impacto tuvo realmente la modernización en el Perú. De 1918 a 1933 el número de fábricas bajó de 561 a 501. Por cierto que una parte importante de esta caída se dio luego de la crisis de 1930, pero las cifras de la producción textil del país, mayormente para consumo interno, ayudan a poner en foco la situación: 32 millones de yardas en 1916, que pasaron a ser 36 millones de yardas en 1929, un crecimiento de 12,5% en casi cinco años. En cambio las exportaciones se cuadruplicaron entre 1915 y 1920, mostrando que el país se había convertido en una plataforma de inversiones para el mercado externo, en lo que marcó una profundización de la crisis industrial que ya había empezado en los hechos en 1897.[52] En el proceso, el stock de objetos vinculados a la modernidad aumentó. Ricardo Martínez de la Torre anota que la importación de automóviles por año crece de 5,082 en 1926, a 6,090 en 1927 a 8,140 en 1929.[53] En términos generales, y con todas las excepciones del caso, el vanguardismo enfrentó esta combinación de discurso modernizador leguiísta, re-afianzamiento oligárquico y avance gigantesco de los intereses extranjeros con una actitud notablemente desprovista de sentido crítico: el foco de su interés fue la imagen platónica de una modernidad que venía de fuera, de modo que las realidades locales repercutían poco en sus escenarios poéticos.

De otra parte el *élan* modernista, rubendariano, estaba todavía fuerte y fresco en muchos de esos poetas, y acaso influido también por cierto marcial decadentismo chocaniano. Dice Mariátegui de Hidalgo que "su espíritu está, sin quererlo y sin saberlo, en la última estación romántica".[54] Augusto Tamayo Vargas advierte en él y en su carnal arequipeño Guillén "una postura wildeana y un auto-elogio chocanesco",[55] y Edgar O'Hara lo ve estancado para siempre en las que él considera sus peores poses juveniles.[56] Incluso en una obra tan vanguardista como *La casa de cartón*, en pleno 1928, detecta Sánchez "cierto decadentismo distante del ritmo rubeniano, pero no por eso menos decadente".[57] La modernidad vanguardista peruana repre-

---

[52] Rosemary Thorp y Geoffrey Bertram, *Perú: 1890-1977. Crecimiento y políticas en una economía abierta*. Lima: Mosca Azul Editores, 1985, p. 210; Thorp, *Gestión económica y desarrollo en Perú y Colombia*. Lima: Universidad del Pacífico/CIUP, 1995.

[53] Ricardo Martínez de la Torre, *Apuntes para una interpretación marxista de historia social en el Perú*. Lima, tres volúmenes, 1948, I, pp. 69, 72-74.

[54] Mariátegui, *Op. Cit*., p. 227.

[55] Augusto Tamayo Vargas, *La literatura peruana*. Lima: Librería e Imprenta Domingo Miranda, dos volúmenes, 1954, II, p. 332.

[56] O'Hara, *Op. Cit*.

[57] Luis Alberto Sánchez, "Prólogo" a *La casa de cartón*, 1928, pp. I-IX.

sentó, a su modo, la *belle époque* efímera de las capas medias aliadas al leguiísmo. Las excepciones fueron pocas y concretaron su mejor compromiso con la poesía en el camino de salida del vanguardismo, que fue también un momento de perfilamiento de una situación prerrevolucionaria que acabó bañada en sangre, en Trujillo, en 1932, y en las persecuciones de apristas y comunistas hasta 1939. Aunque antes de 1930 no hay propiamente aprismo ni comunismo en el Perú, y el 1910 mexicano, el 1911 chino y el 1917 soviético son noticias, no experiencias vividas, el fermento de esas ideas ya estaba en movimiento.

Monguió diferencia en el vanguardismo peruano una etapa de auto-descubrimiento y una de auto-definición, con un traslapo de ambas en el año 1926, y resume así la primera etapa, 1918-1926: 1) un poeta en el que el vanguardismo se realiza en sus fórmulas técnicas generales y, a la vez, en contenidos propiamente personales, el Vallejo de *Trilce*; 2) un peruano en el extranjero, Hidalgo, que en el vanguardismo halla una forma de expresión extrema de su individualismo y egocentrismo (el mismo tipo de reproche que le hizo Mariátegui)]; 3) una sola revista, *Flechas*, que se propusiera ser vanguardista; 4) un reducido número de escritores parcialmente vanguardistas (Chávez, Lora, Velázquez, Luis de la Jara)].[58]

Luego en la segunda etapa, 1926-1930, aparecen manifestaciones "que hubieran hecho chirriar de dientes a un verdadero cubista, dadaísta, ultraísta o creacionista". En efecto, en muchas obras el vanguardismo comparte espacio con estilos formal y espiritualmente ubicados en sus antípodas. En algunos casos la inseguridad lleva al autor a expresar directamente su condición vanguardista, como para despejar previsibles dudas. Por ejemplo cuando Chávez Aliaga, un poeta con decisivos resabios modernistas, escribe en 1927: "En mi cuarto ultraísta / se ha tendido la sombra, / como una duda larga / dentro mi pensamiento".[59] Pero no solo hubo hipotecas de la sensibilidad frente al pasado reciente y falta de radicalidad. También hubo intransigencias de los nuevos convertidos. En *Trampolín* (octubre de 1926) un par de líneas sin firma da una idea de lo que pueden haber sentido los vanguardistas de una aparente línea dura ante las aperturas de Mariátegui: "qué modositos los 'vanguardistas' de 'Amauta' —se confunden con el paisaje de Lima". La primera etapa conserva todavía visos de insurrección, sobre todo generacional; la segunda es a un tiempo el inicio de la consolidación de una alternativa del tipo institucional amplio (de la cual las revistas *Amauta* y *La Sierra*, el Partido Socialista o la prédica de Haya de la Torre y Mariátegui son las primeras manifestaciones) y la aceleración del drama político de las esperanzas populares y nacionales que se verían frustradas en el decenio siguiente. El aspecto social del vanguardismo está dado por la dialéctica

[58] Monguió, *Op. Cit.*, 78.

[59] Nazario Chávez Aliaga, *Huerto de lilas. Poemas*. Cajamarca: Tipografía y Encuadernación El Perú, 1927.

entre la primera etapa de recepción y búsqueda complaciente de lo nuevo y la segunda etapa de desesperada carrera contra el reloj de la crisis capitalista. Si aceptamos la opinión de Mariátegui en el sentido de que las posturas destempladas del movimiento Colónida a comienzos de este siglo fueron un "ademán provisorio",[60] las del vanguardismo poético —menos histriónicas que las de Valdelomar, pero acaso más artificiosas por su intento de inventar un mundo, ya no una *persona*, a través del gesto—, fueron el ademán definitivo, fundacional, en la construcción de una modernidad literaria (no confundir con una modernidad social) que duró poco menos de medio siglo.

Dicho en el idioma de la política práctica: el vanguardismo fue el momento de la alianza táctica de los sectores anti-hispánicos (léase anti-oligárquicos) en el ordenamiento cultural peruano. Así lo interpretó y manejó Mariátegui desde *Amauta*, y acaso eso lo llevó a tratar de extraer una cuota popular de un fenómeno que por definición no lo era. Los poetas vanguardistas y algunos de sus epígonos conservaron su marginalidad y su vigencia todo lo que demoró la lucha de la burguesía peruana por arrancarle la hegemonía política a los sectores oligárquicos que Mariátegui llamó "descendientes espirituales de los encomenderos españoles".[61] Aunque es preciso entender que el anti-hispanismo de aquellos tiempos fue un rechazo a la herencia colonial y no un rechazo a lo ibérico contemporáneo. Más aun, en el caso específico del vanguardismo local fue decisiva la influencia del ultraísmo fundado, en España, en 1919, por siete poetas, entre ellos de Torre. A diferencia de los postulados del futurismo, dadá u otras escuelas europeas, el ultraísmo proponía crear el poema puro, sin estructuras narrativas o formales, y sin erotismo, que era más bien el plato fuerte de vanguardistas franceses tan influyentes como Guillaume Apollinaire (1880-1910) o Blaise Cendrars (1887-1961).

La decisión de *Amauta* de hacer en su No. 21 (1929) un homenaje al poeta José María Eguren (1882-1942), la primera sensibilidad cabalmente no modernista del medio, fue producto de la comprensión mariateguiana del carácter frentista de la época (el frente popular será una discusión también en la política peruana en los años 30). Monguió[62] no llega a comprender del todo esta unidad de acción en lo anti-hispánico, y prefiere leerla como inconsecuencia doctrinaria o manga ancha amical. Pero más allá de la táctica conciliadora implícita en toda acción de frente, Mariátegui era un sincero partidario, casi habría que decir un sincero miembro, de la idea de una vanguardia, como piensa Unruh. No es que sus gustos fueran pre-marxistas, como señala Monguió, sino que eran pre-estalinistas, si ya se trata de preceder algo. No olvidemos que el futurismo ruso mantuvo vigencia hasta la salida de

[60] Mariátegui, *Op. Cit.*, p. 210.
[61] Mariátegui, *Op. Cit.*, p. 171.
[62] *Op. Cit.*, 83.

Anatoli Lunacharski del poder soviético, hacia 1928. Además el vanguardismo era un engranaje indispensable en el diseño de la realidad que buscaba Mariátegui como combinación de cosmopolitismo con nacionalismo que formaban el *ethos* cultural, y buena medida también político, de aquellos años. Pero ese cosmopolitismo prefirió mirar hacia la lontananza euro-norteamericana y no tanto en torno suyo, acaso por rechazo al latinoamericanismo de los poetas modernistas. El nacionalismo ambiente, por su parte, cuestionó el conservadurismo de las anteriores promociones poéticas, pero a la vez una parte de él se afilió al orden leguiísta. Esta combinación nacional/cosmopolita configuró en lo poético un tiempo de confrontaciones. Se exacerbaron las dificultades de la cultura urbana frente a la cultura no-criolla. En las ciudades mismas se agudizó el conflicto entre lo moderno y lo tradicional. Las ciudades del interior expresaron sus reclamos contra la ciudad capital. La juventud impugnó a la madurez. Lo burgués intentó tomar distancias respecto de lo señorial. Por último lo popular intentó empezar a decir una palabra dentro de la modernización. Fue, como en el verso de Hidalgo, una "cooperativa general de esperanza".[63]

Si bien el vanguardismo casi no desarrolló debate teórico propiamente dicho que desembocara en manifiestos organizadores y movilizadores de la esperanza, sí fue el núcleo de una vasta disidencia de los creadores peruanos hacia lo nuevo, un abandono no sólo del modernismo, sino de muchas otras formas y actitudes del país literario tradicional. Deja el escenario el poeta gran señor, ficticio o real (José Santos Chocano, José Gálvez Barrenechea, Luis Benjamín Cisneros), o el propio Valdelomar, quien eligió ser la parodia zumbona de todos ellos, y entra en escena el poeta militante, mesocrático y emergente, amigo de andar en grupos y necesitado de mostrarlo, y claramente refractario al orden establecido. Sin embargo, las esperanzas de la cooperativa (cuyo pregón debía caer, al verso siguiente, "en la alcancía de los humildes") trascendían a la vanguardia, se le escapaban, la desbordaban por varios lados y terminaron acabando con ella en nombre de la tradición literaria o el deber político, o ambos.

Cuando señala que nuestra vanguardia aparece en momentos distintos y en circunstancias diferentes que los de la postguerra europea y sus ismos, Monguió hace notar que una vez descontadas las prescripciones de las escuelas originales, es patente la presencia adicional de un sentimentalismo y en general de una gama de preocupaciones muy diferentes de los de Europa. Allá el signo fundamental fue la revuelta; aquí la afirmación, aunque fuera la de los reducidos sectores intelectuales de las capas medias emergentes o señoriales en declive. Son sectores que eligieron afirmarse en lo nuevo, y eso los llevó al cosmpolitismo como una suerte de nueva negación tácita frente al país. Vista a la distancia, la clasificación que hace Mariátegui de

[63] Alberto Hidalgo, "ubicación de lenin (poema de varios lados)", *Amauta*, Lima, 1926, Nº 1, p. 12.

la nueva poesía en 1928 ya insume —acaso inadvertidamente— las tendencias sociales que van a coadyuvar a la disolución del vanguardismo: lírica pura, disparate absoluto y épica revolucionaria, que *mutatis mutandis* podrían corresponder a un distanciamiento radical respecto de la realidad social, a un quiebre deliberado con la lógica formal y a un uso preferente del tema político.[64] En diversas combinatorias, con distintos énfasis y variadas formas de adecuación a los tiempos, estos serán durante casi 40 años los tres surcos básicos en la poesía peruana. La vanguardia es el momento de confluencia de las vertientes que define Mariátegui, antes de que ellas empiecen a operar como moldes generadores dentro de la gran matriz que Escobar llama "la tradición poética".

Antes de ser puristas, románticos o sociales, surrealistas o nativistas, los poetas más significativos de este siglo han sido fugazmente vanguardistas. Los moldes de lo puro, lo romántico, lo social, lo nativista no nacen de la vanguardia, sino que la preceden desde el siglo pasado, se reflejan en ella y se refractan a través de ella, la utilizan para perfilar y depurar su propio signo histórico y literario, y seguir adelante. El nativismo, como intento de captar el *genius loci* de una región, existía con vida propia desde el s. XIX. La poesía pura de numen importado cargaba con su propia tradición desde el romanticismo, renovado en los ejercicios líricos de Manuel González Prada (1848-1918) en los versos de Eguren; la poesía política preexistía en la sátira y el panfleto. Monguió resume la dinámica de aquel proceso de reflejo y de refracción al definir a la vanguardia como "un campo abierto para la exploración y experimentación, para la fusión y el contraste, de las variadas tendencias que precisamente la misma *Amauta* contribuyó a polarizar".[65] Por eso el momento vanguardista propició fórmulas ambiguas (quizás sería mejor llamarlas dobles) como el tono "provinciano-internacionalista" de Oquendo de Amat y algunos indigenistas-2, que se prolonga en *Junín* (1930) de Enrique Bustamante y Ballivián, o en versos como estos de Abril "En la tierra comunista / aún danzan los keswas // Por debajo de la tierra / volverán al Asia".[66] O aun esos otros de Adán que acaso resumen bien la actitud de parte del vanguardismo poético local frente a la modernidad en general y la revolución soviética en particular:

> la humareda prende un lenin bastante sincero / un camino marxista sindica a los chopos / y usted señora con su tul morado condal absurda / [...] / la estación comisaria va a detener a usted señora / y va a fusilar en usted a la gran duquesa anastasia / y sería una pena que se nos frustrara la gira / ahora que el hotel nos guiña todas sus ventanas / y usted señora con su tul morado sin pasaporte.[67]

---

[64] Mariátegui, *Op. Cit.*, p. 306.
[65] Monguió, *Op. Cit.*, p. 86.
[66] Xavier Abril, "Keswa", en *Amauta*, Lima, 1927, Nº 10, p. 44.
[67] Martín Adán, *Obra poética*. Lima: Edubanco, 1980, p. 4.

En general casi toda la lectura de la poesía vanguardista produce esta sensación de hibridez entre aquellos campos en que Mariátegui divide la poesía de entonces. Pero por debajo de la clasificación trina de Mariátegui —lírica pura, disparate absoluto y épica revolucionaria— corre aquella otra, más convencional, de lo local frente a lo importado, que es la némesis de la cultura en el territorio, y que también encontró expresión en el vanguardismo. Inevitablemente hubo mucho de importación irreflexiva, pues aquí no se dio la degollina de la Primera Guerra Mundial que catalizó la náusea dadá, ni vimos a la tecnología de la electricidad y la explosión transformar el mundo de raíz. Aquí hubo un registro local de la violencia como lucha de movimientos con fuerte componente campesino contra el Estado central aliado al gamonalismo local. La violencia a partir de este esquema es un rasgo permanente del orden republicano: así fue con el levantamiento de Atusparia en la sierra norte en 1885, y el de 1920-1923 en la sierra sur y 1932 en la costa norte. Por su parte las máquinas que fueron llegando con el siglo modificaron una porción muy menor de la capacidad productiva nacional, y afectaron la vida cotidiana de relativamente pocas personas. Esto último no tanto como una transformación del consumo, sino como un cambio en la manera de organizar la producción. Aun así, hubo una coexistencia de la repulsión y el deslumbramiento frente a las máquinas y la tecnología. El telón de fondo en la lucha entre estos dos sentimientos fue el choque que avanzaba entre las ideas radical-populistas recién llegadas y el liberalismo radical que ya existía como crítica al orden establecido.

Los jóvenes vanguardistas reconocieron la retórica de lo nuevo, pero cada uno a su manera equivocó el aspecto social del sentimiento. Por esto lo de aquí a la postre quedó en remedo del entusiasmo futurista y de la rabia dadá, y los versos no entran en materia sino cuando enfrentan los límites de la realidad local, lo cual sucede muy de cuando en cuando. Aparte de la lección personal y hepática de Hidalgo y sus relaciones con la idea de revolución ("Palabra que nació en un vómito de sangre / palabra que el primero que la dijo se ahogó en ella"), y aquella otra profunda e intransferible de Vallejo en la lucha entre palabra y significado que es *Trilce*, el vanguardismo peruano es amable y poco crítico, y celebra su campechana imparcialidad por igual frente a Lenin con sus masas como frente al capital imperialista con sus máquinas. Un impulso algo anarquista, que cantó Portal: "aquí estamos nosotros / y nuestras grandes banderas / de alegría libertaria", hace a la vanguardia progresista pero indefinida, como era indefinido todavía el autoritarismo burgués en los albores del s. XX peruano. Contra cualquier apariencia, la conclusión a que se llega es que aquella poesía andaba lejos de poder desentrañar el carácter de la modernidad que entonces empezaba a reproducirse en otros lugares del mundo. Ese cierre de la brecha técnica de la sociedad peruana con el presente definido desde el hemisferio norte no era la tarea del vanguardismo, ni su posibilidad, puesto que él era más parte del problema que de la solución. La modernidad psicológica frente a la modernidad perseguida está bien ilustrada por una de las breves "noticias" de las últimas páginas de

Trampolín: "anuncian a todo el mundo desde la torre eiffel que los poetas modernos son revolucionarios y aman a Lenin y desde la libertad de new york recomiendan no leer a jaime torres bodet". Lo que aceleró el fin de ese tipo de estado de ánimo lúdico, además de la crisis del año 30 y del retorno del militarismo, fue que la modernidad —la de importación y la otra— en realidad carecía de bases sociales. Las ideas nuevas no eran parte de sentimientos generalizados siquiera en una clase, sino apenas facetas de intereses de grupos sin capacidad para imponer sus ideas o su dinámica a sectores más amplios de la población, y estos a la postre anclados en lo tradicional. Por eso ya en 1928 Mariátegui hablaba en *Amauta* de "rematar la empresa de instalar el disparate puro en las hormas de la poesía clásica".[68] A pesar de que textos tan importantes como *Cinema de los sentidos puros*, de Peña Barrenechea, *Hollywood*, de Abril, y *Junín*, de Bustamante y Ballivián, aparecen en 1930, y *Tren*, de José Alfredo Hernández (1910-1961), en 1931, hacia 1930 la experiencia del vanguardismo ya ha concluido, en medio de la crisis del capital y los primeros disparos en la derrota del movimiento popular que culminaría en 1932.

Pero la crisis no es la mejor explicación para el fin de ese vanguardismo. Más lejos nos lleva la idea de que el vanguardismo se agotó en virtud de su dinámica interna y que nunca llegó a desarrollarse por una falta de contexto. Por ser, como ha dicho Aníbal Quijano (en una conversación privada), "un intento de hacer imágenes crocantes en un ambiente húmedo". En efecto, todo iba contra aquella opción poética por lo nuevo, salvo la juventud de sus protagonistas, que sin quererlo delataron la esencial postergación de un país colonizado. Una parte del impulso vanguardista contribuyó a fundar la poesía peruana contemporánea sobre la base de: a. el código de conducta radical, lo que a veces se llama la ética, de la literatura experimental; b. la curiosidad por lo extra-hispánico; c. la flexibilidad para integrar términos en apariencia disímiles como lo social, lo político y lo purista; d. una cierta distancia respecto del orden establecido; y e. una constante vocación subjetiva de modernidad. Su poca cohesión interna, expresada en una pobreza en lo que Yuri Lotman llama textos autodescriptivos (manifiestos, antologías u otros actos colectivos) pinta al vanguardismo peruano más como un estado de ánimo algo disperso que como un movimiento con objetivos o programa.[69] El vanguardismo poético peruano fue un aislado y aguerrido esfuerzo por la modernidad allí donde casi todo la negaba. No alcanzó a ser propiamente un debate o una escuela, menos un programa: su poca duración lo condenó a quedar en novedad, en lugar de tránsito, en punto de inflexión

---

[68] Estuardo Núñez, en conversación privada, llama mi atención sobre una idea de Mariátegui, respecto a que también existe una reversión en esta búsqueda de lo nuevo, y que ella se produce en el encuentro con la cultura de fuera en su propio espacio. Ricardo Palma se descubre tradicionista en París y Valdelomar descubre Ica en Italia.

[69] Yuri Lotman, *Universe of the Mind. A Semiotic Theory of Culture*. Bloomington/ Indianapolis: Indiana University Press, 1990, p. 148.

en el proceso de la literatura peruana. La retórica de aquella influencia europea fue sumamente penetrante y constituyó una réplica a menor escala, acaso una segunda naturaleza, de la modernidad toda en el Perú. Quizás por esa identidad con un espíritu de los tiempos local el vanguardismo alcanzó a consumar obras significativas a pesar de contar con el más leve de los anclajes sociales. No sólo fue de clímax breve (algo menos de diez años), sino que a poco de su llegada se disgregó en diversas manifestaciones que por sus características anunciaban el fin del impulso y remachaban su carácter atípico. Después de la crisis de 1930 la ética vanguardista reveló una heterodoxia que ya estaba presente y que aun un cronista transatlántico como de Torre advierte al señalar que aquí la efervescencia combina "los atrevimientos de un 'más allá' poético con las retrospecciones nostálgicas, las 'vueltas atrás' de un indigenismo incaico".[70] Sin embargo, fue entre indigenistas como Alejandro Peralta o Gamaliel Churata donde más duró la filiación vanguardista, si bien su indigenismo poético fue cada vez menos ejercicio contestatario y más afirmación de un orden establecido en la provincia.[71] Los signos más visibles de la modernidad buscada eran las máquinas, hijas de la tecnología.

Capítulo modificado de la tesis doctoral *El viaje vanguardista peruano sobre la máquina 1917-1930*. Lima: UNMSM, 2000. Mirko Lauer es actualmente profesor de la Universidad San Martín de Porres de Lima y forma parte de las directivas de la revista *Hueso Húmero*, así como de la editorial Mosca Azul (lauerlim@amauta.rcp.net.pe).

[70] Guillermo de Torre, *Historia de las literaturas de vanguardia*. Madrid: Ediciones Guadarrama, 1965, p. 588.

[71] Véase Cynthia Vich, *Indigenismo de vanguardia en el Perú. Un estudio sobre el Boletín Titikaka*. Lima: PUC, 2000.

Katharina Niemeyer

Narrativa de vanguardia, humor, *La casa de cartón*

Frente a la seriedad que caracteriza la modelización y la crítica de la modernidad urbana/social (hispanoamericana) en varias de las primeras novelas vanguardistas, destaca el tratamiento humorístico-irónico-lúdico del tema en *La casa de cartón*, del peruano Martín Adán, y en *El joven*, del mexicano Salvador Novo. En el "considerar el arte como juego, y nada más" así como en la tendencia a "una esencial ironía" ya había visto Ortega y Gasset (1987: 57) dos de las características del "arte nuevo".[1]

Pero el fenómeno que en la crítica actual se denomina ya "humor", ya "ironía" y/o carácter lúdico[2] y que se vincula sobre todo con la tendencia a la burla, la parodia y la metaficción, tiene más de una cara. Por un lado, se trata del "humor como una de las manifestaciones de la desacralización de lo literario" y, además, "una nueva manera de concebir la obra de arte sin que esto signifique que en Hispanoamérica se llegue a la revolución dadaísta" (Achugar 1996: 31 s.). Y por el otro lado se manifiesta como amplia gama de deconstrucciones entre burlescas y satíricas de los valores y esquemas socio-culturales (burgueses) consagrados, como modalidades diferentes de expresar *more comico* la crítica y el rechazo del *establishment*, liberándose así de explicitar la propia posición opositora. Es decir, en las novelas vanguardistas humor e ironía resultan compatibles entre sí en un doble sentido: como negación a "tomar en serio" las normas literarias y sociales en cuestión, y como estrategias de "ambiguamiento" de la expresión y del pensamiento. Se emplean como estrategias para desconcertar al lector "medio" de la época, frustrando sus expectativas de univocidad y seriedad, pero despertando también cierta simpatía, sea por medio de la comicidad, sea a través de una ironía que no deja de referirse al texto mismo, como tan bien ya lo ilustra el ejemplo de *Débora*.

---

[1] Reflexiones importantes sobre el componente lúdico-humorístico de la estética de la narrativa vanguardista ofrecen Achurar (1996), Verani (1996) y Burgos (1995); sobre el "humorismo" de Macedonio, quien, como cabe recordar, estaba elaborando ya en los años 20 su ensayo "Para una teoría de la Humorística" (1944), *cfr*. la bibliografía en Fernández (1993: 575-591) y más adelante el cap. 2.3.

[2] Desgraciadamente, la crítica suele emplear estos términos sin precisar sus significados, de modo que muchas veces queda abierto por qué un mismo texto unas veces se considera humorístico y otras veces irónico.

Por lo general, pues, el humor y la ironía vanguardistas son cuestión del discurso. Sus lugares típicos son los comentarios del narrador, sobre todo los metaficcionales, pero también las descripciones intradiegéticas. En cambio, en esta primera fase de la novela vanguardista hay relativamente poca comicidad situacional, debido tal vez a la generalmente escasa presencia de acciones y de aspectos físicos. Con cierta excepción de los textos de Pablo Palacio, ese tipo de comicidad se dará recién en la narrativa posterior, en particular en las obras de Juan Emar y José Isaac de Diego Padró, donde adquiere los rasgos de una auténtica carnavalización del cuerpo. Lo que sí se observa ya en los textos de los años 20 es la puesta en escena de lo absurdo con visos cómicos, gracias al marcado anacronismo o la yuxtaposición de lo imposible o lo "elevado" y lo más cotidiano, como sucede en *El intransferible* y, también, en *Panchito Chapopote*. No obstante, lo absurdo cómico suele destacar más en el plano del discurso, como actitud lúdica frente al lenguaje en la línea del procedimiento que Macedonio Fernández ha definido como "humorismo conceptual": una comicidad que radica en el enunciado verbal, "en la expectativa defraudada y en un aserto, primando definitivamente, de un imposible intelectivo" (Fernández 1974: 287), o sea, en "la invención de un absurdo, que es una ingeniosidad, y en segundo término el hacer creer, que es voluntad de juego" (*Ibíd*.: 299).

De ese u otro modo —el de la autoironía, de la parodia, de la ingeniosa y cómica ruptura de la ilusión ficcional—, los textos captan al lector enfocado hasta que quede "atrapado" en el juego del arte, del lenguaje artístico, y sus posibilidades de plurivocidad, de invención de absurdos y de distancia frente a la racionalidad cotidiana. Todo ello apunta hacia la aguda autoconciencia semiótico-poetológica de la novela vanguardista. Pues tal como humor e ironía se realizan en los textos, sirven para problematizar —mejor dicho, para hacer resultar placenteramente problemático— el paso interpretativo usual de los planos de contenido y expresión al plano de la intención de sentido. Otra vez es el papel del narrador que funciona como punto de partida: ¿en qué medida y hasta qué punto su discurso puede "tomarse en serio?" En la medida en la que el narrador y su discurso se autoironizan y/o se vuelven cómicos no sólo respecto de las cosas, sino asimismo en cuanto a cómo hablan de ellas, también se esfuman los indicios de un sentido figurativo homogéneo "detrás" del sentido literal heterogéneo. Se abren posibilidades ilimitadas de significación, que bien pueden volver a afirmar el sentido literal primario. La diferencia entre decir (una cosa) y significar (otra cosa), condición de posibilidad de cualquier ironía, así resulta ser ironizada ella misma. ¿Pero qué pensar entonces de un texto que a todas luces se contenta con burlarse de lo que dice y de cómo lo dice —y con ello de toda una serie de normas y tradiciones literario-culturales—, y ello sin menor asomo de aquel patetismo típico de la ironía romántica,[3] sino más bien lacónicamente, como

[3] Cabe recordar que la ironía romántica apuntaba, finalmente, hacia la superioridad del espíritu creador que se eleva por encima de su propia creación así como hacia el reconocimiento de la diferencia

juego deliberado sin la menor "trascendencia"? La posición del autor implícito así no sólo resulta de una ambigüedad irreducible. También adquiere una nota de "frivolidad" que la convierte —o por lo menos la podía convertir— en auténtica provocación de la literatura "seria", mejor dicho, de los que en el campo literario de la época defendían tales misiones serias para la "alta" literatura.

Ahora bien, como se acaba de ver en los análisis precedentes, humor e ironía se hallan lejos de configurar las únicas técnicas de ambigüedad y de rechazo de normas literarias y socio-culturales. Tampoco representan las más "intrínsecamente" vanguardistas. Pero sí son típicas de la Vanguardia estética y ya en su momento se consideraban como tales.[4] Primero, manifiestan de manera más visible ese espíritu revolucionario juguetón y juvenil que desde el principio —piénsese sólo en el Estridentismo o en el humorismo de *Martín Fierro*— se perfila como uno de los elementos específicos de los movimientos vanguardistas frente a la oposición izquierdista, por lo general exenta de humor y, más aún, de autoironía, pero también frente a la literatura establecida, tan convencida de su nobles y serias tareas. Segundo, humor e ironía se enjuiciaban ellas mismas como actitudes típicamente modernas, en íntima consonancia con los tiempos actuales. El enorme éxito de Buster Keaton y, sobre todo, de Charlie Chaplin había convertido a los cómicos en los íconos de los *modern times*. Y no será casual que con excepción de Vicente Huidobro la Vanguardia (hispanoamericana) mostrara más simpatías por Chaplin que por un Douglas Fairbanks Jr. De ahí que tampoco pueda parecer accesorio que ese espíritu humorístico-irónico se manifieste fuertemente en relación con el tema de la modernidad y su modelización/apropiación por medio de una escritura específicamente 'moderna'. Aparte de posibilitar un ahondamiento particular en la dialéctica entre modernidad burguesa y modernidad estética, permitía asimismo expresar 'modernamente' la reserva frente a cualquier modernolatría, la ajena y la propia.

Más novelas

Indudablemente, en todo este contexto *La casa de cartón* del peruano Martín Adán (Rafael de la Fuente Benavides, 1908-1985) puede considerarse una de las novelas más representativas de ese espíritu humorístico-lúdico, desprejuiciado y escéptico que la Vanguardia hispanoamericana supo desarrollar con sistematicidad,

---

insalvable entre ideal y realidad. Es decir, por lo general se trata de una ironía sin humor —con la excepción, claro está, del insuperable Heinrich Heine y, en menor medida, de Bécquer—, y eso no le podía interesar a la Vanguardia (latinoamericana), con la excepción, otra vez, de figuras como Huidobro, quien no siempre supo evitar tal patetismo.

[4] Últimamente se ha empezado a revalorar más ampliamente el humor como rasgo de las Vanguardias (internacionales), *cfr.* entre otros Lohse/Scherer (2004).

por primera vez en el Continente.[5] Escrita, según testimonio de Estuardo Núñez (en Adán 1961: 7), a partir de 1924 y terminada en 1927, los primeros capítulos de la novela se publicaron en *Amauta* (10, dic. 1927), mientras en edición completa salió de la imprenta a finales de 1928,[6] acompañada de un "Prólogo" de Luis Alberto Sánchez y de un "Colofón" de José Carlos Mariátegui.

Es decir, *La casa de cartón* se insertaba ya desde su lugar de publicación y sus paratextos en uno de los contextos vanguardistas entonces más activos y conocidos de todo el continente. Por cierto, en cuanto a la situación política poco se había cambiado desde la publicación de *Trilce* y *Escalas melografiadas*. Pero en otros aspectos se estaban realizando modificaciones considerables. La urbanización de Lima, el crecimiento de la clase media y la bonanza de la alta burguesía, el *boom* de la educación y del consumo cultural se hallaban en su apogeo; todo parecía afirmar el éxito de la ideología del progreso, del "crecer y modernizar" que propugnaban las clases dominantes de la "Patria Nueva" y que cifraban en la flamante modernidad (exterior) de Lima. En lo cultural, la amplia gama de actividades entre intelectuales y políticas que Mariátegui estaba desplegando a partir de su vuelta al país en 1923, significaban un aporte modernizador y concienciador apenas sobrevalorable. Culminaban, como bien se sabe, en la serie de artículos "Perunicemos al Perú" (*Mundial*, 1925-1928) y la fundación y dirección de la revista *Amauta* (1926-1930). A partir de 1926 se dio una auténtica ola de publicaciones vanguardistas en distintos puntos del país. En agosto de 1926 el Grupo Orkopata sacó a la luz el *Boletín Titikaka* (1926-1930), dirigido por Alejandro y Arturo Peralta (= Gamaliel Churata),[7] y Alejandro Peralta dio a conocer su poemario vanguardista-indigenista *Ande* (1926); en Lima se empezó la edición de *Poliedro* (1926), de *Amauta* y de *trampolín, revista supra-cosmopolita*, dirigida por Serafín Delmar y Magda Portal.[8] Al año siguiente se publicaron los *5 metros de poemas*, de Carlos Oquendo de Amat, uno de los poemarios vanguardistas hispanoamericanos más significativos de toda la época, las revistas *La Puna* (Puno, 1927) y *Vanguardia* (Cusco, 1927), así como las *Radiogramas del Pacífico*, de Serafín Delmar, para citar sólo algunos ejemplos.[9]

---

[5] Recuérdese el *dictum* de Cortázar acerca de la (supuesta) falta de naturalidad y humor en los escritores latinoamericanos como una de las pruebas del subdesarrollo, convenientemente citado en este contexto por Verani (1992: 1081), quien hace hincapié en que desde este punto de vista el humor de la narrativa de Vanguardia, de Martín Adán y otros, "anuncia una nueva edad de la literatura hispanoamericana" (*Ibíd.*). Sobre el humorismo de *La casa de cartón cfr.* también Verani (1996).

[6] Lima: Talleres de Impresiones y Encuadernación Perú.

[7] Más información en los estudios pioneros de Wise (1984) y Unruh (1984) y en los más recientes y mucho más detallados de Vich (2000) y Zevallos Aguilar (2002).

[8] Sobre esta revista, *trampolín-hangar-rascacielos-timonel*, *cfr*. el facsímil en *Hueso Húmero* 7 (1980).

[9] Para más información sobre la literatura peruana del momento *cfr*. Núñez (1965), Monguió (1954), Unruh (1984) y los artículos correspondientes de González Vigil (1991).

Dentro del contexto intercontinental, la Vanguardia peruana entre 1926 y 1930 ofrece un perfil particular. Como bien se sabe, *Amauta* —o sea, su director— intentaba relacionar expresamente vanguardia política, Indigenismo y avanzada estética para fomentar así una "modernidad de raíz andina".[10] En respuesta a preocupaciones parecidas, *trampolín*, que se había presentado como órgano ante todo de la Vanguardia artística, se volvió una revista de "arte y doctrina" (el subtítulo de *timonel*, último número de 1928), siguiendo, empero, con un lenguaje vanguardista para los textos políticos (*cfr*. Schwartz 1991: 180-182). Indigenismo, compromiso político de izquierdas y estética de Vanguardia se fusionaron también íntimamente en el *Boletín Titikaka* y los textos de sus colaboradores que, no obstante su ubicación "excéntrica" en el Altiplano, estaban en contacto con casi todos los movimientos vanguardistas latinoamericanos de la época (*cfr*. Wise 1984, Vich 2000).

Desde París, sin embargo, parece que la Vanguardia peruana apenas se distinguía de tantos otros ismos americanos y europeos. Ésa es, por lo menos, la opinión de César Vallejo, cuyos ataques polémicos contra la modernolatría superficial y el "llenarnos la boca con palabras flamantes", en vez de asimilar la vida moderna por el espíritu y la sensibilidad,[11] así como contra el "plagio grosero" que según él practicaba la "actual generación de América",[12] desde luego provocaron más de una reacción entre sus colegas peruanos (*cfr*. Kishimoto 1993: 14-16). Mas también ayudaron a que ellos definieran más explícitamente su intencionada posición en —y frente a— la historia nacional y universal. Desde luego, la Vanguardia nunca logró la atención que entre el público burgués suscitó la publicación, primero en *Amauta*, de *Tempestad en los Andes* (1927-1928), el ensayo indigenista apasionado y combativo de Luis E. Valcárcel. El libro se difundió masivamente y se convirtió en una verdadera Biblia de los indigenistas, mientras que al autor le valió la acusación de traición a la patria y el encarcelamiento. Además, dio pie a la polémica en torno al Indigenismo entre Mariátegui y Sánchez (*cfr*. Aquízolo 1976; Rodríguez Rea 1985), que habían colaborado ambos en la presentación del libro de Valcarcel. Con *El pueblo sin Dios* (1928), de César Falcón, se presentó casi al mismo tiempo —y con bastante éxito— la primera novela indigenista peruana, que contribuyó no poco a la predominancia del realismo social. Pero aun así, por el breve lapso de unos cuatro años la Vanguardia representaba cierto poder dentro del campo literario peruano, y ello precisamente por la interrelación entre Vanguardia estética y el compromiso entre izquierdista e indigenista para con la realidad nacional actual, como tal vez más cla-

[10] Así Cornejo Polar (1994: 187). De entre los anteriores estudios del programa de *Amauta* caben destacar el de Osorio (1988) y las monografías de Hovestadt (1987) y Wise (1987); para la biografía de Mariátegui *cfr*. Luna Vegas (1986); más informaciones bibliográficas sobre nuevos aportes en el *Anuario mariateguiano*.

[11] "Poesía nueva", *Favorables París Poema* 1 (julio de 1926, p. 14).

[12] "Contra el secreto profesional", *Variedades* 1001 (7 de mayo de 1927).

ramente lo comprueba la reacción literaria "en contra": no en balde *Matalaché* (1928), la novela histórica de Enrique López Albujar, se subtitula "Novela de retaguardia" (*cfr*. cap. 2.1.).

Ahora bien, dentro de todo este contexto, *La casa de cartón* bien podría parecer pertenecer a los textos que Vallejo tenía en mente al iniciar su polémica en torno a la 'verdadera' modernidad.[13] Ya desde las primeras páginas, esta novela, dedicada a José María Eguren, se ocupa del tema. Y a la vez ostenta un lenguaje y unas técnicas narrativas inmediatamente reconocibles como vanguardistas, así como una serie de referencias al arte y la literatura 'modernos', desde Proust y *A Portrait of the Artist as a Young Man* (1916), de James Joyce, sobre Giraudoux y Morand hasta el Ultraísmo y Neruda. Así, la novela comienza con un monólogo interior[14] que da cuenta de las percepciones y pensamientos de un adolescente dialogando consigo mismo en el camino al colegio:

> Ya ha principiado el invierno en Barranco; raro invierno, lelo y frágil, que parece que va a hendirse en el cielo y dejar asomar una punta de verano. [...] Ahora hay que ir al colegio con frío en las manos. El desayuno es una bola caliente en el estómago, y una dureza de silla de comedor en las posaderas, y unas ganas solemnes de no ir al colegio en todo el cuerpo. [...] Y ahora silbas tú con el tranvía, muchacho de ojos cerrados. Tú no comprendes cómo se puede ir al colegio tan de mañana (Adán 1961: 21).

Este monólogo, impregnado ya de cierta (auto)ironía cómica —¿qué otra cosa sugieren expresiones como "invierno lelo", "posaderas" o "ganas solemnes de no ir al colegio"?—, da paso a una narración simultánea autodiegética, fragmentaria y asociativa, de las impresiones y reflexiones de un yo anónimo, sin más señas de identidad convencionales que el de ser un joven estudiante de colegio.[15] La narración en presente configura el *basso continuo* o línea dominante de los 37 fragmentos de los que consta la novela.[16] Mas se interrumpe una y otra vez por la evocación

[13] Claro que en aquel momento, 1926-1927, Vallejo no podía conocer el texto de la novela de Adán. Tampoco posteriormente la menciona, aunque sí es de suponer que por lo menos leyó los capítulos que se editaron en *Amauta*.

[14] Es decir, se trata de un discurso de un personaje reproducido en forma del discurso directo libre y sin intervención de la instancia narradora, lo que Genette (1972) llama "discours immédiat". Cabe recordar esta definición para evitar la todavía usual equiparación entre "monólogo interior" y "stream of consciouness", que es una de sus variantes históricas. El monólogo interior en *La casa de cartón* se halla mucho más en la línea de Dujardin y Schnitzler que en la de Joyce, es decir, guarda por lo general cierto orden sintáctico y ortográfico y hasta semántico, a la vez que marca la 'inmediatez' por frases incompletas, exclamaciones y elipsis, *cfr*. Rojas (1980-1981).

[15] Las indicaciones de la edad del narrador son contradictorias, pues a veces dice tener 14, otras 15 y una vez 16 años, sin que ello esté de acuerdo con alguna cronología de los sucesos narrados.

[16] Verani (1992), quien se basa en la edición de 1958, habla de 39 fragmentos. En la de 1961 son 37, en consonancia con la *princeps*.

en pasado de recuerdos propios, historias de otros, ya 'reales', ya imaginadas, reflexiones sobre el proceso imaginativo así como por la inserción de los "poemas underwood" que el narrador dice haber transcrito de un manuscrito heredado de su amigo Ramón, fallecido no se llega a saber ni cuándo, ni cómo. Una trama propiamente dicha resulta imposible de reconstruir,[17] primero porque apenas se presentan acciones susceptibles de encadenarse en un orden lógico-cronológico; segundo porque el narrador evita cuidadosamente establecer algún nexo entre los episodios —las indicaciones temporales son escuetas y sumamente vagas—; y tercero porque todo lo que al principio todavía podría parecer narración o descripción con función referencial, se desvanece pronto en metáforas continuadas y continuamente reformuladas a partir del significado denotativo, en imágenes verbales absurdo-humorísticas que siguen su propia lógica, oscilando entre el principio de la equivalencia incluso fónica, la aleatoria y la invención cómica:

> En esta tarde, el mundo es una papa en un costal. El costal es un cielo blanco, polvoso, pequeño, como los costalitos que se utilizan para guardar harina. El mundo está prieto, chico, terroso, como acabado de cosechar en no sé qué infinitud agrícola. Me he salido al campo a ver nubes y alfalfares. Pero he salido casi a la noche, y ya no podré oler los olores de la tarde, táctiles, que se huelen con la piel. El cielo, afiliado al vanguardismo, hace de su blancura pulverulenta, nubes redondas de todos los colores que unas veces parecen pelotas alemanas, y otras, verdaderas nubes de Norah Borges. Y ahora tengo que oler colores. Y el camino por el que voy se hace un cuadrivio. Y los cuatro caminejos que ha parido el camino chillan como recién nacidos: quieren que se les meza, y el viento, que, al venir la noche, se vuelve un mozo cabaretero, no quiere mecer caminos: el aire se viste pantalones de Oxford, y no hay manera de convencerle de que no es un hombre (Adán 1961: 52 s.).

La situación narrativa participa en este juego. Aparte de que, desde el punto de vista del contenido, varios de los personajes masculinos evocados —y en particular Ramón, el amigo fallecido, pero también Manuel, el joven que hace un viaje (¿imaginario?) a París— bien pueden considerarse los desdoblamientos del narrador, su *alter ego*,[18] también hay esa oscilación continua, típica de las primeras novelas vanguardistas hispanoamericanas, entre la voz extradiegética que a veces hasta se refiere explícitamente al propio texto ("Ramón dejó los versos que van arriba", Adán 1961: 75) y la intradiegética de este mismo yo. El caso de la narración autodiegética simultánea, el único en el cual teóricamente ambas instancias pueden confluir en

[17] Lauer (1983: 32 s.) da un "índice" de los temas esenciales de los fragmentos según el orden del discurso, sumario que no hace sino subrayar la falta de argumento o, en otras palabras, de la pluralidad de órdenes de esa "prosa calidoscópica" (*Ibíd.*, 31).

[18] Sobre este aspecto insisten Loayza (1974), Kinsella (1981), Lauer (1983), Verani (1992) y por último Elmore (1993).

una sola,[19] se presta ya de por sí a ahondar en la ambivalencia y la reversibilidad inherentes a la relación entre yo narrado y yo narrador, o sea, entre historia y discurso. A ello se agrega la posible heterología de la voz narradora autodiegética ficcional, debida a la no-correferenciabilidad de narrador y autor (implícito), que en el discurso autodiegético ficcional no tiene otra voz a través de la cual puede manifestarse (*cfr*. Meyer-Minnemann/Schlickers 2004). En *La casa de cartón* no es éste el problema, sino otra vez la escisión irrecuperable entre yo narrado y yo narrador, una vez que el yo ha tomado la palabra y, aún más, la escritura. Por su particular hechura 'opaca', el discurso se sobrepone a la diégesis y pone "en evidencia ese desplazamiento raigal que descentra al yo y hace imposible situarlo más allá de los límites del lenguaje".[20] No obstante, a través de la interrelación particularmente estrecha y compleja entre narración simultánea y narración posterior, focalización interna y focalización cero, monólogo interior y referencia al acto de narrar/inventar se insiste también en la imposibilidad de una separación unívoca y tajante entre ambas voces. Pues ellas se relacionan en la referencia a la noción de un sujeto por esquivo no carente de una base común, indivisible, condición de posibilidad para la percepción de la diferencia que subvierte la unidad del yo. Para decirlo así, no sólo se trata de la puesta en escena del "Je est un autre", como opina Elmore (1993), sino de exponer que a la vez es yo y un otro, y que así será, por más que quisiera ser simplemente otro. "Yo seré Ramón un mes, dos meses, todo el tiempo que tú puedas amar a Ramón. Pero no: Ramón ha muerto, y Ramón nunca tuvo la cara triste, y sobre todo, tú ya has catado a Ramón" (*Ibíd*.: 83), se refleja esta situación en el plano de la historia, o sea, de las preocupaciones del yo vivido narrándose.

Así, la novela es mucho más que "the narrator's memories of a summer vacation as he recounts the erotic adventures of a certain Ramón" (Kinsella 1981: 32 s.). Por cierto, las primeras experiencias de amor y sexualidad constituyen uno de los núcleos temáticos centrales, pero no sólo en relación con Ramón, sino también y ante todo como mezcla de memoria y deseo sempiterno del yo narrado/narrador (*cfr*. también Elmore 1993: 60), cosa bastante insólita para la novela vanguardista del momento, donde con la excepción de Arlt y Vela este tema apenas aparece. Y junto a éste hay otros temas no menos importantes: la vida en Barranco, entonces balneario de moda en las cercanías de Lima (*cfr*. Ortega 1986); Lima y Europa que devienen cifras equívocas y finalmente espurias de la modernidad; el campo y la naturaleza, de des-

[19] Recuérdense las observaciones de Bachtin (1989), Genette (1972) y Schlickers (1997) acerca de la inevitable diferencia cronotópica entre yo narrado y yo narrador que se abre en cualquier narración, por más breve que sea la diferencia temporal.

[20] Elmore (1993: 59) se refiere aquí al empleo de la segunda persona en el monólogo interior que abre el relato, pasando por alto, evidentemente, el que esas autoapelaciones en segunda persona desde Dujardin configuran un rasgo estilístico típico del monólogo interior que hay que distinguir de la narración en segunda persona, *cfr*. Meyer-Minnemann (1984).

lindes inseguras frente a 'lo urbano'; el recuerdo de Ramón como intento fracasado de suplantar la pérdida/ausencia por la memoria; las lecturas; la búsqueda de la propia identidad y, *last but not least*, de los procesos de la imaginación y de la propia expresión. Es decir, estaría todo para una novela de aprendizaje, concretamente, una novela de la formación artística. No en balde el narrador recuerda "ese pobre Stephen Dedalus—, un cuatro-ojos muy interesante que mojaba la cama" (Adán 1961: 61). Pero con cierta excepción de las evocaciones de Ramón, todo, hasta la iniciación erótica, se presenta con una actitud distanciada e irónica poco consonante con ese modelo genérico. Y menos aún lo hace la continua referencia a la oposición 'moderno/urbano vs. anticuado/periférico/rural' que funciona como criterio y medida para enfocar las cosas y, en ello, como ideosema cuya validez y operabilidad convencionales se cuestionan hasta que se disuelven en una escritura de una modernidad propia.

Concretamente, lo que las percepciones, reflexiones e imaginaciones del protagonista/narrador deshacen es la equiparación tan grata a la época entre modernidad y cosmopolitismo. Y ello desde dos ángulos: primero, mostrando la falta de modernidad y hasta la ridiculez de lo que en la época se consideraban representantes y manifestaciones del cosmopolitismo, o sea, de la presencia de lo europeo actual en el contexto nacional; segundo, subrayando el poco efecto que la presencia de y orientación hacia lo europeo ha causado y está causando en Barranco y hasta en Lima. Así, los "supuestos emisarios de las metrópolis" (Elmore 1993: 73), cuya estancia en Barranco en otra novela daría un aire cosmopolita al balneario —un inglés que se dedica a la pesca, Miss Anni Doll, el alemán Herr Oswald Tessler y un tal Mister Kakison, británico—, aparecen como tipos pedestres o chocarreros. Son personajes cómicos, aferrados a lo suyo e incapaces de comprender lo que tienen delante:

> Y Herr Oswald Teller hablaba al carretero de las mañanas de Hannover, de la luna llena, de la industrialización de América, de la batalla del Marne... y las erres le salían del estómago, y las miradas le fluían del cerebro, y los recuerdos le patinaban en la nieve azulina [...] El negro Joaquín mascaba su jeta (Adán 1961: 46).

> Recordemos a Miss Anni Doll, turista y fotógrafa, resorte vestido de jersey que saltaba de la caja de sorpresa del balneario peruano. Se apretaba un botón, y Miss Anni Doll arrojaba afuera el cuerpo y las gafas amarillas. El juguete era una atracción municipal, no se podía comprar, era de todos [...] Ella vivía de una renta que venía de lejos, fabulosamente de lejos, como en una lata de té; ella hablaba un latín que quebraba su dentadura de loza limpia como un cristal, en mil añicos; ella no comprendía las campanadas de San Francisco, porque dio en oírlas en hebreo, y San Francisco no sabía lenguas muertas, sino sólo hacer pompas de jabón para alegrar a Dios (*Ibíd*.: 33).

Objeto de caricatura son asimismo los elementos del imaginario de la modernidad burguesa que sugieren estos turistas, cuando no resultan un anacronismo viviente, como Herr Oswald Teller, wagneriano y lector asiduo de "Garten und Lambe" (i. e. *Die Gartenlaube*). Esa actitud "libre de cualquier complejo de inferioridad" (Elmore 1993: 73) la demuestra el protagonista-narrador también frente a las 'urbes', tanto Lima, "con su olor de sol y guano y sus placeres solitarios" (Adán 1961: 39), "la sucia Lima, caballista, comercial, deportiva, nacionalista, tan seria..." (*Ibíd*.: 64), como París. No obstante su "olor de asfalto y su rumor de usina y sus placeres públicos" (*Ibíd*.: 39), se parece tanto a Barranco y a Lima que Manuel —amigo 'real' o imaginado— se aburre y no sabe adónde ir o volver. Barranco no ha ganado con la urbanización más que la municipalización y burocratización del "mundo del corral": "Esta ciudad positivamente no es una aldea. Los asnos respetan devotamente la acera" (*Ibíd*.: 94); idea que se combina con el aire provinciano-clerical y tranquilo que trasluce en general de las descripciones satíricas de los habitantes y calles de Barranco (*cfr*. Verani 1992). No obstante, la urbanización es un proceso irrefrenable que ya ha ocupado el campo, de modo que en cuanto tal ya no existe sino como futura extensión de la ciudad (Adán 1961:79, *cfr*. también Elmore 1993). Y no sólo esto. También la naturaleza se vuelve parte de la civilización, o sea, es percibida y presentada a través de imágenes que identifican lo uno con lo otro en combinaciones sorprendentes y a menudo rayando en lo cómico: el viento con pantalones (*cfr. supra*), "una tarde remota que, como en el chascarrillo, era un gran huevo frito" (*Ibíd*.: 26), un jacarandá que se parece a una inglesa con gafas (*Ibíd*.: 30), un "cielo obeso en cura de mar" (*Ibíd*.: 48). La 'clave' de este modo de percepción/metaforización se da en los "poemas underwood", que en más de un sentido son una *mise en abyme* de la novela y su poética: "Nací en una ciudad, y no sé ver el campo./ Me he ahorrado el pecado de desear que fuera mío" (*Ibíd*.: 70; *cfr*. Elmore 1993: 77). Lo único que queda fuera es el mar, tal vez por su íntima relación con el erotismo. Ello no impide, por otra parte, que imágenes correspondientes estén teñidas de humor, al igual que la frecuente animación y/o 'naturalización' de fenómenos urbanos "acentúa la naturaleza subjetiva del relato y un trastocamiento de lo real que surge con una inflexión crítica e irónica" (Verani 1992: 1081).

Ahora bien, toda esa ironización y deconstrucción de lo (supuestamente) 'moderno' adquiere su plena dimensión en el juego —complejo y ambiguo— con los guiños autoirónicos del narrador acerca de sí mismo, de la modernidad de su discurso y la presencia de los intertextos obligatorios a este respecto. Alusiones burlonas a Girardoux [!], Nietzsche, Morand, Cendrars, Radiguet, Proust, Spengler, Pirandello, Joyce, Freud, etc., mas también a las lecturas de la burguesía provinciana —desde el calendario cristiano sobre Verne y Paul de Kock hasta D'Annunzio y Azorín— se integran en el proceso de imaginación y escritura: "Ahora se nos mete el invierno —un invierno extracalendarial, ortodoxamente bergsoniano: películas en veinte capítulos" (Adán 1961: 64). Y asimismo se insertan referencias a la Vanguardia hispanoamericana:

> Y una nube de color de café con leche, ¿qué será? Es posible que no sea nada. O quizá sea ella un verso de Neruda. O quizá una costa de signo, patria de Amara, sueño de Eguren. O si prefieres, simplemente una nube de color de café con leche —para algo tenemos dieciséis años y el bozo crecido (*Ibíd.*: 66).

Tales comentarios se pueden leer como *mises en abyme* del proceso de imaginación/ producción textual tanto como de su reivindicación de modernidad. La actitud lúdica-irreverente y despreocupada frente a cualquier 'ortodoxia' de lo moderno demuestra a la vez familiaridad y poder de distanciamiento frente a lo más avanzado. Mejor dicho, mientras que en *El intransferible* el humor y la ironía se refieren ante todo al plano del contenido, aquí se usan también como herramientas eficaces para la apropiación y elaboración de un discurso narrativo y una escritura cuya modernidad reside, entre otras cosas, en el juego con la propia condición periférica y/o la posible no-correspondencia a una modernidad ya definida por otros. Frente a ella, el texto (re)presenta una poética de la ficción/ imaginación para la cual la cuestión moderno vs. no-moderno es un criterio plenamente aceptado, mas ni a ciegas, ni a costa de otros. Concretamente, la autorreflexión lúdica en torno a la medida y las razones de la propia modernidad o posible no-modernidad —en atención a los últimos desarrollos europeos y latinoamericanos— aparece como seña de la voluntad y la autoconciencia de una Vanguardia estética hispanoamericana que en absoluto se deja reducir a algún tipo de modernolatría. La indudable modernidad de sus rasgos de contenido y expresión —y a este respecto la novela de Adán no dejaba nada que desear— no configura un fin en sí, sino que se entiende en función de un proyecto más amplio, posibilitado, eso sí, y como lo implica el texto mismo, por el proceso de modernidad y la intención de dar una respuesta/ propuesta a éste. Con todo ello, *La casa de cartón* deshace de manera sutil pero efectiva la categorización de Vallejo (1926, en Schwartz 1991: 446):

> La poesía nueva a base de palabras o metáforas nuevas, se distingue por su pedantería de novedad y, en consecuencia, por su complicación y barroquismo. La poesía nueva a base de sensibilidad nueva es, al contrario, simple y humana y a primera vista se la tomaría por antigua o no atrae la atención sobre si es o no moderna.

Y se perfila a fin de cuentas como exponente no típico, pero muy bien compatible con el proyecto de la(s) Vanguardia(s) peruana(s) del momento. Es decir, realiza su línea complementaria, la "totalmente artística, totalmente literaria" (Sánchez 1928, en Adán 1961: 19). Su intencionado potencial crítico-cultural, en torno a las nociones vigentes de la doble modernidad hispanoamericana, de la problemática del yo y del papel del discurso/lenguaje, por eso no fue menor.

Bibliografía

Adán, Martín (1961): *La casa de cartón*. Lima: Ediciones Nuevo Mundo.

Achugar, Hugo (1996): "El museo de la vanguardia: para una antología de la narrativa vanguardista hispanoamericana", en Hugo Verani (ed.), *Narrativa vanguardista hispanoamericana*. México, D. F.: UNAM, pp. 7-40.

Aquízolo, M. (ed.) (1976): *La polémica del indigenismo: Juan Carlos Mariátegui y Luis Alberto Sánchez*. Lima: Mosca Azul.

Bachtin, Michail M. (1989): *Formen der Zeit im Roman. Untersuchungen zur historischen Poetik* [1975]. Frankfurt am Main: Fischer.

Burgos, Fernando (1995): *Vertientes de la modernidad hispanoamericana*. Caracas: Monte Ávila.

Cornejo Polar, Antonio (1994): *Escribir en el aire. Ensayo sobre la heterogeneidad socio-cultural en las literaturas andinas*. Lima: Horizonte.

Elmore, Peter (1993): *Los muros invisibles. Lima y la modernidad en la novela del siglo XX*. Lima: Mosca Azul.

Fernández, Macedonio (1993): *Museo de la novela de la Eterna*. Edición crítica. Coordinadores Ana Camblong y Adolfo de Obierta. Madrid *et al.*: Allca (= Colección Archivos, 25).

Fernández, Macedonio (1974): *Teorías*, en ídem, *Obras completas*, Vol. III. Buenos Aires: Corregidor.

Genette, Gérard (1972): *Figures III*. Paris: Seuil.

González Vigil, Ricardo (1991): *El Perú es todas las sangres. Arguedas, Alegría, Mariátegui, Martín Adán, Vargas Llosa y otros*. Lima: PUC del Perú.

Hovestadt, Volker (1987): *José Carlos Mariátegui und seine Zeitschrift Amauta (Lima, 1926-1930)*. Frankfurt am Main *et al.*: Peter Lang.

Kinsella, John (1979): "The Artist as Subject: A Study of Martín Adán's *La casa de cartón*", en P. S. N. Russel-Gebbett *et al.*: *Belfast Spanish and Portuguese Papers*. Belfast: Queens University, pp. 69-77.

Kinsella, John (1981): "Realism, Surrealism, and La casa de cartón", en S. Boldy (ed.), *Before the boom: Four essays on Latin American literature before 1940*. Liverpool: University of Liverpool, pp. 31-39.

Kishimoto Yoshimura, Jorge (comp.) (1993): *Narrativa peruana de Vanguardia = Documentos de Literatura* (Lima), 2-3.

Lauer, Mirko (1983): *Los exilios interiores. Una introducción a Martín Adán*. Lima: Mosca Azul.

Lohse, Rolf y Scherer, Ludger (eds.) (2004): *Avantgarde und Komik*. Amsterdam/New York: Rodopi.

Loyaza, Luis (1974): "Martín Adán en su casa de cartón", en ídem, *El sol de Lima*. Lima: Mosca Azul, pp. 127-141.

Luna Vegas, Ricardo (1986): *José Carlos Mariátegui, 1894-1930: ensayo biográfico*. Lima: Editorial Horizonte.

Meyer-Minnemann, Klaus (1984): "Narración homodiegética y 'segunda persona': Cambio de piel de Carlos Fuentes", *Acta Literaria* 9, pp. 5-27.

Meyer-Minnemann, Klaus y Sabine Schlickers (2004): "La mise en abyme en narratología", en <http: www.vox-poetica.org/t/menabyme.html>.

Monguió, Luis (1954): *La poesía postmodernista peruana*. Berkeley/Los Angeles/México, D. F.: University of California Press/FCE.

Núñez, Estuardo (1965): *La literatura peruana en el siglo* XX. México, D. F.: Pormaca.

Ortega, Julio (1996): *Cultura y modernización en la Lima del 900*. Lima: CEDEP:

Ortega y Gasset, José (1987): *La deshumanización del arte y otros ensayos de estética*. Madrid: Espasa-Calpe.

Osorio, Nelson (ed.) (1988): *Manifiestos, proclamas y polémicas de la vanguardia literaria hispanoamericana*. Caracas: Biblioteca Ayacucho.

Rodríguez Rea, Miguel Ángel (1985): *La literatura peruana en el debate, 1905-1928*. Lima: A. Ricardo.

Rojas, Mario (1980-1981): "Tipología del discurso del personaje en el texto narrativo", *Dispositio* 15-16, pp. 19-55.

Schlickers, Sabine (1997): *Verfilmtes Erzählen. Narratologisch-komparative Untersuchung zu El beso de la mujer araña (Manuel Puig/Héctor Babenco) und Crónica de una muerte anunciada (Gabriel García Márquez/Francesco Rosi)*. Frankfurt am Main: Vervuert.

Schwartz, Jorge (ed.) (1991): *Las vanguardias latinoamericanas. Textos programáticos y críticos*. Madrid: Cátedra.

Tamayo Herrera, José (1980): *Historia del indigenismo cuzqueño*. Lima: Lumen.

Unruh, Vicky (1984): *The Avant-Garde in Peru: Literary Aesthetics und Cultural Nationalism*. Diss., University of Texas.

Verani, Hugo (1992): "La casa de cartón de Martín Adán y el relato vanguardista hispanoamericano", en *Actas del X Congreso de la AIH*. Tomo 4. Barcelona: PPU, pp. 1077-1084.

Verani, Hugo (1996): "La narrativa hispanoamericana de vanguardia" [1990], en ídem (ed.): *Narrativa vanguardista hispanoamericana*. México, D. F.: UNAM, pp. 41-73.

Vich, Cynthia Maria (2000): *Indigenismo de vanguardia en el Perú. Un estudio sobre el Boletín Titikaka*. Lima: Universidad Católica.

Wise, David (1984): "Vanguardismo a 3800 metros: El caso del 'Boletín Titikaka' (Puno, 1926-1930)", *Revista de Crítica Literaria Latinoamericana* 10, pp. 89-100.

Wise, David (1987): "Amauta (1926-1930): Una fuente para la historia cultural peruana", *Biblioteca Amauta*, pp. 125-154.

Zevallos Aguilar, Ulises Juan (2002): *Indigenismo y nación: Los retos a la representación de la subalternidad aymara y quechua en el Boletín Titikaka (1926-1930)*. Lima: IFEA.

Tomado de Katharina Niemeyer. *Subway de los sueños, alucinamiento, libro abierto. La novela vanguardista hispanoamericana*. Madrid/Frankfurt am Main: Iberoamericana/ Vervuert, 2004, pp. 178-190. La autora es profesora de la Universidad de Colonia (katharina.niemeyer@uni-koeln.de).

James Higgins

José Carlos Mariátegui y la literatura de vanguardia

Como pensador político José Carlos Mariátegui es probablemente la figura que más influencia ha tenido en la vida peruana del siglo XX. También desempeñó un papel fundamental en la historia de las letras, como crítico literario por un lado y por otro como impulsor de una literatura nueva. Era un crítico perspicaz que supo señalar tendencias e identificar y valorar a los escritores más importantes de su época. Su gran aportación fue plantear un nuevo enfoque sobre la literatura peruana al abordarla como proceso. El estudio sobre literatura que constituye el último de los *Siete ensayos de interpretación de la realidad peruana* está escrito como una refutación de la tesis desarrollada por José de la Riva-Agüero en *Carácter de la literatura del Perú Independiente*, que glorifica la tradición hispánica y busca las raíces de la nacionalidad en la Colonia.[1] Mariátegui denuncia la postura de Riva-Agüero, señalando que está inspirada por un sentimiento clasista y que su propósito es "asegurar y consolidar un régimen de clase" (p. 226): "El espíritu de casta de los "encomenderos" coloniales inspira sus esenciales proposiciones críticas que casi invariablemente se resuelven en españolismo, colonialismo, aristocratismo" (p. 189).

En efecto, el ensayo de Mariátegui encaja dentro de su análisis de la historia peruana, en cuanto argumenta que en las letras como en lo socio-político el desarrollo nacional ha sido sofocado por el peso de la tradición hispánica y oligárquica y aboga por una literatura nueva que rompa con esa tradición. Además, Mariátegui no se contenta con teorizar sobre la necesidad de una literatura nueva sino que realiza una importante labor para estimularla. En artículos y ensayos como "El artista y la época" dio a conocer al público peruano las nuevas tendencias literarias de Europa. Como director de *Amauta* crea un foro para la difusión de las nuevas corrientes. Y alentó a los más importantes escritores nacionales publicando textos suyos en la revista.

Cabe destacar que si Mariátegui fue un promotor de la literatura de vanguardia, distaba mucho de considerarla una literatura revolucionaria. "[N]o todo el arte nuevo es revolucionario, ni tampoco verdaderamente nuevo", dice en el artículo "Arte, revolución y decadencia".[2] Para él la proliferación de corrientes vanguardis-

[1] José Carlos Mariátegui, "El proceso de la literatura", en *Siete ensayos de interpretación de la realidad peruana*. Barcelona: Editorial Crítica, 1976, pp. 187-288. Todas las citas corresponden a esta edición.

[2] José Carlos Mariátegui, *El artista y la época*. Lima: Biblioteca Amauta, 1959, p. 18.

tas es más bien sintomática de una crisis del orden burgués que irremediablemente va derrumbándose: “La decadencia de la civilización capitalista se refleja en la atomización, en la disolución de su arte”[3]. Por eso, la literatura contemporánea viene a ser un arte de transición que prepara el terreno para un nuevo arte del futuro: “Pero esta anarquía, en la cual muere, irreparablemente escindido y disgregado el espíritu del arte burgués, preludia y prepara un orden nuevo. Es la transición del tramonto al alba. En esta crisis se elaboran dispersamente los elementos del arte del porvenir”.[4] Así, sin ser auténticamente revolucionarias, las nuevas tendencias cumplen una función revolucionaria: “El sentido revolucionario de las escuelas o tendencias contemporáneas no está en la creación de una técnica nueva. No está tampoco en la destrucción de la técnica vieja. Está en el repudio, en el desahucio, en la befa del absoluto burgués”.[5] En otro artículo, “Post-Impresionismo y Cubismo”, reitera la misma tesis con palabras diferentes: “Actualmente atravesamos un período romántico y revolucionario. Los artistas buscan una meta nueva. Las escuelas modernas son vías, rumbos, exploraciones”.[6]

Dentro de este planteamiento ninguno de los poetas peruanos contemporáneos tratados por Mariátegui en los *Siete ensayos* —con la posible excepción de César Vallejo— o que figuran en las páginas de *Amauta* merece la etiqueta de revolucionario. Un caso significativo es el de Alberto Hidalgo, el abanderado de la vanguardia peruana. Acusando la influencia del futurismo de Marinetti, sus primeros libros celebran la modernidad en todas sus manifestaciones. En este sentido su obra es característica de la vanguardia peruana, que, como señala Mirko Lauer, no llegó a definir un modelo modernizante para el país, sino que adoptó una actitud indiscriminada hacia todo lo moderno, celebrando “con campechana imparcialidad a Lenin y al capital imperialista con sus máquinas”.[7] Entre los textos suyos publicados en *Amauta* figuran “Ubicación de Lenin” y “Biografía de la palabra revolución”. En los *Siete ensayos* Mariátegui cita ambos textos como prueba de que Hidalgo “no ha podido sustraerse a la emoción revolucionaria de nuestro tiempo” (p. 250) y le escandaliza que el mismo poeta haya querido negarlo. En efecto, en el prefacio de *Descripción del cielo* (1928), Hidalgo asevera que en el primer poema “Lenin ha sido un pretexto para crear, como pudo serlo una montaña, un río o una máquina”, y que el segundo “es un elogio de la revolución pura, de la revolución en sí, cualquiera que sea la causa que la dicte”.[8] Dicho de otra manera, el propósito de Hidalgo

---

[3] *Ibíd.*, p. 19.

[4] *Ibíd.*

[5] José Carlos Mariátegui, *El artista* y *la época*, *op. cit.*

[6] *El artista* y *la época*, *op. cit.*

[7] Mirko Lauer, “La poesía vanguardista en el Perú”, *Revista de Crítica Literaria Latinoamericana*, 15 (1982), p. 84.

[8] Citado por Mariátegui en los *Siete ensayos*, p. 250.

no es celebrar la revolución marxista, sino el cambio en sí, porque lo que le interesa sobre todo es la destrucción del orden imperante. Tal postura lleva a Mariátegui a calificarlo de anarquista.

La prueba de ello la ve en su estética. Hidalgo inventó una poética personal que bautizó simplismo. Esta poética la define en el prólogo del libro *Simplismo* (1925). En la práctica sus teorías distan mucho de ser originales, siendo más bien un compendio de ideas que estaban en el aire en esa época, y simplismo significa, en efecto, la reducción de la poesía a lo esencial. Sobre todo, Hidalgo sostiene que cada poeta debe desarrollar un lenguaje personal y expresa la ambición de escribir no en español sino en hidalgo. Donde se muestra más radical es en sus experimentos con la disposición tipográfica del texto. Inventó el "poema de varios lados", o sea un poema en el que los versos, aunque vinculados a una idea o emoción central, constituyen unidades independientes que pueden leerse en cualquier orden que el lector escoja. Al comentar la obra de Hidalgo, Mariátegui la define como la "estética del anarquista", del "individualismo absoluto" (p. 249), y añade:

> Políticamente, históricamente, el anarquismo es, como está averiguado, la extrema izquierda del liberalismo. Entra, por tanto, a pesar de todas las protestas inocentes o interesadas, en el orden ideológico burgués. El anarquista, en nuestro tiempo, puede ser un *révolté*, pero no es, históricamente, un revolucionario (p. 250).

Sin embargo, a pesar de estos reparos ideológicos, Hidalgo figura en varios números de *Amauta*. Y es que, con todas las deficiencias que puede tener desde una perspectiva revolucionaria, Mariátegui reconoce que su obra expresa una voluntad de cambio. Hidalgo irrumpió en la escena literaria en 1916 con su *Arenga lírica al Emperador de Alemania*, en la cual se identifica con Guillermo II de Alemania en su guerra contra Francia, dando a entender que poeta y emperador son aliados en la causa común de aniquilar una civilización decadente:

> I Emperador i Bardo —tú i yo— de bracero iremos vencedores al vicioso París.[9]

Estos versos han de leerse en el contexto nacional de la época. En ese tiempo el mundo literario peruano era francófilo y, en efecto, el poema viene a ser una declaración de guerra contra el medio social y literario. Como se señaló antes, los libros siguientes —*Panoplia lírica* (1917), *Las voces de colores* (1918) y *Joyería* (1919)— acusan la influencia del futurismo de Marinetti y celebran la belleza del automóvil, el avión, la motocicleta, el deporte y la guerra, manifestaciones de un nuevo espíritu creador que está destruyendo el viejo mundo para construir otro nuevo, un pro-

[9] Alberto Hidalgo, *Arenga lírica al Emperador de Alemania. Otros poemas*. Arequipa: Quiroz Hnos., 1916, p. 9.

ceso en el cual el poeta colabora en su propia esfera. Así, "La nueva poesía" reclama una poesía que celebre la energía y el vigor que han de crear una nueva era para la humanidad:

> Dejemos ya los viejos motivos trasnochados
> i cantemos al Músculo, a la Fuerza, al Vigor [...]
> Poesía es la roja sonrisa del cañón;
> Poesía es el brazo musculoso del Hombre;
> Poesía es la fuerza que produce el Motor;
> el acero brillante de la Locomotora
> que al correr hace versos a la Velocidad;
> el empeño titánico del robusto minero
> que escarba las entrañas del hondo mineral,
> el veloz aeroplano, magnífico y potente,
> sobre cuyas alas silba el viento procaz...[10]

En este sentido la estética vanguardista cultivada por Hidalgo también tiene una función revolucionaria, que Mariátegui reconoce implícitamente al publicar sus poemas en *Amauta*. Mientras el poema tradicional impone un orden a la experiencia poética, el poema vanguardista forja una expresión que nace de la experiencia misma. Rechaza las prescripciones consagradas, abandonando formas métricas y estróficas impuestas a favor de un verso libre que funciona a base de su propio ritmo interno. Sobre todo, renuncia a una coherente representación simbólica de la experiencia poética a favor de un juego de imágenes aparentemente inconexo que, sin embargo, obedece a su propia lógica interna. Se trata, en efecto, de una poesía que, al romper con los esquemas formales de la poesía tradicional, también rompe con los esquemas mentales que la sostenían.

En el último párrafo de los *Siete ensayos* Mariátegui señala dos corrientes de la época que representan una ruptura con la tradición hispánica heredada de la Colonia. La primera es el indigenismo, que viene a ser una afirmación de lo autóctono frente a la cultura dominante. La segunda es el cosmopolitismo, o sea el vanguardismo, que adopta un modelo de modernidad derivado de Europa y Norteamérica. Siendo partidario de una transformación social, Mariátegui hubo de apoyar ambas tendencias. Como es notorio, *Amauta* fomentó el indigenismo publicando numerosos ensayos y narraciones, pero también hubo un indigenismo poético, representado sobre todo por Alejandro Peralta. Algunos poemas de Peralta denuncian la injusticia social, pero la mayoría de ellos son evocaciones costumbristas, del paisaje y cultura campesina de la sierra. Su discurso poético involucra el uso liberal de frases quechuas, pero estos nativismos van combinados con una técnica vanguardista basada

[10] Alberto Hidalgo, *Panoplia lírica*. Lima: Víctor Fajardo, 1917, pp. 95-99.

en secuencias de imágenes inconexas, onomatopeya, y recursos gráficos que refuerzan el sentido del poema visualmente. Uno de los mejores ejemplos de su obra es "Las bodas de la Martina", que evoca el ritmo de la música andina y la atmósfera desinhibida de una boda campesina:[11]

EL CHARANGO SALE A GRITAR A LA PUERTA
SE HA CASADO LA MARTINA
.....
Toda la noche la música sobre los cerros
como sankayos
como clavelinas
BOM BOM BOM BOM
Ahora es el bombo que levanta terrales de alegría
.....
Los novios están bailando un wayñu de llamaradas
LA MARTINA LA MARTINA LA MARTINA
LA MARTINA LA MARTINA LA MARTINA
la
mar
ti
na
El alba está cantando en las vertientes

No cabe duda que hay cierta incongruencia en este intento de expresar y celebrar la cultura andina tradicional mediante un vehículo poético ultramoderno importado de Occidente. Sin embargo, es importante verlo en su contexto. Como Peralta, la mayoría de los principales vanguardistas —Parra del Riego, Hidalgo, Vallejo, Oquendo de Amat— provinieron del interior del país y había una importante actividad vanguardista en provincias, porque era sobre todo en provincias donde las estructuras tradicionales estaban más arraigadas y donde hubo más voluntad de cambio. En efecto, las técnicas vanguardistas manejadas por Peralta en sus poesías indigenistas implican un rechazo del tradicionalismo hispánico y reflejan el deseo de que se produzca una apertura que rompa la hegemonía oligárquica y las antiguas estructuras semifeudales. Por otro lado, el mismo Mariátegui señala que el indigenismo aún "está en un período de germinación" y que "La obra maestra no florece sino en un terreno largamente abonado por una anónima y oscura multitud de obras mediocres" (p. 270). Mientras tanto, nos dice, el indigenismo cumple el mismo papel que la literatura de la Rusia prerrevolucionaria: el de preparar e incubar un nuevo orden.

[11] Alejandro Peralta, *Poesía de entretiempo*. Lima: Andimar, 1968, pp. 117-18.

Como ya queda insinuado, un aspecto central del vanguardismo peruano fue la celebración de la modernidad. Un buen ejemplo son los "polirritmos" de Juan Parra del Riego, poeta peruano radicado en el Uruguay y colaborador de *Amauta*. Escritos a principios de la década de los 20, éstos explotan imágenes modernas y el verso libre de ritmos variados para expresar el dinamismo del siglo XX. Así, "Polirritmo dinámico de la motocicleta" comunica el embriagador sentido de velocidad y poder experimentado por un motociclista:

> Y corro... corro... corro...
> hasta que ebrio y todo pálido
> de peligro y cielo y vértigo en mi audaz velocidad
> ya mi alma no es mi alma:
> es un émbolo con música,
> un salvaje trompo cálido,
> todo el sueño de la vida que en mi pecho incendio y lloro
> la feliz carrera de oro
> de la luz desnuda y libre que jamás nos dejará.[12]

La expresión más lograda de este culto de lo moderno es *5 metros de poemas* (1927) de Carlos Oquendo de Amat, otro colaborador de *Amauta*,[13] Oquendo conceptúa la modernidad como una gran aventura libertadora que da acceso a un mundo maravilloso de perspectivas ilimitadas. Así, el dinamismo bullicioso de la urbe moderna está evocado en "New York", donde la disposición tipográfica comunica simultáneamente la impresión de una encrucijada, de una corriente de tráfico y de las ubicuas vallas publicitarias:

El tráfico
escribe
una carta de novia
T
I
M
E

Los teléfonos son depósitos de licor	I S	Diez corredores desnudos en la Underwood

M
O
N
E
Y

A continuación, Oquendo explota la tipografía nuevamente para sugerir la curiosidad y admiración del público que se asoma a las ventanas de un rascacielos para vislumbrar a una de las estrellas del cine, la cual personifica el hechizo de la vida moderna:

Mary Pickford sube por la mirada del administrador
Para observarla
HE SA LI DO
RE PE TI DO
POR 25 VENTA-
NAS

La visión que Oquendo nos da de Nueva York es, sobre todo, la de una ciudad que ofrece un sinfín de posibilidades estimulantes, y es significativo que el poema termine con el amanecer, momento en que la mañana aparece llevando un letrero que invita a los ciudadanos a alquilarla para hacer de ella lo que se les apetezca:

Y la mañana
se va como una muchacha cualquiera
en las trenzas
lleva prendido un letrero

SE ALQUILA
ESTA MAÑANA

Hay que reconocer que este culto vanguardista de la modernidad era bastante ingenuo. Celebra progresos que el Perú de la época se mostraba incapaz de realizar, y en este sentido *5 metros de poemas* de Oquendo viene a ser un comentario elocuente sobre la realidad nacional de esos años, porque el libro oscila entre dos espacios —un idilio precapitalista de provincias y la modernidad de los países desarrollados— evocados desde un tercero —Lima— que no es ni uno ni otro y adolece de los defectos de ambos sin gozar de sus beneficios. Por otro lado, este culto podría interpretarse como otra manifestación más de una larga tradición de dependencia cultural, ya que suponía la aceptación de un modelo de desarrollo impuesto por el capitalismo occidental. No obstante, Mariátegui, con su perspicacia habitual y sin perder de vista las antedichas objeciones, nos ayuda a enfocar la cuestión desde otro ángulo. En el artículo "Literaturas europeas de vanguardia" señala que

[12] Juan Parra del Riego, *Poesía*. Montevideo: Biblioteca de la Cultura Uruguaya, 1943, p. 181.

[13] Carlos Oquendo de Amat, *5 metros de poemas*. Lima: Decantar, 1969. Las citas corresponden a esta edición. Las páginas no están numeradas.

el futurismo fue un fenómeno que se produjo, no en los países avanzados, sino en sociedades atrasadas como Italia y Rusia, y cita al crítico Prezzolini al respecto: "en Italia [el futurismo] es el fruto de una reacción. Es el 'alto' gritado a la tradición, a la Arqueología, a Venecia con el claro de luna, al dantismo, al volverse siempre atrás de los italianos".[14] En efecto, subyace a la retórica de la vanguardia peruana una voluntad de romper con el pasado dominado por el tradicionalismo hispánico y de crear una sociedad más abierta y más democrática. Por otro lado, Mariátegui nos advierte que lo que a primera vista parece ser una nueva forma de dependencia cultural puede resultar libertadora, porque los modelos progresistas que la vanguardia descubre en los países avanzados de Europa ha de acabar por efectuar una emancipación espiritual de España que no se produjo en la época de la Independencia: "Mientras el criollo puro conserva generalmente su espíritu colonial, el criollo europeizado se rebela, en nuestro tiempo, contra este espíritu, aunque sólo sea contra su limitación y su arcaísmo" (p. 273). "Una vez europeizado," nos argumenta, "el criollo de hoy difícilmente deja de darse cuenta del drama del Perú" (p. 273). Y termina los *Siete ensayos* con las palabras siguientes: "Por los caminos universales, ecuménicos, que tanto se nos reprocha, nos vamos acercando cada vez más a nosotros mismos" (p. 288).

Todos los poetas mencionados hasta ahora eran provincianos resentidos con el orden imperante. Pero en las páginas de *Amauta* figuran también jóvenes escritores de la clase media limeña a quienes Mariátegui alentó en su vocación literaria. Tal es el caso de Martín Adán y César Moro, quienes posteriormente llegaron a ser dos de los poetas más importantes del país. Sería difícil calificarlos de revolucionarios, ya que ambos eran apolíticos. Además, si en el número 17 de *Amauta* Mariátegui celebra los "anti-sonetos" de Adán como un golpe dirigido contra el tradicionalismo literario, Adán hubo de abandonar sus experimentos vanguardistas para cultivar una "poesía pura" arraigada en la tradición, y en los años 40 y 50 fue duramente criticado por practicar una literatura de torre de marfil. Por su parte, Moro hubo de rechazar el marxismo tanto como el capitalismo, considerándolos dos sistemas igualmente odiosos que compiten uno con otro para deshumanizar a los hombres. Así, en una carta, denuncia "el hierro y el cemento" y "la hoz y el martillo" que se manejan "como argumentos definitivos para justificar la prodigiosa bestialización de la vida humana".[15]

Si bien es cierto que Mariátegui no podía prever la evolución posterior de esos jóvenes, era consciente desde el principio de la distancia ideológica que los separaba. Sin embargo, los patrocinó, porque conceptuaba su vocación poética como una forma de rebelión contra el orden burgués. Y en eso tenía razón, ya que a su mane-

[14] Mariátegui, *El artista y la época*, p. 117.
[15] César Moro, *Obra poética*. Lima: Instituto Nacional de Cultura, 1980, p. 21.

ra tanto Adán como Moro eran rebeldes. Fue Moro quien acuñó la frase "Lima la horrible", y si ambos adoptaron un seudónimo fue como símbolo de su rechazo de la realidad que habían heredado.

La postura artística de Adán está articulada en su novela *La casa de cartón* (1929), un "retrato del artista" donde el protagonista se retira del mundo de los hombres para vivir en el único mundo donde se siente a gusto, el mundo de la literatura, el mundo contenido dentro de las cubiertas del libro, la casa de cartón del título. En efecto, Adán dio la espalda a la sociedad para asumir íntegramente su vocación de poeta. De carácter neomístico, su poética conceptúa la poesía como una actividad solitaria dedicada a la búsqueda de una realidad que trascienda las limitaciones del mundo cotidiano y contingente, de manera que la experiencia poética se convierte en un medio para transportar al poeta —y al lector— a otro nivel de la realidad donde la vida se vive más intensa y armoniosamente. Así, el título metafórico de su libro más importante, *Travesía de extramares* (1950), define la poesía como un solitario viaje de exploración de los incógnitos territorios de la imaginación en busca de un inefable absoluto. Es significativo que el libro conste enteramente de sonetos, porque Adán sitúa su poesía en el contexto de una tradición establecida que continúa y renueva. Al insertar su obra en una tradición, Adán da la espalda al insatisfactorio mundo circundante para entrar en otra realidad de constantes eternas. Además, en la poesía encuentra una especie de patria sustitutiva formada por una comunidad de almas gemelas, porque al retomar motivos consagrados entabla un diálogo intertextual con los escritores que ya han tratado tales temas. Así, en el primero de tres sonetos dirigidos a Alberto Ureta, quien está presentado como modelo del poeta que aspira a ser, Adán vincula su poética con la tradición antigua que tenía al poeta por un vidente, un profeta, un intérprete de los dioses.[16]

—Deidad que rige frondas te ha inspirado,
¡Oh paloma pasmada y sacra oreja!,
El verso de rumor que nunca deja
Huir del seno obscuro el albo alado.

—Venero la flexión de tu costado
Hacia la voz de lumbre, el alta ceja,
El torcido mirar, la impresa queja
De mortal que no alcanza lo dictado...

—Sombra del ser divino, la figura
Sin término, refléjase en ardura
De humana faz que enseñas, dolorosa...

[16] Martín Adán, *Obra poética*. Lima: Edubanco, 1980, p. 87.

—¡Que ser poeta es oír las sumas voces,
El pecho herido por un haz de goces,
Mientras la mano lo narrar no ösa!

No obstante que la poesía de Adán no hace ninguna referencia directa a la realidad sociopolítica del Perú, viene a ser un elocuente comentario sobre ella. Refleja, en efecto, la marginación experimentada por muchos intelectuales peruanos y su repudio de una sociedad con la cual no se sienten identificados. En este sentido, su poesía constituye una forma de rebelión o al menos de resistencia clandestina.

Como Adán, Moro repudia la realidad alienante impuesta por el medio y asume otra realidad más auténtica identificada con la poesía. Pero a diferencia de Adán, Moro conceptúa la poesía como una actividad subversiva dedicada a la destrucción de los valores establecidos. Un texto revelador es "Biografía peruana", donde denuncia la catástrofe humana que el imperialismo europeo ha significado para su país[17]. Lamenta la manera en que el paraíso precolombino fue devastado por la codicia de los conquistadores y sus herederos. Mientras el hombre precolombino vivía en íntima comunión con el espíritu del cosmos, el hombre occidental ha creado un mundo falso que lo ha alejado de la realidad esencial y hoy día los únicos que tienen acceso a esa realidad son los poetas:

> Es para preguntarse con angustia si tales tesoros anímicos van a perderse o están ya perdidos definitivamente. Si nada subsistirá de ese pasado mirífico, si nosotros deberemos continuar siempre volviendo la cabeza de la zarza ardiente para echarnos en pleno en la banalidad occidental. ¡Todo nuestro Oriente perdido! [...]
> Yo te saludo fuerza desaparecida de la que tomo la sombra por la realidad. Y acribillo la proa por la sombra. Yo no saludo sino a ti, gran sombra extranjera al país que me vio nacer. Tú no le perteneces más, tu dominio es más vasto, tú habitas el corazón de los poetas, tú bañas las alas de los párpados feroces de la imaginación.

En este texto la experiencia peruana viene a ser paradigmática de la historia de la civilización occidental, que ha empobrecido la vida a medida que ha ido dominando el mundo. En efecto, Moro cuestiona el modelo de la modernidad que el Perú ha pretendido adoptar y que tanto sedujo a sus coetáneos, y plantea en cambio la necesidad de buscar una nueva manera de relacionarse con el mundo que restaure la salud espiritual del hombre. Por eso, siendo el Perú un mero satélite del imperialismo occidental, no bastaba cuestionar el proceso peruano, sino que era necesario atacar la base misma de la cultura de Occidente. Es así como se explica la militancia de Moro en las filas del surrealismo, primero en Francia (1925-1934) y luego en México (1938-1948). Porque el proyecto surrealista fue precisamente nada menos

[17] Véase César Moro, *La tortuga ecuestre y otros textos*. Caracas: Monte Ávila, 1976, pp. 9-14.

que el de subvertir la tradición racionalista y materialista de Occidente para efectuar la liberación espiritual del hombre occidental. Así, convencido de la necesidad de combatir el racionalismo occidental, Moro adopta la persona del loco como emblema de su poética en "A vista perdida".[18]

> No renunciaré jamás al lujo insolente al desenfreno suntuoso de pelos como fasces finísimas colgadas de cuerdas y de sables
> Los paisajes de la saliva inmensos y con pequeños cañones de plumafuentes
> El tornasol violento de la saliva
> La palabra designando el objeto propuesto por su contrario
> El árbol como una lamparilla mínima
> La pérdida de las facultades y la adquisición de la demencia
> El lenguaje afásico y sus perspectivas embriagadoras
> La logoclonia el tic la rabia el bostezo interminable
> La estereotipia el pensamiento prolijo [...]
> El grandioso crepúsculo boreal del pensamiento esquizofrénico
> La sublime interpretación delirante de la realidad
> No renunciaré jamás al lujo primordial de tus caídas vertiginosas oh locura de diamante

Lo que he querido señalar en este trabajo es que Mariátegui simpatizaba con escritores de vanguardia de índole muy diversa porque veía en ellos voces disidentes y propulsores del cambio. En este sentido su actividad como crítico y promotor de la literatura cae dentro de la estrategia de organizar un frente unido de las fuerzas progresistas del país para preparar el terreno para la revolución socialista. Sin embargo, me resisto a creer que fue motivado solamente por fríos cálculos políticos, porque lo más admirable de Mariátegui es precisamente su generosidad de espíritu. Gran parte del problema de la izquierda ha sido una tendencia a fragmentarse por intransigencia ideológica y otra tendencia a aferrarse a rígidos modelos ideológicos que terminan siendo una distorsión del socialismo. En estos tiempos, cuando el mero concepto del socialismo ha quedado desprestigiado a raíz del fracaso del modelo soviético, el espíritu ecuménico manifestado por Mariátegui en la esfera literaria nos proporciona otro modelo, el de un socialismo basado en la colaboración y la tolerancia.

Tomado de *José Carlos Mariátegui y Europa. El otro aspecto del descubrimiento*. Encuentro Internacional, Pau y Tarbes, octubre de 1992. Lima: Minerva, 1993, pp. 285-299. James Higgins es profesor jubilado de la Universidad de Liverpool (J.Higgins@liverpool.ac.uk).

[18] César Moro, *Obra poética*. Lima: Instituto Nacional de Cultura, 1980, pp. 53-54.

José Carlos González Boixo

César Vallejo y la vanguardia poética

La vida de Vallejo parece estar marcada por un *fatum* adverso. La enfermedad y la pobreza le persiguieron a lo largo de casi toda su vida, y tampoco sus relaciones amorosas pueden considerarse satisfactorias. El tono dolorido y trágico de su poesía no puede ser ajeno a esta situación e, incluso, la escasez de la propia producción poética durante sus años europeos puede estar en relación con la necesidad de dedicar su tiempo a otro tipo de escritura, los artículos periodísticos que le permiten malvivir. Como si se tratase de un estigma, la pobreza más extrema le persiguió a lo largo de su estancia en Europa. El testimonio más evidente son sus numerosas cartas a su amigo Pablo Abril, en las que Vallejo no habla de literatura sino simple y llanamente de esa pobreza de la que no puede huir. No tenemos testimonios directos de Vallejo de los motivos que le impulsaron a viajar a Europa y, desde luego, en ningún momento el poeta presupuso que iba a ser una estancia definitiva. Es posible que en su decisión influyese el temor a que pudiese reabrirse el expediente judicial que —todo parece que injustamente— le había llevado a la cárcel en el Perú. Sin embargo, lo más probable es que él pensase que en Europa iba a encontrar un modo de vida que solucionase esas penurias económicas que, en aciago presagio, no se habían disipado en sus años peruanos. No obstante, los malos augurios pronto se confirmarían hasta un punto de sufrimiento que el propio Vallejo no podía suponer.

Es fácil imaginar la esperanza que Vallejo había puesto en Europa. Seguro de la importancia de su obra poética publicada (incluso con ciertos aires de grandeza había previsto que *Trilce* apareciese firmado por César Perú, a imitación de Anatole France, lo que impidieron las burlas de sus amigos) no le debió parecer difícil encontrar el necesario acomodo para vivir como escritor en París. La realidad no pudo serle más hostil. De ahí que, cuando realiza su primer viaje a Rusia, manifieste su esperanza a Pablo Abril de que pueda rehacer su vida en este país, donde los nuevos vientos de la revolución proletaria parecían los propicios para acoger a un desheredado de la fortuna como él. Una vez más tuvo que rendirse a su evidente destino: un idioma extraño, el riguroso clima y la falta de trabajo hicieron que dos meses después se encontrase nuevamente en París, perdida aquella ilusión. Sería demasiado simple interpretar que su dolorida poesía responde sólo a estas circunstancias vitales; de hecho, algunos de los versos más representativos que se podrían citar al respecto están escritos en una temprana época, cuando aún no había iniciado su particular calvario, pero también es indudable que la constatación, año tras año, de que su situación no cambiaría tenía que reflejarse en sus poemas. Es difícil que el lector pueda olvidar aquellos versos premonitorios en los que Vallejo siente que todos le golpean.

Analicemos, de momento, algunos aspectos de la poesía de Vallejo, fundamentalmente en lo que se refiere a la recepción de su poesía en España. La imagen que el lector tiene de la poesía de Vallejo es la del compromiso humano, la de un poeta que supo ahondar en el dolor del hombre y que puso de manifiesto que vivir equivale a angustiarse. Su visión de la realidad no es, desde luego, optimista, aunque sería discutible si el calificativo de "pesimista" sería de aplicación correcta. De lo que sí se trata, indudablemente, es de una visión de la vida humana desde una perspectiva profunda, incompatible con cualquier actitud superficial. Lo que no deja de ser curioso es que el lector obtiene esta imagen de la lectura de una parte reducida de su poesía porque la mayor parte de los poemas de Vallejo están caracterizados por su hermetismo. Conocida es la distinción en la poesía de Vallejo entre un grupo de poemas que, respondiendo plenamente a los planteamientos novedosos que encuadramos en la vanguardia, impactan en la sensibilidad del lector en virtud de que su contenido es comprensible. Sin embargo, frente a estos poemas, se alzan otros, mucho más numerosos, que al lector le resultan incomprensibles. La ruptura de la comunicación hace inviable que el lector intente descifrarlos ya que, en el mejor de los casos, obtendrá una vaga sensación, permaneciendo la duda de si realmente habrá entendido el poema. El lector no puede menos que preguntarse por las razones que le llevan a Vallejo a escribir este tipo de poesía hermética que aparece ya en su primer libro, *Los heraldos negros*. Pensar en un acto gratuito por parte del autor está fuera de lugar. Pensar, sin embargo, que Vallejo no encuentra otro medio para expresar lo que quiere, aun a costa de la incomprensión del lector, no queda más remedio que aceptar que es la posición correcta. Sustancialmente la técnica empleada es la misma en unos y otros poemas, lo que varía es el grado de comprensión del lector. Para el autor todos los poemas son igualmente comprensibles, pero para el lector no, ya que carece de las claves de interpretación de buen número de ellos. Lógicamente, el crítico vallejista, en razón de su especialización, puede llegar, tal vez, a una interpretación de todos los poemas. El lector normal, sin embargo, sigue sin conocer la mayor parte de la poesía de Vallejo: en el panorama editorial se echa en falta una edición que necesariamente, en muchos casos, debería anotar verso a verso y palabra a palabra, como en su día hizo Dámaso Alonso con Góngora. Porque lo cierto es que el hermetismo actual de Vallejo no deja de ser, en buena medida, una imagen falsa, cuando uno comprueba los análisis certeros de los críticos, y lo que antes sólo era oscuridad adquiere, de pronto, plena luminosidad.

Podemos decir que a Vallejo no le quedó más remedio que aventurarse en los límites del lenguaje cuando quiso transferir al poema su visión de la realidad. Lo mismo le ocurrió a Huidobro en *Altazor* o a Oliverio Girondo a medida que avanzaba su obra poética. No se trata de un capricho dictado por las modas literarias del momento —que tanto criticó Vallejo—, sino de la evidencia de su lucha con el lenguaje. Prueba de ello son las numerosas variantes que de sus poemas se conservan. Prueba, también, lo que declaró a César González Ruano en una entrevista de 1931:

> La precisión me interesa hasta la obsesión. Si usted me preguntara cuál es mi mayor aspiración en estos momentos no podría decir más que esto: la eliminación de toda palabra de existencia accesoria. La expresión pura, que hoy mejor que nunca habría que buscarla con sustantivos y en los verbos... ¡ya que no se puede renunciar a las palabras!... creo, honradamente, que el poeta tiene un sentido histórico del idioma, que a tientas busca con justeza su expresión (cit. en Ballón, p. XIII).

Vallejo, en efecto, se mostró siempre muy seguro de su "poética", no cediendo un ápice en sus convicciones ni ante las primeras críticas adversas, ni cuando vio que sus dos libros poéticos apenas encontraban eco, cayendo en un ostracismo del que sólo saldrían en 1949, cuando la editorial Losada volvió a publicar unas obras ya inencontrables. En vida de Vallejo pocos pudieron leer *Los heraldos negros,* ya que la edición peruana de 1918 apenas se difundió fuera del ámbito nacional. El libro recibió críticas laudatorias escritas por amigos suyos, como Orrego y Valdelomar, y algunos "notables" peruanos, como González Prada y José María Eguren opinaron en la prensa nacional favorablemente. Sin embargo, dichos juicios, a veces, no eran sinceros. Por ejemplo, sabemos que José María Eguren, en conversación privada con Ciro Alegría (en 1938), se manifestaba así: "Vallejo es un hombre de gran sensibilidad, pero no traduce esa sensibilidad de manera poética. Cuando yo leo versos en los que dice *poto de chicha* o algo por el estilo, me desconcierto. Eso no es poesía [...]. Suena vulgar e inclusive es antipoético [...]. La verdad es que no entiendo a Vallejo" (cit. por Ballón en Vallejo, 1984, pp. 110-111).

La aparición de *Trilce* en 1922 fue desafortunada desde el punto de vista editorial. Sólo se publicaron 200 ejemplares, por lo que ya puede apreciarse la escasez de su distribución. Pero lo peor fueron las críticas. Las novedades de *Los heraldos negros,* más o menos, habían sido aceptadas, ya que el poemario no se desprendía del momento postmodernista y el lector peruano podía apreciar en sus simbologías reflejos de Herrera y Reissig. En cambio *Trilce* presentaba una ruptura total; era, desde luego, una provocación en el ámbito poético, y algunos llegaron a considerarlo como un insulto a su inteligencia. Algunos mostrarían simplemente su incomprensión, como Luis Alberto Sánchez, que dice: "lucho en vano, pues cada línea me desorienta más, cada página aumenta mi asombro ¿Por qué ha escrito *Trilce*, Vallejo? [...] César Vallejo ha lanzado un nuevo libro incomprensible y estrambótico" (*Mundial*, 1922; cit. por Espejo Asturrizaga, p. 109). Otros, sin embargo, no dudaron en mofarse del libro, con "ásperas críticas, incomprensivas unas y las más, insidiosas por ignorancia e incapacidad para entender", como afirma Espejo Asturrizaga (p. 110), al citar algunas de ellas.

Ante esta situación, Vallejo, lejos de desplomarse, se reafirma más aún en su "poética", como puede apreciarse en la carta que dirige a Antenor Orrego en ese mismo año 1922:

> El libro ha caído en el mayor vacío. Soy responsable de él. Asumo toda la responsabilidad de su estética. Hoy, y más que nunca quizás, siento gravitar sobre mí, una hasta ahora obligación sacratísima, de hombre y de artista ¡la de ser libre! Si no he de ser libre, no lo seré jamás. Siento que gana el arco de mi frente con su más imperativa curva de heroicidad. Me doy en la forma más libre que puedo y ésta es mi mayor cosecha artística. ¡Dios sabe hasta dónde es cierta y verdadera mi libertad! ¡Dios sabe cuánto he sufrido para que el ritmo no traspasara esa libertad y cayera en libertinaje! Dios sabe hasta qué bordes espeluznantes me he asomado, colmado de miedo, temeroso de que todo se vaya a morir a fondo para que mi pobre ánima viva (Vallejo, 1992, p. 704).

Ni era la primera ni sería la última vez que Vallejo tendría que soportar críticas tan extremas que llegaban al insulto personal. Por ejemplo, la de Clemente Palma que había publicado en *Variedades* (1917) la siguiente nota:

> SEÑOR C.A.V.-Trujillo.- También es usted de los que vienen con la tonada de que aquí estimulamos a todos los que tocan de afición la gaita lírica, o sea a los jóvenes a los que les da el naipe por escribir tonterías poéticas más o menos cursis. Y la tal tonada le da margen para no poner en duda que hemos de publicar su adefesio. Nos remite usted un soneto titulado El poeta a su amada, que en verdad lo acredita a usted para el acordeón o la ocarina más que para la poesía.
>
> Amada: en esta noche tú te has crucificado
> sobre los dos maderos curvados de mi beso!
> Amada: y tú me has dicho que Jesús ha llorado
> y que hay un viernes santo más dulce que mis besos.
>
> ¿A qué diablos llama usted los maderos curvados de sus besos? ¿Cómo hay que entender eso de la crucifixión? ¿Qué tiene que hacer Jesús en esas burradas más o menos infectas?... Hasta el momento de largar al canasto su mamarracho, no tenemos de usted otra idea sino la de deshonra de la colectividad trujillana, y de que si se descubriera su nombre, el vecindario le echaría lazo y lo amarraría en calidad de durmiente en la línea del ferrocarril a Malabrigo (Vallejo, 1992, pp. 719-720).

El mismo tono tendría el comentario que sobre *Los heraldos negros* publicó el influyente Luis Astrana Marín en *El Imparcial* (Madrid, 1925; reproducido en Pinto Gamboa, pp. 16-18), burlándose de Vallejo y demostrando una falta absoluta de comprensión (no deja de ser significativo que Astrana Marín no conociese la publicación de *Trilce*). Lo cierto es que este tipo de críticas, por su propia extremosidad, no modificaron en nada la actitud poética de Vallejo, como no fuera el reafirmar su posición, e incluso, Vallejo bromeará en una de sus crónicas periodísticas sobre lo dicho por Astrana Marín.

Aparte de *Los heraldos negros* y *Trilce*, Vallejo no volvería a publicar en vida ningún nuevo poemario. Un nuevo testimonio de su seguridad en materia poética nos la ofrece en una carta que dirige a Luis Alberto Sánchez en 1927:

> Le envío unos versos de la nueva cosecha. Usted sabe, mi querido Sánchez, que soy harto avaro de mis cosas inéditas, [...] Son los primeros que saco a la publicidad, después de mi salida de América. Aun cuando se me ha solicitado [*sic*] poemas continuamente, mi voto de conciencia estética ha sido hasta ahora impertérrito: no publicar nada mientras ello no obedezca a una entrañable necesidad mía (Vallejo, 1992, p. 709).

En efecto, desde su llegada a París en 1923, Vallejo publicó crónicas periodísticas, algún que otro cuento, su novela *El Tungsteno* (1931) y el ensayo *Rusia en 1931* (1931), donde recopiló crónicas de uno de sus viajes a ese país. Sólo hacia el final de su vida sabemos que los poemas que luego se publicarían bajo el título de *Poemas humanos* estaban ya agrupados en forma de libro, poemas que parece ser escribió desde 1923, aunque desconocemos con qué periodicidad, siendo entre 1930 y 1937 los años de mayor densidad creativa.

Si mis datos son correctos, lo cierto es que Vallejo sólo publicó dos poemas, en *Favorables París Poema* (1926), desde su llegada a Europa, pues hay que tener en cuenta que los dos poemas publicados en *Alfar* en 1923 y uno en *España*, también en 1923, fueron enviados por Vallejo desde Perú. Excluyo, lógicamente, la edición madrileña de *Trilce* de 1930, y hay que tener en cuenta que la edición de *España, aparta de mí este cáliz* (ed. Montserrat), aparece en 1939 (ver esta ed. en Vélez, t. I).

Todos estos datos ayudan a configurar la imagen de Vallejo. A su llegada a París es un escritor poco conocido pero con cierta aureola, pues ya ha publicado dos libros de poemas, su tesis de Bachiller, *El Romanticismo en la literatura castellana* (en 1915), un libro de cuentos, *Escalas* (1923) y una novela corta, *Fabla salvaje* (1923). Pero ya en París, su actividad como escritor se centra en los artículos periodísticos que, excepto unos pocos publicados en París y Madrid, tienen como destino América, casi siempre Perú. Se produce así la extraña situación de que se convierte en un escritor prolífico, pero que no publica en el lugar donde escribe, y de un poeta que no ofrece ninguna obra nueva. No resulta sorprendente, por lo tanto, la imagen de "solitario" (a la que contribuyen cuestiones anímicas) que Vallejo ofrece.

Esta imagen de marginalidad de Vallejo se refleja también en su relación con España. Si exceptuamos su participación en actos de carácter político en los años 1936-1937, su presencia en España apenas tiene carácter público, incluso durante el año 1931 en que vive en Madrid. Colabora en revistas de ideología izquierdista

(*Bolívar, Nueva España, El mono azul, Hora de España*), pero, aunque todos le reconocen como poeta, pocos le han leído, a pesar de que en 1930 se edita *Trilce* con una tirada de 2.000 ejemplares. Algunos testimonios pueden dar fe de esta situación.

Gerardo Diego, que gestionaría la edición de *Trilce,* sólo había leído los dos poemas aparecidos en *Favorables París Poema*, según le manifiesta a Larrea en el mes de septiembre de 1929. Larrea señala que "la imagen que tenía de él formada no era excepcional" (Larrea, p. 190), aspecto que se ratifica en la carta que Gerardo Diego escribe a José Mª de Cossío en noviembre de 1926, donde señala que: "El gran Vallejo, tan simpático, no parece demostrar el talento en el que Larrea cree. A mí no me gusta lo que escribe. Juan dice que tiene una excelente materia prima; es posible" (cit. en San José Lera, p. 17). Su opinión, desde luego, variará con la lectura de los dos libros de Vallejo que Larrea le presta.

Tampoco Bergamín, prologuista de la edición, había leído a Vallejo, y en dicho "prólogo" ratifica el desconocimiento que se tenía en España de Vallejo: "En España, la poesía de César Vallejo, era, hasta ahora, casi totalmente desconocida. Su nombre aparecía sumado al movimiento llamado por sus propugnadores *creacionismo*" (cit. en *Litoral*, p. 37). Este desconocimiento de la poesía de Vallejo, necesariamente tuvo que paliarse con la publicación madrileña de *Trilce,* pero todo indica que la situación no varió demasiado, pues como confiesa una poetisa bien representativa de la época, Rosa Chacel, "Yo ya había conocido a Vallejo en el 37, pero no había leído sus versos" (Chacel, p. I). Lo cierto es que hasta finales de los años cuarenta, Vallejo, en cuanto poeta, seguirá siendo casi un desconocido en España. La nueva situación política surgida de la Guerra Civil no hacía muy conveniente hablar de un escritor que tan ardientemente había defendido al bando perdedor. Sin embargo, al resurgir, a finales de los años cuarenta, una poesía de tono comprometido, Vallejo será recordado. Aunque leído de forma muy parcial se comenzará una consagración de Vallejo que aún no ha finalizado.

Las relaciones de Vallejo con la vanguardia pueden apreciarse a través de numerosos artículos en los que trató este tema. La aparición de la revista *Favorables París Poema* en el año 1926, dirigida por Larrea y Vallejo, parecería a simple vista que se trata de una incursión del autor peruano en el ámbito de las escuelas vanguardistas. Nada más lejos, sin embargo, de sus intenciones, como se podrá comprobar por los artículos que en ella publica. No obstante, lo que sí es cierto es que la revista presentaba las características comunes a este tipo de publicaciones y, concretamente, mostraba una actitud provocadora. Éste es el motivo, por ejemplo, de que José María de Cossío la critique severamente, juzgándola poco ingeniosa, no justificada, insolente y poco seria. Sin embargo, Gerardo Diego, más abierto a las nuevas tendencias poéticas, sale en favor de la revista, y en carta dirigida a Cossío (en nov. de 1926), señala:

> En general como tipo de revista me parece bien y que hace mucha falta. En Francia y en América es moneda corriente. En España su ausencia sólo puede obedecer a esta

> cosa terrible, causa de todas las vergüenzas políticas y artísticas que sufrimos: falta de juventud. Los jovencitos artistas españoles nacen viejos. Ni una actitud gallarda, ni una bofetada bien dada. En cambio, murmuración, rasgarse los hábitos y otras hipocresías mil veces peores (cit. en San José Lera, p. 17).

En el n.° 1 (junio, 1926) publica Vallejo el artículo "Estado de la literatura española". Su visión es muy negativa, tanto en lo referente a España como a Hispanoamérica: la ausencia de maestros —ni Unamuno ni Ortega y Gasset en España, ni Chocano, Lugones y Vasconcelos en América, le merecen ningún respeto— le hace decir que "De la generación que nos precede no tenemos, pues nada que esperar [...] la historia de la literatura española saltará sobre los últimos treinta años, como sobre un abismo. Rubén Darío elevará su gran voz inmortal desde la orilla opuesta y de esta otra, la juventud sabrá lo que ha de responder". Su mensaje se contiene en el último párrafo de su artículo: "Que esa cólera de los mozos, manifestada de hora en hora, por los más fuertes y puros vanguardistas, se convierta cuanto antes en el primer sacudimiento creador".

En un segundo artículo (titulado "César Vallejo"), el autor peruano rechaza lo que se ha dado en llamar "poesía nueva", la poesía que parece definirse por la utilización de un léxico tomado de las ciencias e industrias contemporáneas y señala que "no hay que olvidar que esto no es poesía nueva ni antigua, ni nada. Los materiales artísticos que ofrece la vida moderna, han de ser asimilados por el espíritu y convertidos en sensibilidad". He ahí la verdadera palabra clave para Vallejo, la "sensibilidad": "La poesía nueva a base de palabras o de metáforas nuevas, se distingue por su pedantería de novedad y, en consecuencia, por su complicación y barroquismo. La poesía nueva a base de sensibilidad nueva es, al contrario, simple y humana y a primera vista se la tomaría por antigua o no atrae la atención sobre si es o no moderna". La posición de Vallejo, por si hubiera dudas, queda muy clara en su poema "Me estoy riendo" que se incluye en la página siguiente, típico poema hermético y muestra al mismo tiempo del empleo de los recursos más vanguardistas, que en actitud más lúdica, también emplea en su colaboración en el 2° número de la revista: "Se prohíbe hablar al piloto", conjunto de aforismos sobre la poesía y otros temas.

El tema de la afiliación vanguardista de Vallejo ha sido objeto de discusión por parte de los estudiosos de su obra poética (diversas opiniones pueden verse en F. Martínez García, pp. 148-150). Parece una contradicción que el autor de una obra de características vanguardistas se oponga de manera tajante a las manifestaciones oficiales de la vanguardia. ¿O es que acaso Vallejo no es un autor vanguardista? Su poesía presenta los rasgos formales típicos de la estética vanguardista: ruptura sintáctica y ortográfica, vocabulario no tradicional, ilogicismo, antítesis, extrañas asociaciones, etc. Para apreciar estas características no es ni siquiera necesario esperar a la publicación de *Trilce*. En *Los heraldos negros* (1918) estos elementos ya son esenciales, aun cuando perduran los aspectos postmodernistas. ¿Qué información tenía Vallejo en 1918 o en 1917 de los movimientos vanguardistas? Parece que muy limitados, insuficientes en todo caso para explicar, desde el punto de vista de la influencia, las novedades que los poemas presentan. Vallejo pudo conocer lo "ultra" a través de la revista *Cervantes* que llegaba al Perú desde 1917, pero sólo a fines del año 1918 la revista difundía textos ultras, y en 1919 publicaba una antología de poetas franceses a partir de Apollinaire, poemas de Huidobro y de otros poetas ultraístas y manifiestos dadaístas. Que la información que tenía Vallejo de las nuevas tendencias era muy limitada hasta que llega a Europa nos la confirma él mismo en la entrevista que le hizo González Ruano:

> —¿Usted no conocía a los modernos poetas franceses?
> —Ni a uno. El ambiente de Lima era otro. Había alguna curiosidad; pero concretamente yo no me había enterado de muchas cosas.
> —¿Cómo pudo usted hacer ese libro entonces, ese libro que, incluso como poesía verbalista, pregona conocimientos de toda clase?
> —Me di en él sin salto desde los *Heraldos negros*. Conocía bien a los clásicos (cit. en Vélez, p. 26).

Tal como le pareció a González Ruano, cuesta trabajo pensar que el carácter extremadamente vanguardista de la poesía escrita por Vallejo antes de 1923 se hubiese podido realizar fuera del contexto de las escuelas europeas que difundían las corrientes vanguardistas. Sin embargo, hay que aceptar lo que parece evidente: que Vallejo parte de una concepción poética muy personal que se aclimatará perfectamente a los nuevos cambios poéticos, percibidos por él de forma vaga. De ahí que Vallejo deba ser considerado como uno de los profetas fundamentales de la Vanguardia y que, al mismo tiempo, sea fácil de comprender el porqué rechaza tan virulentamente las escuelas vanguardistas. Su rechazo se fundamenta en razones ideológicas y no estéticas, aunque esta diferenciación no es fácil de hacer tratándose de Vallejo: la asociación de las escuelas vanguardistas al modo de vida burgués será el motivo que desencadene, incluso antes de que Vallejo adopte los planteamientos marxistas, una crítica muchas veces feroz.

Lo cierto es que, aunque de manera visible no se aprecia en la poesía española la tendencia rehumanizadora hasta los años treinta, dicho proceso venía gestándose desde hacía años. Ya a partir de 1917, y a consecuencia de la Revolución Rusa, algunos intelectuales y artistas defienden el nacimiento de una nueva sociedad que consideran progresista. Uno de los primeros será Antonio Machado. Como recuerda Víctor Fuentes, "en 1919 Barbusse y otros intelectuales progresistas fundan el grupo 'Clarté', 'Liga de solidaridad intelectual para el triunfo de la causa internacional'" (p. 67), y en ese mismo año la revista *Cosmópolis* publica el manifiesto "Clarté", solicitando la adhesión moral de los intelectuales españoles e hispanoamericanos. A partir de 1920 comienzan a proliferar revistas y periódicos ligados al pensamiento marxista, siendo la revista *Post-Guerra* la que sirve de grupo de cohesión a estos planteamientos izquierdistas. Aparecida en 1927, es el contrapunto de la generación del 27 y, a modo de cabecera, manifiesta que "Bajo el pretexto de militar en escuelas literarias de vanguardia o modernistas, numerosos jóvenes estetas defienden los ideales políticos de la reacción. El diletantismo literario es una modalidad de reaccionarismo político" (cit. por V. Fuentes, p. 70).

La posición de Vallejo ante el arte y la literatura coincidirá, desde luego, con estos postulados. Es más, ya antes de que se interesara por la ideología marxista, que sólo al final de su vida acataría como sistema doctrinario (y sin que, afortunadamente, lograse traspasar su "poética"), Vallejo se muestra identificado con el devenir de la sociedad proletaria, con los desvalidos. De ahí que, sin necesidad de adscribirse a ninguna corriente ideológica concreta, manifieste la supremacía de la vida sobre el arte:

> Yo no puedo consentir que la *Sinfonía Pastoral* valga más que mi pequeño sobrino de 5 años llamado Helí. Yo no puedo tolerar que *Los Hermanos Karamazof* valgan más que el portero de mi casa, viejo, pobre y bruto. Yo no puedo tolerar que los arlequines de Picasso valgan más que el dedo meñique del más malvado de los criminales de la tierra. Antes que el arte la vida. Esto debe repetirse hoy mejor que jamás, hoy que los escritores, músicos y pintores se las arreglan para evadir la vida a todo trance. Conozco a más de un poeta moderno que suele encerrarse en su gabinete y sacar de allí versos desconcertantes de ingeniosidad, ritmos habilísimos, frases en que la fantasía llega a espasmos formidables. ¿Su vida? [...] En cuanto a contenido vital, nada (En *Norte*, 1926; cit. por Ballón, p. XXIX).

Siguiendo este planteamiento, Vallejo no puede consentir que el poeta se considere un ser privilegiado, por lo que es necesario que conozca la "vida" y que no se profesionalice:

> Un poeta piensa que, por ser poeta, no puede hacer otra cosa que versos para ganarse el pan. Día y noche escribe versos. No quiere ni se esfuerza por franquear los otros campos de trabajo. ¿Hacer zapatos un poeta? ¡Qué ocurrencia! ¡Qué indignidad! [...] Unas manos que escriben poemas más o menos perecederos o inmortales, se mancharían y estropearían si luego de dejar la pluma pasaran a aserrar madera. El poeta, el novelista, el dramaturgo, de este modo, se han parcializado, sustrayéndose a la hermosa pluralidad de trayectorias de la vida y amputándose así otras tantas múltiples vías de sabiduría y riquezas emocionales. Se han profesionalizado. Están mutilados. Están perdidos (*Mundial*, 1926; cit. por Ballón, p. XXXI).

Ese vitalismo que invoca genera su crítica hacia la literatura de su época:

> La actual generación de América no anda menos extraviada que las anteriores. La actual generación de América es tan retórica y falta de honestidad espiritual, como las anteriores generaciones de las que ella reniega. Levanto mi voz y acuso a mi generación de impotente para crear o realizar un espíritu propio, hecho de verdad, de vida, en fin, de sana y auténtica inspiración humana. Presiento desde hoy un balance desastroso de mi generación, de aquí a unos quince o veinte años. [...] Hoy, como ayer, los escritores de América practican una literatura prestada, que les va trágicamente mal. La estética —si así puede llamarse esa grotesca pesadilla simiesca de los escritores de América— carece allá, hoy tal vez más que nunca, de fisonomía propia. Un verso de Neruda, de Borges, de Maples Arce, no se diferencia en nada de Tzara, de Ribemont o de Reverdy. En Chocano, por lo menos, hubo el barato americanismo de los temas y los nombres. En los de ahora, ni eso ("Contra el secreto profesional", *Variedades*, 1927; cit. por Ballón, p. XXXIV).

Las polémicas afirmaciones de Vallejo, si bien no aciertan en su predicción, confirman una vez más su posición humanista ante el arte. Lo que Vallejo no soporta es que la literatura y el arte se conviertan en un artificio formal donde se excluya el sentimiento vitalista de lo humano. De ahí sus críticas a los vanguardismos, identificados por él con corrientes puramente formales. Una prueba de que Vallejo los conocía bien nos la ofrece este artículo, en el que en varios puntos se mofa de las principales características que en común los definen.

La independencia del poeta frente a la política se evidencia en numerosas ocasiones. Este aspecto fue, sin duda, uno de los que mayores quebraderos de cabeza se le presentaron. A medida que fue pasando el tiempo la posición ideológica de Vallejo se fue afirmando en el marxismo hasta desembocar en su filiación en el partido comunista. Era difícil conciliar las consignas sobre un arte proletario emanadas de la Revolución Rusa con la independencia artística del escritor. Sin embargo, Vallejo se mantuvo inflexible casi hasta el final de su vida en su defensa de la libertad artística, por lo menos en su poesía y en sus ensayos, aunque en sus cuentos y novelas se dejó llevar en ocasiones por el proselitismo marxista panfletario:

> El poeta es un hombre que opera en campos altísimos, sintetizantes. Posee también naturaleza política, pero la posee en grado supremo y no en actitudes de capitulero o de sectario. Las doctrinas políticas del poeta son nubes, soles, lunas, movimientos vagos y ecuménicos, encrucijadas insolubles, causas primeras y últimos fines. Y son los otros, los políticos, quienes han de exponer e interpretar este verbo universal y caótico, pleno de las más encontradas trayectorias, ante las multitudes. Tal es la diferencia entre el poeta y el político (*Norte*, 1926; cit. por Ballón, p. XL).

> Si el artista renunciase a crear lo que podríamos llamar las nebulosas políticas en la naturaleza humana, reduciéndose al rol, secundario y esporádico, de la propaganda o de la barricada, ¿a quién le tocará aquella gran taumaturgia del espíritu? (*Mundial*, 1927; cit. por Ballón, p. XLII).

> El literato a puerta cerrada no sabe nada de la vida [...] Producto típico de la sociedad burguesa, su existencia es una afloración histórica de intereses e injusticias sucesivas y heredadas hacia una célula estéril y neutra de museo. Es una momia que pesa pero no sostiene [...]. Hoy mismo, en los países donde la reacción burguesa se muestra más recalcitrante, como en la propia Francia, Italia y España —para no citar sino países latinos—, los escritores de más inmediata influencia son Valéry, Pirandello y Gómez de la Serna, cuyas obras contienen, en el fondo, una exclusiva y evidente sensibilidad de gabinete. Ese refinamiento mental y ese juego de ingenio, trascienden a lo lejos al hombre que goza muellemente y a puerta cerrada.
>
> Frente a esta literatura de pijama, que como el arte confinado de las piezas cerradas tiende actualmente hacia arriba pero para evaporarse, también con ese aire, muy pronto se agolpa ante los pulmones naturales del hombre, la libre inmensidad de la vida (*Variedades*, 1928; cit. por Ballón, p. XLVI).

Su propia independencia se reafirma en la siguiente cita:

> Cuando Haya de la Torre me subraya la necesidad de que los artistas ayuden con sus obras a la propaganda revolucionaria en América, le repito que, en mi calidad genérica de hombre, encuentro su exigencia de gran giro político y simpatizo sinceramente con ella, pero en mi calidad de artista no acepto ninguna consigna a propósito, propio o extraño, que, aun respaldándose de la mejor buena intención, somete mi libertad estética al servicio de tal o cual propaganda política. Una cosa es mi conducta política de artista aunque, en el fondo, ambas marchan siempre de acuerdo, así no lo parezca a simple vista. Como hombre, puedo simpatizar y trabajar por la Revolución, pero como artista no está en manos de nadie ni en las mías propias el controlar los alcances políticos que pueden ocultarse en mis poemas. ¿Los escritores rusos han rechazado el marco espiritual que les impone el Soviet? Lo ignoramos (*Mundial*, 1928; cit. por Ballón, p. XLIX).

Una independencia que se acentúa al atacar a los marxistas que llama "rigurosos, fanáticos y gramaticales", en una época en que ya es, sin embargo, ferviente defensor del modelo de sociedad rusa:

> A fuerza de ver en esta doctrina la certeza por excelencia, la verdad definitiva, inapelable y sagrada, la han convertido en un zapato de hierro [...]. Son éstos los doctores de la escuela, los escribas del marxismo, aquellos que velan y custodian con celo de amanuense la forma y la letra del nuevo espíritu, semejantes a todos los escribas de todas las buenas nuevas de la historia (*Variedades*, 1929, cit. por Ballón, p. LIV).

Frente a ellos opone la figura de Trotski, cuyas lecciones de libertad indican el nacimiento de un nuevo espíritu revolucionario que es visto por él de una forma muy idealizada, como ámbito de libertad individual (lo que le permite mantener posiciones no partidistas), y como lugar donde se funden naturalmente ideología y arte. Tales planteamientos pueden observarse en las dos citas siguientes:

> Yo no pertenezco a ningún partido. No soy conservador ni liberal. Ni burgués ni bolchevique. Ni nacionalista ni socialista. Ni reaccionario ni revolucionario. Al menos no he hecho de mis actitudes ningún sistema permanente y definitivo de conducta. Sin embargo, tengo mi pasión, mi entusiasmo y mi sinceridad vitales. Tengo una forma afirmativa de pensamiento y opinión, una función de juicio positiva. Se me antoja que, a través de lo que en mi caso podría conceptuarse como anarquía intelectual, caos ideológico, contradicción o incoherencia de actitudes, hay una orgánica y subterránea unidad vital (*El Comercio*, 1929; cit. por Ballón, LXIII).

> En el poeta socialista, el poema socialista deja de ser un trance externo, provocado y pasajero de militante de un credo político, para convertirse en una función natural, permanente y simplemente humana de la sensibilidad. El poeta socialista no ha de ser tal solamente en el momento de escribir un poema, sino en todos sus actos grandes y pequeños, internos y visibles, conscientes y subconscientes y hasta cuando duerme y cuando se equivoca o se traiciona (*Variedades*, 1928; cit. por Ballón, p. L).

Su posición independiente en materia artística desaparece, sin embargo, en los últimos años de su vida, cuando el compromiso político le lleva a la afiliación en el partido comunista. No obstante, este cambio de actitud no quedaría reflejado en su obra poética. Su nueva posición puede observarse en su intervención en el II Congreso Internacional de Escritores (publicado en *El mono azul*, 1939) o en la siguiente cita de su libro *El arte y la revolución*:

> En el actual período social de la historia, por la agudeza, la violencia y la profundidad que ofrece la lucha de clases, el espíritu revolucionario congénito del artista no puede eludir, como esencia temática de sus creaciones, los problemas sociales, políticos y económicos. Estos problemas se plantean hoy con amplitud y exasperación tales en el mundo entero, que penetran e invaden, en forma irresistible, la vida y la conciencia del más solitario de los eremitas. La sensibilidad del artista, sensible por excelencia y por propia definición, no puede sustraerse a ellos. No está en nuestras manos dejar de tomar parte en el conflicto, de uno o de otro lado de los combatientes. Decir, pues, arte y, más aún, arte revolucionario, equivale a decir arte clasista, arte de lucha de clases. Artista revolucionario en arte, implica artista revolucionario en política (cit. por Ballón, p. LXXIII).

Es en este contexto ideológico donde hay que situar las críticas de Vallejo a las escuelas vanguardistas, tal y como ya antes enuncié. Especialmente dura fue su crítica al surrealismo, tema que originará la polémica entre eximios vallejistas. En el año 1967, André Coyné presentaba en un Congreso sobre Vallejo una ponencia titulada "Vallejo y el Surrealismo", donde afirmaba taxativamente que "Vallejo no tiene nada que ver con el Surrealismo" (Coyné, p. 249) y aseguraba que el artículo de Vallejo "Autopsia del superrealismo" era "un lamentable ejemplo de falsa crítica, como los ofrece a diario la prensa más sectaria, estereotipada y peor informada" (p. 250). Opinión también negativa le merecían la mayoría de las crónicas periodísticas de Vallejo, escritas, según él, con prisa, superficialidad y contradicciones, a pesar de lo cual acepta que "hallamos algo, a veces mucho que retener, algo que, por cualquier razón, sigue siendo positivo" (p. 250). En cambio, en "Autopsia del superrealismo" sólo encuentra "errores en los datos, carencia de información, saña, hasta calumnia en los juicios; y mejor no hablar del estilo" (p. 250). Es difícil compartir estas opiniones de Coyné. En mi opinión, las crónicas de Vallejo tienen una tersura estilística envidiable y cualquier lector puede apreciar que las opiniones literarias de Vallejo están fundamentadas en un profundo conocimiento de los numerosos autores a que se refiere, particularmente si son franceses y rusos. Se podrá estar en contra de sus opiniones, pero no acusarle de falta de información, y esto vale de modo especial en lo referente al surrealismo.

Juan Larrea contestó a la provocación de Coyné con un artículo, también largo, titulado "César Vallejo frente a André Breton" (Larrea, pp. 249-303), donde se ponían de manifiesto las diferencias personales entre los dos críticos. Lo cierto es que no le faltaba razón a Larrea para su enfado. En el citado Congreso, organizado por Larrea, Coyné había arremetido contra Vallejo de manera desmedida, lo que difícilmente parecía justificable en aquel marco. Por otra parte, la intervención de Coyné se convirtió en una defensa de Bretón, sin que en realidad apenas hablase de Vallejo, que sólo aparecía como punto de referencia, bien para citar que no conocía lo que era el surrealismo, bien para demostrar que la verdadera posición humanística la tenía Breton y no Vallejo. Por su parte, Larrea contestó, de manera previsible, invirtiendo los términos de la confrontación, con más acierto, a mi modo de ver.

La polémica, planteada en estos términos, es estéril, ya que no tiene en consideración que las críticas de Vallejo al surrealismo se inscriben en el contexto genérico de su rechazo a las escuelas vanguardistas, tal como anteriormente he señalado. Si Vallejo ataca de manera especialmente dura al surrealismo es porque había visto en él un movimiento que, a diferencia del resto de las escuelas vanguardistas, afrontaba una problemática ideológica y, de hecho, todavía en 1929, confía en el surrealismo, como se puede apreciar cuando dice, tratando sobre una cultura original de América, que: "El movimiento superrealista —en lo que él tiene de más puro y creador— puede ayudarnos en esta higienización de nuestro espíritu, con el contagio saludable y tonificante de su pesimismo y desesperación" (*Mundial*, 1929; cit. por Ballón, p. LV).

Sin embargo, un año más tarde, parece que esa confianza ha desaparecido totalmente, al publicar su artículo "Autopsia del superrealismo", ampliamente difundido en ese mismo año (*Variedades*, *Nosotros*, *Amauta*). Según Vallejo, la crisis de la civilización capitalista evidenciada en la primera guerra mundial ha venido acompañada de "una furiosa multiplicación de escuelas literarias", todo lo cual le hace pensar en una anarquía y degradación de la sociedad que evidencian "el ocaso de la civilización capitalista". Asegura que "la última escuela de mayor cartel, el superrealismo, acaba de morir oficialmente". Su opinión sobre este movimiento queda reflejada en la siguiente cita:

> En verdad, el superrealismo, como escuela literaria, no representaba ningún aporte constructivo. Era una receta más de hacer poemas sobre medida, como lo son y serán las escuelas literarias de todos los tiempos. Más todavía. No era ni siquiera una receta original. Toda la pomposa teoría y el abracadabrante método del superrealismo, fueron condensados y vienen de unos cuantos pensamientos esbozados al respecto por Apollinaire. Basados sobre estas ideas del autor de *Caligramas*, los manifiestos superrealistas se limitaban a edificar inteligentes juegos del salón relativos a la escritura automática, a la moral, a la religión, a la política.

Según Vallejo, cuando los surrealistas tuvieron que afrontar los problemas de la realidad, se hicieron anarquistas, "forma ésta la más abstracta, mística y cerebral, de la política", y cuando descubrieron el marxismo, "por un milagro muy burgués de eclecticismo o de 'combinación' inextricable, Breton propuso a sus amigos la coordinación y síntesis de ambos métodos. Los surrealistas se hicieron inmediatamente comunistas".

> Es sólo en este momento —y no antes ni después— que el superrealismo adquiere cierta trascendencia social. De simple fábrica de poetas en serie, se trasforma en un movimiento político militante y en una pragmática intelectual realmente viva y revolucionaria. El superrealismo mereció entonces ser tomado en consideración y calificado como una de las corrientes literarias más vivientes y constructivas de la época. Por desgracia, Breton y sus amigos, contrariando y desmintiendo sus estridentes declaraciones de fe marxista, siguieron siendo, sin poderlo evitar y subconscientemente, unos intelectuales anarquistas incurables.
> A la hora en que estamos, el superrealismo —como movimiento marxista— es un cadáver. (Como cenáculo meramente literario —repito— fue siempre, como todas las escuelas, una impostura ante la vida, un vulgar espantapájaros) (las citas en Ballón, pp. LXVI-LXVIII).

Vallejo debe ser hoy leído no sólo por el carácter "humano" de sus poemas, sino porque su poesía marca un hito en lo que intrínsecamente es la poesía: un desafío del arte a través del lenguaje. Tal como señala F. Martínez García:

> Él era un ser histórico, pero no se abandonó a una desesperación intrascendente ante el mutismo hermético de la palabra para responder a las exigencias que a él le urgían; no se hundió en el aislamiento; obró "como poeta": como señal de protesta ante toda injusticia, también ante la injusticia que representaba la ineptitud del lenguaje, se reti-

ró precisamente al campo de las palabras, persiguió al lenguaje en su propio terreno, buscando allí, en lucha con él, un punto de mira más alto, para lograr una unidad más alta; y por eso, su obra es mensaje, esperanza (pp. 231-232).

Bibliografía citada

Ballón Aguirre, Enrique (1979): "Para una definición de la escritura de Vallejo", en su ed. de César Vallejo. *Obra poética completa*. Caracas; Biblioteca Ayacucho, pp. IX-LXXVII.

Chacel, Rosa (1992): "César Vallejo en el drama de España", en *Diario 16. Suplemento "Culturas"*, 7 de marzo de 1992.

Coyné, André (1970): "Vallejo y el Surrealismo", en *Revista Iberoamericana* 71, pp. 243-302.

Espejo Asturrizaga, Juan (1965): *César Vallejo. Itinerario del hombre*. Lima: Mejía Baca.

Favorables París Poema (1984), ed. de Jorge Urrutia. Sevilla: Renacimiento.

Fuentes, Víctor (1984): "La creación de un nuevo bloque intelectual-moral: intelectuales y pueblo", en *Literatura y compromiso político en los años 30*. Madrid: Círculo de Bellas Artes.

Larrea, Juan (1980): *Al amor de Vallejo*. Valencia: Pre-textos.

Martínez García, Francisco (1976): *César Vallejo. Acercamiento al hombre y al poeta*. León: Colegio Universitario de León.

Perfil de César Vallejo (1978), en *Litoral* 76-78.

Pinto Gamboa, Willy F. (1981): *César Vallejo: en torno a España*. Lima: Cibeles.

San José Lera, Javier (1992): "Una clave decisiva de la 'generación del 27': José María de Cossío", en *Ínsula* 545.

Vallejo, César (1984): *Crónicas. Tomo 1: 1915-1926*, ed. de E. Ballón Aguirre. México, D. F.: UNAM.

— (1992): *Obra poética*, coord. Américo Ferrari. Madrid: Archivos.

Vélez, Julio y Antonio Merino (1984): *España en César Vallejo*. Madrid: Fundamentos.

Tomado de Carmen Ruiz Barrionuevo y César Real Ramos (eds.). *La modernidad literaria en España e Hispanoamérica*. Salamanca: Universidad de Salamanca, 1996, pp. 211-224. José Carlos González Boixo es profesor de la Universidad de León (carlos.boixo@unileon.es).

Nelson Osorio T.

Antecedentes de la vanguardia literaria en Venezuela (1909-1925)

Existe cierto consenso entre los estudiosos venezolanos para considerar el año 1928 como el momento en que el vanguardismo artístico adquiere presencia significativa en la escena literaria nacional.

El proceso renovador que se había iniciado hacia 1918, con Fernando Paz Castillo (1893-1981), Luis Enrique Mármol (1897-1926), Enrique Planchart (1894-1953) y otros que constituyen la llamada "generación del 18", abre paso a la búsqueda de nuevas formas de expresión poética que superen las desgastadas fórmulas del Modernismo crepuscular. En los años siguientes surgen manifestaciones aisladas que van dibujando un proceso de experiencias audaces y de cuestionamiento polémico impulsado por los jóvenes escritores; éstas llegan a cristalizar en lo que podemos considerar como primera acción colectiva con declarada voluntad vanguardista y ruptural: la revista *válvula* (1928).

El grupo promotor de la revista *válvula*, que se proclama defensor de la vanguardia y el arte nuevo, y en cuyo seno se encuentran algunos de los nombres de mayor incidencia en la renovación de la literatura venezolana contemporánea —como Arturo Uslar Pietri y Miguel Otero Silva, por ejemplo—, tiene una proyección en la vida nacional que trasciende ampliamente los marcos de la literatura. Baste recordar la estrecha relación que mantienen con el grupo en esos años personas como Rómulo Betancourt, Raúl Leoni, Jóvito Villalba y otros que junto a los ya nombrados Uslar Pietri y Otero Silva son figuras de gran importancia en la vida política del país en los últimos cincuenta años. Para los jóvenes que entonces se proclaman vanguardistas en Venezuela, el cuestionamiento a la retorizada poética del Modernismo epigonal se articula con el cuestionamiento político al no menos anquilosado régimen dictatorial de Juan Vicente Gómez. En este sentido, el vanguardismo venezolano se vincula, más claramente tal vez que en otros países del continente, al fermento renovador, democrático y progresista que caracteriza la etapa inicial del desarrollo de los nuevos sectores sociales emergentes desde los años de la Primera Guerra Mundial.

Vanguardismo en lo artístico, antigomecismo en lo político, son dos caras de un mismo impulso renovador y juvenil que caracteriza al grupo que en Venezuela se conoce como "la generación del 28". Por eso, del mismo modo que es posible establecer que los sucesos que en lo político estallan en 1928 son resultado de un proceso de maduración cuyas manifestaciones aún larvarias pueden registrarse con anterioridad, también la aparición polémica de la vanguardia literaria en ese mismo año tiene una historia interna previa, un proceso incubatorio que puede rastrearse en diversas manifestaciones anteriores al año 28. En último término, renovación en lo político y renovación en lo literario no son en ese momento sino dos aspectos de un fenómeno más raigal y profundo: la presencia de nuevos sectores que han surgido de las transformaciones de la estructura económica del país —que ha pasado de una economía agraria a una economía petrolera en ese decenio de postguerra[1]—, sectores cuyo proyecto histórico entra en contradicción con las condiciones concretas que ofrece la sociedad venezolana de la dictadura gomecista.

La eclosión formal y pública de la vanguardia literaria en el año 28, por consiguiente, debe ser comprendida como parte de un proceso más general de cambios graduales que se van produciendo en las condiciones concretas de la vida venezolana, cambios que incluyen la progresiva formación de una nueva sensibilidad y un nuevo sistema de valores culturales dentro de los cuales se integran las tendencias vanguardistas.

El Cojo Ilustrado, el Círculo de Bellas Artes y el Futurismo

No es fácil —y difícilmente podrá completarse como tarea individual— rastrear los antecedentes de la presencia y la incorporación del vanguardismo en la etapa que va desde la Primera Guerra Mundial hasta el año 28 en Venezuela. Aun reconociendo estas limitaciones, es posible, sin embargo, documentar tempranamente la preocupación en los medios intelectuales del país por estas tendencias nuevas, primero como registro —con frecuencia irónico y despectivo— de sus manifestaciones en Europa, y paulatinamente como un hecho que va adquiriendo presencia en la realidad latinoamericana y venezolana.

Antes del término de la guerra las referencias son escasas y esporádicas. Probablemente la primera alusión al tema de las nuevas tendencias artísticas que surgen en Europa —aún no se habla de "vanguardia"— sea una nota sin firma que se publica en *El Cojo Ilustrado* del 15 de mayo de 1909. Se titula "El futurismo de Marinetti",[2] y parte dando cuenta que "el futurismo, la nueva escuela inventada y

[1] La primera exportación petrolera (21.194 T. M.) se registra en el año fiscal de 1917-1918 (*Cfr.* Salvador de la Plaza, *El petróleo en la vida venezolana*. Caracas: Fondo Editorial Salvador de la Plaza, 1976, p. 18). En el año fiscal 1925-1926 el petróleo pasa a ocupar el primer lugar como producto de exportación, desplazando a los productos agrícolas. Y en 1928 Venezuela está colocada como primer exportador y segundo productor de petróleo en el mundo (*Cfr.* M. L. Acedo de Sucre y C. M. Nones Mendoza, *La generación venezolana de 1928*. Caracas: Ediciones Ariel, 1967, p. 60).

[2] Se trata de una nota en la sección "Información Literaria y Artística" de *El Cojo Ilustrado*, año XVIII, N° 418 (15 de mayo de 1909), pp. 283-84. Conozco sólo un artículo que hace referencia a ella,

proclamada por F. T. Marinetti en un reciente manifiesto ha despertado muchos comentarios adversos e irónicos", para luego reproducir "algunos párrafos referentes a la flamante doctrina, debidos al escritor Maigret", que es justamente bastante adverso e irónico. Allí se citan algunos fragmentos del Manifiesto de Marinetti y se señala que éste "con sus apariencias de rebelde no puede menos que hacernos sonreír. Su doctrina es profundamente burguesa, obsoleta, reaccionaria, y antes que inferirle la injuria de creer en su convicción de semejantes pataratas preferimos suponer que ha escogido la época de carnaval para darnos una buena broma".

Por su carácter y tono, esta nota ilustra muy bien la actitud predominante en la recepción del Futurismo en Hispanoamérica en estos primeros años. Pero además ofrece un interés de otra índole para el caso de Venezuela, ya que como el "Manifeste du Futurisme" fue publicado en *Le Figaro* de París el 20 de febrero de 1909 —menos de tres meses antes de la aparición de la referida nota—, es posible sostener que la primera documentación en Venezuela sobre este movimiento de la vanguardia se encuentra también entre las primeras que se publican en revistas literarias del continente sobre el recién inaugurado Futurismo de Marinetti.[3]

Aparte de este antecedente sobre una de las primeras manifestaciones polémicas de lo que luego se llamarían "escuelas de vanguardia", encontramos otra alusión al Futurismo un par de años más tarde, en un fragmento poco conocido de Rómulo Gallegos que se publica en 1911 en *El Cojo Ilustrado*.[4] En el contexto en que apa-

---

el de Napoleón Pisani "El Futurismo, *El Cojo Ilustrado* y mi abuelo Ulises" (*Suplemento Cultural de Últimas Noticias*, Caracas, 23 de septiembre de 1978, pp. 6-7).

[3] Creo que la primera repercusión del Futurismo y su manifiesto se encuentra en un artículo del siempre atento Rubén Darío; éste fue publicado bajo el título de "Marinetti y el Futurismo" el lunes 5 de abril de 1909 en *La Nación* de Buenos Aires (Su texto puede consultarse en R. D., *Letras*. París: Garnier Hermanos, s. f, [1911], pp. 229-37). Es interesante anotar de paso que fue reproducido dos meses después por Marinetti en su revista *Poesía*. La traducción parcial y comentada que hace Darío del Manifiesto fue la fuente de información para muchos latinoamericanos, entre ellos Huidobro, que evidentemente lo utiliza para su artículo "El Futurismo" de *Pasando y Pasando* (Santiago de Chile: Imprenta y Encuadernación Chile, 1914). También Amado Nervo publica un extenso comentario crítico al Manifiesto de Marinetti bajo el título de "Nueva escuela literaria", en el número de agosto de 1909 del *Boletín de Instrucción Pública* de México (puede consultarse en *Obras Completas*, tomo II. Madrid: Aguilar, 4ª ed., 1972, pp. 178-82). En ese mismo año se publican dos artículos y una traducción completa del Manifiesto en el Tomo I de la *Revista de la Universidad de Honduras*, en Tegucigalpa (se trata de un artículo de Rómulo E. Durón, "Una nueva escuela literaria", pp. 689-90, y de una "Interview sobre el Futurismo", hecha a Marinetti y tomada de la revista *Comedia* del 16.03.1909, pp. 693-95; el texto del Manifiesto, traducido de *Le Figaro*, va en pp. 690-93). Si recordamos que suele tenerse como primera traducción al castellano del Manifiesto de Marinetti la que hace Ramón Gómez de la Serna en 1910 en la revista *Prometeo* (España) habría sobrado derecho para pensar que verdaderamente la primera traducción se hace en Hispanoamérica, y es ésta la que mencionamos.

[4] Se trata de un texto que con el título de "Entre las ruinas" y el subtítulo "I. Por el arrabal. Los sembradores", se publica en *El Cojo Ilustrado* (Año XX, N°. 472, 15 de agosto de 1911, pp. 468-70).

rece, el sentido en que se alude al Futurismo es algo ambiguo. Se trata de un diálogo entre dos recientes amigos, uno de los cuales, Garrido, representa la óptica más progresista, renovadora, y el otro la pura sensibilidad artística; en su paseo llegan hasta un arrabal miserable donde mientras el segundo de ellos admira la belleza plástica que ofrece, el primero ve el atraso y la miseria que representan:

> [Garrido:] Pues lo que le digo: esto tiene que desaparecer, tarde o temprano será el triunfo de la Ciudad.
> —Pero no negará Ud. que hay belleza en esto—, argüía tímidamente Céspedes.
> —Belleza hay en todo; y luego, que en estos casos hay intereses superiores a la Belleza, dicho sea con su perdón: la Higiene por ejemplo; y otros que valen casi tanto: el ornato, la decencia.
> —Creí que Ud. era artista.
> —Sí lo soy, a mi manera.
> —Pero...
> —Mire Ud., una vez me dijo un tonto, muy enfático: amigo, es preciso que se convenza que los postes de telégrafo serán los árboles de la poesía del porvenir.
> —¡Futurismos!—, dijo Céspedes con un brusco gesto de desagrado y Garrido se interrumpió prudentemente.

Este pasaje —que en la posterior elaboración del texto desaparece—, aparte de mostrar indirectamente la preocupación temprana de Gallegos por estas nuevas tendencias artísticas, en su misma ambigüedad anticipa en cierto modo la actitud que este escritor tendrá con respecto a las manifestaciones vanguardistas que posteriormente se desarrollan en el país: sin sentirse atraído por su práctica mira con simpatía el impulso renovador que representan; actitud, por otra parte, que le mereció el reconocimiento y el respeto de los vanguardistas.[5] Además pudiera encontrarse en él cierto valor premonitorio, si se piensa que aquello de que "los postes de teléfono serán los árboles de la poesía del porvenir" tendrá una curiosa concreción un decenio más tarde en un poeta de los que van preformando la vanguardia en Venezuela, Pedro José Sotillo, quien escribe precisamente un poema al poste de teléfonos:

Al final lleva la indicación: "Capítulo de una novela en preparación". En su redacción original no forma parte de ninguna de las novelas publicadas por Gallegos, aun cuando se le utiliza en forma muy parcial —completamente reelaborado además— en *Reinaldo Solar* (se trata del pasaje sobre los mendigos lisiados, el final del Cap. VII de la Primera Jornada). El texto completo se encuentra reproducido en el volumen de dramas y relatos *La Doncella y El último Patriota* (México: Ediciones Montobar, 1957, 220 pp.) donde figura entre las pp. 143-52, con indicación de su origen y carácter.

[5] En la nota informativa que dedica la revista *Élite* a la aparición de *válvula*, a la que llama "el primer periódico venezolano de vanguardia", aparece Rómulo Gallegos encabezando la breve lista de participantes en la comida de celebración (véase: "Triunfal irrupción 'valvulística'". *Élite*, III, 121, 7 de enero de 1928, p. 7).

El poste meditabundo
de la esquina de mi casa
lo tropieza todo el mundo
cuando pasa.
Poste negro, negro, negro,
cuando te miro me alegro
negro poste telefónico.[6]

Pero aparte de referencias circunstanciales como éstas y otras que pudieran rastrearse en las publicaciones de esos años, casi nada en la producción literaria concreta manifiesta las inquietudes renovadoras que orientan las búsquedas de la vanguardia. Más interesante como ilustración de un espíritu renovador resulta el movimiento de los artistas plásticos. Éste se inicia con la reacción antiacadémica de los estudiantes de Bellas Artes en 1909 y lleva a la formación del Círculo de Bellas Artes en 1912, de fundamental importancia en la renovación de la plástica venezolana.[7] Al Círculo de Bellas Artes se incorporan también escritores y músicos. Como señala Raúl Agudo Freites, "en el Círculo se discuten teorías sobre pintura y literatura. Se hablaba del impresionismo, del cubismo y del futurismo. Se discutía a Degas y a Derain, a Marinetti, a Tristan Tzara y a Apollinaire". En ese ambiente —continúa el mismo autor— "resonaron por primera vez en Venezuela los ecos de las vanguardias europeas. Del cubismo en pintura y del futurismo literario. En 1914, Fernando Paz Castillo leyó una antología de poemas de Marinetti que llegó a sus manos a través de Julio Planchart. Paz Castillo había leído antes al italiano y amaba su audacia noviformal y el derroche imaginífero de sus estrofas. Cuidadosamente tradujo al español el tomo de poesías con la intención de publicarlo".[8]

El estallido de la Primera Guerra Mundial hace que en cierto modo se actualice la preocupación por el acontecer político y cultural en Europa. Y como algunos de los aspectos programáticos más agresivos del Futurismo dan lugar a ello, se vincula críticamente su escuela a la situación por la que atraviesa el Viejo Mundo. Es así como en octubre de 1914, en un artículo sobre la tragedia que asolaba Europa, Carlos Paz García termina acusando a Marinetti y sus adeptos de que después de haber predicado "el imperio de las grandes fuerzas férreas y feroces", en estos días "se esconden quién sabe si bajo tierra, mientras se cumple una parte de su programa".[9]

---

[6] Citado en el artículo de Julio Garmendia "Los nuevos poetas: Pedro José Sotillo", publicado en *El Universal*, 5053, Caracas (13 de junio de 1923).

[7] *Cfr*. Juan Calzadilla, *Pintura venezolana de los siglos* XIX *y* XX. Caracas: Inversiones M. Barquin, 1975. Esp. p. 43 y ss. Tb. L. A. López Méndez, *El Círculo de Bellas Artes*. Caracas: INCIBA, 1969.

[8] Raúl Agudo Freites, *Pío Tamayo y la vanguardia*. Caracas: EBUC, 1969; pp. 44-5. El proyectado tomo, "por un lamentable incidente", no fue nunca publicado.

[9] Carlos Paz García, "La práctica de los horrores" en *El Cojo Ilustrado*, Año XXIII, N°. 547, Caracas (1° de octubre de 1914), pp. 523-31. Cit. p. 530.

En el mismo número de *El Cojo Ilustrado* donde aparece el artículo anterior, y con una orientación similar, se publica un artículo sobre el Futurismo —que contiene bastante información y ofrece una buena discusión crítica— firmado por Jesús Semprum.[10] En esta breve nota el crítico venezolano muestra un buen conocimiento del movimiento que impulsa Marinetti y se refiere a sus trabajos más importantes. Hace una alusión al manifiesto "Contra Venecia pasatista" (11 de mayo de 1913) y cita y comenta el Manifiesto de 1909. Alude también a la revista *Poesía* de los futuristas, a la novela *Mafarka, el Futurista* y a la pieza teatral *Le Roi Bombance*, mostrando un conocimiento presumiblemente directo de todas ellas. Al igual que su colega Paz García, se pregunta por la actividad de los futuristas en una guerra que tanto parece realizar sus deseos. Y ya que —dada la neutralidad de Italia— miles de jóvenes italianos se han enrolado en Francia para defender la Republica, indaga: "¿Estarán entre ellos Marinetti y sus compañeros futuristas? ¿O habrán preferido ir a guerrear a las órdenes del Emperador Guillermo?..." Pero declara que los cree más bien instalados cómodamente en "la dulce y pacífica Italia" y "aspirando, a la distancia y en ensueño, el dulce olor de la humana carnicería".[11]

Como puede apreciarse, hay un cambio dentro de la misma línea de consideración del Futurismo en forma negativa. De ser un objeto de atención pintoresquista pasa a considerársele en sus implicaciones ideológicas con respecto a la violencia y el belicismo.[12] Pero siempre lo dominante es su valoración negativa. Sólo al término de la guerra comienzan a aparecer en Venezuela las primeras muestras de una óptica distinta sobre las tendencias renovadoras que surgían en Europa. De esta nueva actitud y el despertar de una sensibilidad distinta encontramos dos valiosas anticipaciones en el año 1917.

---

[10] Se trata de la nota N°. X de una serie titulada "El tema forzoso" [se trata de la guerra, naturalmente] que venía publicando Semprum en la sección "Actualidades" de *El Cojo Ilustrado*. El texto va en las pp. 531-32, encabezado por el título de la serie.

[11] El 25 de enero de 1915 se publica en el periódico *El Impulso* (que se editaba entonces en Carora, Edo. de Lara) un artículo sin firma titulado "Futurismo"; se trata de una reflexión sobre la guerra que entonces preocupaba al mundo, y no se encuentra en él ninguna referencia, ni directa ni indirecta, al movimiento artístico que encabezaba Marinetti.

[12] No andaban tan descaminados los críticos como Paz García y Semprum en este aspecto, especialmente si se piensa en la trayectoria posterior del Futurismo italiano y sus corifeos, que terminan como exponentes del fascismo en la esfera del arte. *Cfr*. al respecto Umberto Silva, *Arte e ideología del fascismo*, Manuel Aznar, trad. Valencia [España]: Fernando Torres Editor, 1975; esp. pp. 229-54. También Mario de Micheli, *Las vanguardias artísticas del siglo XX*. Giannina Collado, trad. La Habana: Ediciones Unión, 1967; esp. pp. 258-93. En todo caso hay que recordar que existe otro Futurismo, desarrollado un poco más tarde en Rusia. Sobre este aspecto *cfr*. Vladimir Markov, *Russian Futurism*. Berkeley/Los Angeles: University of California Press, 1968. También Ignazio Ambrogio, *Formalismo y vanguardia en Rusia*, Vilma Vargas, trad. Caracas: Universidad Central de Venezuela, 1973.

Dos adelantados: Julio Garmendia y Mariano Picón Salas

La guerra y su vasto impacto en las sensibilidades no sólo da oportunidad para un cuestionamiento crítico del Futurismo por parte de los escritores modernistas y tradicionales, sino que también impulsa el desarrollo de nuevas expresiones literarias capaces de encauzar artísticamente la conciencia de una realidad en crisis. Al respecto, probablemente la primera muestra de nueva sensibilidad estética se encuentra en un extraño relato publicado en 1917 por un joven que aún no cumplía 19 años: Julio Garmendia. Se trata de un texto de factura insólita y temática ajena a la producción entonces vigente, escrito en un lenguaje que si bien recuerda algunos aspectos de la tradición simbolista, no corresponde en propiedad a ella. Se titula "El gusano de luz" y se organiza a modo de diálogo entre dos interlocutores no identificados, diálogo que se entrega directamente, sin elementos introductorios. Trata de la guerra y la destrucción y ceguera que ésta acarrea e implica. Su tónica general —el *Stimmung* que pudiera decirse— lo emparienta con las búsquedas que entonces se proponía el Expresionismo alemán más que con alguna otra tendencia,[13] y a pesar de cierto empaque lírico, es una muestra valiosa de un lenguaje nuevo y de ruptura con la retórica que caracteriza el Modernismo epigonal.[14] El tipo de presentación directa, la ausencia de narrador formalizado, la supresión de todo elemento explicativo y la reducción sintética de sus elementos lo podrían hacer valer como ejemplo de lo que diez años más tarde iban a proponer explícitamente los redactores de la vanguardista *válvula*. En efecto, éstos declaraban que el propósito fundamental y último que puede definir el "arte nuevo" que se proponen impulsar es el de "sugerir, decirlo todo con el menor número de elementos posible [...] o en síntesis, que la obra de arte, el complejo estético, se produzca (con todas las enormes posibilidades anexas) más en el espíritu a quien se dirige que en la materia bruta y limitada del instrumento". En este relato primerizo de Julio Garmendia no sólo es posible encontrar un anticipo de lo que será el depurado y antirretórico tono narrativo que caracteriza su producción posterior, sino también una muestra anticipadora en el ámbito de la literatura nacional de lo que será el espíritu que impulsen los escritores de la vanguardia.[15]

---

[13] No se entienda como una pretensión de filiación directa sino más bien como una constatación de lo que suele denominarse vaporosamente como "espíritu de época". No está de más recordar que también es de 1917 uno de los primeros intentos sistemáticos de exponer los postulados del movimiento expresionista en literatura, la conferencia de Kasimir Edschmid "Expressionismus in der Dichtung", publicada luego en *Die Neue Rundschau*, N°. 29 (1918).

[14] El relato de Julio Garmendia se publica en *El Universal* de Caracas, el 4 de marzo de 1917. Permaneció prácticamente olvidado y no se le menciona en los estudios dedicados a su obra; en fecha reciente se publica en el número de homenaje de la revista *Actualidades* N°. 3-4, 1977-1978, pp. 133-34, donde también figura una nota de presentación de Mabel Moraña, "A seis décadas de un cuento de Garmendia", pp. 137-40.

[15] Para la relación de la obra de Julio Garmendia con las tendencias de la vanguardia en Hispanoamérica puede verse el artículo de Ángel Rama, "La familia latinoamericana de Julio

Si este relato de Julio Garmendia puede considerarse como una de las primeras manifestaciones que anuncian un cambio en la producción literaria venezolana, anticipando en cierto modo las búsquedas de los vanguardistas, otro antecedente muestra también por esa misma fecha la presencia de una nueva perspectiva en la valoración crítica del arte nuevo. El 28 de octubre de ese mismo año de 1917, en la ciudad de Mérida, un joven de 17 años, Mariano Picón Salas, leía una conferencia plena de entusiasmo y de juvenil erudición. Su título: "Las nuevas corrientes del arte".[16] En ella, con un lenguaje aún tributario del espíritu declamatorio que él mismo ironizará años más tarde, Picón Salas hace un recuento de las tradiciones estéticas y artísticas europeas, cuestionando el decadentismo romántico-simbolista ("el arte deberá ser espejo de todo un pueblo y nunca todo un pueblo tomó absintio, se inyectó alcaloides y aspiró éter") y abogando por un arte que se alimente de las realidades concretas y actuales.

Al hacer referencia a la guerra entonces en curso, la ve como una "dura necesidad" que contribuirá a barrer con el decadentismo del arte, "porque con la bayoneta al hombro y bajo el humo de los cañones, olvida el afeminado mozuelo de la ciudad los afeites con que ponía rosas en su cara y violetas en sus ojeras", y porque "la llama del incendio entrará por el palacio de imágenes del poeta y por el mar de colores del pintor y por la catarata de armonías del músico". Y termina con un vibrante anuncio que prefigura y anticipa la renovación vanguardista en gestación, retomando incluso los motivos temáticos que tan caros resultan a los futuristas:

> Ya en los lagares del arte se exprimen otras viñas. El mosto que en su poesía nos presenta Gabriel D'Annunzio, verdad que es amargo y fermentado, pero es mosto nuevo. En el cielo latino Verhaeren trazó curvas de águila. Nuevos hombres echan en el carcomido tronco francés agua que reverdecerá la rama seca: son los paroxistas. Cantan *la fábrica* que humea, *el aeroplano* que viola el aire y *el submarino* que va a buscar en el fondo de la onda el nido de las sirenas. ¡Ese será el arte nuevo! Y ante los mil gérmenes de vida que al duro surco traerán los cuatro vientos, se ablandará el duro surco y será cuna de un árbol erguido y fuerte, en cuyo tronco aprenderemos ejemplos de firmeza y en horas de bochorno nos dará frescor meneando el abanico de sus ramas (El subrayado es mío).

Garmendia", *Papel Literario* de *El Nacional*, Caracas, 17 de julio de 1977; también Nelson Osorio, "*La tienda de muñecos* de Julio Garmendia en la narrativa de la vanguardia hispanoamericana", en el ya citado número 3-4 de *Actualidades*, pp. 11-36.

[16] Esta conferencia —que al decir de Humberto Cuenca "tuvo muy poca trascendencia en el ambiente provinciano" ("Prolegómenos de la vanguardia", *Revista Nacional de Cultura*, N°. 110, Caracas, mayo-junio de 1955, cit. p. 123)— se publica sólo dos años más tarde, en la revista *Cultura Venezolana*, Año II, N°. 7, Caracas, junio de 1919, pp. 27-38.

Como puede apreciarse, la expresión "arte nuevo" adquiere aquí una clara y directa denotación, se vincula a la incorporación de una temática urbana y contemporánea: la fábrica, el aeroplano, el submarino. Y tiene una clara connotación positiva, un sentido de superación de la literatura modernista-simbolista.

Si se compara este texto de 1917 con el primero en que veíamos documentado un manifiesto de vanguardia de 1909, puede establecerse un radical cambio en la actitud valorativa. En este sentido, dentro de toda la espesa remisión a lecturas encontradas y la confusa teorización que se pretende realizar, la juvenil conferencia de Mariano Picón Salas representa la primera manifestación de defensa de este "arte nuevo", el primer momento en Venezuela en que se registra la presencia de una sensibilidad abierta a los impulsos del arte renovador que se gesta en Europa, hasta entonces objeto sólo de alusiones y referencias despectivas.

Por estos antecedentes es posible establecer que las menciones que se hacen a las nuevas tendencias artísticas con anterioridad a 1917 (limitadas sólo al Futurismo) muestran el dominio sin contrapeso de la sensibilidad tributaria del modernismo-simbolista (matizada, como corresponde, con el criollismo-naturalismo que entonces se desarrolla). Pero a partir de 1917 empieza a registrarse el surgimiento de otra perspectiva, incipiente y larvaria, pero que va gestando el cambio y que paulatinamente va haciendo oír su voz polémica y renovadora.

Sin caer en una valoración desmesurada ni pretender hipertrofiar su importancia —dado que son textos cuya repercusión es apenas advertible en el medio cultural de esos años—, creemos legítimo sostener que estos textos de Julio Garmendia en la producción literaria y de Mariano Picón Salas en la valoración crítica documentan el primer antecedente fechable de la aparición de una nueva sensibilidad, de un cambio incipiente que va incubando la renovación que desemboca en la vanguardia de 1928. No puede considerarse casual, por otra parte, que este incipiente viraje de cambio se manifieste en jóvenes que entonces tenían 17 y 18 años, jóvenes que asomaban a un mundo en que las condiciones de la preguerra habían hecho crisis y en el que fermentaban los cultivos de una época nueva. Esta es la que comenzará a diseñarse de un modo más global al término del conflicto, a partir de 1918.

La transición y los poetas del 18

A la primera promoción renovadora de poetas jóvenes que surgen en Venezuela al término de la guerra se la conoce con el nombre de "generación del 18".[17] Se trata

[17] Aparte de las referencias sobre la "generación del 18" en los trabajos generales, pueden consultarse los libros de Mario Torrealba Lossi, *Los poetas venezolanos de 1918*. Caracas: Editorial Simón Rodríguez, Publicación del Colegio de Profesores, 1955 (hay una segunda edición, Madrid:

fundamentalmente de escritores nacidos a fines del siglo pasado, que viven su período de formación y adolescencia durante los años de la guerra, bajo la dictadura de Gómez.[18]

Al término de la guerra se produce en el país un resurgimiento de la oposición, lo que en diciembre del 18 y enero del 19 se concreta en manifestaciones callejeras e intentos de alzamiento armado. En este ambiente florece un clima propicio a la apertura de horizontes y al cuestionamiento de los valores dominantes. En la esfera literaria, como señala Juan Liscano, los jóvenes poetas "empezaron a manifestarse mediante recitales entre los años 1918 y 1920" desarrollando "una poesía de ruptura violenta o parcial con el lenguaje estereotipado imperante, fruto exhausto de las diversas vicisitudes del romanticismo, de las influencias francesas parnasianas o postparnasianas".[19]

Un rasgo interesante de señalar es que este movimiento, más que a la literatura de la época se encuentra ligado a la renovación de la plástica nacional que impulsan los integrantes del Círculo de Bellas Artes,[20] y en especial a la incorporación del Impresionismo que se produce a través de ellos; esto último se acentúa sobre todo a raíz de la presencia de pintores de esta tendencia que provienen de Europa, como el ruso Nicolás Ferdinandov, que llega en 1916 y el rumano Samys Mützner, que permanece en Caracas de 1916 a 1918.[21] Esta relación y la afinidad grupal probablemente contribuyan a explicar muchas de las características de la poesía de estos

---

Artes Gráficas Argos, 1957); de Enrique Castellanos, *La generación del 18 en la poética venezolana*. Caracas: Ediciones del Cuatricentenario de Caracas, 1966, y de Neftalí Noguera Mora, *La generación poética de 1918*. Bogotá: Edit. Iqueima, 1950. Un muy valioso análisis crítico sobre esta promoción, a partir de una de sus figuras, es el extenso estudio de Óscar Sambrano Urdaneta, "Fernando Paz Castillo y su obra poética", que figura como prólogo al libro de F. P. C. *Poesías*. Caracas: Editorial Arte, 1966, pp. 9-91.

[18] Con algunas diferencias entre uno y otro estudio, los nombres que suelen incluirse con mayor frecuencia en este grupo son: José Antonio Ramos Sucre (1890-1930), Fernando Paz Castillo (n. 1893), Enrique Planchart (1894-1954), Luis Enrique Mármol (1897-1926), Andrés Eloy Blanco (1897-1955), Rodolfo Moleiro (1897-1970), Héctor Cuenca (1897-1969), Ángel Corao (1898-1951), Jacinto Fombona Pachano (1901-1951), Pedro José Sotillo (1902-1977) y otros.

[19] Juan Liscano, "Ensayo introductorio" a la sección "Poesía" de la *Enciclopedia de Venezuela*. Caracas: Editorial Andrés Bello, 1973, Tomo X, p. 20.

[20] El Círculo de Bellas Artes surge como consecuencia del descontento que empieza a prender en la Escuela de Artes Plásticas en 1909; en 1912 se reúnen algunos de los jóvenes pintores contestatarios y fundan la agrupación que lleva el nombre de Círculo de Bellas Artes, de fundamental importancia en la modernización de la plástica venezolana de este siglo. Sobre esto puede verse la parte correspondiente a la *Pintura venezolana de los siglos* XIX *y* XX de Juan Calzadilla, Caracas: Publicaciones Berquin, 1975; en particular sobre el Círculo el libro de Luis Alfredo López Méndez, *El Círculo de Bellas Artes*. Caracas: INCIBA, 1969; con el mismo título, pero ampliado con nuevos materiales en Editora El Nacional, 1976.

[21] Habría también que agregar a estos nombres el del ítalo-venezolano Emilio Boggio, que estuvo brevemente en el país en 1919.

escritores, quienes, como dice Raúl Agudo Freites, "cultivaron un postmodernismo fino y matizado con exquisitas tonalidades plásticas".[22]

De hecho, los miembros de la llamada "generación del 18" publicaron muy poco en esos primeros años de la postguerra, y la mayor parte de su obra orgánica es muy posterior,[23] por lo que su presencia se manifiesta fundamentalmente a través de recitales, conferencias y colaboraciones en revistas y periódicos. Su actitud misma no es homogénea[24] ni su reacción frente al Modernismo logra cristalizar en una verdadera superación renovadora. Como observa Uslar Pietri, "entre las tendencias de reacción antimodernista, las que se caracterizan por el prosaísmo sentimental y por el regreso a formas y temas del romanticismo (baladas, cantos históricos, poesía civil) son las que predominan en nuestros poetas del 18".[25] Por eso este grupo de escritores, más que convertirse en arquitectos de un proyecto nuevo cumplen la tarea de romper con el estancamiento Modernista y contribuir a colocar a la literatura venezolana en una hora más ajustada con la que marcan los relojes del continente y el mundo. De allí su carácter transicional y de allí también su valor en la historia literaria del país, puesto que —como dice uno de sus más destacados integrantes— "aun cuando no aportó mucha novedad en sus obras [...] se opuso tenazmente y combatió el predominio de lo que para entonces existía, el estancamiento [...] y la decadencia del modernismo".[26]

También desde el punto de vista político y filosófico estos escritores son característicamente transicionales. Su rechazo a la dictadura gomecista se traduce en una negativa de colaboración y en una marginación de la actividad pública, sin que —por lo menos en la mayoría de ellos— su actitud implique un compromiso activo de oposición.[27] Del mismo modo, su rechazo al positivismo —que aparecía como sistema

---

[22] *Cfr. Pío Tamayo y la vanguardia*, ed. cit., p. 44. Óscar Sambrano Urdaneta habla de una "especie de simbiosis estética, que lleva a los poetas a enriquecer la cultura literaria de los pintores, mientras reciben estos las revelaciones atinentes al tratamiento del color, de las formas, de la perspectiva" ("Fernando Paz Castillo y su obra poética", loc. cit. *supra*, p. 20).

[23] "Un rasgo notable de los poetas del 18 —anota J. Liscano— fue su pudor en publicar" ("Ensayo introductorio" cit., p. 25).

[24] A. Uslar Pietri atribuye al aislamiento y la falta de información de lo que entonces estaba ocurriendo en la poesía en el mundo "la poca homogeneidad de ese movimiento, la suma inconstante y hasta contradictoria de las influencias que sufrió, y lo personal y distinto de la obra que cada uno vino a realizar en particular". En *Letras y hombres de Venezuela*. Madrid: Edime, 3ª ed., 1974, p. 294.

[25] *Ibíd*.

[26] Fernando Paz Castillo, *Reflexiones de atardecer*. Caracas: Ediciones del Ministerio de Educación, 1964. Vol. II, p. 427.

[27] "Políticamente no fueron revolucionarios —señala O. Sambrano Urdaneta— la inconmovible solidez del régimen gomecista generó en casi todos ellos la creencia de que no había otro recurso que aguardar la desaparición del dictador. Fieles a su apoliticismo, algunos de ellos optaron por permanecer fuera de las esferas gubernamentales, apegados a ciertas categorías idealistas y en espera del triunfo de éstas" (loc. cit., p. 32).

ideológico de los intelectuales comprometidos con el gomecismo[28]— los llevó a adscribirse a un vago idealismo filosófico con fuertes simpatías por el pensamiento de H. Bergson.[29]

Este mismo carácter transicional y actualizador es lo que explica la diversidad y heterogeneidad que adquiere el desarrollo de la producción concreta de los poetas del 18. Mientras unos prolongan en otro tono los logros del Modernismo, otros se convierten en pioneros y adelantados que preparan las condiciones que permitirán la formación de los vanguardistas que insurgen diez años más tarde. Con bastante precisión ha definido José Ramón Medina el perfil histórico de este grupo al señalar que "como punto de referencia, de cruce de tendencias o fecha de transición —que todo eso le es aplicable— la generación del 18 aparece [...] como una generación intermedia o transicional". Y agrega "esto se verá más claro cuando se asista al extraordinario impulso poético que revestirá entre nosotros el movimiento de vanguardia de 1928. De tal manera, los poetas del 18 generan su obra a orillas o en el seno del propio modernismo, con influencias más o menos precisas junto al impulso de cambio que los anima, o se constituyen en adelantados del vanguardismo".[30]

Por todo lo anterior, si bien no puede atribuirse al conjunto de los escritores de la llamada "generación del 18" una condición prevanguardista o de avanzada renovación literaria, varios de los que entonces surgen al mundo de las letras sí lo son y se integran a la promoción siguiente que diez años más tarde constituye la vanguardia artística. Los nombres de José Antonio Ramos Sucre, Fernando Paz Castillo, Jacinto Fombona Pachano y Pedro José Sotillo aparecen con frecuencia en los periódicos y revistas de los años 20 tanto con poemas como con artículos en que se comentan, divulgan y promueven los valores (nacionales y extranjeros) y las ideas que significan un aporte a la renovación literaria. Y estos mismos nombres aparecen luego entre los colaboradores de la revista *válvula* en 1928.

Considerados como conjunto, los escritores de la llamada "generación del 18" marcan desde el punto de vista histórico el inicio del cuestionamiento generalizado del Modernismo y con su presencia comienzan a soplar en la literatura nacional los aires renovadores que fertilizan el tránsito a una nueva etapa.

---

[28] Puede verse al respecto el trabajo de Elías Pino Iturrieta, *Positivismo y gomecismo*. Caracas: Ediciones de la Facultad de Humanidades y Educación, 1978, donde se estudia en cuatro intelectuales de la época (Manuel Arcaya, José Gil Fortoul, Laureano Vallenilla Lanz y César Zumeta) el modo como se condiciona el pensamiento positivista a las necesidades de justificar la colaboración con la dictadura.

[29] "[...] fue una generación —dice Paz Castillo— principalmente idealista, inclinada a Bergson, tanto por la elegancia del Filósofo en su estilo [...] como por el contenido esencialmente francés de su obra" (Cit. por O. Sambrano Urdaneta, loc. cit., p. 31).

[30] *50 años de literatura venezolana (1918-1968)*. Caracas: Monte Ávila Editores, 1969, p. 11.

La presencia de J. J. Tablada en Caracas

"El vanguardismo —escribe J. R. Medina— tiene un precedente lejano en nuestra literatura en verso con la visita y permanencia en Caracas de un poeta mexicano, José Juan Tablada, quien inició entre algunos el gusto por la nueva estética".[31] Aunque es discutible calificar propiamente de "vanguardista" la experimentación de Tablada, no cabe duda que sí es renovadora y que contribuye poderosamente a orientar el proceso de búsqueda y de transición que cumplen los poetas del 18 en Venezuela.[32]

Efectivamente, en julio de 1919 llega al país como Secretario de la Legación Mexicana el poeta José Juan Tablada (1871-1945); en su doble condición de diplomático de un país que aparecía como símbolo continental de luchas populares y revolucionarias y de poeta conocido y consagrado, amigo de Rubén Darío y Gómez Carrillo, es recibido por los jóvenes intelectuales con entusiasmo y cariño. En una entrevista que se publica en *Actualidades* el 20 de julio de ese año, Tablada declara estar trabajando en un "nuevo camino", en la "posibilidad de una expresión simultánea lírica y gráfica"; hace referencia a la "Lettre-Océan" de Guillaume Apollinaire —que "me fue mostrada hace cuatro años, en Nueva York, por el pintor y escritor futurista Marius de Zayas"—, confiesa su entusiasmo y veneración por la obra de Apollinaire, y hace una declaración que puede considerarse un verdadero resumen programático del arte nuevo: "No hay que decir, *hay que sugerir*, así el lector resulta exaltado al rango de colaborador del poeta".[33]

También *Actualidades* publica algunos ejemplos de sus caligramas (Fragmentos del poema "Li-Po") y de sus "poemas sintéticos" (del libro *Un día...*) inspirados en el *hai-kai* japonés.[34] Ese mismo año Tablada publica en Caracas su libro *Un día... (Poemas sintéticos)*,[35] donde recoge su más reciente producción, que tuvo una gran acogida entre los jóvenes poetas. En estas páginas que *Actualidades* dedica a

---

[31] J. R. Medina, "Vanguardia y Surrealismo en Venezuela", *El Nacional*, XX, 7077, Caracas (16 de marzo de 1963), p. 6.

[32] Véase al respecto el testimonio de Fernando Paz Castillo, "José Juan Tablada", en su libro *Entre pintores y escritores*. Caracas: Editorial Arte, 1970, pp. 93-6.

[33] "La nueva poesía de José Juan Tablada", *Actualidades*, III, N°. 29, Caracas (20 de julio de 1919). Subrayado en el original.

[34] Reproducciones de las páginas con caligramas y poemas sintéticos de Tablada que se publican en *Actualidades* pueden verse en las láminas 94 y 33 del libro de Humberto Cuenca, *Imagen literaria del periodismo*. México, D. F./Caracas: Editorial Cultura Venezolana, 1961; la página con los caligramas se reproduce también en el ya citado libro de Agudo Freites, *Pío Tamayo y la vanguardia*, p. 48.

[35] José Juan Tablada, *Un día... (Poemas sintéticos)*. Caracas: Imprenta Bolívar, 1919. El libro fue coloreado a mano por Tablada y sus amigos los poetas venezolanos del 18, según testimonio de Paz Castillo: "se colorearon a mano, bajo la sabia dirección de Antonio Edmundo Monsanto, los dibujos impresos en negro por la Imprenta Bolívar para la edición, primorosa por ello, de *Un día*, primer libro de esta índole, según tengo entendido, escrito en castellano" (loc. cif. *supra*, pp. 95).

Tablada podemos encontrar dos elementos que de algún modo pasan a ser recurrentes en la poética del vanguardismo, y que justifican el que estudiosos como Ángel Rama y Raúl Agudo Freites valoren su presencia como un factor importante en la formación de la sensibilidad renovadora del Post-Modernismo venezolano.[36] Se trata de la concepción del lenguaje poético como sugerencia y la incorporación del espacio como factor expresivo del poema.[37]

El primero de estos principios forma parte de la artillería común de las vanguardias del siglo XX. En nuestro continente, en 1944 Vicente Huidobro en su libro *Pasando y pasando* publica su ensayo "El arte del sugerimiento", donde anticipa la misma idea que hemos citado de Tablada: "El sugerimiento libra de los lazos de unión entre una idea y otra, lazos perfectamente innecesarios, pues el lector los hace instintivamente en su cerebro".[38] En otros términos esta misma idea es también la que postula uno de los más conocidos teorizantes del Expresionismo alemán, Kasimir Edschmid, que en su conferencia de 1917 "Sobre el Expresionismo poético" señala:

> La realidad debe ser creada por nosotros. El sentido del objeto debe ser vivenciado. Es preciso no contentarse con el hecho creído, imaginado, anotado, la imagen del mundo debe reflejarse de un modo puro y no falseado. Esa imagen, sin embargo, sólo se encuentra en nosotros [...]. Ahora ya no se da la cadena de los hechos: fábricas, casas, enfermedad, mujeres, griterío y hambre. Ahora se da su visión.[39]

De algún modo, ésta es también la misma idea que se encuentra en el "Manifiesto-Editorial" de *válvula*, en 1928, donde se dice del arte nuevo que

> su último propósito es sugerir, decirlo todo con el menor numero de elementos posibles [...] o en síntesis, que la obra de arte [...] se produzca [...] más en el espíritu a quien se dirige que en la materia bruta y limitada del instrumento.[40]

---

[36] Véase el ya citado trabajo de Agudo Freites, esp. p. 46 y ss. Ángel Rama "Mezzo secolo di narrativa latinoamericana", Introducción a *Latinoamerica. 75 Narratori*. Firenze: Vallechi Editore, 1973, pp. 3-72, y particularmente "José Juan Tablada en tierras de Bolívar" *Escritura*, I, 1 [Caracas], enero-junio de 1976, pp. 174-79.

[37] Aunque su enfoque sea sólo parcial, sobre la importancia del *hai-kai* o *haikú* en la vanguardia puede verse el trabajo de Bárbara Dianne Cantella, "Del Modernismo a la Vanguardia: la Estética del Haikú", *Revista Iberoamericana*, XL, N°. 89, octubre-diciembre de 1974, p. 639-49; sobre el espacialismo de Tablada, el esclarecedor estudio de Alfredo A. Roggiano, "José Juan Tablada: espacialismo (y) vanguardia", *Atas do XVIII Congreso Internacional de Literatura Iberoamericana*. Rio de Janeiro: s. e., 1978, pp. 4-11.

[38] Citamos por el texto de *Obras Completas*, Tomo I, Santiago de Chile: Andrés Bello, 1976, p. 692.

[39] Kasimir Edschmid, "Uber den dichterischen Expressionismus", reproducido en Rolf Neuhoff, *Expressionismus, Dichtung und Dokumente*. Frankfurt am Main: Hirschgraben Verlag, 1959, Cit. p. 50.

[40] "Somos", en *válvula*, N° 1, Caracas (enero de 1928).

En resumen: Huidobro en 1914 en Chile, Kasimir Edschmid en 1917 en Berlín, Tablada en 1919 en Caracas y luego los jóvenes de *válvula* en 1928, todos en términos tan similares y en sitios tan desconectados que sería igualmente absurdo pensar en influencias mutuas como ignorar la comunidad de espíritu que impulsa la renovación artística que se pretende y propone.[41]

El segundo de los elementos que aporta Tablada en el momento que señalamos es lo que puede resumirse como la integración del espacio en el lenguaje poético. Concretamente se trata aquí de lo que después de Apollinaire sobre todo se conoce como *caligrama*, y que en sus diversas variantes, como señala Guillermo Sucre, a propósito de Tablada, "introduce en el poema un sentido espacial y no sólo temporal, rompe con la linealidad y la sucesión del verso creando un nuevo campo de fuerzas simultáneas".[42] Este tipo de escritura no es inédita ni desconocida en Occidente, ya que se remonta por lo menos al siglo IV a.n.e.,[43] y también el Simbolismo (piénsese en el *Coup de dès* de Mallarmé) la propone en la práctica; tampoco es ajeno a esto el "ideogramic method" que proponía Ezra Pound y algunas otras tentativas aisladas de comienzos de siglo. Pero es indiscutiblemente Apollinaire quien le da el impulso que la sitúa entre las preferencias de los vanguardistas.[44]

En Hispanoamérica parece ser también Huidobro el primero que experimenta con formas espaciales en la poesía, incluso antes que Apollinaire.[45] Si bien se trata de experimentos tipográficos solamente (no es el dibujo del poema, como harán

---

[41] Conviene no olvidar, de paso, que esta idea, la sugerencia, forma parte de la poética del Simbolismo, y especialmente de Mallarmé. *Cfr*. Phillippe van Tieghem, *Pequeña historia de las grandes doctrinas literarias en Francia*. Caracas: Ediciones de la Biblioteca de la Universidad Central de Venezuela, 1963, pp. 231 y ss. Tb. Ana Balakian, *El movimiento simbolista*. Madrid: Ediciones Guadarrama, 1969, esp. pp. 120-21.

[42] Guillermo Sucre, *La máscara, la transparencia. Ensayo sobre poesía hispanoamericana*. Caracas: Monte Ávila Editores, 1975, cit., p. 90.

[43] En Miguel D'Ors, *El Caligrama, de Simmias a Apollinaire*. Pamplona: Ediciones Universidad de Navarra, 1977, se puede encontrar una buena bibliografía y una antología. Cabe anotar, sin embargo, que no menciona a Huidobro ni a Tablada, como tampoco a Alberto Hidalgo ni a ningún hispanoamericano. En nuestro continente hace falta un estudio sobre la escritura espacial, ideogramática o caligramática y sus eventuales vertientes propias, que podrían encontrarse en ciertos textos pedagógicos de Simón Rodríguez, concretamente su *Educación Republicana*, de 1849. *Cfr*. Simón Rodríguez, *Obras Completas*. Caracas: Universidad Simón Rodríguez, 1975, 2 Tomos; T. I, esp. p. 231. Sobre la escritura espacial en Tablada, aparte de los artículos ya citados, puede consultarse la nota de Eduardo Mitre, "Los Ideogramas de José Juan Tablada", *Revista Iberoamericana*, XL, N°. 89, octubre-diciembre de 1974, pp. 675-79.

[44] Como apunta certeramente Saúl Yurkievich (*Modernidad de Apollinaire*. Buenos Aires: Editorial Losada, 1968, esp. pp. 170 y ss.), "tres son las influencias decisivas [en la actualización del caligrama por Apollinaire]: Mallarmé, el movimiento futurista y las búsquedas cubistas" (p. 171).

[45] El primer texto de esta índole de Apollinaire, aún de carácter tipográfico, es "L'Antitradition futuriste", del 29 de junio de 1913. La "Lettre-Océan" es de junio de 1914.

Apollinaire y Tablada), las primeras muestras de una escritura espacial se encuentran en sus "Japonerías de Estío", Segunda Parte de *Canciones en la noche*, de 1913. Pero uno de estos poemas, "Triángulo armónico", con el título de "Japonería" se publica en el N° 6 de *Musa Joven*, en octubre de 1912.[46] En todo caso, la espacialización de la escritura poética no se debe reducir al caligrama, que no es sino una de sus formas más extremadas (y tal vez la menos productiva); la escritura espacial es el uso de la tipografía audaz, la utilización de los espacios en blanco, de la disposición gráfica de los versos, etc.[47]

En síntesis, la presencia y la actuación de Tablada en la Caracas de 1919 puede ser considerada como un importante aporte a la superación del Modernismo, ya que significa el echar a circular algunas de las propuestas más importantes de la vanguardia artística internacional. Y en este aspecto hay que considerar particularmente el principio de la poesía como *sugerencia* y la incorporación del espacialismo, lo visual como integrante del lenguaje poético. En el mismo año que llega Tablada a Caracas se publica el libro de Enrique Planchart *Primeros poemas*,[48] de inusitada frescura plástica y renovadoras imágenes impresionistas. El libro recibe el espaldarazo crítico del propio Tablada[49] y en cierto modo se convierte en la carta de presentación de los poetas venezolanos del 18.

Pero no es la poesía de Tablada ni la de Planchart lo que ocupa la atención en el mundo oficial de las letras. El verdadero impacto cultural y social lo provocaban gentes como Francisco Villaespesa (que arriba en 1920, el mismo año en que se marcha Tablada) o José Santos Chocano (que llega en 1923). Y en un medio asfixiante para lo nuevo como era el de entonces, "la visita de un Villaespesa o la de un Chocano eran [para los jóvenes] grandes acontecimientos retrasantes, que desviaban del camino que necesitaban seguir".[50] Porque, contrariamente a lo que suele inad-

[46] Conviene recordar que el Manifiesto de Marinetti "Distruzione della sintassi-Immaginazione senza fili-Parole in libertà", donde propone su "rivoluzione tipografica", atacando a Mallarmé (cuyo *Coup de dès*, publicado en *Cosmopolis*, en 1897, al parecer desconocía) es del 11 de mayo de 1913, es decir, varios meses posterior al poema de Huidobro. (Algún tiempo después de redactado este trabajo leí el artículo de René de Costa, "Trayectoria del Caligrama en Huidobro", donde veo confirmadas estas afirmaciones. *Cfr*. *Poesía* [Madrid] 3, noviembre-diciembre de 1978, pp. 27-44).

[47] Un buen ejemplo de la multiplicidad de posibilidades de esta modalidad lo encontramos en el libro de Alberto Hidalgo, *Química del espíritu*, de 1924. Allí se encuentra una especie de inventario de las posibilidades de un uso revolucionario del espacio y la tipografía, desde el "letrismo" puro (el poema "Jaqueca", p. 75), hasta el caligrama ("El destino", p. 65), pasando por la escritura vertical y ondulante ("Sabiduría", p. 25) y los "poemas enchufados", que en cierto modo anticipan la lectura múltiple que propone *Rayuela* de Cortazar, al entregar tres poemas entrecruzados.

[48] Enrique Planchart, *Primeros poemas*. Caracas: Editorial Victoria, 1919.

[49] En *Actualidades*, III, N°. 34, Caracas (24 de agosto de 1919).

[50] Arturo Uslar Pietri, *Letras y hombres de Venezuela*, pp. 294-95.

vertidamente sostenerse, el oficialismo y la dictadura no descuidan el mundo cultural; lo que ocurre es que sólo aceptan y propician en esa esfera aquellas manifestaciones que se integran a su sistema ideológico. Y mejor aún si no se trata de literatura sino de tesis ideológicas que lo sostienen, como es el caso —en ese mismo año de 1919— del *Cesarismo democrático* de Laureano Vallenilla Lanz,[51] ominoso esfuerzo de justificación "sociológica" de la dictadura, donde postula la tesis de que la condición híbrida y retrasada de nuestros pueblos hace del dictador el "gendarme necesario" para encaminarlos por las sendas de la civilización y el progreso.

En función de esta política cultural, muchos de los intelectuales y escritores de esos años son incorporados al servicio del régimen (es el caso de Manuel Díaz Rodríguez, por ejemplo) y, convertidos en corifeos unos, otros neutralizados con prebendas, se anonadan las posibilidades de renovación crítica, fortaleciéndose la mediocridad y originando una fisonomía intelectual y artística oficial donde campea la vanilocuencia y la retórica, y en la que se celebra la fraseología sonora, vacía y declamatoria que usurpa por largo tiempo los adjetivos de "literario" y "poético".

Los aires del exterior

No deja de llamar la atención, sin embargo, que en ese mismo ambiente se divulguen ciertos textos que pueden considerarse algunos como bastante insólitos y otros como bastante audaces. Una muestra de los primeros podemos encontrarla en la breve antología de poemas de Apollinaire que, con un artículo introductorio del español Enrique Díez Canedo, entrega la revista *Actualidades*, en marzo de 1919.[52] Un ejemplo de lo segundo lo tenemos cuando la revista *Cultura Venezolana*, a comienzos de 1920, "fieles —como señalan— a su programa de acoger [...] todas las palpitaciones de la vida moderna", publica el "Manifiesto del Grupo Claridad" (de Francia) y el "Manifiesto de los Trabajadores Intelectuales Alemanes". Estos dos documentos son expresión de algunos de los sectores más progresistas y avanzados de la intelectualidad europea de postguerra. El Grupo Clarté de Francia busca moti-

[51] Laureano Vallenilla Lanz, *Cesarismo democrático. Estudios sobre las bases sociológicas de la constitución efectiva de Venezuela*. Caracas: Empresa El Cojo, 1919. La traducción al francés, que realiza y prologa Marius André (*Cesarisme démocratique en Amérique Latine*. Paris: Editions de la Revue de l'Amerique Latine), parece ser de 1920.

[52] Enrique Díez Canedo, "Guillermo Apollinaire", *Actualidades*, III, N°. 9, Caracas (2 de marzo de 1919), pp. 19-21. En este artículo —fechado en Madrid— se señala que "en Apollinaire, mejor que en ningún otro escritor de las nuevas generaciones francesas, se define esa aspiración a unir, en una obra total, las experiencias de la vida con las aportaciones de todas las artes. Última, por ahora, de las supervivencias románticas, esa literatura que ha roto o ha querido romper con el pasado y con lo estático del arte para salir en busca de lo dinámico y proyectarse a lo futuro, ha encontrado estrechas todas las formas [...] y las ha hecho estallar".

var y encauzar la participación política de los intelectuales, y en su Manifiesto —firmado, entre otros, por Anatole France y Henri Barbusse— declaran que

> la guerra ha hecho desplomarse las apariencias, ha puesto de relieve las mentiras, los viejos errores, los sofismas hábilmente mantenidos que han ocasionado, en el pasado, el largo martirio de la justicia. En el presente se impone la necesidad de organizar la vida social según las leyes de la razón;

y terminan llamando a constituir una "Internacional del Pensamiento", que,

> como la *Internacional Obrera* tendrá sus congresos y será un día una autoridad bastante fuerte para prevenir las grandes injusticias, para hacerse escuchar de los Poderes públicos y para participar verdaderamente en la realización armoniosa de un futuro mejor.[53]

El "Manifiesto de los Trabajadores Intelectuales Alemanes", redactado por Heinrich Mann, es aún más definitorio y radical:

> Nos declaramos, pues, enemigos del Estado fundado en la fuerza que rebaja al hombre a la categoría de instrumento de la política de la violencia, del capitalismo que convierte al hombre en mercancía, adversarios de cualquier dominación de clase.

Y exigen un cambio en las relaciones sociales que termine definitivamente con todo tipo de autoritarismo:

> Debemos convertirnos en otros hombres, no solamente en hombres que vivan bajo otra Constitución, bajo otras relaciones económicas y sociales. La coexistencia de los súbditos ha sido destruida, queremos también destruir el sentimiento interno de la misma, para que en su lugar se levante el pueblo todo. Un cambio en las relaciones de hombre a hombre es necesario, las relaciones de superior a inferior, de productor a consumidor, de maestro a discípulo, deben transformarse de espíritu de subordinación al sentido de coordinación de una verdadera comunidad.[54]

No es fácil determinar la recepción que eventualmente pudieron tener estos planteamientos, pero es de suponer que fueron leídos y que de algún modo contribuyeron a ir diseñando la imagen de una realidad cambiante y renovadora que bullía más allá de las fronteras que fijaba el gomecismo. De un modo u otro, también muestran que en los medios intelectuales se filtraban las nuevas ideas y que había oídos aler-

---

[53] *Cfr*. "Manifiesto del Grupo *Claridad*", *Cultura Venezolana*, Año II, Tomo IV, Nº 11 (febrero de 1920), pp. 225-28.

[54] *Cfr*. "Manifiesto de los Trabajadores Intelectuales Alemanes", *Ibíd*., pp. 229-31.

tas a los aires progresistas que agitaban el mundo de la postguerra.[55] Sin embargo, como ya se ha señalado, estos ecos son opacados por la declamatoria retórica favorecida por el régimen. Como prueba de ello, ese mismo año, poco después de la partida de José Juan Tablada (el 20 de enero) es recibido a toda orquesta el español Francisco Villaespesa (8 de marzo), que volverá en 1921 para estrenar su drama *Bolívar*, al que incorpora un soneto en el que parangona a Gómez con el Libertador.[56]

En los mismos días en que se estrena la obra de Villaespesa (la representación, con asistencia del dictador Gómez, se realiza el 3 de septiembre) se reproduce en *El Universal*, que dirigía el poeta Modernista Andrés Mata, la respuesta que desde París escribe José Gil Fortoul a un cuestionario sobre la literatura hispanoamericana elaborado por el uruguayo Hugo D. Barbagelata. En ella se señala la existencia de un "divorcio hispanoamericano" con respecto a las letras peninsulares, puesto que después de la emancipación "alma y letra americana tomaron otros rumbos, hacia Francia e Italia, hacia Inglaterra y Estados Unidos, después también hacia Alemania [...]. Francia ha predominado y predomina". Aunque no pueda suponerse intencional respecto al vasallaje que se rinde en esos días al engolado y artificioso drama de Villaespesa, es interesante registrar su alusión a la presentación de una compañía teatral argentina en París, que entrega, entre otras cosas, "uno que otro ensayo magistral de Florencio Sánchez", y tiene como particularidad "el lenguaje y el acento criollos" y los caracteres populares y de clase media.

En ese mismo artículo destaca el carácter cada vez más internacional de las literaturas: "En general, no es posible considerar hoy la literatura de un país —menos aún la de todo un Continente, que es nuestro caso— como movimiento aislado del que empuja a otros países o Continentes"; señala el cosmopolitismo como un rasgo creciente y necesario de nuestras letras ("Cuando seamos más cosmopolitas seremos más originalmente americanos"); y ante la pregunta sobre si se ha cerrado el ciclo Modernista y se inició otro, responde:

---

[55] Al año siguiente, la misma *Cultura Venezolana* acoge en sus páginas el llamado "A los Intelectuales y Estudiantes de la América Latina", que firman Anatole France y Henri Barbusse. En el encabezado de la Redacción la revista "envía su cordial saludo a los dos grandes luchadores franceses que vienen trabajando con entusiasmo y fe de apóstoles por el advenimiento de una verdadera paz mundial, basada en la libertad, en la equidad y en la justicia social" (*Cultura Venezolana*, III, N° 25, mayo de 1921, pp. 169-72). Es interesante anotar el hecho de que el texto del mensaje fue enviado por intermedio de José Ingenieros.

[56] La mejor investigación que conocemos hasta ahora sobre la documentación en la prensa de los años 20 de Caracas de la actividad literaria y cultural es la que entrega Raúl Agudo Freites en su libro ya citado *Pío Tamayo y la vanguardia*. A este trabajo remitimos al lector interesado en ampliar información al respecto.

> ¿Modernismo en nuestra América? Sí, como hubo romanticismo, naturalismo, parnasianismo, simbolismo, copiados de la moda parisiense, con algunas excursiones a Londres o a Berlín, ¿se está cerrando allí [en América] el reciente ciclo? Probablemente se cerrará más tarde que acá [en Europa], porque las modas suelen viajar con cierta lentitud. *Ya se notan vislumbres de la moda futurista, cubista, dadaísta y ruidista*. Afortunadamente muchos de allá, para no desbocarse, tienden también a enlazar literatura y filosofía: han leído a James, a Henri Poincaré, a Bergson, a Croce, y están estudiando a Einstein, parafraseando a Keyserling y embriagándose con la libido de Freud (el subrayado es mío).[57]

Como puede apreciarse, si descontamos la posición eurocentrista de la cultura que traspasa toda la tesis de Gil Fortoul, hay aquí un enfoque mucho más matizado de los cambios que se están dando en literatura y una valoración más ponderada de la significación que pueden tener las escuelas de vanguardia.[58]

Renovación de la narrativa y la lírica a comienzos de los 20

Pese a todos estos antecedentes, hasta 1924 no es mucho el desarrollo que se puede advertir en las manifestaciones de lo que en otros países del continente se denomina ya como el “arte nuevo” o la “nueva sensibilidad”. La acción en esos años de los poetas del 18 no logra romper la coriácea piel defensiva de los literatos que dominaban el mundo artístico y el gusto de la naciente burguesía venezolana. Por otra parte, como ya se ha señalado, es muy poco lo que los poetas de esta nueva promoción publican por entonces, y su producción circula más bien manuscrita y entre amigos que impresa en libros o revistas.[59]

Tal vez por esta razón las muestras más significativas de una reacción contra el coruscante lenguaje del Modernismo epigonal se puedan encontrar sobre todo en algunas obras narrativas de esos años; es necesario, sin embargo, tomar en cuenta que las obras a que hacemos referencia no se pueden situar en propiedad dentro de una línea que conduzca a la vanguardia propiamente tal, sino que se encuentran den-

---

[57] *El Universal*, N° 4424, Caracas (11 de septiembre de 1921). El texto se incorpora al libro de Gil Fortoul, *Sinfonía inacabada y otras variaciones*. Caracas: Editorial Sur-Americana, 1931, Citamos de la edición de *Obras Completas*, Tomo VII. Caracas: Ministerio de Educación, 1957, donde el artículo figura entre las páginas 365-75.

[58] Esta misma actitud se advierte en su frustrada conferencia sobre el vanguardismo en el año 28, a la que más adelante nos referimos.

[59] Julio Garmendia, en un artículo sobre Pedro José Sotillo, en 1923, dice que sus obras están en “libros que ha hecho en máquina de escribir y después ha ordenado del todo, con portada, pasta, títulos, índices, etc., y que de este modo han pasado de mano en mano en el grupo de sus camaradas” (*El Universal*, 13 de junio de 1923).

tro de la orientación de un nacionalismo temático de marcado acento crítico, como es el caso de Enrique Bernardo Núñez (1895-1964), Rómulo Gallegos (1884-1969) o José Rafael Pocaterra (1890-1955).

En 1920, Enrique Bernardo Núñez publica su novela *Después de Ayacucho*,[60] que si bien no tiene la audacia renovadora y ruptural que alcanza más tarde con *Cubagua* (1931), puede ser considerada como un hito en la ruptura con el abigarrado descriptivismo ambiental con que solían adquirir patente de "estilista" los narradores de aquel entonces.[61] Aunque la novela explícitamente se sitúa en una época pasada (el período de gobierno de los Monagas), es un disparo crítico por reflexión al presente. El mundo venezolano que surge "después de Ayacucho" es un mundo degradado y carente de principios, que posibilita el ascenso y la glorificación de cualquier audaz, como Miguel Franco, el protagonista. Pero, desde el punto de vista que ahora nos interesa, lo que llama la atención en esta obra es el predominio insistente y sistemático del diálogo como vehículo narrativo, eludiéndose en lo posible la descripción —que trata de ser estrictamente funcional— y suprimiendo prácticamente las digresiones tanto líricas como explicativas. Este nuevo lenguaje narrativo que aquí se intenta otorga a la obra un mérito que no ha sido valorado aún en lo que tiene de aporte al proceso de superación de la sobrecargada prosa modernista-simbolista dominante.[62]

En esos mismos años —aunque sólo se publica en 1946— escribe también José Rafael Pocaterra su novela *La casa de los Ábila*[63] y Rómulo Gallegos hace su estreno como novelista con *El último Solar* (1920). Sin atribuirles rasgos de renovación audaz ni mucho menos, no deja de ser cierto que ambas novelas pueden considerarse como contribuciones positivas al despeje de caminos para superar los cánones narrativos del Modernismo. En 1923 llega a Venezuela José Santos Chocano, cumpliéndose así otro de los "acontecimientos retrasantes" de que habla Uslar Pietri. Ese mismo año también se premia en España al poeta Andrés Eloy Blanco, hecho que constituye en cierto modo un respaldo internacional a la nueva promoción de jóvenes escritores. De paso también puede señalarse que a comienzos de ese mismo año

[60] E. B. N., *Después de Ayacucho*. Caracas: Tipografía Vargas, 1920. Del mismo autor se había publicado antes otra novela: *Sol interior* (1918), todavía dentro de la norma Modernista, sobre todo en el lenguaje y tono narrativo general.

[61] Esto puede apreciarse mejor si se comparan el lenguaje y tono narrativo de esta novela con, por ejemplo, *Peregrina*, de Manuel Díaz Rodríguez, publicada por esos mismos años.

[62] No andaba descaminado Dillwyn F. Ratcliff, en 1933, cuando decía que el Modernismo, que "ha dado a las letras venezolanas algunas notables páginas de fantasía creadora, ha sido también el refugio de estetas de escogido vocabulario y muy poco que decir." *La prosa de ficción en Venezuela*, Rafael Di Prisco, trad. Caracas: Universidad Central de Venezuela, 1966, p. 93.

[63] Publicada en Caracas: Editorial Élite, 1946. Al final del texto se lee: "La Rotunda-Celda 41. 1920-21", y una nota a modo de *ex libris* señala: "Esta novela fue escrita hace veinticinco años. Quedó en precarios borradores mucho tiempo. Etc."

se reproduce un artículo del Modernista Gómez Carrillo en el que comenta ácidamente el nuevo lenguaje propuesto por el Futurismo. En él se mofa de los intentos de Marinetti, a quien enrostra propender "hacia el porvenir utópico del comunismo estético" (*sic*). Después de resumir las principales proposiciones del corifeo del Futurismo italiano, señala:

> Naturalmente el ilustre apóstol del Futurismo, que a su modo es una especie de bolchevique literario, se figura que merced a estas reglas el escritor será más libre y más feliz que sus predecesores en el ejercicio de su oficio. Suprimiendo el capital de fórmulas amontonadas por la tradición, quiere que sus discípulos se repartan los tesoros caóticos del diccionario a su antojo, y para facilitar el saqueo suprime la ortografía, la sintaxis, los adjetivos y hasta el adverbio.

Naturalmente también, el prolífico cronista no pretende ningún examen crítico de la propuesta sino sólo ironizarla despectivamente. Pero el hecho de que se haya publicado aquí y en un periódico de la provincia puede tomarse como índice de una cierta preocupación y, por lo menos, de que se conocía y se sabía de tentativas vanguardistas como ésta.[64]

En otro plano, se puede encontrar que en el mismo año de 1923, bajo el título común de "Los nuevos poetas", Julio Garmendia publica tres artículos dedicados a comentar —muy superficialmente, por cierto— la obra de sendas figuras que se vinculan estrecha y activamente a la renovación literaria que abre camino a la vanguardia. La primera de estas notas está dedicada a Pedro José Sotillo, y ella destaca especialmente su condición distinta, extraña con respecto a las normas habituales del ser poeta y escribir poesía:

> Estamos consustanciados con la idea de los poetas tristes, tristísimos, a tal punto que el hecho de que ahora aparezca uno que no lo es parece algo anormal. En tal sentido, y dentro de nuestras costumbres líricas, Pedro José Sotillo puede considerarse como un poeta monstruoso y fenomenal...

Más adelante destaca la renovación temática y de perspectiva que ofrece la poesía de Sotillo. Refiriéndose a su poema "Libros" dice:

> Este, como los llamados "Ventanas", "El poste", "Tejados" y algún otro, forma un grupo de composiciones en las que se propone desarrollar temas inusitados, considerándolos, a la vez, por su aspecto grotesco y sentimental. La mezcla les comunica un sabor nuevo que está muy distante de resultar empalagoso y ha de ser más bien desabrido para los gustos habituados a otro género de poesía.

---

[64] Véase Enrique Gómez Carrillo, "La Gramática revolucionaria", *El Impulso*, [Barquisimeto], XX, 5444 (5 de marzo de 1923).

Julio Garmendia reconoce la discordancia de esta poesía con respecto al gusto dominante, y señala que estos versos "no serán del agrado de una parte muy numerosa y cultivada del público que los lea, porque rompen muchos moldes y quiebran muchas medidas".[65] En el segundo artículo se refiere a Jacinto Fombona Pachano, destacando su preferencia por los motivos relacionados con la vida de los barrios y los sectores humildes de la población.[66] El tercero de ellos está dedicado a la poesía de Antonio Arráiz, concretamente al conjunto de poemas que un año más tarde se publicarán bajo el título de *Áspero*. Después de un examen de algunos de los principales aspectos de esta poesía, termina la nota con las siguientes afirmaciones:

> Su lenguaje tiene un sabor extraño y primitivo, como si fuera hablado por gentes rudas. El poeta habla del castellano como de una "lengua extranjera". Y efectivamente, un idioma tan cultivado como el español ha de mostrarse reacio al sello peculiar que trata de imprimirle Antonio Arráiz, y cuyo renovador impulso está destinado a inquietar a muchas inteligencias conservadoras en materia de arte.[67]

Estos tres "nuevos poetas" —a los que luego encontraremos entre los colaboradores de *válvula*— apenas han cruzado la adolescencia. Sotillo tiene a la fecha 21 años, Fombona Pachano 22 y sólo 20 Antonio Arráiz. Los dos primeros se vinculan a la reacción del 18 y el tercero, que a los 16 años había partido a los Estados Unidos y acababa de regresar, aportaba su voz a la renovación poética que intentaban sus coetáneos. No erraba Garmendia al anticipar que la poesía de Arráiz iba a "inquietar a muchas inteligencias conservadoras en materia de arte". Cuando al año siguiente se publica *Áspero*, el primer libro de Antonio Arráiz,[68] un aire agresivamente nuevo sopla violentamente en la poesía nacional y abre caminos a una renovación cada vez más radical y avanzada. Muchos años más tarde, desde la perspectiva de la distancia temporal, la revista *Zona Franca*, al hacer un balance de la vanguardia Venezolana otorga a este libro un lugar señalado y pionero en la transformación de la lírica nacional:

> Venezuela vivió entre 1924 y 1930 un momento de intensa renovación y ruptura con el pasado. Inició la rebelión Antonio Arráiz (1903-1962), en 1924, con un libro de versos titulado *Áspero*, cuyo contenido pretendía barrer con los resabios postmodernistas, las idealizaciones novecentistas, los malabarismos preceptivos y las motivaciones sentimentales y dulzonas. *Áspero* cantaba el deseo en un lenguaje bronco, exaltaba el pasado aborigen, los impulsos vitales, la naturaleza, cierto prestigio bárbaro y viril.

---

[65] *El Universal*. [Caracas] (13 de junio de 1923).
[66] *El Universal*, [Caracas] (24 de junio de 1923).
[67] *El Universal*, [Caracas] (22 de julio de 1923).
[68] Antonio Arráiz, *Áspero*. Caracas: Imprenta Bolívar, 1924.

> Además introducía —tímidamente se advierte ahora— el versolibrismo en nuestra poesía.[69]

Es cierto que el libro de Arráiz no es una obra propiamente vanguardista, si la comparamos con lo que entonces se producía en este aspecto en el continente. Sólo a título de ejemplo, se puede recordar que un año antes se había publicado *Química del espíritu* del peruano Alberto Hidalgo,[70] y que en 1921 se escriben poemas experimentales, como "Orquestación Diepálica" de los puertorriqueños Palés Matos e Isaac de Diego Padró,[71] o poemas manifiestos vanguardistas, como "Arte Poética N° 2" del ecuatoriano José Antonio Falconi Villagómez.[72] Pero aunque no pueda en propiedad de términos y a nivel continental considerarse una obra vanguardista, sí puede decirse que estaba en la vanguardia de la producción lírica venezolana y que se inscribe en lo que Mariátegui considera "una de las benemerencias más evidentes del vanguardismo" en nuestra literatura: "la reacción contra la retórica y contra el énfasis".[73] Y es por este ángulo que la obra de Arráiz se vincula a la vanguardia. Y por ser un libro agresivamente antirretórico y a contrapelo del engolamiento enfático de la estética dominante, esta obra —independientemente de la opinión que pueda tenerse de sus valores poéticos hoy en día— cumple entonces una función fertilizadora importantísima para la renovación de la lírica venezolana del período.

Ya a esta altura, 1924, las búsquedas renovadoras y vanguardistas habían ganado cierto derecho a ser consideradas como legítimas por parte de los espíritus más abiertos, aun cuando no compartieran su afán. El unánime y burlón rechazo con que había sido registrada la existencia de estas corrientes empieza a mostrar ciertas fisuras y en ese año es posible documentar un cambio en la actitud del sector detractor. Un buen ejemplo de ello lo podemos ver en el artículo sin firma que comenta el libro *Química del espíritu* de Alberto Hidalgo, publicado en la primera página del periódico *El Universal*. Este comentario —extenso, inteligente y ponderado—, escrito evidentemente por un escritor de oficio y que no comparte los postulados de la nueva sensibilidad, ilustra muy adecuadamente un cambio en la actitud hacia la vanguardia desde el frente que hasta entonces la rechazaba cerradamente:

---

[69] "La vanguardia literaria del 28 cuarenta años después", en Zona Franca [Caracas], N° 63 (nov.-dic., 1968), pp. 10-5. Cit. p. 10.

[70] Escrito con minúsculas: alberto hidalgo, *química del espíritu*. Buenos Aires: Imprenta Mercatali, 1923.

[71] El poema se publica en el diario *El Imparcial*, el 7 de noviembre de 1921. Su texto puede consultarse en Luis Palés Matos, *Poesía Completa y prosa selecta*. Caracas: Biblioteca Ayacucho, 1978, pp. 142-43.

[72] El texto puede consultarse (sin indicación de fecha) en la antología de Hernán Rodríguez Castelo, *Los otros post-modernistas*. Quito/Guayaquil: Clásicos Ariel, s. f., pp. 27-8.

[73] José Carlos Mariátegui, "Literaturas europeas de vanguardia", en *Variedades* [Lima], (28 de noviembre de 1925). Reproducido en J. C. M., *El artista y su época*. Lima: Empresa Editora Amauta, 5ª ed., 1973, pp. 114-19. Cit. p. 116.

> Aun no estando en lo más mínimo de acuerdo con ciertas desmesuras y funambulismos, que juzgamos reñidos con la índole de la poesía, esencialmente ideo-fónica en nuestro sentir, no debemos volvernos de espaldas desdeñosamente ante aquellos esfuerzos que podríamos calificar de futuristas. Encierran muchos de ellos, en efecto, virtudes nuevas, excelentes intuiciones, y por sobre todo —si hacemos abstracción de una que otra contorsión artificiosa de algún devoto del exhibicionismo—, un calor de buena fe que bastaría para absolverlas. Frustrados o realizados, ante aquellos anhelos podríamos glosar a Hugo en su amplio concepto: el mérito no se halla en haber encontrado sino en haber buscado.[74]

Este artículo parece ser en Venezuela el primer reconocimiento público hecho por alguien que se adscribe a la tradición modernista-simbolista (repárese en su postulación de la esencia ideo-fónica de la poesía) de la legitimidad de las búsquedas experimentales y renovadoras del vanguardismo. Es una muestra de que el espíritu renovador ya estaba logrando no imponer su credo pero sí la validez de su existencia. Hasta ese momento las distintas manifestaciones de la nueva sensibilidad habían tenido una existencia marginal, precaria, y dispersa; su producción no tenía ningún cauce orgánico y apenas si lograba asomar tímidamente en medio del farragoso despliegue sonoro y retórico del modernismo epigonal que alimentaba las secciones literarias de diarios y revistas. Por primera vez toma cuerpo más pleno en el libro de Arráiz en 1924, pero ya en el año siguiente surge una posibilidad de vinculación gregaria más positiva, al iniciarse la publicación de una revista que acogerá progresivamente en sus páginas, primero en forma ocasional, y luego de modo permanente y abierto la inquietud de los jóvenes y renovadores. Se trata de la revista *Élite*, cuya presencia a partir del mes de septiembre de 1925 abre una nueva etapa en el proceso de constitución de la sensibilidad y la producción vanguardista en Venezuela.

Tomado de Nelson Osorio. "Antecedentes de la vanguardia literaria en Venezuela (1909-1925)", en *Hispamérica*, año XI, núm. 33, 1982, pp. 3-30. El autor es profesor de la Universidad de Santiago de Chile (nosorio@lauca.usach.cl).

[74] "Un cantor de Bolívar", en *El Universal*, [Caracas] XVI, 5449, (18 de julio de 1924). Me siento tentado a pensar que su autor es el poeta Andrés Mata, pero no tengo ninguna prueba de ello.

Javier Lasarte Valcárcel

Historia de vanguardia

Una vanguardia, dos vanguardias, treinta y seis vanguardias

> Tal vez la arrogancia de nuestra postmodernidad se precipite al liquidar y archivar bajo siete llaves las 'vanguardias históricas' como proceso definitivamente clausurado, parricidio injustificable cuando aún no hemos terminado de descubrirlas y cuando aún se siguen presentando ante nosotros en sucesivas revelaciones (Castro Morales: 125).

Mientras en los años 70 y 80 los centros culturales hegemónicos tramaban el descrédito de las vanguardias de todo tenor, índole o momento, la crítica literaria cultural latinoamericana de esos mismos años promovía el auge de los estudios dedicados a revisar el período de las vanguardias históricas. Aunque se esté lejos de decir la última palabra, estos estudios contribuyeron a llenar vacíos de conocimiento, a desarrollar proposiciones que revelaran en la lectura especificidades del proceso latinoamericano, y a establecer los enlaces de ese momento de la literatura latinoamericana con sus antes y sus después. Algunos de los más importantes estudios de estas últimas décadas dedicados a la vanguardia histórica fueron desarrollados por críticos cuya filiación difícilmente puede desligarse de proyectos que se constituyeron en los años 60, más concretamente de aquellos que destacaban el carácter latinoamericanista y alternativo o revolucionario de su ideología. En ellos se hacía más o menos evidente la intención de: 1) mostrar la existencia de la vanguardia latinoamericana, que no se correspondía con la europea ni podía ser sometida a sus baremos, pues incluso en los casos de apropiación mecánica de proclamas europeas, el tamiz del 'menardismo' haría que adquiriesen significación distinta; 2) insistir en el carácter continental —latinoamericano— del fenómeno y, por consiguiente, determinar el diseño estructural de su sistema a partir de sus líneas más determinantes; y 3) hacer énfasis en la idea de cambio histórico-artístico. (La otra vanguardia, la de los años 60 y 70, encontraba así claves de identificación, construía un modelo de su propio proyecto.) Paralela o posteriormente diversos estudios se ocuparían tanto de dar mayor cabida a la inflexión de peculiaridades individuales, nacionales o regionales con el fin de flexibilizar los enfoques sistémicos,[1] como de hacer menos exce-

[1] La necesidad de colocar el énfasis en la inflexión se ofrece manifiesta o implícitamente al recorrer diseños antológicos como los de Schwarz o Verani, en artículos como "La parábola de las

siva la idea de cambio, resaltando la conexión causal entre modernismo y primera vanguardia (Yurkievich: 11), como para corregir el privilegio de la irrupción adolescente y la caricaturización de lo precedente.[2] Los principales estudios que reinterpretan o reconstruyen la época de la vanguardia latinoamericana coinciden en señalar la dificultad de caracterizar en términos simplistas el conjunto de las manifestaciones que la integran, y la consecuente ambigüedad y complejidad que se desprende de esa lectura. Ya Ángel Rama advertía en 1973 contra "los críticos superficiales que" —para caracterizar la vanguardia— "se limitan a la fácil división de viejo y nuevo sin dar un sentido a estos términos" (Rama: 8). Propondría entonces la consideración de al menos dos debates sobrepuestos en la producción de vanguardia en América Latina:

> De un lado está la oposición de viejo y nuevo en materia de forma artística, que constituye el trasfondo homogéneo para la ruptura de la vanguardia [...]. Del otro lado, hay un debate diverso, situado al interior de la vanguardia que contrapone dos modos de la creación estética en relación a la estructura general de la literatura (y también de la sociedad latinoamericana) [...]: un sector de la vanguardia, más allá del rechazo de la tradición realista en su aspecto formal, tiende a retomar de esta su vocación de insertarse en una comunidad social, posición a través de la cual se vincula a la ideología regionalista; otro sector, por conservar íntegra su formulación de vanguardia, [...] intensifica su conexión con la estructura de la vanguardia europea (11-12).

Señalaba además Rama que el tiempo de los manifiestos en el que todos eran uno sería sucedido por otro tiempo de "sistematización de los valores, sea artísticos o ideológicos, gracias a la cual todos fueron al menos dos" (8), por lo que podría hablarse de una "doble vanguardia latinoamericana".

Unos años más tarde, Nelson Osorio insistiría en apuntar la dificultad de su caracterización, sobre todo si se considera la vanguardia como sólo uno de los componentes de los intentos de superación de las estéticas modernistas:

---

vanguardias latinoamericanas" de Alfredo Bosi (en Schwartz), o en la lectura del martinfierrismo que propone Sarlo.

[2] Aunque a estas alturas puede ser ya evidente, quiero rescatar la idea de que el "cambio", además de un posible hecho histórico, es también un artefacto o imagen cultural que surge de las interpretaciones e incluso construcciones discursivas de las sucesivas lecturas que de él puedan hacerse. Quiero decir con esto que, aun en el caso de que haya sido proclamado en su momento, puede 'leerse' un cambio donde posiblemente no lo haya u otro lector no lo lea; llamarse cambio a lo que otro puede considerar como modificación de mayor o menor trascendencia; puede incluso preguntarse por el porqué del empecinado énfasis en el subrayado del cambio o el porqué de intentar atenuar su alcance o el porqué de averiguar qué ocurrió tras la irrupción con los agentes y factores de ese cambio —sus reordenamientos posteriores—, según lecturas euforistas o desencantadas o... Se trata en última instancia de opciones (ideológicas) de lectura —como sin duda es ésta— que buscan —como es normal y deseable— llevar agua a su molino y montar su historia.

> No es fácil llegar a una caracterización del conjunto de este período, ya que su fisonomía parece a primera vista no sólo compleja sino aun contradictoria, puesto que [...] los impulsos de superación del Modernismo no se encauzan por una sola vía. En la producción literaria de este período postmodernista se encuentran tanto las del llamado Mundonovismo regionalista y rural como las más agresivas creaciones de un vanguardismo urbano y cosmopolita (Osorio 1985: 67).
>
> [...] estas dos tendencias [mundonovismo y vanguardismo artístico] [...] no logran compartimentar la totalidad de la literatura que entonces se produce [...], por lo que más que agotar el panorama de conjunto pueden ser consideradas como los polos extremos entre los cuales se despliega el amplio abanico de la renovación artística. Por eso mismo parece más ajustado a la realidad el definir esta etapa post-modernista en Hispanoamérica como un proceso renovador de amplio espectro, [...] cuya taxonomía no es fácil de elaborar (69).

Esta proposición de 1985, anunciada en sus trabajos anteriores desde 1978, no hace más que confirmarse en su última formulación de 1988, el "Prólogo" a *Manifiestos, proclamas y polémicas de la vanguardia literaria hispanoamericana*. Del mismo modo, en la continuación del convite interpretativo, Alfredo Bosi, en 1991, señalaría que "nuestras vanguardias no sugieren otra forma que la de un mosaico de paradojas" (en Schwartz: 14), puesto que en ellas se registran:

> a veces en el mismo grupo y en la misma revista, manifiestos donde se exhibe lo moderno cosmopolita [...] al lado de convicciones exigentes sobre la propia identidad nacional, e incluso étnica, mezcladas con acusaciones al imperialismo que desde siempre atropelló a los pueblos de América Latina (14).

Pero Bosi suma a esta idea, ya casi tradicional en los estudios sobre la vanguardia, una proposición de doble arista que creo crucial como punto de partida para futuros estudios. Por un lado, propone añadir a la consideración sincrónica y sistémica de la(s) vanguardia(s) la idea de un devenir que pueda dar cuenta de la complejidad en su máxima, casi histérica, dimensión:

> Las vanguardias no tuvieron la naturaleza compacta de un cristal de roca, ni formaron un sistema coherente en el cual cada etapa refleja la estructura uniforme del conjunto. Las vanguardias se deben contemplar en el *flujo del tiempo* como el vector de una parábola que atraviesa puntos o momentos distintos (15; subrayado mío).

Y, por otro, la consideración del "amplio proceso social en que se gestaron nuestras vanguardias", proceso cimbrado por su "condición colonial", condición que, a su vez, impone la "dialéctica de la reproducción del otro y el auto-examen, que mueve a toda cultura colonial o dependiente" (15).

La proposición de Bosi instala la espiral de la discusión en un punto particularmente sugerente y fructífero: por un lado, la vanguardia histórica tiene su historia, múltiple y multiforme; por otro, además de que ciertamente existieran condiciones internas y propias para el surgimiento de una vanguardia en particular o de una renovación postmodernista en general, no es menos cierto que también a partir de la recepción de las vanguardias europeas las manifestaciones latinoamericanas fijan sus posiciones y perfilan sus especificidades, lo que supone un tramado indeterminable y rico de actitudes a un tiempo receptivas y proactivas.

Las próximas lecturas sobre la vanguardia difícilmente podrán desentenderse de los puntos de partida señalados o apenas insinuados hasta aquí. Habrá que definir la vanguardia por su condición básicamente compleja y heteróclita. Habrá que manejar la posibilidad de considerar la vanguardia no sólo como un movimiento, sino como una época (postmodernista, de entreguerras) en la que se despliegan un conjunto de proposiciones, de las cuales la vanguardia propiamente tal es sólo una parte. Esta ampliación del canon literario de la época de la vanguardia permitirá acoger y articular las diversas reformulaciones del criollismo o regionalismo modernista (Azuela, Payró, Gallegos, Pocaterra, Güiraldes, Rivera...), la presencia de 'outsiders' experimentales o nostálgicos (de Teresa de la Parra a Macedonio Fernández) a veces incluso antivanguardistas, y la propia vanguardia que, como se sabe, es al menos doble. La diversidad estallará en su más plena dimensión cuando se superponga la consideración simultánea de los ejes tradición/ruptura, cosmopolitismo/americanismo-nacionalismo, artepurismo/compromiso, que abren un haz de combinaciones —¿36 posibilidades de entrecruzamiento?—, y a partir de los cuales se diseñan los varios posicionamientos que las diversas tendencias generales de la época ofrecen.[3]

[3] La complejidad del tramado de esta época puede observarse con sólo tomar algunos de estos ejes. Así, por ejemplo, el carácter de la ruptura no se presenta de la misma manera en todos los países latinoamericanos, y mientras el estridentismo mexicano acoge con flagrante simpatía el futurismo italiano, o los martinfierristas se pronuncian por su más moderada vinculación con el ultraísmo, de hecho en algunos países como Uruguay o República Dominicana la crítica prefiere hablar más de renovación que de vanguardia; del mismo modo, la relación con la tradición más inmediata —la modernista— es diversa según los países y grupos —la admiración que muchos vanguardistas venezolanos profesan ya no sólo por Gallegos, sino también por Díaz Rodríguez o Urbaneja Achelpohl— o incluso en un mismo autor —piénsese en Borges respecto de Darío o Lugones—. Así, por ejemplo, también el nacionalismo, americanismo o criollismo muestra la diversidad de sus posibilidades al confrontar las posturas de Mariátegui, Borges, Vallejo, Carpentier, o la polémica de Mário de Andrade con los Verde-amarillistas. O también, tomando en cuenta lo que Raymond Williams denominara "políticas de la vanguardia", si se confrontan en períodos relativamente breves de tiempo la proliferación —a menudo contradictoria— de posiciones profascistas, demócrata-burguesas o revolucionarias —barriobajeras, obreristas, indigenistas...—, de parte de aquellos que reconocen el sentido político del arte. Un paseo por esta desconcertante variedad de paisajes puede reconocerse visitando y repasando algunas de las más recientes reconstrucciones de *corpora* programáticos: Verani (1990), Osorio (1988), Schwartz (1991).

Habrá que considerar en ella también, entre otras cosas, la historia interna de las dominancias de las distintas estéticas involucradas: la acaso sorprendente posibilidad de reconocer el predominio de estéticas nacionalistas —vanguardistas o no— durante los años 20 y 30, y el de los universalismos en el seguimiento de los escritores más allá de las décadas iniciales.[4] A ello habría que añadir la incidencia que pueda tener la dinámica de la recepción crítica a lo largo del tiempo: el privilegio de la ruptural fundacional desde los años 60, el de los nacionalismos en distintos momentos, o la nada azarosa preferencia en la postmodernidad por los *outsiders* de diverso cuño —Arlt, Fernández, Hernández, de la Parra, Ramos Sucre, Garmendia, Emar, Gorostiza, Palacio...—.

Vanguardia en Venezuela: irrupción y después

> [...] no nos faltaba más sino que vinieran ahora a estropeamos nuestras pobres y anémicas mujeres y a quemarnos los cuatro armatostes llenos de folletos y desgonzados libros que llamamos nuestra Biblioteca Nacional y el salón en que tenemos nuestro exiguo museo de Bellas Artes.
> ¡Oh, no, jóvenes, no hagáis tal cosa, no os dejéis arrebatar por los versos del millonario Marinetti! ¡Cantad sí los ferrocarriles, los automóviles y los aeroplanos, que todo eso es la civilización que tanta falta nos hace; cantad las luchas del Hombre con la Selva [...]; cantad los verdaderos ideales del siglo, la higiene, la economía social, la divulgación del saber y el internacionalismo que no excluye el patriotismo [...]!; acabad, por vida vuestra, con esa cáfila de poetastros afeminados y neuróticos, que bajo un sutil pretexto de exquisitez y selección dedican su vida entera a confeccionar ridículos sonetines, madrigales estúpidos y cuentos o poemitas, cuando más, en que una fácil musicalidad suple la falta absoluta de inteligencia, la cultura y la energía. Acabad con el esclavo espíritu de imitación, causa primordial de nuestro cretinismo literario. [...]

---

[4] El predominio de la estética regionalista en los años 20 y 30 podría constatarse al sumar las fuerzas parientes de postmodernistas (Azuela, Gallegos, Güiraldes, Rivera...) a las de la vanguardia nacionalista (Andrade, Asturias, Mariátegui, Guillén, el primer Borges, Carpentier, los narradores del grupo de Guayaquil, Meneses...) e incluso eventualmente las del realismo social. En el trabajo citado de Rama (especialmente pp. 22-25), pueden leerse afirmaciones sobre el regionalismo como la siguiente: "Ninguna región de América Latina queda exenta de esta producción que ya en los treinta, y aun más en los cuarenta, adquiere el aspecto de un fárrago indiscriminado: sólo en algunos puntos estratégicos del continente (Buenos Aires) fue enfrentada con éxito por la instrumentación de una narrativa vanguardista. Toda América vivió intensamente lo que Gilberto Freyre llamaría la hora del regionalismo". Esta hora sufriría a su vez sucesivos y significativos reacomodos en los años 40 y 60 hasta casi diluirse poco después, cuando la línea del Borges de las historias universales, de las invenciones de Hernández y Bioy, los desquicios de Arlt o del Onetti desencantado ganen cada vez un terreno mayor —nunca exclusivo—. La discusión que en los años 40 se genera por el otorgamiento del premio de la revista *Life* a Ciro Alegría por *El mundo es ancho y ajeno*, relegando a *Tierra de nadie* de Onetti, será sintomática del paulatino cambio de dominante.

> ¡Vamos a la obra, vamos! Vamos [...] a oír la verdadera poesía, enérgica, varonil, [...], ávida [...] de servir a los intereses de la humanidad [...].
> [...] Allá, entreténganse los futuristas del Mediterráneo en quemar museos y aporrear mujeres, nosotros aquí tenemos algo más serio y más grande que hacer: Desmontar una selva de millón y medio de kilómetros cuadrados (Osorio, 1988: 27-28).

Resonancia de la decimonónica generación del 37 rioplatense y simultáneo anuncio de una "actitud que sería luego una constante en los vanguardistas latinoamericanos" (Osorio: 29), este texto aparecido en la prensa caraqueña de 1910, de Henrique Soublette, integrante junto a Gallegos y otros tres escritores del grupo de la revista *La Alborada*, crítico tanto de un tipo vernáculo de poeta parásito —¿modernista?— (al que también atacaran en sus cuentos José Rafael Pocaterra y Julio Garmendia) como del futurismo de Marinetti, marca lo que será la general tendencia dominante en los jóvenes escritores vanguardistas venezolanos hasta promediar los años 40: de un lado, el simultáneo convenimiento en la necesidad de renovación y el sometimiento a crítica de las nuevas ideas provenientes de Europa; y de otro, lo que Rama llamaba la "vocación de insertarse en una comunidad social".

Entre el año 1910 y 1930 con diferencias de fechas, dimensión o matices, el proceso de renovación en la literatura venezolana cumple con casi todos los requisitos que se fijan en el resto del continente: recepción de las vanguardias europeas, polémicas de prensa entre viejos y nuevos, antecedentes, revistas de diverso talante, manifiestos y textos renovadores. El proceso de esos años ha sido ya descrito con suficiente minuciosidad por Nelson Osorio en *La formación de la vanguardia en Venezuela*, por lo que no abundaré mucho más en ese asunto. Baste con recordar que, aunque con anterioridad la palabra "vanguardia" ha resonado en distintos medios públicos, la expedición oficial de su inequívoca carta de ciudadanía se produce apenas en 1928, cuando aparece el único número de la revista *válvula*. (Aunque la plenitud de sus alcances, más allá de las declaraciones del manifiesto, es puesta en duda, dado la índole heteróclita y, lo que es peor, poco vanguardista de muchos de los textos que allí se publican[5]).

Habría que dejar constancia no obstante de que, antes de que la vanguardia activa se haga presente, una constelación de escritores renovadores respecto de los códigos modernistas, muchos de ellos de dimensión continental, ha entrado en escena para constituir una suerte de Edad de Oro de la literatura venezolana. Cuando se publica

---

[5] Así, Jorge Schwartz señala, además del "eclecticismo", la presencia de "textos románticos o modernistas que no revelan ningún signo vanguardista" (201), y Nelson Osorio admite que si "descontamos el 'Auto de Fe' de Leopoldo Landaeta" —paradójicamente un autor que comienza a escribir cuando el modernismo aún goza de buena salud— por "su factura y filiación, hay textos decididamente tradicionales" y "otros que buscan formas nuevas sin lograr desprenderse de los códigos poéticos del Modernismo" (1985: 171).

válvula ya la narrativa exhibe los nombres de Rómulo Gallegos, José Rafael Pocaterra, Enrique Bernardo Núñez, Teresa de la Parra y Julio Garmendia; la lírica, los de Salustio González Rincones, Alfredo Arvelo Torrealba, Antonio Arráiz —el único representante venezolano en el *Índice de la nueva poesía americana* (1926)—, Luis Barrios Cruz, Jacinto Fombona Pachano, Fernando Paz Castillo y José Antonio Ramos Sucre; el ensayo, el de Mariano Picón Salas. Ya para entonces en estos autores se habrán perfilado suficientemente líneas estéticas primordiales en liza para los escritores de vanguardia —nacidas de hecho durante la época modernista—: la crítica y actualización del criollismo modernista —Gallegos, Pocaterra, Núñez, Arráiz, Arvelo, Barrios, Cruz— y el énfasis en la construcción de una escritura cuya principal realidad es de carácter interior y literario, distinta, 'otra' en relación con el mundo social de la historia. Habría que consignar también no sólo que para los lectores actuales este conjunto puede verse como de un relieve superior como clave de modernidad contemporánea a la de cualquier otra promoción de este siglo, al menos hasta los años 60, y que ese mismo lector de hoy podría sufrir una comprensible ilusión óptica y decidir que es ésta la verdadera vanguardia fundante y plena y no la que se autoproclamaba como tal.[6] Paradójicamente, se encuentran entre este grupo escritores que, como se vio, incluso asientan sus suspicacias respecto de la vanguardia —de la Parra, Garmendia, Pocaterra— o que se relacionan sólo tangencialmente con las voces de los jóvenes —Arráiz, Barrios Cruz, Gallegos, Ramos Sucre—. (La pequeña alharaca que suscitó la discusión sobre la vanguardia, la voluntad de aislamiento o la ausencia de condiciones de recepción lectora ha podido influir en el hecho de que esta promoción pasara por debajo de la mesa hasta los años 60. La única excepción en este sentido la constituye el escritor que, también paradójicamente, fue modelo de un nutrido grupo de vanguardistas: Rómulo Gallegos, caído en desgracia justamente cuando sus congéneres resucitaron).

Si la lectura se restringe a la vanguardia histórica, o al menos a la que se autopercibió y autodefinió como tal, los años que van de 1925 a 1930, en los que los jóvenes escritores publican sus textos iniciales, mayormente en publicaciones periódicas —especialmente en la revista *Élite*—, se atienen a los rasgos de la irrupción —voluntad de diferenciación, espíritu algo iconoclasta y democratizante, confusión

[6] En este sentido, me parece sintomático que Víctor Bravo, uno de los destacados ensayistas jóvenes dedicados a la revisión de la modernidad venezolana, en su ensayo "Fundación y tradición de la modernidad literaria en Venezuela" (*Revista Iberoamericana*, LX, N°. 166-167, 1994), establece —aunque a partir de una idea básica algo excluyente y mecánica de la modernidad— sus líneas matrices a partir de autores como José Rafael Pocaterra, Antonio Arráiz, Teresa de la Parra, Enrique Bernardo Núñez, Julio Garmendia y José Antonio Ramos Sucre, todos con libros publicados antes de 1928. Pero, aparte de lo inobjetable de la lista, llama la atención, más que la ausencia de Gallegos, el hecho de que uno solo de los escritores de la promoción de la vanguardia ha sido incorporado a la selección: Guillermo Meneses, y sólo con textos que publica en los años 50.

y no pocas contradicciones y ambigüedades tanto estéticas como ideológicas— y corresponden a ese momento en que "todos eran uno". Muchos cierran filas contra el régimen gomecista para dar cuerpo a la otra vanguardia —la política— también sembrada en 1928, y viven "entusiasmados por lo que sucedía en el mundo" (Meneses: 12), pues como podían intentaban estar al tanto de lo que literariamente se producía en Europa y en Latinoamérica (como cuenta Humberto Cuenca, más de uno hacía guardia en las redacciones de revistas para hacer desaparecer arteramente los ejemplares que por vía de canje llegaran de revistas españolas [127]).

El corpus de esos años ha sido levantado y procesado críticamente por el mencionado trabajo de Osorio (y anteriores: Cuenca, Agudo Freites...). Pero tal parece que a los primeros —en este caso leves, tenues— gritos debe corresponder el silencio, como si tras el esfuerzo gutural la vanguardia se hubiese disuelto en el aire, en algún líquido o pared interior. Ciertamente después de 1930 no se habla más de vanguardia, pero no es menos cierto que sus actores no desaparecen y que es justamente entonces cuando los proyectos de grupos y revistas y los libros toman cuerpo y presencia. No obstante, la crítica parece haber preferido seguir el camino de la palabra vanguardia.

En un ensayo dedicado a revisar un período mucho más amplio de la cultura venezolana, Juan Liscano hacía una observación sobre los años siguientes a la primera declaración consistente y pública de la vanguardia en los siguientes términos: "Vanguardistas o no [...], asombra comprobar la intención de las obras principales publicadas entre 1928 y 1935. Esa intención descansaba sobre una base de identificación nacional y americana que se manifestaba diversamente". (Liscano: 6l4)

Esta afirmación, particularmente osada para el momento, quiero tomarla como punto de partida para la caracterización de estos años, si se quiere un segundo momento para la promoción vanguardista. En efecto, en esos años se publican libros de los antecesores de la vanguardia como *Doña Bárbara* y *Cantaclaro* de Gallegos, *Parsimonia* de Arráiz, *Respuesta a las piedras* de Barrios Cruz, *Cubagua* de Núñez; así como libros de jóvenes vanguardistas como el siamés *Canícula/Giros de mi hélice* de Carlos E. Frías y Nelson Himiob, *Santelmo* de José Salazar Domínguez, *La guaricha* de Julián Padrón, *La balandra 'Isabel' llegó esta tarde* y *Canción de negros* de Guillermo Meneses y, al borde, *Mene* de Ramón Díaz Sánchez.[7]

[7] Estaría tentado, con fines efectistas, de incluir en esta lista, del primer grupo, *Las memorias de Mamá Blanca* de Teresa de la Parra y, del segundo, *Las lanzas coloradas* de Arturo Uslar Pietri —pues se ajustan temáticamente a la descripción de Liscano y porque de criollista ha sido calificada *Las memorias* por su autora y como criollista ha sido mayormente recibido *Las lanzas* por la crítica desde su aparición hasta la fecha—, de no ser porque creo que la "base de identificación nacionalista y americanista" no es componente esencial de estos textos y prefiero pensar que sus temáticas responden más bien a una amable presión de la dominante estética del momento.

Sólo la enumeración anterior bastaría para confirmar la observación de Liscano que, aunque habría que matizar —pues entre esos años además de la Parra y Uslar publican también "obras principales" Ramos Sucre y Paz Castillo entre otros que la contradirían—, recoge el espíritu dominante de este segundo momento. En él no sólo se produce un repliegue del reclamo de novedad, o la toma de diversos espacios públicos de parte de los jóvenes —en revistas, periódicos, cargos, nacientes partidos políticos...—, sino incluso una suerte de reconciliación o pacto, a veces franco y otras cariñosamente crítico, con la tradición más o menos inmediata —al nombre de Gallegos se suman en el renglón de los reconocimientos los de los modernistas Urbaneja Achelpohl, Díaz Rodríguez, Blanco Fombona o Lazo Martí—. De hecho más que en los libros, las líneas maestras de este segundo momento del vanguardismo, cuya delimitación en el tiempo preferimos encerrar entre los años de 1930 y 1945, puede seguirse a partir de las polémicas que al interior de esa promoción hacen que "todos sean al menos dos". Será también un momento en que unos y otros habrán perdido el sentido del humor y de lo iconoclasta, entregados como están a la búsqueda paciente y severa de trascendencias —a veces artísticas, pero la mayor parte de las veces ideológicas—, a la construcción, de parte de algunos, de la institución literaria,[8] o, de parte de la mayoría, de una literatura propia y útil, de un pensamiento, un alma y una patria nuevos. Este segundo momento de los vanguardistas venezolanos supone encarar y responder de algún modo la cuestión andradiana de "Tupí or not Tupí".

"Todo, sin embargo, tiene su hora", sentenciaba Borges cuando, en su lapidario "Un caudaloso manifiesto de Breton" (Schwartz: 491-492), expedía el acta de defunción a la época de los manifiestos —"papeles charlatanes (de los que poseía una colección que he donado a la quema)"—. La diferencia de "hora" —el segundo momento— quedara marcada, entre otras cosas, por su crítica o, si se quiere, por la autocrítica. En "Sentido de arte nuevo", aparecida en *Gaceta de América*, uno de los órganos de difusión de esta 'postvanguardia', Luis Bello, antes de afirmar la inutilidad de la tesis del artepurismo, hace la crítica sarcástica —y antihispanista— de los primeros años:

[8] El Ateneo de Caracas, "la institución cultural por excelencia" (*cfr*. Yolanda Segnini: *Las luces del gomecismo*. Caracas: Alfadil, 1987), se funda en 1931 y, aunque los escritores jóvenes, con la excepción de Luisa del Valle Silva, acaso por la aparente vinculación del recién nacido con el gomecismo, no empiezan a incorporarse sino hasta 1935 —los de la llamada generación del 18 lo hacen al año de su existencia—, despliega desde sus inicios una intensa actividad en distintas áreas. Igualmente podría citarse como ejemplo de este impulso hacia la institucionalización el nacimiento de la *Revista Nacional de Cultura* en 1939, como el Ateneo, aun existente (aunque con una presencia mucho menor en la cultura actual).

> El llamado "vanguardismo" llegó tarde a nosotros. Nos vino de España que lo había tomado bastante tardíamente de su vecina. El paso de los Pirineos lo desmejoró bastante porque Gerardo Diego no era André Gide. [...]. Los muchachos del 27 se leyeron revistas españolas ortodoxamente "vanguardistas". Aquella deplorable *Gaceta Literaria*, Guillermo de Torre, García Lorca. Metáforas deportivas de hombres raquíticos y melenudos. "Los 60 H.P. de mi entusiasmo" de un peruano que andaba a pie y con la corbata de Alfredo Musset. Se anestesiaron de 'vanguardismo'. Fundaron a *Válvula*. Unos con talento, otros sin él, se dedicaron a sacarle el jugo a lo que no lo tenía. Literatura geométrica de rascacielos, parábolas, "raids", carteles, cocktails, dinamos, pájaros y sombras. Los poetas giraban sobre las mismas palabras. Luis Castro decía lo mismo que otro y este otro lo mismo que Rojas Guardia. Decían lo mismo y nada decían. Estridentismo, Arte por arte. Tiempo perdido de una juventud que se debía a otras cosas.
> Sin embargo escandalizaron. Aquello era demasiado para Leoncio Martínez que medía sus sonetos como un agrimensor. [...]
> Para crear "lo nuevo" el "vanguardismo" se apoya solamente en lo más arcaico de la literatura: la metáfora. [...]
> Aquí, como en España, los vanguardistas finalizaron por leerse solamente entre ellos y por instituir un intercambio constante de elogios desmedidos (*Gaceta de América*, I, N°s. 7-8, 1935).

Pero la conciencia de que ese tiempo inicial ha pasado no es lo único que caracteriza este momento. Entre 1930 y 1935 surge un grupo importante de revistas, entre las que destacarán la segunda época de *Élite* —que promete más beligerancia nacional-americanista y que da pie a la formación del Grupo Cero de Teoréticos (G.O.T.)[9]—, *Arquero* (1932) y, sobre todo, *El Ingenioso Hidalgo* (1935) y *Gaceta de América* (1935), entre las que se trenzarán las más resonantes polémicas. El trasfondo último de estas polémicas artísticas será de índole política, más concretamente de política intelectual o artística.

Si bien continúan la tradición de la polémica —inaugurada por *Cosmópolis* en el siglo pasado— entre criollistas y decadentes, el énfasis en lo político es el elemento novedoso. Es así como desde *Arquero* se fustiga al G.O.T., calificándolo de "cenáculo", "torre de marfil", "falange 'elitesca'". Los argumentos que se esgrimen son variados: en primer lugar, el público al que destinan sus actividades, y a partir de ello, la defensa acrítica de las nuevas tecnologías culturales —el cine—, la adscripción a una estética de corte vanguardista y no suficientemente politizada:

---

[9] Esta segunda época de *Élite,* dirigida ahora por el vanguardista Carlos Eduardo Frías, queda expresada en su "Umbral", editorial (*Élite,* año VI, N°. 261, 13-9-1930): "Una nueva dirección porque, abandonando su antigua actitud, un poco distante, espectadora del panorama artístico nacional, pretende asumir, desde hoy [...] una actitud dinámica y vigilante, frente a la actual preocupación estética por lo marcadamente nuestro, por lo desnudamente venezolano". "Aspira, por consiguiente, a ser más atento índice del movimiento artístico en el sector venezolano [...] en el concierto de las letras de Indo-América".

> [...] señores teoréticos, nuestro país no necesita hoy día de obras semejantes [conferencias, conciertos, recitales poéticos], ni esa es la misión que incumbe al escritor venezolano actual. Nuestra misión [...] tiene que ser realizada en una forma más asequible al pueblo, sin degenerar por ello el sentido ennoblecedor del arte. ¿Qué tiene que ver nuestro pueblo, la parte del pueblo necesitada de cultura, con tal o cual pose de Joan Crawford o con los divorcios y aventuras de William Haines? (José Fabbiani Ruiz: "G.O.T. [Grupo Cero de Teoréticos]", *Arquero*, I, N°. 8, 1932).

Contrapone asimismo la poesía "haroldlloydesca" que Alberti publica en *La Gaceta Literaria* durante 1929 a la de *Marinero en tierra*. A las críticas del G.O.T. a la generación modernista —por "aristócrata" y por "encerrarse en casa de cristal"— responde con el elogio de Díaz Rodríguez, Blanco Fombona, Pocaterra y Gallegos. A la España de Gómez de la Serna y el Cine Club de Madrid —modelos de G.O.T—, opone la de Unamuno y las Cortes Constituyentes de la República. La solicitud implícita de un intelectual orgánico de parte de *Arquero* es puesta en evidencia y sin ambages desde el editorial de su primer numero, "Empezamos":

> Creemos que la literatura y el arte en general son la expresión selecta de la fuerza del pueblo, por eso la Revista literaria debe recoger ante todo y aun a despecho de todo los elementos nacionales que con mayor fuerza definan la fisonomía de su país. [...] Nuestra Revista será primeramente: venezolana. Después asistirá al sentido continental de América. Después será universal (I, 1, 1932).

A la oposición elitismo/populismo, se suma un elemento de cierta importancia para reconstruir el espectro de este momento: el nacionalismo americanista y universalista —bandera que esgrime la segunda época de *Élite*— quiere ser corregido por los arqueros para hacer especial énfasis en el primer término.

Una suerte de confluencia del venezolanismo americanista y universalista enunciado en *Élite* y del populismo de *Arquero* dará pie en 1935 a una revista que, variantes políticas aparte, se inserta en la tradición de *La Alborada* (1909) y *Cultura Venezolana* (1918): *Gaceta de América*. La postura insistentemente editorialista de un nacionalismo supeditado a conjuntos cada vez más abarcante, además de ser una crítica a los nacionalismos estrechos, recuerda las posiciones internacionalistas de pensadores anteriores como el Mariátegui de *Amauta*:

> [...] aunque expresión de escritores venezolanos, nuestra proyección debe sobrepasar los límites geográficos de nuestras nacionalidades en función continental y universal. [...] Sólo vemos en América una parte de un todo más amplio y uniforme que obedece a leyes universales de evolución y sometido por lo tanto a las corrientes culturales del Universo. Mucho de lo que se ha hablado sobre lo "típico" y "característico" venezolano y americano nos parece equivocado y sólo vemos en esos credos nacionalistas un aspecto diferente de nuestro mismo problema ("Nuestras proyecciones", *Gaceta de América*, I, 7-8, 1935).

Otro de los rasgos fundamentales de la *Gaceta* es su insistente llamado a forjar una intelectualidad activa y combativa, socialmente responsable y constructiva. Dicha postura podría ilustrarse con el artículo de Inocente Palacios, editor de la revista, "Hacia una postura del intelectual":

> [...] sólo queda un camino para el intelectual: construir. CONSTRUIR. Lograr una trayectoria más humana, más responsable, que lo lleve hacia los otros hombres, que lo haga parte integrante de sus vidas. Ya no cabe postura individualista y menos que ella el encierro dentro de puras formas de expresión. Es necesario canalizar nuestro pensamiento y hacerlo más denso (*Gaceta de América*, I, 3-4,1935).

Su aspiración central será el conocimiento de la realidad presidido por un instrumento básico: la crítica, cuya ausencia en beneficio del personalismo ditirámbico o maledicente "es [...] uno de los defectos elementales de la actual intelectualidad venezolana" ("Insistencia sobre un viejo tema". Editorial. *Gaceta de América*, I, 3, 1935).

Si bien la *Gaceta* no es una revista literaria, pues en ella se encuentran artículos como decían los gaceteros "de pensamiento", en un ternario que abarcaba por igual ojeadas al acontecer mundial, reflexiones sobre la cultura de la provincia, la música o la educación, da cabida extensa a las discusiones del campo literario. Sobre la literatura destacan dos objetos sobre los que se ejerce la crítica: las tesis artepuristas y el criollismo convencional. Una, apunta a cuestionar un tipo de intelectual que considera adverso y pernicioso; otra, a solicitar una formulación más actualizada de la literatura que intencionalmente pretende vincularse a su comunidad.

Al responder a una serie de artículos publicados en la revista *Élite* por el poeta Luis Fernando Álvarez, destinados a exponer la idea del arte puro, Miguel Acosta Saignes pone agresivamente de manifiesto las líneas no sólo de su idea de poesía, sino, sobre todo, de la función social del escritor —recordar a Soublette—: "Propugnemos una poesía de acento viril que mire hacia el futuro; [...] cantemos los anhelos de tiempos mejores; hagamos los poemas de la confianza en nuestro destino y olvidemos a los poetas como usted, que no quieren oír las voces del mundo ni luchar contra la angustia y la obscuridad" ("Carta un poeta". *Gaceta de América,* I, No. 3, 1935).

La reformulación y crítica del criollismo, intento que ya puede encontrarse en la antecesora *Arquero*,[10] es expuesta en artículos como los publicados por el narrador Guillermo Meneses:

[10] José Fabbiani Ruiz, en "Breves apuntes sobre la poesía actual en Venezuela" (*Arquero*, Año I, Nº. 7, 1932) hace afirmaciones como la siguiente: "Debemos lanzarnos a la búsqueda de un arte genuinamente criollo, formado con factores extraídos de nuestro mismo pueblo, pero al mismo tiempo nutrido con la ráfaga de todos los vientos puros, el miraje puesto en todos los horizontes". "Porque criollismo no sólo significa exteriorizar el paisaje por medio de un vocabulario costumbrista, propio

> Una novela no es criollista porque pinte araguaneyes y bucares y cundeamores; ni porque sus personajes se paseen por la Plaza Bolívar de cualquier pueblo venezolano, y digan "guá" y canten coplitas del llano [...]; ni porque se describan joropos o bailecitos arrabaleros; ni porque se digan las eternas palabras de revolución, rancho, hacienda, jefe civil, etc. No. Me parece que hacen falta condiciones intelectuales, de concepción que haga valer el ambiente bien logrado.
> [...] La tarea que corresponde al criollismo consiste en intuir la conciencia nacional, en ver claro los síntomas que indican la vida de nuestra nacionalidad. [...] esa conciencia nacional, que es como el "alma" de la nacionalidad, apenas comienza en Venezuela —y en otras naciones americanas— ya que vive todavía dentro de dicho caos cultural, como colonias espirituales ("Sobre un personaje de Gallegos: Hilario Guanipa", *Gaceta de América*, I, 1, 1935).
> No creo que a alguien pueda parecerle arriesgado creer que la novela venezolana representaba hasta hace poco la opinión del criollo blanco y rico, en contra —o al menos en olvido— de las verdaderas tendencias, vagas y ocultas del pueblo venezolano ("Sobre un personaje de Gallegos: Juan Parao", *Gaceta de América*, I, 3, 1935).[11]

La concurrencia abrumadora de autores en proyectos editoriales y de grupo como *Arquero* o *Gaceta de América* hace que deba ser necesariamente considerada ésta de los nuevos nacionalismos más o menos amplios y del intelectual o el artista comprometido como la vertiente dominante de este momento. Los nombres de M. A. Saignes, C. E. Frías, J. Fabbiani Ruiz, G. Meneses, R. Díaz Sánchez, I. Palacios, J. Morales Lara, C. A. León, A. Croce o E. Arcila Farías, colaboradores de las mencionadas publicaciones, deberían ser incluso acompañados por los de N. Himiob, M. Otero Silva o F. Massiani. Sin embargo, salvo por un breve paréntesis —en los 60—, el tiempo sonreiría a las posiciones y proposiciones de un grupo en ese entonces apreciablemente menor: el que se aglutinó en torno al antagonista de la *Gaceta*, *El Ingenioso Hidalgo* —A. Uslar Pietri, A. Boulton y J. Padrón—, apenas acompañado por voces aisladas como las de L. F. Álvarez.

Tildados de artepuristas, individualistas, decadentes, por los gaceteros —a su vez calificados de imitadores y nacionalistas por los ingeniosos—, sus integrantes, especialmente Uslar Pietri, elaborarán una serie de reflexiones sobre el arte y la literatura de particular repercusión en la Venezuela de esta segunda mitad del siglo. A la idea de

de cada región. No. Criollismo también significa [...] bucear en el alma nuestra, desnudarla, sacar afuera sus alegrías y dolores, entusiasmos abatimientos; sus anhelos, sus dudas". Sus modelos entre promociones anteriores: Vasconcelos, Diego Rivera, Silva Valdés, Gabriela Mistral —"pedagoga", "fraguadora de un espíritu continental"— y entre los jóvenes poetas venezolanos: Alberto Arvelo Torrealba y Luisa del Valle Silva.

[11] También vale como ejemplo el artículo de Alberto Arvelo Torrealba, "La novela venezolana" (*Gaceta de América*, I, Nos. 4-5, 1935), donde pide: "hacer de nuestro arte la repercusión de una inquietud universal, sin tierras y sin fronteras, nativa sólo por la patria del artista". Su modelo primordial: *Doña Bárbara*.

un intelectual y un arte militante se opondrá, a veces, la fuerza inspiradora de la tradición clásica —homenajeada en el título de la revista— y, sistemáticamente la aspiración a lo eterno universal. Aunque no fuese pensado como tal, el lema "Definamos lo indefinible" con que arranca el artículo "Pies horadados" (*El Ingenioso Hidalgo*, I, Nº. 1, 1935) de Uslar Pietri, podría recoger con suficiencia buena parte tanto de la función del artista intelectual como la idea misma de arte. Al conocimiento del dato y la crítica social o ideológica opondrá la vuelta al mito —"cifra que abarca y ordena", "conocimiento mágico"—, como recurso aun para dar cuenta de los tiempos confusos del presente:

> No es vana esta furtiva mirada al mito en una hora de tan universal desasosiego. Puede que la salvación esté en uno de estos distraídos gestos que inspira el cansancio, en una de estas contemplaciones gratuitas de lo que tenemos por más muerto.
> Tal vez esté allí, como tantas veces lo ha estado, la clave de nuestro destino. Nuestra noche podría acaso iluminarse de manera definitiva con la clara visión reveladora de Narciso o con la imagen asombrosa y justa del tebano y su combate (Id.).

En otro artículo, "Interludio de la novela", un texto capital en la reflexión metapoética de Uslar Pietri y en general para la concepción dominante de literatura en años posteriores, Uslar hace mucho más explícita su idea del arte y el artista. Aunque más conocido es su pasaje de 1948 en el que define el "realismo mágico" aplicado a la literatura latinoamericana —"la consideración del hombre como misterio en medio de los datos realistas. Una adivinación poética o una negación poética de la realidad" (Uslar Pietri: 267)—, éste de 1935, a pesar de no utilizar el archiconocido rótulo, desarrolla con más interés su idea. Uslar no puede evitar el seguimiento de la polémica con los gaceteros y su artículo se abre con un desplante a ellos sin duda destinado: "el arte es muy otra cosa que una receta eficaz"; a renglón seguido expone su poética de inocultables resonancias huidobrianas —pues asimila la función del novelista a la que el chileno proponía para el poeta y la poesía—:

> [el arte] es más bien un equilibrio inverosímil, una calidad que se revela a la intuición, un conocimiento adventicio e inesperado, una relación mágica.
> Su objeto [el del novelista] y su gran preocupación es crear; producir vida paralela a la otra, por medios casi extraordinarios y misteriosos como los del pequeño Creador; sustituir momentánea, y en veces permanentemente, su retablo al mundo.
> Para ello su método es simple y casi ingenuo: dar más humanidad, más sentido humano que el que hallamos en lo cotidiano. Una suerte de superación del hombre [...].
> En la creación de esa sobre-humanidad es donde el novelista entra a la poesía. A la poesía verdadera y esencial, que no consiste en forjar ritmos, sino en dar matiz perpetuo a lo fugaz, en buscar el parentesco misterioso de los seres, en denunciar la presencia de la armonía inmanente con las palabras que ordinariamente significan otra cosa ("Interludio de la novela", *El Ingenioso Hidalgo*, I, Nº. 3, 1935).

La tragedia del novelista —que lo distingue del poeta— parece ser verse irremisiblemente obligado a tener tratos con la realidad inmediata, lo ajeno, lo 'otro' histórico caracterizado como zona inferior —"vastos pedazos de existencia ordinaria, contrapesos sin relieve, puntos de apoyo inertes, que nunca llegan a transformarse totalmente en la creación artística"—, incorporada a un tramado de realidad y poesía en el que aquella impone sus remanentes como lastres al mismo tiempo constitutivos y parásitos:

> Su angustia y su pena es justamente esa imposibilidad de sublimar la realidad toda, junto a la tentación formidable de evadirse por entero de ella, de sus condiciones para entregarse libremente a poesía. La tragedia de la novela es lo que en ella ha de quedar siempre, pese a los demás poderosos hálitos poéticos, de estadística, de tesis, de acto del estado civil (Id.).

La novela o el arte en general son, cuando existen plenamente, la alteridad respecto del mundo social. Se entiende entonces que el carácter americanista de la obra o el grado de compromiso político del escritor sean en esta poética rasgos accesorios e irrelevantes. La relación con el lector no pasa por la intención pedagógica ni utilitaria. El lector sólo puede ser otro demiurgo, otro artífice que descodifica; la realidad histórica para la novela es humo o pesadilla, greda que ha de transmitirse para acceder al acto humano que cerca el espacio de lo mítico o lo mágico; el arte —la mitad noble de la novela— es el único mundo verdadero, el reino interior de la parábola del Próspero rodoniano:

> Lo singular del género de la novela es precisamente esa manera subrepticia de meter el arte por caminos ordinarios. [...]. Es casi un pacto con su lector. Ofrecer con apariencia de realidad, sobre todo de realidad, todo lo más que pueda de fermentos humanos exaltadores, de tremendas revelaciones, de arte gratuito y suficiente (Id.).

Evidentemente no podía existir un diálogo conciliatorio entre estos dos modelos exasperados de intelectualidad y de modernidad artística. Ambas líneas seguirían su camino casi hasta nuestros días, aunque sus autores mostrasen trayectorias a veces erráticas con el tiempo.

En lo que resta de la década del 30 y los inicios de los años 40, la tendencia más politizada se hará aún más vigorosa, toda vez que se viva el auge de los frentes y bloques populares y las alianzas políticas antifascistas, y como lo muestran no pocos libros publicados en este segundo lustro de los 30, que se acercan con mayor o menor proximidad a la idea de una literatura de realismo social(ista) —*Fiebre* de Otero Silva, *Puros hombres* de Arráiz, *La carretera* de Himiob, *Campeones* de Meneses, *Mar de leva* de Fabbiani Ruiz, en la narrativa, o poemarios como *Agua y cauce* del mismo Otero Silva, son sólo algunos ejemplos—. Incluso en el año 42, el proyecto nacionalista amplio de Medina Angarita logrará congregar lo irreconciliable: al hidalgo Uslar Pietri como Secretario de la Presidencia y a algunos antiguos arqueros y gaceteros como abajo-firmantes de un documento de intelectuales en apoyo a Medina. Una vez que fracase ese proyecto y se entre en la época de la segunda postguerra, la trayectoria de aquellos vanguardistas habrá sufrido una nueva modificación. Juan Liscano describe del siguiente modo el trayecto que va de 1935 a los años cuarenta y posteriores:

> Los términos antagónicos siguen siendo los mismos pero en el curso de los años transcurridos cambian los bandos contendientes y, a veces, lo que los unos sostenían como bueno, resulta atacado después por ellos mismos, mientras que los adversarios de entonces pasan de sus antiguas posiciones a las de sus contrincantes. Así el americanizante Inocente Palacios de *Gaceta de América*, se convirtió, al correr de los años, en propulsor y mecenas de tendencias abstractas y cinéticas en plástica, mientras que el artepurista Julián Padrón, de *El Ingenioso Hidalgo,* escribió una novela regionalista de denuncia de la explotación de los campesinos monaguenses... (Liscano: 628).

A los nombres mencionados habría que añadir otros como los de José Fabbiani Ruiz, Nelson Himiob, Felipe Massiani, o el del que se convertiría en figura central para las promociones de narradores de las últimas décadas: Guillermo Meneses, ganado ahora para una narrativa del desencanto, del cuestionamiento de los realismos artísticos, los proyectos de identidad sociales, acercándose a la poética de su adversario de los años treinta —Uslar Pietri—. Textos narrativos de los tempranos años 50 como *Todas las luces conducían a la sombra* de Himiob, *Todos iban desorientados* —sintomáticos títulos— de Arráiz o *El falso cuaderno de Narciso Espejo* de Meneses —cuyo protagonista es un antaño héroe político del 28—, ilustran el desencanto y la inversión respecto de los iniciales proyectos de la vanguardia literaria política. Otros, como Otero Silva, afinarán y actualizarán con el tiempo su posición original. No sólo cambian de bando los autores, como dice Liscano, de hecho desde los años cuarenta se reordena la dimensión de los bandos y ganan cada vez más terreno las consignas universalistas y el descrédito de los nacionalismos. El surgimiento de un grupo de jóvenes cuentistas y poetas —Vicente Gerbasi, Gustavo Díaz Solís, Antonio Márquez Salas, Oswaldo Trejo, Andrés Mariño Palacio...— que retoman la tradición de *El Ingenioso Hidalgo* desde revistas como *Viernes* o *Contrapunto* apoyará la imagen de una pugna menos desigual entre las dos vanguardias (históricas). Grupos posteriores, a partir de los 60, tenderán a dar por sentado la universalidad como aspiración central o principio rector, y, andando el tiempo, serán vistos por la mayoría como anacrónicos los disidentes de nuevo signo que reclamen su vinculación —polémica, irreverente, crítica (o no)— a su comunidad más o menos inmediata —la región, la ciudad, el país, Latinoamérica—. (Aunque, como se sabe, esto de las posiciones no es asunto que históricamente se avenga con la idea de lo estable).

Bibliografía citada

Castro Morales, Belén (1993): "El surrealismo en América Latina: la revelación de la alteridad". En *La Página*, Madrid, IV, Nº. 1-2.

Cuenca, Humberto (1955). "Prolegómenos de la vanguardia". En *Revista Nacional de Cultura*, Caracas, XVII, Nº 110.

Liscano, Juan (1976): "Líneas de desarrollo de la cultura venezolana en los últimos cincuenta años". En *Venezuela moderna. Medio siglo de historia (1926-1976)*. Caracas: Fundación Eugenio Mendoza.

Meneses, Guillermo (1979): "Palabras del autor". En *Diez cuentos*. Caracas: Monte Ávila. (1ª. ed., 1968).

Osorio, Nelson (1985): *La formación de la vanguardia literaria en Venezuela. Antecedentes y documentos*. Caracas: Biblioteca de la Academia Nacional de la Historia, Serie Estudios, Monografías y Ensayos, Nº 61.

Osorio, Nelson (1988): *Manifiestos, proclamas y polémicas de la vanguardia literaria hispanoamericana*. Caracas: Biblioteca Ayacucho, Nº 32.

Picón Garfield, E. y Schulman, I. (1984): *'Las entrañas del vacío'. Ensayos sobre la modernidad hispanoamericana*. México, D. F.: Cuadernos Americanos.

Rama, Ángel (1973): "Mezzo secolo di narrativa latinoamericana". En *Latinoamericana. 75 narratori*. Firenze: Vallecchi.

Sarlo, Beatriz (1981): "Sobre la vanguardia, Borges y el criollismo". En *Punto de Vista*, Buenos Aires, IV, Nº 11.

Schwartz, Jorge (1991): *Las vanguardias latinoamericanas. Textos programáticos y críticos*. Madrid: Cátedra.

Verani, Hugo (1990): *Las vanguardias literarias en Hispanoamérica. Manifiestos, proclamas y otros escritos*. México, D. F.: Fondo de Cultura Económica.

Uslar Pietri, Arturo (1978): *Letras y hombres de Venezuela*. Madrid: Edime, 4ª. ed. (1ª. ed.1948).

Yurkievich, Saúl (1984): *A través de la trama. Sobre vanguardias literarias y otras concomitancias*. Barcelona: Muchnik.

Tomado de Javier Lasarte Valcárcel: *Juego y nación (postmodernismo y vanguardia en Venezuela)*. Caracas: Fundarte, 1995, pp. 95-121. El autor es profesor jubilado del Departamento de Lengua y Literatura de la Universidad Simón Bolívar, Caracas (jlasarte@usb.ve).

ÍNDICE ONOMÁSTICO DE LA BIBLIOGRAFÍA

A

C

Ch

D

E

F

G

H

Ll

M

N

O

P

T

U

V

W

X

Y

Z